Spätmittelalter und Frühe Neuzeit

Tübinger Beiträge zur Geschichtsforschung

Herausgegeben
von Josef Engel † und Ernst Walter Zeeden

Band 12
Städtische Gesellschaft und Reformation

Klett-Cotta

Städtische Gesellschaft und Reformation

Kleine Schriften 2

Herausgegeben von Ingrid Bátori

Klett-Cotta

CIP-Kurztitelaufnahme der Deutschen Bibliothek

Städtische Gesellschaft und Reformation / [diese Arbeit ist im Sonderforschungsbereich 8 Tübingen entstanden]. Hrsg. von Ingrid Bátori. — Stuttgart: Klett-Cotta, 1980.
   (Spätmittelalter und frühe Neuzeit; Bd. 12: Kleine Schr.; 2)
   ISBN 3-12-911650-8
NE: Bátori, Ingrid [Hrsg.]; Sonderforschungsbereich Spätmittelalter und Reformation ⟨Tübingen⟩

Verlagsgemeinschaft Ernst Klett — J. G. Cotta'sche Buchhandlung
Nachfolger GmbH
© Ernst Klett Verlag, Stuttgart 1980. Printed in Germany
Einbandgestaltung: Manfred Muraro, nach einem Entwurf von Heinz Edelmann
Satz: pagina GmbH, Tübingen
Druck: Dörr, Ludwigsburg

Inhalt

Vorwort

Das Projekt »Stadt in Spätmittelalter und Reformation in Süddeutschland«, aus dessen Arbeit der vorliegende Band hervorgegangen ist, hat sich innerhalb des Sonderforschungsbereichs 8 die Untersuchung der nicht-theologischen Faktoren der Reformation zur Aufgabe gestellt. Die Notwendigkeit, ein solches Vorhaben inhaltlich und methodisch auf eine möglichst breite Grundlage zu stellen, hat zu vielfältigen Diskussionen und Kontakten mit auswärtigen Wissenschaftlern geführt; zu einem Teil sind sie hier nun zusammengefaßt.

Methodische Vorausklärung war vor allem für das Arbeitsvorhaben »Soziale Schichtung« geboten. Im Rahmen dieser Vorarbeiten hat Erdmann Weyrauch sozialwissenschaftliche Literatur kritisch durchgesehen, das Ergebnis legt er hier, in einer auf den Stand von 1978 gebrachten Fassung vor. Als besonders schwierig erwies es sich, die aufgrund der Auswertung städtischer Steuerbücher festgestellte soziale Differenzierung der Bürgerschaft anschaulich darzustellen und für verschiedene Städte, wie auch im Längsschnitt für eine Stadt, vergleichbar zu machen. In der Dezilenmethode, die uns durch Erik Fügedi bekannt geworden ist, glauben wir die bisher praktikabelste Lösung gefunden zu haben. Durch freundliche Vermittlung von Herrn Professor Dr. Jürgen Sydow konnte der Aufsatz Fügedis in den vorliegenden Band aufgenommen werden. Dafür möchte die Herausgeberin Herrn Professor Sydow besonders danken.

Winfrid Schichs Ausführungen über die »Reichen« und die »Armen« von Würzburg zielen ebenfalls auf eine präzisere Erfassung städtischer sozialer Schichten, allerdings nicht auf quantitativ statistische Weise. Sie sind vielmehr beispielhaft für jene Detailarbeit, die geleistet werden muß, um eine soziale Einordnung einzelner Personen abzusichern. Im Rahmen des Projekts wird dieser Arbeitsweise durch eine Prosopographie der Führungsschicht der jeweiligen Stadt Rechnung getragen.

Die vielfältige Verflechtung städtisch-herrschaftlicher und kirchlicher Interessen legt Dieter Demandt am Beispiel Colmars und Rolf Kießling für den Raum Memmingen dar. Für Colmar liegt damit ein Teil der geplanten Projektarbeit vor. Entsprechend ist die Erforschung der städtisch-kirchlichen Stadt-Umland Verflechtungen im Raum Memmingen Teil einer größeren Arbeit Rolf Kießlings, die sich auf weitere Schwerpunkte im süddeutschen Raum ausdehnen wird. Hans-Christoph Rublack, der innerhalb des Projekts die Erarbeitung von typischen Verlaufsformen der Reformation übernommen hat, analysiert die reformatorische Bewegung in der Reichsstadt Esslingen. Bei Rainer Postel und Robert Scribner stehen mit der Zölibatsproblematik und karnevalesken Zügen der Reformation sozialgeschichtliche bzw. sozialpsychologische Aspekte im Vordergrund. Bradys Aufsatz schließlich, sowie der zweite Beitrag von Hans-Christoph Rublack wenden sich städtischer Außen- bzw. Reichspolitik zu.

Es konnten nicht alle, denen wir Anregungen und fördernde Kritik zu unserer Arbeit verdanken, mit einem eigenen Beitrag in diesem Band vertreten sein. Ihnen allen gilt unser Dank und die Bitte, die Arbeit des Projekts auch weiterhin mit kritischem Interesse begleiten. Herzlich gedankt sei auch den studentischen Mitarbeitern Bernd Hummes und Rainer Metz für ihre Mitwirkung bei Abschrift und Kodierung der Manuskripte für den Computersatz.

Schließlich bin ich den Autoren dieses Bandes den Hinweis schuldig, daß sich infolge unvorhersehbarer Verzögerungen bei der Drucklegung der Erscheinungstermin erheblich hinausgeschoben hat. Die Manuskripte waren im allgemeinen zu Beginn des Jahres 1978 abgeschlossen. Spätere Forschungsergebnisse konnten deshalb nur ausnahmsweise berücksichtigt werden.

Tübingen, im Dezember 1979   Ingrid Bátori

Erdmann Weyrauch

Über Soziale Schichtung

...Daß aber die ungleichheit ist in menschlichen Sachen/ Händeln/ und anschlägen/ auff daß ich widerumb zu meinem fürhaben kommen, kan jr auch in menschlicher Gesellschaft nicht entrahten. Denn man muß not halben Reiche haben/ die den Armen handreichung und hülff beweisen/ so muß man widerumb auch Arme haben/ welche den Reichen mit Handwercken/ und sonst zu arbeiten geschickt seyen. Denn wer wolt sonst allerley nutzbarliche und notwendige Arbeit/ dem Menschlichen Geschlecht dienstlich/ vollbringen ... Auß diesen und andern dergleichen ursachen vil mehr/ auch vielem unrath vorzukommen/ muß ein solche ungleichheit (darvon wir droben gesagt) in Menschlichen Leben gewißlich seyn.

Hans Sachs: Eygentliche Beschreibung Aller Stände auff Erden/ Hoher und Nidriger ... Frankfurt 1618. Vorrede.

Aber dieselben Menschen, welche die sozialen Verhältnisse gemäß ihrer materiellen Produktivität gestalten, gestalten auch die Prinzipien, die Ideen, die Kategorien gemäß ihren gesellschaftlichen Verhältnissen. Somit sind diese Ideen, diese Kategorien, ebensowenig ewig, wie die Verhältnisse, die sie ausdrücken. Sie sind historische, vergängliche, vorübergehende Produkte. Wir leben inmitten einer beständigen Bewegung des Anwachsens der Produktivkräfte, der Zerstörung sozialer Verhältnisse, der Bildung von Ideen; unbeweglich ist nur die Abstraktion von der Bewegung – mors immortalis.

Karl Marx: Das Elend der Philosophie – Antwort auf Proudhons ›Philosophie des Elends‹. In: Marx-Engels-Werke. Bd. XX. Berlin 1971. S. 130.

1. Zur Konzeptualisierung historischer Forschung

Die Untersuchung von »sozialer Schichtung« war und ist zunächst und vornehmlich weniger ein Gegenstand der Geschichtswissenschaft als vielmehr der

ABKÜRZUNGEN: AJS = American Journal of Sociology; ARG = Archiv für Reformationsgeschichte; ASR = American Sociological Review; GG = Geschichte und Gesellschaft; HZ = Historische Zeitschrift; KZfSS = Kölner Zeitschrift für Soziologie und Sozialpsychologie; SoWi = Sozialwissenschaftliche Informationen für Unterricht und Studium; VSWG = Vierteljahrschrift für Sozial- und Wirtschaftsgeschichte; ZfG = Zeitschrift für Geschichtswissenschaft.

Gesellschaftswissenschaften. Diese haben im üblichen, allgemeinen Verständnis von »sozialer Schichtung« als eines »Sachverhaltes strukturierter bzw. institutionalisierter Ungleichheit«[1] seit Karl Marx und Max Weber in immer neuen, variationsreichen Anläufen zu theoretischen Gesamterklärungen wie operationalisierbaren Ermittlungstechniken versucht, dem nach Zeit, Raum und Gesellschaftsformation sehr unterschiedlichen Phänomen beizukommen. Erkenntnisanspruch, Reichweite und Ergebnisse dieser Bemühungen sind von einer quantitativ und qualitativ verwirrenden Vielfalt[2].

Allerdings bestätigt schon ein erster Blick auf den Bereich gesellschaftlicher Differenzierungen, »daß es sich dabei um eines der kompliziertesten und komplexesten Gebiete sozialwissenschaftlicher Forschung handelt«[3] und eines der umstrittensten zugleich. Entgegen der von geschichtswissenschaftlicher Seite geäußerten Auffassung[4] kann jedenfalls von einer »herrschenden Lehre« zur Problematik der (Theorie der) sozialen Schichtung und Ungleichheit überhaupt keine Rede sein[5]. Allenfalls kann von einem gewissen Minimalkonsens der So-

[1] *K. H. Hörning* (Hg.): Soziale Ungleichheit. Strukturen und Prozesse sozialer Schichtung. Darmstadt-Neuwied 1976. S. 10. Vgl. auch *O. Dann*: Art. Gleichheit. In: *O. Brunner; W. Conze; R. Koselleck* (Hgg.): Geschichtliche Grundbegriffe. Historisches Lexikon zur politisch-sozialen Sprache in Deutschland. Stuttgart 1975. Bd. 2 S. 997–1046, bes. 1006.

[2] Die Literatur zum Thema ist nicht mehr übersehbar. Brauchbare Verzeichnisse wichtiger Arbeiten u. a. bei *E. Wiehn*: Theorien der sozialen Schichtung. München 1968; *K. M. Bolte; D. Kappe; F. Neidhardt*: Soziale Schichtung. Opladen 1966 (3. Aufl. unter dem Titel: Soziale Ungleichheit. Opladen 1974) und *S. Kirchberger*: Kritik der Schichtungs- und Mobilitätsforschung. Zum Verhältnis von soziologischer Theoriebildung und empirischer Sozialforschung. Frankfurt/M.-New York 1975. Zur Abschätzung der Quantitäten der bisher vorgelegten Literatur s. die Angaben bei *Kirchberger* S. 9 Anm. 1.

[3] *Bolte-Kappe-Neidhart* (wie Anm. 2) S. 4. *Th. A. Brady Jr.*: Ruling Class, Regime and Reformation at Strasbourg 1520–1555. Leiden 1978. S. 19 spricht in diesem Zusammenhang von »The deadliest struggles«, die schon im 19. Jahrhundert hierzu ausgefochten worden sind.

[4] *E. Maschke*: Die Schichtung der mittelalterlichen Stadtbevölkerung Deutschlands als Problem der Forschung. In: Mélanges en honneur de Fernand Braudel. Méthodologie de l'Historie et des sciences humaines. Toulouse 1973. S. 367–379, S. 372

[5] Vgl. z. B. *J. A. Kahl* und *J. A. Davis*: A Comparison of Indexes of Socio-economic Status. In: American Sociological Review 20 (1955) S. 316–325, S. 317: »The result has been proliferation and confusion«; ähnlich *R. Dahrendorf*: Class and Class Conflict in Industrial Society. Stanford 1959. Neudruck London 1963 (dt. unter dem Titel: Soziale Klassen und Klassenkonflikt in der industriellen Gesellschaft. Stuttgart 1957) S. 3, ferner auch *M. M. Tumin*: Readings on Social Stratification. Englewood Cliffs, N. J. 1970. S. V. Zu verschiedenen Schichtbegriffen und Schichtungstheorien s. etwa *Th. Geiger*: Theorie der sozialen Schichtung. In *ders.*: Arbeiten zur Soziologie. Neuwied 1962; *S. Ossowski*: Die Klassenstruktur im sozialen Bewußtsein. Neuwied 1962. und *ders.*: Alte Begriffe und neue Probleme: Interpretationen der Gesellschaftsstruktur in der modernen Gesellschaft. In: *B. Seidel* und *S. Jenkner* (Hgg.): Klassenbildung und Sozialschichtung. Darmstadt

zialwissenschaftler ausgegangen werden, der sich auf die universelle und ubiquitäre Geltung hierarchischer Strukturen in allen historischen und gegenwärtigen sozialen Systemen bezieht – Runciman nennt die Erscheinung eine »kulturelle Konstante«[6] – und u.a. darin äußert, daß Erscheinungen sozialer Ungleichheit für grundsätzlich beschreibbar angesehen werden. Schließlich ist es ein gemeinsames Merkmal jeder gesellschaftswissenschaftlichen Auseinandersetzung mit sozialer Schichtung und Ungleichheit, worauf jüngst noch einmal Karl H. Hörning hingewiesen hat[7], daß sie sich nicht für beliebige Formen individueller Ungleichheit interessiert, deren Existenz freilich nicht bestritten werden, sondern für sie vor allem die relativ stabilen Unterschiede zwischen institutionell verfestigten sozialen Positionen von Belang sind. Die »Fachleute« konzentrieren sich auf »Ungleichheiten, die Charakteristika der sozialen Struktur einer Gesellschaft darstellen«[8].

Zur Bewältigung eines umfangreichen Forschungsprogramms zur Sozialschichtung in Städten des 15. und 16. Jahrhunderts[9] erscheint es angebracht, ja unerläßlich, eine materielle Konzeption des Untersuchungsverfahrens zu erarbeiten, die sinnvoll die bisherige Behandlung des Phänomens in der Sozialwissenschaft als auch Möglichkeiten und Ansätze zur Operationalisierung der Er-

---

1968. (Wege der Forschung, Bd. 137) S. 279 ff. sowie *Wiehn* und *Kirchberger* (wie Anm. 2). *Maschke* (wie Anm. 4) ist entsprechend zu berichten.

[6] *W. G. Runciman*: Zu einer Theorie der sozialen Schichtung. In: *Hörning* (wie Anm. 1) S. 33–61, S. 33 (zuerst engl. in *F. Parkin* (Hg.): The Social Analysis of Class Structure. London 1974. S. 55–81). In Einzelfällen ist diese Gemeinsamkeit jedoch nicht geteilt worden; vgl. z. B. *M. G. Smith*: Pre-Industrial Stratification Systems. In: *N. J. Smelser* und *S. M. Lipset*: Social Structure and Mobility in Economic Development. Chicago 1966. S. 146 ff. S. 75 und *H. Schelsky*, zit. bei *M. Mitterauer*: Probleme der Stratifikationsforschung in mittelalterlichen Gesellschaftssystemen. In: *J. Kocka* (Hg.): Theorien in der Praxis des Historikers. Göttingen 1977 (GG Sonderheft 3) S. 13–43, S. 14 f.

[7] *Hörning* (wie Anm. 1) S. 10.

[8] Ebd.

[9] In dem von der Deutschen Forschungsgemeinschaft geförderten Sonderforschungsbereich 8 »Spätmittelalter und Reformation« an der Universität Tübingen wird in einem Arbeitsvorhaben »Sozialschichtung in Städten« versucht, an ausgewählten Städten des 15. und 16. Jahrhunderts in einer breiten Darstellung der Sozialschichtung die Frage zu beantworten, »ob Reformvorstellungen und Reformation von einzelnen Schichten getragen und in besonderem Maße unterstützt wurden, ob schichtenspezifische Interessen im Prozeß der Reformation wirksam wurden und ob schließlich die durch die Reformation bewirkten Veränderungen ein Faktor der Schichtendynamik waren«; Forschungsprogramm des SFB 8 (1973) S. 114. Der hier vorgelegte Beitrag stellt die überarbeitete Fassung eines Arbeitspapieres dar, das im Rahmen dieses Arbeitsvorhabens vom Verfasser zur Konzeptualisierung der Forschung erstellt worden ist. Dem Leser des Beitrages sollte dieser funktionale Charakter des Papiers präsent bleiben. – Für vielfältige Anregungen und fruchtbare Kritik danke ich meinen Kollegen Frau Dr. I. Bátori und den Herren Dres. H.-Ch. Rublack, J. Sieglerschmidt und K. Trüdinger.

scheinung innerhalb eines historischen Forschungsprojektes aufweisen soll. Sichtung und Auswertung einschlägiger Arbeiten und Vorstellungen der Soziologie dienen dem Zweck, deren relevante theoretische Ansätze, Kategorien und erprobte Ermittlungstechniken hinsichtlich ihrer Aussagekraft und Übertragbarkeit zu überprüfen und gegebenenfalls fruchtbar zu machen, d.h. Validierung der historischen Forschung, Intensivierung ihrer inhaltlichen Gültigkeit und Extensivierung der fachlichen Reichweite. Die effektive Verbindung von empirischer Forschung und theoretisch-systematischer Konzeptualisierung orientiert sich an dem Ziel[10], in der Kombination der Auswahl von typologisch repräsentativen Städten des Spätmittelalters und der frühen Neuzeit[11] und dem kritischen Transfer bewährter Methoden und Ansätze der Stratifikationsforschung »Aussagen über Regelmäßigkeiten«[12] zu ermöglichen.

Dieser Versuch erscheint umso notwendiger und gerechtfertigter, als zu den offensichtlich stechenden Vorhaltungen der nichthistorischen Sozialwissenschaften das Argument der »Theoriebedürftigkeit« und »Theoriearmut« zählt[13], auch wenn Positivisten und Traditionalisten in der Zunft der Historiker »alles Nichtempirische als sinnlose Metaphysik auszuschalten« geneigt sind[14]. Unschwer ließe sich hier Theoriedefizit mit Theoriefeindlichkeit korrelieren. Immerhin kann als ermutigendes Zeichen für die Entwicklung der Geschichtswissenschaft in der

[10] Vgl. generell *W. Schulze*: Soziologie und Geschichtswissenschaft. Einführung in die Probleme der Kooperation beider Wissenschaften. München 1974 und *E. Weyrauch*: Konfessionelle Krise und soziale Stabilität. Das Interim in Straßburg (1548–1562). Stuttgart 1978. S. 1–49 (Methodologische Einleitung); zur soziologischen Perspektive vgl. etwa *H. M. Blalock*: Theory, Measurement, and Reception. In: AJS 66 (1960/61) S. 347 und mit breiterem Ansatz *P. Berger* und *Th. Luckmann*: Die gesellschaftliche Konstruktion der Wirklichkeit, Frankfurt/M. 1970 und *M. Clemenz*: Soziologische Reflektion und sozialwissenschaftliche Methode. Zur Konstruktion und Begründung soziologischer Modelle und Theorien. Frankfurt/M. 1970.

[11] Es sind dies im einzelnen: Reichsstadt, groß: Augsburg, mittelgroß: Colmar, Eger, Nördlingen, klein: Bopfingen, Buchau; landesherrliche Stadt, groß: München (Sonderfunktion: Residenz), mittelgroß: Würzburg (Sonderfunktion: Bischofsstadt), Kitzingen, klein: Wunsiedel, Mindelheim. S. zur näheren Beschreibung des Forschungsprojektes die Beiträge von *I. Bátori* und *E. Weyrauch* in *F. Irsigler* (Hg.): Quantitative Methoden in der Wirtschafts- und Sozialgeschichte der Vorneuzeit. Stuttgart 1978.

[12] *R. K. Merton*: Sociological Theory. In: AJS 50 (1945) S. 468; dt. auszugsweise in *H. Hartmann* (Hg.): Moderne amerikanische Soziologie. Neuere Beiträge zur soziologischen Theorie. 2. Aufl. Stuttgart 1973. S. 41. Vgl. auch Mertons Überlegungen zu »Theorien mittlerer Reichweite«, die u. a. durch H.-U. Wehler in die geschichtswissenschaftliche Methodenreflexion eingeführt wurden. *R. K. Merton*: Social Theory and Social Structure. enl. ed. New York-London 1968. S. 39–72, bes. 50 ff. und *H.-U. Wehler*: Geschichte als Historische Sozialwissenschaft. Frankfurt/M. 1973.

[13] *Wehler* (wie Anm. 12) S. 9 und 24.

[14] *P. Atteslander*: Methoden der empirischen Sozialforschung. 2. Aufl. Berlin-New York 1971, 3. Aufl. 1975, S. 52.

BRD festgehalten werden, daß nach der knappen Studie von Erich Maschke zur historischen Schichtenforschung[15] in jüngster Zeit eine auch an systematischen Fragestellungen und Lösungsmöglichkeiten interessierte Diskussion unter Historikern über grundlegende Probleme der Stratifikations- und Mobilitätsforschung überhaupt in Gang gekommen ist[16]. Die Geschichtswissenschaft kann sich nicht darauf reduzieren, in einem so wichtigen Arbeitsgebiet wie dem der Untersuchung sozialer Strukturen und Differenzierungen ohne gründliche inhaltliche und methodische Konzeption gleichsam liebhaberisch und laienhaft zu verfahren, wenn sie sich nicht den berechtigten Vorwurf wissenschaftlicher Planlosigkeit und idiographischer Kurzsichtigkeit einhandeln will.

Unbestreitbar hat die sogenannte traditionelle Historiographie ein Maximum an Wissen zusammengetragen[17]. Aber sie hat wohl kaum das szientifische Optimum erreicht, nämlich den Sprung auf eine zweite, höhere Abstraktionsebene[18] mit gesteigertem Generalisierungsgrad und minimaler prognostischer Potenz.

Indes, eine rein verbale, oberflächliche Applizierung theoretischer Modelle, formaler neuer Methoden und abstrakter terminologischer Kategorien würde weder geschichtlichen Problemen noch geschichtswissenschaftlicher Arbeit gerecht. Die Optimierung historischer Erkenntnis ist nicht durch Spekulation »über Konkretes«, sondern »vielmehr [durch technisch wie theoretisch validierte Methoden] aus ihm heraus«[19] möglich. Denn auch die letztlich angestrebte »Historische Sozialwissenschaft«[20] hat es stets, besonders und zuerst mit ihren Quel-

---

[15] *Maschke* (wie Anm. 4).

[16] *J. Kocka*: Theorien in der Sozial- und Gesellschaftsgeschichte. Vorschläge zur historischen Schichtungsforschung. In: GG 1 (1975) S. 9–42. und *M. Mitterauer*: Probleme der Stratifikation in mittelalterlichen Gesellschaftssystemem. In: SoWi 5 (1976) S. 67–73. und *ders.* (wie Anm. 6) Jüngst erschienen ist jetzt *H. Wunder*: Probleme der Stratifikation in mittelalterlichen Gesellschaftssystemen. In: GG 4 (Heft 4) 1978.

[17] Die Fülle der neueren Publikationen zur Sozialgeschichte der Städte im Mittelalter und in der Reformation kann hier nur in wenigen Monographie-Beispielen angedeutet werden. So z. B. *K.-H. Mistele*: Die Bevölkerung der Reichsstadt Heilbronn im Spätmittelalter. Heilbronn 1962; *B. Kirchgässner*: Wirtschaft und Bevölkerung der Reichsstadt Eßlingen. Eßlingen 1964; *H. Mauersberg*: Die Wirtschaft und Gesellschaft Fuldas in neuerer Zeit. Göttingen 1969; *P. Eitel*: Die oberschwäbischen Reichsstädte im Zeitalter der Zunftherrschaft. Stuttgart 1970; *W. Laufer*: Die Sozialstruktur der Stadt Trier in der frühen Neuzeit. Bonn 1973; *C.-H. Hauptmeyer*: Verfassung und Herrschaft in Isny. Untersuchungen zur reichsstädtischen Rechts-, Verfassungs- und Sozialgeschichte vornehmlich in der Frühen Neuzeit. Göppingen 1976; *R. Felser*: Herkunft und soziale Schichtung der Bürgerschaft oberösterreichischer Städte und Märkte während des Mittelalters unter besonderer Berücksichtigung der Bürger der Stadt Judenburg. Wien 1977; *F. Mathis*: Zur Bevölkerungsstruktur österreichischer Städte im 17. Jahrhundert. München 1977.

[18] Als praktisches Paradigma sei verwiesen auf *N. Elias*: Über den Prozeß der Zivilisation. Untersuchungen über das Verhalten weltlicher Oberschichten. 2. Aufl. Berlin 1969, 3. Aufl. Frankfurt/M. 1976.

[19] *Th. W. Adorno*: Negative Dialektik. Frankfurt/M. 1966. S. 41.

[20] S. z. B. *Wehler* (wie Anm. 12) oder *Schulze* (wie Anm. 10) sowie *R. Rürup* (Hg.):

len und ihrer Zeit zu tun, aus denen sie allein ihre spezifischen historischen Ergebnisse und Erklärungen hervorzubringen, mit denen sie aber, theoriebewußt und problemorientiert, »selber historische Theorien zu entwickeln« vermag[21].

Das Programm zur Erfassung sozialer Schichten in Städten des 15. und 16. Jahrhunderts unterscheidet drei Arbeitsphasen: Konzeption, Operation und Interpretation[22].

In der ersten Phase wurde ein »Registrationsschema« (Hans Albert) konzipiert, das in Form eines Merkmalkataloges die wesentlichen Variablen zur allgemeinen Bestimmung von sozialer Schichtung und Differenzierung enthält. Die Umsetzung dieses Schemas, das eine offene, d.h. ergänzbare und erweiterungsfähige Stratifikationstaxonomie[23] darstellt, erfolgt an den Bearbeitungsstädten[24] durch Auflistung und Ordnung aller aus den Quellen eruierbaren Merkmale zur Bestimmung von sozialer Schichtzugehörigkeit und Ungleichheit. Unter ständiger korrigierender Rückwirkung auf die Konzeption werden also in der Operationsphase[25] die für die Erreichung des Arbeitszieles erforderlichen Fakten und Daten in ausreichender Genauigkeit (»precision«), diagnostischer Gültigkeit (»validity«) und Zuverlässigkeit (»reliability«) aufbereitet. Die Operationalisierung erfolgt mittels des »Erhebungsbogens zur Bestimmung der sozialen Position«[26] und, soweit möglich, unter Zuhilfenahme der elektronischen Datenverarbeitung[27]. Konzeption und Operation implizieren die Prämisse, daß zur Erhebung der innerstädtischen sozialen Ungleichheit auch für vergangene Gegenwarten Indikatoren gefunden, in Grenzen quantifiziert und mit dem nach ge-

Historische Sozialwissenschaft. Beiträge zur Einführung in die Forschungspraxis. Göttingen 1977.

[21] *H.-U. Wehler* (Hg.): Geschichte und Soziologie. Köln 1972. S. 25 und *ders.* (wie Anm. 12) S. 34.

[22] Vgl. hierzu in spezifisch statistischer Perspektive *L. Sachs*: Angewandte Statistik. Planung und Auswertung, Methoden und Modelle. 4. Aufl. Berlin-Heidelberg-New York 1974. S. 429 ff.

[23] Zum Begriff und Phänomen vgl. *C. G. Hempel*: Fundamentals of Taxonomy. In *ders.*: Aspects of Scientific Explanation. New York-London 1965. S. 137–154.

[24] Für die Stadt Kitzingen werden die Ergebnisse z.Zt. für den Druck vorbereitet. S. demnächst *I. Bátori* und *E. Weyrauch*: Die bürgerliche Elite in der Stadt Kitzingen. Studien zur Sozial- und Wirtschaftsgeschichte einer landesherrlichen Stadt im 16. Jahrhundert.

[25] Die Abgrenzungen der einzelnen Phasen ist hier natürlich überspitzt. Im konkreten Forschungsprozeß sind die Grenzen der verschiedenen Arbeitsstufen fließend.

[26] S. u. S. 51 ff.

[27] Dazu generell *K. Arnold*: Geschichtswissenschaft und elektronische Datenverarbeitung. In: HZ Beiheft 3 (1974) S. 98–148; *Weyrauch*: Methodische Überlegungen zur Anwendung der EDV im Arbeitsvorhaben Sozialschichtung in Städten. In *Irsigler* (wie Anm. 11) S. 9–23 und *I. Bátori*: Sozioökonomische Untersuchungen in süddeutschen Städten des 15. und 16. Jahrhunderts. Programmabläufe – Erfahrungen – Ergebnisse. In: ebd. S. 24–42.

schichtswissenschaftlichen Bedingungen modifizierten Instrumentarium der empirischen Sozialforschung erfaßt werden können[28].

Jede auch nur vorläufige Skizzierung von Aufgabe und Inhalt der Interpretationsphase provoziert unwillkürlich Einreden sehr unterschiedlicher Art und Provenienz. Einer Fülle neuerer historischer Einzeluntersuchungen zum Trotz[29] läßt sich beispielsweise nur schwer ein Konsens über Ziele und Zwecke der Sozialgeschichtsschreibung spätmittelalterlicher und frühneuzeitlicher Städte ausmachen, der wesentlich über das Thesaurieren der Ergebnisse empirischer Fallstudien hinausreicht, die überdies in der Regel, von wenigen Ausnahmen abgesehen[30], ohne explizite oder explizierte systematische Erkenntnisinteressen erarbeitet wurden. Des weiteren existieren allenfalls in Ansätzen Vorstellungen über eine Sozialgeschichte der Reformation[31], für die Untersuchungen städtischer Sozialverhältnisse zumindest dann Relevanz beanspruchen dürfen, wenn man das Konzept vom städtischen Charakter der Reformation[32] – wenigstens für bestimmte zeitliche Phasen und geographische Räume der kirchlich-religiösen Erneuerung im 16. Jahrhundert – als These gelten zu lassen bereit ist[33]. In einem derartigen Kontext wäre stratifikatorischen Erhebungen in Städten des 15. und 16. Jahrhunderts ein subsidiärer Charakter zu bescheinigen; Ergebnisse urbaner Schichtungsforschungen erhielten den Status »eines Faktors unter mehreren«, die zur Klärung von Ereignis und Epoche städtischer Reformationen zu beachten sind[34]. In den Sozialwissenschaften sind nicht minder gewichtige Einwän-

[28] Vgl. hierzu die – überkritischen – Bemerkungen bei *Kirchberger* (1975) S. 114.

[29] S. Anm. 17.

[30] Z. B. *F. Mathis*: Zur Bevölkerung österreichischer Städte im 17. Jahrhundert. München 1977, der sich vor allem an Max Weber orientiert.

[31] *R. W. Scribner*: Is there a social history of the Reformation? In: Social History 4 (1976) S. 483–505.

[32] Vgl. hierzu *C. A. Dickens*: The German Nation and Martin Luther. London 1974. S. 182 sowie insgesamt *H.-Ch. Rublack*: Forschungsbericht Stadt und Reformation. In: *B. Moeller* (Hg.): Stadt und Kirche im 16. Jahrhundert. Göttingen 1978. S. 9–26.

[33] Es ist unverkennbar, daß diese These, obwohl selbst erst jungen Datums, zunehmend von einer theologisch-engagierten Reformationsgeschichtsschreibung in Frage gestellt wird. Vgl. z. B. *H. A. Oberman*: Werden und Wertung der Reformation. Tübingen 1977. bes. S. 347 und *ders.*: Reformation. Epoche oder Episode. In: ARG 68 (1978) S. 56–111 mit deutlichen Spitzen gegen die quantifizierend arbeitende Sozialgeschichte.

[34] Es scheint zuweilen schwer verständlich, daß Bemühungen und Erfolge quantifizierender Forschungen zur Sozialgeschichte der Städte des 15. und 16. Jahrhunderts – entgegen allen selbstkritischen Reservationen und Relativierungen – immer wieder, insbesondere in der Kirchen-, Reformations- und Theologiegeschichte, den Eindruck hervorrufen, als ob damit die eminente Bedeutung und genuine Eigenständigkeit des »religiösen Faktors« geschmälert oder gar geleugnet werden sollte. Keine seriöse Sozialgeschichtsschreibung zum 15. oder 16. Jahrhundert, benutze sie quantifizierende Methoden oder nicht, wird Glaube, Religion und theologische Botschaft als Kernstücke des reformatorischen Geschehens in Abrede stellen wollen oder können, auch wenn sie diese »Faktoren« nicht ins Zentrum ihrer Neugierde postiert. Werden jedoch etwa, wie in neuesten

de methodischer wie inhaltlicher Art gegen Untersuchungen der sozialen Ungleichheit, die sich einer »wissenschaftlichen Theorie in praktisch-politischer Absicht«[35] weder verschrieben haben noch verpflichten wollen, formuliert worden. Wenn trotzdem an dieser Stelle als heuristischer Zweck einer inhaltlichen Ausrichtung der Interpretationsphase der Versuch benannt wird, Ergebnisse umfassender stratifikatorischer Erhebungen in Städten als eine zentrale Variable der geschichtlichen Wirklichkeit des Spätmittelalters und der frühen Neuzeit in die historische Forschung einzubringen und sodann taugliche und plausible Aussagen über Abhängigkeiten und Regelhaftigkeiten zu erarbeiten, geschieht dies zum einen – im reformationsgeschichtlichen Forschungszusammenhang – im Bewußtsein des (vorerst) subsidiären Charakters aller Erkenntnisse über Erscheinungsformen, Ausmaß und Wandlungen urbaner sozialer Ungleichheit, zum anderen – im Hinblick auf die sozialwissenschaftliche Kritik – in der Einsicht, daß auch hier nicht die Sorgen der Soziologen zu beheben sind. So beschränkt sich das vorliegende Papier darauf, Hauptstränge bisheriger sozialwissenschaftlicher und soziologischer Schichtungsforschung eingehender darzustellen, als dies von historischer Seite bislang unternommen wurde, und unter dem Gesichtspunkt der Nutzbarmachung ihrer erfahrungswissenschaftlichen Methoden und kategorialen Ansätze zu überprüfen. Am Ende steht die Vorstellung des Erhebungsbogens zur Bestimmung der sozialen Position.

In Kenntnis der Sensitivität historischer Sprachmuster erscheinen zuvor noch einige Bemerkungen zur verwendeten Terminologie hilfreich[36].

Die benutzte Sprache ist weitgehend fachspezifisch. Sie ließ sich ohne signifikanten Bedeutungsverlust nicht immer geisteswissenschaftlich-historischen Sprachgewohnheiten anpassen. Allerdings liegt hier eine ständige Aufgabe für künftige Bemühungen um einen fruchtbaren Kompromiß zwischen »Quellen- und Wissenschaftssprache« (R. Koselleck). Die Anpassungsschwierigkeiten ergaben sich nicht zuletzt daraus, daß die Sozialwissenschaften, wohl auch unter dem Einfluß einer starken anglo-amerikanischen Forschung[37], termini technici

Publikationen, »die vielfach bezeugte elektrisierende Wirkung Luthers« und das »offenkundig religiöse Empfindungen motivierende theologische Programm« als Kristallisationspunkte der Reformationsgeschichte hervorgehoben (*Oberman*: Reformation. In: ARG 68 (1977) S. 73), belegen schon diese Formulierungen die Existenz auch nicht-theologischer, d.h. sozialer Bedingungen des reformatorischen Geschehens. Für Bernd Moellers These von der Revitalisierung des genossenschaftlichen Denkens in den oberdeutschen Reichsstädten im Zuge des Durchdringens der Reformation gilt dies allzumal; vgl. *B. Moeller*: Reichsstadt und Reformation. Gütersloh 1962. Eine Auseinandersetzung über eine generelle Wirkungshierarchie verschiedener Faktoren, die »jene ›fremde‹ Zeit verstehen« helfen (Oberman), erscheint dem Verfasser beim Stand der sozialgeschichtlichen Forschung nicht nur nicht möglich, sondern absurd.

[35] Vgl. hierzu allgem. *Kirchberger* (wie Anm. 2); das Zitat auf S. 182.

[36] S. etwa *A. Briggs*: Foreword. In: *H. J. Dyos* (Hg.): The Study of Urban History. London 1968. S. IX f.

[37] Dazu speziell *Hartmann* (wie Anm. 12) S. 2 ff. und S. 106 f.

entwickelt und verbreitet haben, die ohne Schmälerung oder Verzerrung des analytischen Gehaltes des gemeinten Sachverhaltes nicht ohne weiteres durch »historische Begriffe« ersetzt werden konnten. Im Kanon der human sciences ist überdies zu vermuten, daß die Sozialwissenschaften, läßt man artifizielle Auswüchse außer Betracht, auf Dauer über das tragendere Sprachgerüst verfügen. Jedenfalls wird man eine größere gewisse Allgemeingültigkeit sozialwissenschaftlicher Terminologie dann, wenn man auch Geschichte als historische Sozialwissenschaft betreibt, schwer in Abrede stellen können. Daß insgesamt die Erweiterung des terminologischen Horizontes nicht in ästhetischer Verwilderung, sprachlicher Balkanisierung (Robert K. Merton) oder im analytischen Dunst enden sollte, versteht sich von selbst. Insofern hat die hier verwendete Terminologie Angebotscharakter, sie ist diskutabel und stets dann ersetzbar, wenn Erklärungskraft und Trennschärfe anderer, »historischer« Begriffe das Prae haben.

2. Der dichotomisch-eindimensionale Ansatz: die Klassentheorie

Am Anfang der wissenschaftlichen Erforschung sozialer Ungleichheiten und gesellschaftlicher Strukturen stand Karl Marx. Dies gilt auch heute noch für grundlegende theoretische Konzeptionen zur Analyse sozialer Verhältnisse. Die marxistische Gesellschafts- und Klassentheorie stellt somit auch einen zentralen Reizpunkt jeder Auseinandersetzung mit sozialen Gruppen und Schichten dar, auch wenn es zu den oft beachteten Ironien der Wissenschaftsgeschichte gehört[38], daß d e r Theoretiker der Klassengesellschaft und des Klassenkampfes einen wichtigen Teil seiner Theorie nicht hat zu Ende führen können. Das berühmte, eineinhalbseitige Kapitel 52 mit dem Titel »Die Klassen« des Kapitals von Karl Marx blieb unvollendet. Dennoch vermag man aus dem umfangreichen, nicht immer systematischen Oeuvre Marxens Vorstellungen von der Klassengesellschaft solide zu rekonstruieren[39].

[38] Vgl. *Dahrendorf* (wie Anm. 5) S. 8.

[39] Bislang wurden zwei Versuche unternommen, das 52. Kapitel des Kapitals nachzuschreiben: *K. Renner*: Die Wirtschaft als Gesamtprozeß und die Sozialisierung. Berlin 1924. S. 374 ff. und *Dahrendorf* (wie Anm. 5) S. 9 ff. Neben Dahrendorf *B. Barber*: Social Stratification. A Comparative Analysis of Structure and Process. New York 1957. S. 3 ff. Für eine eingehendere Auseinandersetzung mit den Marxschen Vorstellungen sei verwiesen auf *T. Geiger*: Die Klassengesellschaft im Schmelztiegel. Köln-Hagen 1949; *S. Ossowski*: Les différents aspects de la classe social chez Marx. In: Cahiers intern. de Sociologie 24 (1958); *R. Bendix* und *S. M. Lipset* (Hgg.): Class, Status, and Power. Social Stratification in Comparative Perspective. 2. Aufl. New York 1966, sowie *M. Tjaden-Steinhauer* und *K.*

Für Karl Marx sind »Klasse« und »Klassenkampf« die entscheidenden und primären Kategorien für jede Gesellschaft[40]. Klasse und Klassenkampf sind Erscheinungen einer vom Stand der Produktivkräfte und Produktionsverhältnisse allein bestimmten Gesellschaftsformation. Sie werden hervorgebracht durch die von diesen Variablen bedingten Eigentumsverhältnisse. Wie prinzipiell in jeder anderen Wirtschaftsform sind auch in dem Marx besonders interessierenden Kapitalismus zwei antagonistische Klassen voll ausgebildet: die, welche Produktionsmittel besitzt, und jene, die kein Eigentum daran hat (Bourgeoisie – Proletariat). Beide Klassen sind in einem permanenten dialektischen Prozeß miteinander verbunden, den Marx als Klassenkampf begreift und der konstitutiv für ihre Existenz ist: »Die einzelnen Individuen bilden insofern eine Klasse, als sie einen gemeinsamen Kampf gegen eine andere Klasse zu führen haben«[41]. Alle anderen sozial relevanten Merkmale werden durch den Klassenantagonismus determiniert. Ziel und Endpunkt dieses Prozesses ist nach dem endgültigen Sieg des Proletariats die eschatologische Vision der klassenlosen Gesellschaft.

Es liegt auf der Hand, daß in diesem genuin marxistischen Verständnis von »Klasse« kein Platz für die Vorstellung einer »Schicht« als Teil eines hierarchischen, graduell differenzierten Systems von sozialer Ungleichheit ist[42]. »Class (bei Marx und im Anschluß an diesen bei Dahrendorf) is always a category for purposes of the analysis of the dynamics of social conflict . . ., and as such it has to be separated strictly from stratum as a category for purposes of describing hierarchical sytems at a given point of time«[43].

Obwohl damit die nur auf Marxens Verständnis bezogene Kategorie »Klasse« für die engere Stratifikationsforschung nicht mehr zur Verfügung steht[44], kann

---

H. Tjaden: Klassenverhältnisse im Spätkapitalismus. Stuttgart 1973 und *Kirchberger* (wie Anm. 2). Ferner ist natürlich Marx selbst zu lesen; z. B. Kommunistisches Manifest von 1848, Zur Kritik der politischen Ökonomie, Der 18. Brumaire des Louis Bonaparte, Die deutsche Ideologie (zusammen mit Friedrich Engels verfaßt) und Das Kapital. Vgl. ferner Anm. 44.

[40] S. vor allem *K. Marx* und *F. Engels*: Kommunistisches Manifest. In: Marx-Engels-Werke (MEW). Berlin (Ost) 1959. Bd. 4 S. 459–493.

[41] *Marx*: Deutsche Ideologie. In: MEW Bd. 3 S. 54.

[42] *Dahrendorf* (wie Anm. 5) S. 75. Insofern ist die Marxsche Klassentheorie alles andere als eine Schichtungstheorie. – Uninteressant ist *R. Herrnstadt*: Die Entdeckung der Klassen. Die Geschichte des Begriffs Klasse von den Anfängen bis zum Vorabend der Pariser Julirevolution 1830. Berlin (Ost) 1965.

[43] *Dahrendorf* ebd.

[44] Der Gebrauch des Terminus, besonders in der anglo-amerikanischen Soziologie, ist nicht immer unzweideutig. So verwendet z. B. Warner durchgehend »class«, wo nach dem sachlichen Kontext zweifelsfrei »stratum« gemeint ist. Vgl. auch *Kirchberger* (wie Anm. 2) S. 33 und S. 38 ff. Hier ist festzuhalten, daß Klasse sozusagen den »dynamischen«, Stratum den »statischen« Aspekt der sozialen Differenzierung repräsentieren; vgl. *Dahrendorf* (wie Anm. 5) S. 19 und *ders.*: Homo Sociologicus. Ein Versuch zur Geschichte, Bedeutung und Kritik der Kategorie der sozialen Rolle. 13. Aufl. Köln-Opladen 1974. S. 62 zu dieser

der Gedanke vom Gegensatz der Klassen gesellschaftliche Bereiche erschließen, die auch für das Studium der sozialen Struktur (im weiteren Sinne) Bedeutung haben[45].

Der gesetzmäßige Konflikt zwischen den Klassen definiert und manifestiert sich als Gegensatz zwischen Herrschenden und Beherrschten, ein Gegensatz, der sich nicht ausschließlich, aber doch tendenziell sowohl nach objektivem Befund wie nach zeitgenössischem Verständnis in den Städten des 15. und 16. Jahrhunderts als Polarität von Reich und Arm realisiert[46]. Klassenkampf ist nach Marx ein politischer Kampf. Diese Vorstellung der sich antagonistisch gegenüberstehenden Klassen kann durchaus – mit Theodor Geiger – als »heuristischer Zweck hinter dem Klassenkonzept« verstanden werden und etwa bei der Untersuchung der rollenspezifischen Positionen der Sozialschichtung in der Dimension »Macht«[47] eingebracht werden. Für die Städte unseres Zeitraumes kann angenommen werden, daß es zwischen dem Verteilungsgrad von Macht und Autorität einerseits und den Ordnungsprinzipien der sozialen und ökonomischen Belohnung (»rewards«) andererseits einen tendenziellen, wenn auch sicherlich nicht stets eindeutigen Zusammenhang gibt. Reich und arm, Obrigkeit und Untertanen, Herrschende und Beherrschte, diese (im einzelnen auszuweisende) Wechselbeziehung kann Approximation, Überlappung, gegebenenfalls Identität von »Klassen« im Marxschen Sinne und Schichten im Verständnis der empirischen Sozialforschung bewirken.

die traditionelle Sozialwissenschaft leitenden Antimonie. – Nicht immer eindeutig erscheint der Gebrauch des Begriffs »class« auch bei *T. A. Brady Jr.*: Ruling Class, Regime and Reformation at Strasbourg 1520–1555. Leiden 1978. – Einen Versuch zur begriffsgeschichtlichen Klärung des Klassenbegriffes hat kürzlich Horst Stuke als Vorstudie zu einer ausführlichen Analyse vorgelegt; s. *H. Stuke*: Bedeutung und Problematik des Klassenbegriffs. Begriffs- und sozialgeschichtliche Überlegungen im Umkreis einer historischen Klassentheorie. In: *U. Engelhardt* u. a. (Hgg.): Soziale Bewegung und politische Verfassung. Beiträge zur Geschichte der modernen Welt. Stuttgart 1976. S. 46–82. Stuke formuliert zu Recht »Warnungen vor dem gedankenlosen Umgang mit dem Klassenbegriff« (S. 49), von dessen erklärender Potenz als Instrument historischer Analyse er gleichwohl grundsätzlich überzeugt ist. Nach seiner Meinung führt »kein Weg« den Soziologen und den Historiker daran vorbei, den Klassenbegriff »immer nur ausdrücklich definiert (und ›etikettiert‹) zu verwenden« (S. 57). Die Berechtigung dieser Feststellung demonstriert er schlagend in der Vorführung der Vieldeutigkeit und Schwierigkeit der historischen Idenfikation des Klassenbegriffs, besonders anhand des durchaus variablen und partiell widersprüchlichen Gebrauchs des Begriffes Klasse bei Marx und Engels (bes. S. 63 ff.).

[45] Vgl. *L. Reissmann*: Art. Klassenkampf. In: *W. Bernsdorf* (Hg.): Wörterbuch der Soziologie. 2. Aufl. Stuttgart 1969. S. 554 f.

[46] S. auch hier den Vorspruch von Hans Sachs oder die Belege bei *Brady* (wie Anm. 44) bes. S. 19 ff.

[47] Vgl. *M. Weber*: Wirtschaft und Gesellschaft. 5. Aufl. Tübingen 1972 (Studienausgabe). S. 28 und S. 54 ff., der dreidimensionalisiert: ökonomische, politische und soziale Macht.

Die Aufgabe der Sozialforschung in der Untersuchung der Relationen zwischen verschiedenen Elementen und Dimensionen der Gesellschaftsstruktur ist die Exponierung des konkreten Korrelations- und Kongruenzgrades. Die Eindimensionalität und Pseudo-Gesetzmäßigkeit der (an dieser Stelle freilich gekappt dargestellten) Klassenformation und des Klassenkampfes stempelt Marxens Theorie in der Perspektive der hier interessierenden Schichtungsforschung zu einem »oversimplified monism« (Barber) und macht sie - in der reinen Form - so unanwendbar.

Eine modifizierte und differenziertere Vorstellung vom Zusammenhang zwischen »Klasse« und »Schicht« ist in der Nachfolge von Marx von neomarxistischen Gesellschaftstheoretikern erarbeitet worden. So heißt es beispielsweise bei Semjenow[48]: »Die methodologische Grundvoraussetzung für eine wissenschaftliche Erforschung der Schicht besteht darin, daß sie in der Gesellschaft nicht allgemein betrachtet wird, sondern immer in Bezug auf die Klasse«; und inhaltlich identisch bei Werner Hoffmann[49]: es ist »von den bestehenden Klassengruppierungen aus ... auch das Schichtgefüge der Gesellschaft zu verstehen, nicht umgekehrt«. Damit konzediert der Neomarxismus grundsätzlich sowohl die Existenz als auch die Berechtigung des Begriffs der Schicht, betont jedoch dessen sekundäre Bedeutung, nämlich ausschließlich in Bezug auf den Klassenbegriff. Dieser allein gibt die »ökonomische Hauptgliederung der bürgerlichen Gesellschaft«[50] wieder.

Die ökonomische Grundstruktur kann ihrerseits nur durch eine Klassenanalyse angemessen erhoben werden, innerhalb derer der Begriff der Schicht einerseits, den Klassengegensatz partiell und zeitweilig verschleiernd, »Ausdruck für die an der Oberfläche ... in einer konkret-historischen Gesellschaft sichtbare Abstufung der Bevölkerung«[51], andererseits die bewußtseinsrelevante Vermitt-

---

[48] *W. S. Semjenow*: Kapitalismus und Klassen. Zur Sozialstruktur in der modernen kapitalistischen Gesellschaft. Köln 1973. S. 63.

[49] *W. Hoffmann*: Grundelemente der Wirtschaftsgesellschaft. Reinbek b. Hamburg 1969. S. 36. Die allgemeine »Wende zur Sozialstrukturanalyse als Klassenanalyse« (Herkommer) in Teilen der politisch-theoretisch engagierten Soziologie der letzten Jahre läßt sich symptomatisch an folgenden Publikationen erkennen: *U. Jaeggi*: Kapital und Arbeit in der Bundesrepublik. Elemente einer gesamtgesellschaftlichen Analyse. Frankfurt/M. 1973; *J. Ritsert* und *C. Rolshausen*: Zur Sozialstruktur der BRD. In: *J. Ritsert*: Erkenntnistheorie. Soziologie und Empirie. Frankfurt/M. 1972. *M. Tjaden-Steinhauer* und *K. H. Tjaden*: Methodologische Probleme der Sozialstrukturanalyse. In: *D. Hülst; M. Tjaden-Steinhauer* und *K. H. Tjaden*: Methodenfragen der Gesellschaftsanalyse: zum Verhältnis von gesell. Konstruktion und sozialwiss. Erkenntnis. Frankfurt/M. 1973 und *M. Tjaden-Steinhauer* und *K. H. Tjaden*: Klassenverhältnisse im Spätkapitalismus. Stuttgart 1973.

[50] *S. Herkommer*: Zur Bedeutung des Schichtbegriffs für die Klassenanalyse. Referat zum 17. Deutschen Soziologentag in Kassel. 1974 (verv. Manuskript) S. 17.

[51] Ebd.

lung zwischen der ökonomischen Grundformation und den vielfältigen Oberflächenerscheinungen sein kann. Konsequenterweise dominiert, so die Annahme, im Bewußtsein der Gesellschaftsmitglieder die Schichtvorstellung in gesellschaftlich ruhigen Zeiten, in Krisenphasen dagegen das Bild eines antagonistischen Klassenverhältnisses.

Der Transfer der vom entwickelten Klassenverhältnis in spätkapitalistischen Gesellschaften abgeleiteten Klassenkampfthese auf die Zeit des Spätmittelalters und der Reformation ist ein Kristallisationspunkt marxistischer Geschichtswissenschaft der Gegenwart, dessen Markenzeichen die Theorie der frühbürgerlichen Revolution ist[52]. Dieser Transfer ist bisher jedoch weder widerspruchsfrei noch voll überzeugend gelungen[53]. Entsprechendes gilt u.E. auch für die jüngsten Äußerungen von Vertretern der DDR-Mediävistik im Hinblick auf die differenzierte »Anwendung des marxistisch-leninistischen Klassenbegriffs«[54].

Die Applizierung des Klassenbegriffs, dessen historischer Charakter eingestanden wird[55], auf das mittelalterliche Stadtbürgertum wird zunächst durch die Konstruktion einer Kategorie »Nebenklasse der Feudalgesellschaft« ermöglicht. Dieser feudalgesellschaftlichen Nebenklasse ist die städtische Gesellschaft zuzuordnen, wodurch sie aber keine feudale Klasse im engeren Sinne (»Feudalherren« – »Bauern« bezeichnen die Fronten in der Feudalepoche) wird, jedoch ihre »Integration in den Feudalismus als herrschende Formation« gewährleistet wird[56]. »Als Nebenklasse der Feudalgesellschaft war das mittelalterliche Stadtbürgertum die sozioökonomische und politische Gemeinschaft freier Eigentümer von vorwiegend nicht landwirtschaftlichen Produktions- und Zirkulationsmitteln auf der Grundlage der ökonomisch, sozial, politisch und territorial abgegrenzten städtischen Gesellschaft«[57].

[52] Die Argumente und wesentliche Belege sind gesammelt von *R. Wohlfeil* (Hg.): Reformation oder frühbürgerliche Revolution? München 1972 mit ausführlicher Bibliographie, die zu ergänzen ist (u. a.) mit *E. Stamm*: Frühbürgerliche Revolution und Recht in Deutschland. In: Kritische Justiz (1973) Heft 2. S. 130–148 und *W. Schulze*: »Reformation oder frühbürgerliche Revolution?« Überlegungen zum Modellfall einer Forschungskontroverse. In: Jb. f. d. Gesch. Mittel- und Ostdeutschlands 22 (1973) S. 253–269 und *G. Vogler*: Revolutionäre Bewegungen und frühbürgerliche Revolution. In: ZfG 22 (1974). S. 394–411.

[53] S. etwa die zahlreichen Auseinandersetzungen mit der These der frühbürgerlichen Revolution, die im Zusammenhang mit der 450jährigen Wiederkehr des Bauernkriegsjahres erschienen sind.

[54] S. *W. Küttler*: Zum Problem der Anwendung des marxistisch-leninistischen Klassenbegriffs auf das spätmittelalterliche Stadtbürgertum. In: ZfG 22 (1974) S. 605–615 sowie *B. Berthold; E. Engel* und *A. Laube*: Die Stellung des Bürgertums in der deutschen Feudalgesellschaft bis zur Mitte des 16. Jahrhunderts. In: ZfG 21 (1973) S. 196–217. Vgl. ebd. S. 1182–1208 *G. Vogler*: Probleme der Klassenentwicklung in der Feudalgesellschaft.

[55] *Küttler* (Anm. 54) S. 607.

[56] Ebd. S. 613.

[57] S. 612.

Aber auch inhaltlich wird die Merkmalanalyse des Klassenbegriffs verfeinert, indem durch vier zentrale Kriterien eine Eingrenzung und Präzisierung versucht wird: »1. die besondere Stellung einer großen Menschengruppe in einem historisch bestimmten Sytem der gesellschaftlichen Produktion; 2. das besondere, zumeist juristisch fixierte Verhältnis zu den Produktionsmitteln; 3. die Rolle in der gesellschaftlichen Organisation der Arbeit und der Anteil an der Erlangung des gesellschaftlichen Reichtums; 4. die Möglichkeit des Ausbeutungsverhältnisses zu anderen Klassen«[58]. Fehlt einer sozialen Gruppe das entscheidende Merkmal Nr. 1, bleibt sie aber dennoch unter irgendeinem Bezugspunkt als Einheit identifizierbar, wird sie von der marxistisch-leninistischen Gesellschaftstheorie der hier vorgeführten Provenienz unter dem Begriff Schicht subsumiert. Sozioökonomische Schichten sind demnach Gruppen von Menschen, die sich durch eine gemeinsame funktionale Stellung im Prozeß der gesellschaftlichen Reproduktion voneinander unterscheiden. Teilweise können diese Menschengruppen reine Untergliederungen von Klassen im eigentlichen Sinne des Wortes sein; teilweise, etwa im Fall der städtischen Intelligenz, können sich die Gruppen aus Angehörigen verschiedener Klassen zusammensetzen. Das Prinzip bleibt stets unangetastet, nach dem »prinzipiell die Klassenstruktur die grundlegende, die Schichtenstruktur dagegen eine abgeleitete gesellschaftiche Gliederung« darstellt«[59].

Somit gesteht zwar die historisch-materialistische Gesellschaftswissenschaft der DDR wie die westdeutscher Herkunft die Kategorie der sozialen Schicht »als Untergliederungsbegriff« zu und gelangt dadurch zu einer spezifischeren Anwendung sowohl des Klassen- als auch des Schichtbegriffs. Grundsätzlich hält sie aber an der Dichotomie der gesellschaftlichen Hauptgruppen, die sich durch den Besitz bzw. Nichtbesitz an Produktionsmitteln definiert, fest und weist von daher dem Schichtbegriff einen minderen analytischen Rang zu. Entsprechend hält sie die empirische Schichtungsforschung für minderwertig, weil wegen des engen sachlichen Zusammenhanges von Schichtung und Distribution, d.h. der Verteilung und Umverteilung produzierter Güter und Werte, Schichtungsuntersuchungen nur ein »bloßes Epiphänomen« (Kirchberger) zu erfassen vermögen. Von daher rechtfertigt sich dann auch die faktische Unvergleichbarkeit der Konzepte der Klassengesellschaft bzw. der Schichtengliederung[60]. Methodisch begründet sich die Unvergleichbarkeit dadurch, daß die Schichtenforschung soziale Ungleichheit per definitionem als einen Sachverhalt begreift, der »einzelindividualistisch« zu ermitteln ist, während die marxistische Gesellschaftstheorie von der Totalität einer nur kollektiv begriffenen gesellschaftlichen Formation ausgeht. Die geschichtswissenschaftliche Untersuchung sozialer Differenzierungen ist prinzipiell auf das Verfahren des methodologischen Indivi-

---

[58] S. 609.
[59] Ebd.
[60] Vgl. *Kirchberger* (wie Anm. 2) bes. S. 34 ff.

dualismus ausgerichtet, vor allem dann, wenn sie auch prosopographische Studien betreiben will. Nur mit Hilfe des methodischen Verfahrens des methodologischen Individualismus vermag sie analytisch Mehrheiten von Individuen aufgrund bestimmter gemeinsamer Merkmale zu sozialen Gruppen oder Schichten zu aggregieren.

Dessenungeachtet wird sich auch eine nichtmarxistisch orientierte Analyse sozialer Ungleichheit im 15. und 16. Jahrhundert davor hüten, vorschnell die Hypothese einer die Schichtengliederung unterlagernden dichotomischen Gesellschaftsstruktur zu verwerfen[61]. In der jüngsten Stellungnahme zu diesem Problem wird denn auch konsequenterweise die Einbeziehung von »class categories« in die Untersuchung sozialer Strukturen spätmittelalterlicher und frühneuzeitlicher Gesellschaften gefordert[62]. Der Verlauf der Stadtgeschichte im 15. und 16. Jahrhundert belegt dabei die Existenz polarisierender Zuspitzungen im Sinne der Klassentheorie ebenso wie etwa die bei Brady präsentierten Nachweise entsprechender Vorstellungen der Zeitgenossen[63].

3. Der dichotomisch-mehrdimensionale Ansatz: die Konflikttheorie

Hat Marx im Eigentum an Produktionsmitteln »die« Ursache der Klassenkonflikte gesehen, so bietet Ralf Dahrendorf »die (allerdings folgenschwere) Vermutung an, daß nicht Eigentum, sondern Herrschaft die soziale Ursache dieser Konflikte darstellt«[64]. Dahrendorf geht dabei von einer Gesellschaftsstruktur aus, deren Komplexität durch die Existenz verschiedener, konkurrierender, konfligierender oder koexistierender sozialer Verbände (»associations«) begründet wird. Entscheidendes Strukturelement ist der Herrschaftsverband bzw. sind die

---

[61] S. hierzu jetzt eingehend *Brady* (wie Anm. 44) bes. S. 19 ff.

[62] Ebd. bes. S. 33.

[63] Zur spätmittelalterlichen Stadtgeschichte s. den zusammenfassenden Aufsatz von *E. Maschke*: Deutsche Städte am Ausgang des Mittelalters. In: *W. Rausch* (Hg.): Die Stadt am Ausgang des Mittelalters. Linz 1974. S. 1–44 sowie den Aufsatz: Verfassung und soziale Kräfte in der deutschen Stadt des späten Mittelalters, vornehmlich in Oberdeutschland. In: VSWG 41 (1959) S. 289–349 und 433–476. Vgl. auch hier Anm. 95.

[64] *Dahrendorf*: Art. Sozialer Konflikt. In: *Bernsdorf* (wie Anm. 45) S. 1007. Die folgende Darstellung beruht auf Dahrendorfs Class and Class Conflict in Industrial Society und Homo Sociologicus. Vgl. ferner *ders.*: Über den Ursprung der Ungleichheit unter den Menschen. In: *ders.*: Pfade aus Utopia. Arbeiten zur Theorie und Methode der Soziologie. 3. Aufl. München 1974. S. 352–379 und *ders.*: Artt. Rolle und Rollentheorie, Soziale Position, Sozialer Konflikt, Sozialer Status und Sozialer Wandel. In: *Bernsdorf* (wie Anm. 45).

Herrschaftsverbände. Zur Erläuterung greift er auf eine Bestimmung dieser Einheit durch Max Weber zurück: »Ein Verband soll insoweit, als seine Mitglieder als solche kraft geltender Ordnung Herrschaftsbeziehungen unterworfen sind, Herrschaftsverband heißen«[65].

Um die derartige strukturierte Gesellschaft (wie ihre Teileinheiten) zu verstehen, ist es für Dahrendorf notwendig, »to visualize society in terms of the coercion theory of social structure, i.e., change and conflict have to be assumed as ubiquitous and coherence have to be understood as resulting from coercion and constraint«[66]. Sein Gesellschaftsbild läßt sich somit mit den Merkmalen »dichotomisch« und »mehrdimensional« charakterisieren.

Als Einheit der Gesellschaft betrachtet Dahrendorf auch die soziale Klasse, die er als eine organisierte oder unorganisierte Kollektivität von Individuen mit gemeinsamen manifesten oder latenten Verhaltensorientierungen in Bezug auf die Autoritätsstruktur von Herrschaftsverbänden definiert[67].

Sozialschichtung und Sozialstruktur werden als Ordnungs- und Gliederungsprinzipien ausgemacht, die nicht identisch, sondern zwei Gesichtspunkte derselben gesellschaftlichen Organisation sind: beide verweisen auf Ungleichheiten im sozialen Leben von Individuen[68]. Die fundamentale Ungleichheit der Sozialstruktur, die Dahrendorf mehr interessiert als das Stratifikationsproblem, und die ausschlaggebende Determinante des sozialen Konflikts ist »the inequality of power and authority which inevitably accompanies social organisation«[69], die sich in Herrschafts- und Abhängigkeitspositionen ausgeprägt hat[70].

Soziale Schichtung wird wie folgt abgegrenzt: »Soziale Schichtung ist ein komplexer Begriff, der sich verallgemeinernd noch am ehesten als die ungleiche Verteilung gewisser von der Gesellschaft und ihren Mitgliedern als wertvoll erachteter Güter (z.B. Geldeinkommen, Prestige) definieren läßt. Eine sozial geschichtete Gesellschaft ist daher eine Gesellschaft, in der es 1. gewisse zu verteilende Güter gibt, die 2. von den Mitgliedern geschätzt, d.h. angestrebt werden und 3. auf ungleiche Weise unter die Mitglieder der Gesellschaft verteilt sind«[71]. Wir heben hervor, daß nach Auffassung Dahrendorfs die ungleiche Distribution von »Gütern«, u.a. Prestige, in Korrelation zu einer gesamtgesellschaftlichen Ordnung auf Grund geltender Wertung eine Sozialschichtung kennzeichnet. Einkommen und Vermögen, Normen und Erwartungen erhalten dadurch für die Ermittlung des Stratifikationssystems besondere Bedeutung.

[65] *Weber* (wie Anm. 47) S. 29; bei *Dahrendorf* (wie Anm. 5) S. 237 in englischer Übersetzung.

[66] Ebd. S. 237.

[67] Ebd. S. 238.

[68] Ebd. S. 63.

[69] S. 64.

[70] S. 238.

[71] Zit. nach *T. Münz*: Die soziale Hierarchie komplexer Gesellschaften. Merkmale, Ursachen, Funktionen und Formen der sozialen Schichtung. Diss. rer. pol. Erlangen-Nürnberg 1967. S. 38 f.

Im Zusammenhang unserer Überlegungen interessiert an dieser Stelle besonders die Frage: wie werden Ungleichheit und Stratifikation vermittelt, wie »funk-
tioniert« Sozialschichtung? Dahrendorf leistet diese Vermittlung durch die Einführung der Kategorien »soziale Position« und »soziale Rolle«. Der Begriff der
sozialen Position ist nicht gesichert. Während Linton[72], Marshall[73], Nadel[74] u. a.
für das Gemeinte den Terminus »status« verwenden, spricht Dahrendorf sich
dafür aus, ihn mit spezifischer Bedeutung beizubehalten[75]. In jedem Fall sei der
Gebrauch von »Status« unglücklich, weil seine überwiegende Anwendung die
Vorstellung von einer bestimmten Art von Position impliziere, nämlich der auf
einer hierarchischen Stufung des Sozialprestiges[76]. Diese Einengung des Terminus soziale Position fängt Dahrendorf dadurch auf, daß er ihn als »jeden Ort in
einem Feld sozialer Beziehungen«[77] festschreibt. Damit ist Position als etwas
grundsätzlich Unabhängiges vom individuellen Träger zu denken, der in der
Regel eine Mehrzahl von Positionen einzunehmen hat. Neben der möglichen
Komplexität von sozialen Positionen, deren auf ein Individuum fallende Zahl
proportional mit dem Entwicklungsstand von Gesellschaften vermutlich steigt,
muß die Möglichkeit des Zustandekommens von »soziale(n) Positionen als Men-
gen von Positionssegmenten« berücksichtigt werden. Das heißt, die individuelle
»Gesamtposition« einer Person innerhalb einer gesellschaftlichen Einheit kann
die Summe von Positionsteilen verschiedener Dimensionen sein[78].

Seit Linton unterscheidet die Soziologie zwischen zugeschriebenen Positionen
(»ascribed positions«) und erworbenen (»achieved«)[79]. Zu den ersten gehören

[72] *R. Linton*: The Study of Man. An Introduction. New York 1937.

[73] *T. W. Marshall*: A Note on Status. In: *K. H. Kapadia* (Hg.): Prof. Ghurye Felici-
tation Volume. Bombay 1954.

[74] *F. Nadel*: The Foundations of Social Anthropology. London 1951.

[75] *Dahrendorf*: Art. Soziale Position. In: *Bernsdorf* (wie Anm. 45) S. 986.

[76] *Ders.* (wie Anm. 64) S. 68.

[77] Ebd. S. 30.

[78] An dieser Stelle kann auf einen Sachverhalt hingewiesen werden, der 1954 von Gerhard A. Lenski aufgedeckt und von ihm »Statuskristallisation« (oder »Statuskonsistenz«)
genannt wurde. Hohe Statuskristallisation liegt nach diesem Konzept dann vor, wenn die
Status (oder Positionen) einer Person in verschiedenen Dimensionen annähernd die gleichen sind (hoher Berufs-, Vermögens-, Prestige- oder Macht-Status); niedrige Statuskristallisation ist gegeben, wenn diese Positionen weit auseinanderliegen. Lenski glaubte nachweisen zu können, daß ein hoher Grad an Statuskristallisation Konservativismus, Illibera-
lität und soziale Immobilität fördert, während ein geringer Grad an Statuskonsistenz die
Bereitschaft und Neigung zur Veränderung und zum sozialen und politischen Wandel
begünstigt. S. *G. A. Lenski*: Status crystallization: A non-vertical dimension of social status. In: ASR 19 (1954) S. 405–413. Dieser Ansatz ist in der Frühneuzeitforschung herangezogen worden etwa von *L. Stone*: The English Revolution. In: *R. Forster* und *J. P.
Greene* (Hgg.): Preconditions of Revolution in Early Modern Europe. Baltimore-London
1970. S. 55–108, bes. S. 62 und 94. Kritisch hierzu *H. G. Koenigsberger*: Revolutionary
Conclusions. In: History 57 (1972). S. 394–398, bes. S. 397.

[79] *Dahrendorf* (wie Anm. 44) S. 54 f. Zu Linton s. Anm. 72.

21

beispielsweise Geschlecht, Alter, die Position »Bürger« (i. S. v. Staatsbürger); erworbene Positionen wären etwa »Bürger Augsburgs«, die Berufsstellung oder eine Ratsmitgliedschaft. Diese Differenzierung hat nach Dahrendorf[80] für alle Gesellschaften Gültigkeit, wenngleich die Unterscheidung nicht stets eindeutig sei. Hier wird Interdependenz und Austauschbarkeit von »ascribed« und »achieved positions« in je spezifischen Gesellschaftsverhältnissen angenommen werden müssen. Die Zuordnung von Positionen und Individuen wird »Prozeß der Positionsordnung« (»position allocation«) genannt.

»Während Positionen nur Orte in Bezugsfeldern bezeichnen, gibt die Rolle ... die Art der Beziehungen zwischen den Trägern von Positionen und denen anderer Positionen desselben Feldes an«[81]. Dahrendorf kritisiert bei der Diskussion der beiden »Elementarkategorien«, soziale Position und soziale Rolle, die von Linton eingebrachte Charakterisierung der Position als »statisch« und der Rolle als »dynamisch«. Selbst wenn seine Korrekturen an Lintons sozialpsychologischer Bewertung prinzipiell als stichhaltig übernommen werden können, soll in unserem sozialwissenschaftlichen Zusammenhang an der Beurteilung »statischer« Positionen und »dynamischer« Rollen festgehalten werden[82]. Damit ist zugleich Position mehr als eine Kategorie der Sozialschichtung, Rolle mehr als eine solche der Sozialstruktur vereinbart.

Da aber zu jeder sozialen Position eine soziale Rolle gehört[83], wird die gesellschaftliche Position eines Individuums nur aus dem Rollenzusammenhang verständlich. Somit stellt sich die Frage nach dem Inhalt des Rollenbegriffs. »Soziale Rollen bezeichnen Ansprüche der Gesellschaft an die Träger von Positionen, die zweierlei Art sein können: einmal Ansprüche an das Verhalten der Träger von Positionen oder Status[84] (Rollenverhalten), zum anderen Ansprüche an sein Aussehen und seinen »Charakter« (Rollenattribute)[85]. So ergeben sich zwei tragende Definitionsbestandteile des Rollenbegriffes:
1. der Tatbestand der Stellung, des Ortes, der Position in bestimmten gesellschaftlichen Beziehungsfeldern,
2. der Tatbestand bestimmter mit dieser Position verbundener Verhaltenserwartungen normativer Art.

Die Einhaltung und Beachtung der mit den Positionen verbundenen Rollenerwartungen geschieht durch die mit den Normen, denen menschliches Verhalten grundsätzlich unterliegt, verquickten Sanktionen[86]. Damit sind nicht nur

---

[80] Ebd. S. 55.

[81] S. 54.

[82] Vgl. *R. Mayntz*: Begriff und empirische Erfassung des sozialen Status in der heutigen Soziologie. In: KZfSS 10 (1958) S. 58–73, S. 61.

[83] *Dahrendorf* (wie Anm. 44) S. 32. Vgl. auch *T. Parsons*: A Revised Approach to the Theory of Social Stratification. In: *Bendix-Lipset* (wie Anm. 39) S. 99.

[84] *Dahrendorf*: Art. Soziale Rolle. In: *Bernsdorf* (wie Anm. 45) S. 902.

[85] *Ders.* (wie Anm. 64) S. 54.

[86] Vgl. ähnlich *R. Lepsius*: Ungleichheit zwischen Menschen und soziale Schichtung. In: *Glass-König* (wie Anm. 124) S. 54–64.

Zwangsmaßnahmen »negativer« Art, Bestrafungen, sondern auch »positive« Zwänge, Belohnungen (»rewards«) gemeint[87]. Unterschiedliches individuelles Verhalten der Mitglieder einer Gesellschaft wird differenziert »sanktioniert«; es resultiert daraus »notwendigerweise eine Ungleichheit des Ranges zwischen Menschen auf Grund ihrer individuellen Verhaltensweisen«[88]. Die Sanktionierung individuellen Verhaltens bewirkt unterschiedlich bewertete Positionen, deren Gesamtheit die Sozialschichtung ausmacht. »Die soziale Schichtung [ist] ein unmittelbares Resultat der Kontrolle sozialen Verhaltens durch positive und negative Sanktionen«[89].

Die empirische Erfassung der sozialen Position könnte – weitgehend mit Dahrendorf übereinstimmend – nach folgendem Muster geschehen:

1.1 Ordnung durch Familien-, Alters-, Geschlechts-, Berufs-, Einkommens-, Bildungs-, Prestige- etc. -positionen. Dabei ist besonders das Klassifikationskriterium Beruf hervorzuheben[90].

1.2 Ordnung durch Muß-, Soll- und Kann-Rollenerwartungen.

Bei der Beschreibung der sozialen Positionen wird die Ermittlung sog. Bezugsgruppen (»reference groups«) wichtig, die ihrerseits Position ud Rolle gesellschaftlich verorten[91]. Hier legt sich folgende Gliederung nahe:

2.1 Ermittlung der Bezugsgruppe(n),

2.2 Festlegung des relativen Gewichts der verschiedenen reference groups für gegebene Positionen,

2.3 Erstellung einer Rangordnung der Bezugsgruppen; die Skalierung kann entsprechend der den jeweiligen Bezugsgruppen zur Verfügung stehenden ne-

---

[87] Dazu grundlegend *T. Parsons* und *E. A. Shils* (Hg.): Toward a General Theory of Action. New York 1962 (zuerst 1951) S. 210 f.

[88] *Lepsius* (wie Anm. 86) S. 55.

[89] *Dahrendorf* zit. nach *Lepsius* (wie Anm. 86) S. 55.

[90] *Ders.* (wie Anm. 5) S. 70: »Whatever criterion of social stratification one prefers, prestige or income, spending habits or style of life, education or independence, they all lead back to occupation. Social stratification based on occupation is as such neither the whole nor a part of class structure, but it does constitute an element of inequality.«

[91] *Ders.* (wie Anm. 44) S. 74 f. Der Begriff Bezugsgruppe, von R. K. Merton eingeführt, stammt aus der Sozialpsychologie. Mit ihm wird die Orientierung individuellen Verhaltens an der sympathischen oder antipathischen Reaktion von Gruppen gemeint, denen das agierende Individuum selbst nicht angehört. Eine davon abweichende sozialwissenschaftliche Definition sieht in der Bezugsgruppe nur solche Einheiten, zu denen positionsbedingt notwendigerweise Beziehungen bestehen. Soziologische Bezugsgruppen sind somit keine Fremdgruppen. D.h. in der Formulierung Dahrendorfs: wir »können sagen, daß jedes Positions- oder Rollensegment eine Verbindung zwischen dem Träger einer Position und einer oder mehreren Bezugsgruppen herstellt« (1974) S. 45. Vgl. auch *M. M. Tumin* und *A. Feldman*: Reference Groups and Class Orientations. In: *Tumin* (wie Anm. 5) S. 280–293.

gativen oder positiven Sanktionen erfolgen[92].

3. Identifizierung und Deskription von Rollenerwartungen und Sanktionen.

Während die Bemühungen der Sozialpsychologie und Soziologie an dieser Problematik weitgehend erfolglos bleiben, erscheint eine Lösung im Rahmen der Erfassung sozialer Schichten im 15. und 16. Jahrhundert nicht völlig ausgeschlossen. Vielfältige und zahlreiche Quellen der Zeit spiegeln die normative Struktur der spätmittelalterlich-frühneuzeitlichen Gesellschaft und ihre Verhaltenserwartungen an jeden Einzelnen wieder. So können etwa aus dem Bereich der kodifizierten, für die Zeit gesellschaftlich verbindlichen Normen Kleider- und Hochzeitsordnungen sowie Sitzungs- und Prozessionsordnungen zur Eingrenzung gruppen- und schichtenspezifischer Verhaltenserwartungen mit Erfolg ausgewertet werden. Auch Bußkataloge für Beleidigungen von Oberschichtangehörigen können aufschlußreich sein. Natürlich ist die schichtenspezifische Setzung jener Ordnungen ausreichend in Rechnung zu stellen. Schließlich sei hier nur kurz auf die große Fülle zeitgenössischer Druckwerke hingewiesen, deren Autoren sich an der Produktion der »Spiegel«- und Trivialliteratur beteiligt haben, und die bisher kaum auf ihren sozialgeschichtlichen Gehalt hin befragt worden sind[93].

Im Vergleich zu der entfalteten Differenzierung der modernen Industriegesellschaft, an der Dahrendorf seine Kategorien gewonnen hat, weist die spätmittelalterliche, ständisch geprägte Stadtgesellschaft eine gewissermaßen archaische, gröbere Struktur auf[94]. Dennoch gebührt der Kategorie »soziale Position« für das Problem der Erfassung sozialer Schichten im Sinne eines Gefüges sozialer Ungleichheit im 15. und 16. Jahrhundert schon deshalb ein zentraler Platz, weil natürlich auch der spätmittelalterlich-frühneuzeitlichen Stadt trotz ihres vordergründig dominierenden statisch-ständischen Charakters jede sozio-strukturelle Eindimensionalität fehlt[95]. So stand jeder Stadtbewohner im Spannungsfeld jener Faktoren, die die sozialen Differenzierungen und Beziehungen wesentlich mitbestimmten, wie etwa das System juristischer Ungleichheiten, einer ausge-

---

[92] *Dahrendorf* (wie Anm. 44) S. 75. Zünfte sind in diesem Sinne durchaus Bezugsgruppen.

[93] Vgl. etwa das umfangreiche Verzeichnis entsprechender Literatur bei *W. Mauser*: Dichtung, Religion und Gesellschaft im 17. Jahrhundert. Die ›Sonette‹ des Andreas Gryphius. München 1976. Zur Sache s. den knappen Überblick bei *Bolte-Kappe-Neidhardt* (wie Anm. 2) S. 26–37, bes. S. 30 ff. und *L. Orth*: Städtische Rangdifferenzierung in der ständischen Ordnung. In: *H. D. Ortlieb; K. M. Bolte* und *F.-W. Dröge* (Hgg.): Struktur und Wandel der Gesellschaft. Opladen o. J.

[94] S. *Bolte-Kappe-Neidhardt* (wie Anm. 2) und *Orth* (wie Anm. 93).

[95] Hierzu etwa die Standardwerke von *E. Ennen*: Die europäische Stadt des Mittelalters. Göttingen 1972 mit einer 952 Titel umfassenden Bibliographie; *H. Planitz*: Die deutsche Stadt im Mittelalter. Wien-Köln-Graz 1973 und die reichhaltige Aufsatzsammlung von *C. Haase* (Hg.): Die Stadt des Mittelalters. 3 Bde. Darmstadt 1969–1973 ebenfalls mit weiteren Literaturhinweisen.

bildeten, nach Gesichtspunkten der Vornehmheit und Privilegierung gestuften Verbandsordnung, schichtenspezifischer Verhaltensnormierungen und eines ausgeprägten, erwerbsorientierten »System[s] wirtschaftlicher Funktionen«[96], das sich in krassen Ungleichheiten der Distribution materieller Güter manifestierte. In diesem Geflecht von Beziehungen, Erwartungen, Stufungen, Hierarchisierungen und Normen vermag die Kategorie »soziale Position« den gesellschaftlichen Platz eines einzelnen Individuums sinnvoll und treffend auch dann zu orten[97], wenn die Frage nach den positionskomplementären Rollen weitgehend ausgeblendet wird.

4. Der integrativ-mehrdimensionale Ansatz: die strukturell-funktionale Theorie

Die strukturell-funktionale Theorie des sozialen Systems[98] weicht von der Konflikttheorie, wie sie durch Dahrendorf repräsentiert wird, grundsätzlich ab. Beide Ansätze gleichen sich noch in der Vorstellung vom gesellschaftlichen System als einer Einheit, dessen Teile in dauernden, nach bestimmten Mustern geordneten Beziehungen stehen. Sie stimmen auch – cum grano salis – in wesentlichen Detailelementen wie etwa der Auffassung von der sozialen Rolle überein. Aber sie differieren entschieden in den Annahmen über die Struktur der interdependenten Variablen, über ihr »Funktionieren« und über ihr funktionelles Gerichtetsein und Ziel[99]. Einer der Hauptrepräsentanten der strukturell-funtionalen Theorie ist Talcott Parsons[100]. Anhand seiner 1951 erstmals erschienenen

[96] *F. Röhrig*: Wirtschaftskräfte im Mittelalter. Abhandlungen zur Stadt- und Hausgeschichte. Weimar 1959. S. 353.

[97] S. u. S. 48.

[98] Hier ist natürlich nicht die zeitgenössische Interpretation einer funktionalen Gliederung nach Wehrstand (Adel), Mehrstand (Bürgertum), Nährstand (Bauern) gemeint. Zu diesen Interpretationen vgl. auch die interessanten Nachrichten bei *Mauser* (wie Anm. 9).

[99] Eine eingehende Beschreibung des »sozialen Systems« und eine vergleichende Analyse der diversen Ansätze ist hier nicht zu leisten. Es sei punktuell verwiesen auf *Dahrendorf*: Pfade aus Utopia (wie Anm. 64). Zum Versuch einer Synthese zwischen Systemtheorie und historischem Stoff s. jetzt *E. Weyrauch*: Konfessionelle Krise und soziale Stabilität. Stuttgart 1978.

[100] Kurze Werkübersicht bei *Hartmann* (wie Anm. 12) S. 216 ff. Dort S. 3 ff. und S. 101 ff. eine umfangreiche Würdigung der Entwicklung, Dominanz und des Niederganges des Funktionalismus. Zum letzteren generell s. auch die geschliffene, teilweise polemische Auseinandersetzung mit Parsons bei *A. W. Gouldner*: Die westliche Soziologie in der Krise. Reinbek b. Hamburg 1974. Bd. 1 S. 210 ff. und Bd. 2 S. 411 ff. Eine ausführliche Darstellung funktionalistischer Schichtungsansätze bei *Wiehn* (wie Anm. 2) S. 16 ff. Daß Par-

Arbeiten »The Social System« und – zusammen mit Shils und anderen verfaßt –
»Toward a General Theory of Action« und seinem 1953 publizierten Aufsatz »A
Revised Analytical Approach to the Theory of Social Stratification« soll hier ein
sehr knapper Überblick[101] gegeben werden, an den sich, inhaltlich damit zusam-
menhängend, das Referat der Kontroverse zwischen den »Funktionalisten« Davis und Moore und Melvin M. Tumin über Prinzipien sozialer Schichtung an-
schließt.

»A social system consists of a plurality of individual actors interacting with
each other in a situation which has at least a physical or environmental aspect,
actors who are motivated in terms of a tendency to the ›optimization of gratifi-
cation‹ and whose relation to their situation, including each other is defined and
mediated in terms of a system of culturally structured and shared symbols«[102].
System bedeutet hier ein theoretisches, von der Realität abstrahiertes Konzept,
nicht eine empirische Erscheinung[103]. Parsons hat aber mit dieser Definition nur
einen von drei Aspekten einer universellen Systemtheorie umschrieben; das sogenannte Persönlichkeitssystem (»personality system«) und das sogenannte System der kulturellen Werte und Normen (»system of value-orientations«) werden hier nicht näher behandelt.

Das soziale System wird durch die Interaktion seiner Mitglieder zu einem
verhältnismäßig beständigen Beziehungsgeflecht strukturiert, dessen alleinige
Art von Einheit (»unit«) die Mitgliedschafts»rolle« der beteiligten Akteure ist
(»membership role, or status-role complex«)[104]. Der »actor« der Rolle kann eine
individuelle Person sein, aber auch ein Kollektiv (»collectivity«), das definitions-
gemäß durch eine Mehrheit von Personen gebildet ist, die allerdings in einem
funktionalen Zusammenhang stehen: z.B. im Betrieb oder in der Familie.
Gleichermaßen ist die individuelle Person Träger einer Mehrzahl von Rollen[105].

---

sons Systemvorstellungen auch unter der Perspektive einer allgemeinen Handlungstheorie
begriffen werden können, ergibt sich schon aus seiner maßgeblichen Beteiligung an »Toward a General Theory of Action« (s. Anm. 102); vgl. *Mayntz* in: *Bernsdorf* (wie
Anm. 45) S. 1021.

[101] S. auch die Zusammenfassung bei *Wiehn* (wie Anm. 2) S. 16 ff.

[102] *T. Parsons* und *E. A. Shils* (Hg.): Toward a General Theory of Action. New York
1962 (zuerst 1951) S. 5 f.

[103] Vgl. *T. Parsons*: Ansatz zu einer analytischen Theorie der sozialen Schichtung (zuerst in: AJS 45 (1940). In *ders.*: Beiträge zur soziologischen Theorie, Neuwied – Berlin
1964. S. 181–205, S. 183 Anm. 1.

[104] *T. Parsons*: An Analytic Approach to the Theory of Social Stratification. In: *ders.*:
Essays in sociological Theory. Glencoe, Ill. 1953. S. 94 (dt. in *ders.*: Beiträge zur sozio-
logischen Theorie. Neuwied-Berlin 1963). Konträr dazu *W. Siebel*: Rang und Autorität.
In: Soziale Welt 13 (1962) S. 239–259, S. 240 und 242.

[105] Vgl. oben die entsprechenden Vorstellungen Dahrendorfs; ferner: *H. A. Murray*:
Toward a Classification of Interaction. In: *Parsons-Shils* (wie Anm. 87) S. 450 f.

Alle einzelnen Aktionseinheiten (»units of action«) sind gesellschaftlichen Normen- und Wertmustern unterworfen, deren Applizierung zweierlei bedingt: 1. die Wahrscheinlichkeit unterschiedlicher Bewertung, d.h. normativ geregelte Differenzierung und 2. die Erwartung von Stabilität des Gesamtsystems durch Integration der Wertstandards[106]. Daraus folgt: »Stratification in its valuational aspect, thus, is the ranking of units in a social system in accordance with the standards of the common value system. This ranking may be equal, but obviously from a logical point of view this is a limiting case, and there are good reasons to believe that from an empirical point of view it should also be regarded«[107].

Aus analytischen Gründen geht Parsons von der Strukturen innewohnenden Tendenz zur Stabilität aus. Dies sei »the first law of social process«[108]. Konsequenterweise fungiert das System in Richtung auf Selbstreproduktion und Selbstregulierung[109]. Der damit eingeführte Begriff der Funktion beleuchtet in einer die strukturell-funktionale Theorie kennzeichnenden Weise das Charakteristikum sozialer Aktionsprozesse: »Funktional erscheinen nunmehr Prozesse, die zur Erhaltung der Strukturen beitragen«[110]. Das heißt konkret: die hierarchische Stellung einer Systemeinheit (Person oder Kollektiv) ist eine Funktion seines Platzes auf der »common value«-Skala. Der Platz bemißt sich nach dem jeweiligen funktionalen Beitrag der Einheit zur Zielerreichung des Systems bzw. Gesamtsystems[111].

Jede Aktionseinheit agiert dualistisch: als Objekt, das feststellbare Eigenschaften (»qualities«) besitzt, und als ein Wesen, das Rollenaufgaben erfüllt (»an entity performing the functions of a role«)[112]. Hinsichtlich des Eigenschaftsgesichtspunktes einer bestimmten Systemposition verwendet Parsons den Terminus »Status«, den Leistungsaspekt nennt er »Rolle«. Bewertungsbezug sind also sowohl Statuseigenschaften (»status qualities«) als auch Rollenleistungen (»role performance«). Mit anderen Worten, die Wertstandards des Wertsystems kategorisieren eine soziale Einheit einerseits nach dem mit dem Status verbundenen funktionalen Wertgewicht, andererseits nach dem Normativitätsgrad der Rollenleistungen.

Parsons entwickelt sodann vier Fundamentaltypen von Wertstandards[113]; es sind dies:

[106] *Parsons* (wie Anm. 104) S. 93.
[107] Ebd.
[108] *Parsons* (wie Anm. 102) S. 205.
[109] *Mayntz* in: *Bernsdorf* (wie Anm. 45) S. 1020; vgl. auch *N. Luhmann*: Funktionale Methode und Systemtheorie. In: *ders.*: Soziologische Aufklärung. Bd. 1 Aufsätze zur Theorie sozialer Systeme. 4. Aufl. Opladen 1974. S. 31 ff.
[110] S. *Tjaden* (wie Anm. 39) S. 102 und generell *W. Buckley*: Social stratification and the functional theory of social differentiation. In: ASR 23 (1958) S. 369-375, S. 317 ff.
[111] Vgl. *T. E. Lasswell*: Class and Stratum. An Introduction to Concepts and Research. Boston 1965. S. 61.
[112] *Parsons* (wie Anm. 83) S. 97.
[113] Ebd. S. 98 ff. und S. 110 f.

1. Adaption. Damit ist in etwa die Effektivität der Anpassung (»adaption«) der Handlung an die eigentlichen Besonderheiten einer situationalisierten Einheit zur Erreichung eines spezifischen Zieles (simpel: Umweltanpassung) gemeint. Die Nützlichkeit eines Zieles steht außerhalb der Betrachtung.
2. Zielverwirklichung (»goal attainment«).
3. Integration (»integration«) der Systemelemente oder -einheiten.
4. Aufrechterhaltung der normativen Struktur (früher: »latent-receptive meaning integration and energy regulation«, später: »pattern maintenance«)[114].

Diese Standards, die zugleich die vier Grundfunktionen der Gesellschaft repräsentieren, hat Parsons in Kooperation mit dem Kleingruppenforscher Bales in ein Schema gebracht, das von ihnen AGIL genannt wurde. Das AGIL-Schema erfaßt neben den Grundfunktionen eines sozialen Systems (als Wertstandards) auch dessen Subsysteme sowie deren Aufgabenkatalog und Untergliederungen[115].

Die Umsetzung der Grundfunktionen erfolgt im wesentlichen durch drei institutionalisierte Subsysteme, nämlich: 1. »organization«, dazu rechnet Parsons den Betrieb, die Schule, das Hospital etc. Die Teilsystemrollen sind weitgehend beruflich organisiert; 2. »diffuse-function association«, Prototypen sind politische Institutionen und die Kirche. Die Teilsystemrollen sind ebenfalls vornehmlich beruflich organisiert, jedoch auf einem (in der Regel) höheren Qualifikationsniveau; 3. »diffuse solidarities«, in die das Individuum eingebettet ist, wie Familie, Sippe, Stadtgemeinde, ethnische Gruppe. Die Relationen zwischen diesen Teilsystemen sind deshalb für die Schichtungsanalyse von Wichtigkeit, weil üblicherweise jedes Individuum zumindest zwei, wenn nicht drei Teilsystemen angehört[116].

Wie angedeutet, umschreibt das Feld der konkretesten und unmittelbarsten Institutionalisierungen des Wertsystems den Bereich der beruflichen Rollen. Der Normalerwachsene ist Inhaber eines »full-time« Berufes, einer Rolle, die im Berufssystem generell nach ihrem produktiven Beitrag für das Funktionieren des Systems bewertet wird[117]. »... the main lines of our system of stratification seems to be understandable mainly as a resultant of the tendencies of institutionalization ... of the occupational system«[118].

Da Berufsrollen mit dem ihnen verbundenen Leistungsprinzip erworben[119] werden, tritt die Bedeutung des durch Geburt zugewiesenen Status (in der von

---

[114] Vgl. *Tjaden* (wie Anm. 39) S. 183 Anm. 188.

[115] S. die veranschaulichende Graphik bei *Parsons* (wie Anm. 83) S. 111.

[116] Ebd. S. 115. Es ist kein Widerspruch zu Parsons' Auffassung, wenn man - in einer anderen Perspektive - den Kanon der Berufe eines sozialen Systems oder das Stratifikationsgefüge selbst als Subsysteme, die dem Gesamtsystem funktional zugeordnet sind, klassifiziert. Es entscheiden der Standpunkt und das Erkenntnisinteresse des Beobachters.

[117] Ebd. S. 116.

[118] Ebd. S. 99.

[119] Vgl. ebd. S. 100.

Parsons untersuchten Gesellschaft) zugunsten der Leistung als wichtigstem Maßstab für die Prestigezuteilung zurück[120]. Alle anderen denkbaren Bedeutungskriterien wie Einkommen, Besitz usf. sind letztlich vom Berufsstand abgeleitet und sekundär[121]. Neben der Berufsrolle entscheidet nach Parsons allerdings noch die Familie als fundamentale gesellschaftliche Teileinheit über die Schichtzugehörigkeit[122]. Beide Kriterien kombiniert ergibt den »class-status«[123]. Lediglich »education« kommt als weiteres, relevantes Kategorisierungselement in Betracht, dessen Gewicht für Europa höher als für die USA eingeschätzt wird.

Für eine erfahrungswissenschaftliche Analyse im hier anstehenden Kontext reduziert sich damit – grob formuliert – Parsons strukturell-funktionale Theorie der sozialen Schichtung im Bemerkenswerten auf die Kategorien Beruf und Familie und deren mögliche Hierarchisierung nach »funktionalen« Gesichtspunkten. Das erscheint dürftig angesichts eines immensen, an dieser Stelle nur angetönten intellektuellen Aufwandes; es mag auch aus diesem Grunde gefragt werden, ob nicht gerade der hohe Abstraktionsgrad der Theorie[124] jene Dünne bewirkt hat, in der bislang – u. W. – eine überzeugende empirische Verifizierung des diskutierten Stratifikationssystems nicht gedeihen konnte. Parsons hat sie zumindest nicht geleistet[125].

Fünf Jahre nach Parsons' erstem Entwurf einer funktionalen Schichtungstheorie haben Kingsley Davis und Wilbert E. Moore dessen Konzept einer Hierarchisierung durch differentielle Bewertung sozial funktionaler Tätigkeiten qua entsprechend differenzierter Belohnung ausgebaut[126] und durch Explizierung gewisser unausgesprochener Implikationen Parsons' eine lebhafte, auch methodisch interessante Kontroverse entfacht[127].

Es werden folgend die zentralen Thesen der Auseinandersetzung gegenübergestellt; die »antifunktionalistische Partei« vertritt dabei Melvin M. Tumin[128]. Davis-Moore:

[120] *Mayntz* (wie Anm. 82) S. 66.

[121] S. z. B. *Parsons* (wie Anm. 83) S. 116, 118 und 120. Diese Abhängigkeit läuft in einem komplexen »process of ›interlarding‹ ab; S. 121.

[122] Ebd. S. 116 ff.

[123] S. 120.

[124] *R. Mayntz*: Kritische Bemerkungen zur funktionalistischen Schichtungstheorie. In: *D. V. Glass* und *R. König* (Hgg.): Soziale Schichtung und soziale Mobilität. Köln-Opladen 1961. 4. Aufl. 1970. (KZfSS Sonderheft 5) S. 10–28, S. 26.

[125] S. Parsons' diesbezügliches Eingeständnis (1953) S. 127.

[126] *K. Davis* und *E. W. Moore*: Some Principles of Stratification (1945), wieder abgedruckt in: *Tumin* (wie Anm. 5) S. 368–377. und deutsch bei *Hartmann* (wie Anm. 12) S. 396–410; zu diesen beiden Autoren s. ebd. S. 394 f.

[127] Tumin allein führt zehn Beiträge auf, S. 367–434; *Hartmann* (wie Anm. 12) S. 365 verzeichnet zwei Dutzend größere Stellungnahmen. S. die ausführliche Darstellung bei *Wiehn* (wie Anm. 2) S. 16–99.

[128] Davis-Moore werden nach der Hartmannschen Übersetzung, S. 396 ff. zitiert (s. Anm. 12); Tumin nach seinem Wiederabdruck in *ders.* (wie Anm. 5) S. 378 ff., hier S. 385.

1. Für jede Gesellschaft gilt, daß »einige Positionen spezielle Begabung oder Ausbildung erfordern und einige größere funktionelle Bedeutung als andere haben« (S.397).
2. »Bei manchen Positionen ist eine so starke natürliche Begabung erforderlich, daß geeignete Personen zwangsläufig selten sind«(S.399).
3. »Meistens findet sich in der Bevölkerung eine ausreichende Zahl von Begabten; doch ist die Ausbildung so langwierig, teuer und umständlich, daß nur verhältnismäßig wenige die notwendige Eignung erwerben können«(S.399).
4. »Sind aber die nötigen Fertigkeiten wegen der Knappheit der betreffenden Begabung oder wegen der Ausbildungskosten ›Mangelware‹, dann muß die funktional bedeutsame Position eine Anziehungskraft besitzen, die sie im Wettbewerb mit anderen Positionen bestehen läßt. Das bedeutet praktisch, daß die Position im oberen Teil der sozialen Rangordnung zu stehen hat« (S.399 f.).
5. »Die Belohnungen sind gewissermaßen in die Positionen ›eingebaut‹. Sie bestehen aus den mit der Position verbundenen Rechten und – sozusagen – ihrem Zubehör oder ihren ›Zugaben‹. Dazu zählen zunächst einmal jene Dinge, die dem Lebensunterhalt und der Bequemlichkeit dienen. Dazu gehört ferner alles, was zur Unterhaltung und Zerstreuung beiträgt. Schließlich sind auch solche Belohnungen mit einzubeziehen, die die individuelle Selbstachtung und Entwicklung fördern« (S.398).
6. »Wenn Rechte und Vorrechte der verschiedene Positionen in einer Gesellschaft ungleich sein müssen, muß die Gesellschaft geschichtet sein; Ungleichheit ist genau das, was mit dem Begriff Schichtung gemeint ist. Soziale Ungleichheit ist somit ein unbewußt entwickeltes Werkzeug, mit dessen Hilfe die Gesellschaft sicherstellt, daß die wichtigsten Positionen von den fähigsten Personen gewissenhaft ausgefüllt werden. Daher muß jede Gesellschaft, ob primitiv oder komplex, das Prestige und die Beurteilung verschiedener Personen unterschiedlich ausfallen lassen und somit ein gewisses Maß institutionalisierte Ungleichheit aufweisen« (S.398).

Tumin:

1. »Social stratification systems function to limit the possibility of discovery of the full range of talent available in a society. This results from the fact of unequal access to appropriate motivation, chanels of recruitment and centers of training.
2. In foreshortening the range of available talent, social stratification systems function to set limits upon the possibility of expanding the productive resources of the society, at least relative to what might be the case under conditions of greater equality of opportunity.
3. Social stratification systems function to provide the elite with the political power necessary to produce acceptance and dominance of an ideology which rationalize the status quo, whatever it may be, as »logical«, »natural« and »morally right«. In this manner, social stratification systems function as es-

sentially conservative influences in the societies in which they are found.

4. Social stratification systems function to distribute favorable self-images unequally throughout a population. To the extent that such favorable self-images are requisite to the development of the creative potential inherent in men, to that extent stratifiction systems function to limit the development of this creative potential.

5. To the extent that inequalities in social rewards cannot be made fully acceptable to the less privileged in a society, social stratification systems function to encourage hostility, suspicion and distrust among the various segments of a society and thus to limit the possibilities of extensive social integration.

6. To the extent that the sense of significant membership in a society depends on one's place on the prestige ladder of the society, social stratification systems function to distribute unequally the sense of significant membership in the population.

7. To the extent that loyalty to a society depends on a sense of significant membership in the society, social stratification systems function to distribute loyalty unequally in the population.

8. To the extent that participation and apathy depend upon the sense of significant membership in the society, social stratification systems function to distribute the motivation to participate unequally in a population« (S. 385).

Der Streit zwischen Funktionalisten und ihren Gegnern ist hier nicht zu schlichten. Die kontrastierende Synopse der funktionalistisch – antifunktionalistischen Annahmen wurde in kognitiv-programmatischer Absicht angestellt. Sie ist das paradigmatische Tertium comparationis, an dem Gefahren überzogener Theoretisierung abgelesen werden können.

So darf eine Untersuchung sozialer Schichtung weder das Untersuchungsmaterial noch das Untersuchungsziel präjudizieren. Für jede wissenschaftliche Arbeit an sozialer Schichtung gilt das Postulat der historisch-kritischen Methode analog, d.h. jede Forschung wird ihre eigene Sozial- und Gegenwartsgebundenheit ebenso selbstkritisch einbringen, wie sie schichtungsspezifischen, zeitgebundenen, ideologischen Charakteristika von Quellen für eine historische Stratifikationsforschung Rechnung tragen wird[129].

Die strukturell-funktionale Schichtungstheorie ist in Deutschland insgesamt nicht rezipiert worden[130], wahrscheinlich besonders deshalb nicht, weil diese Theorie nur mangelhaft die Gesichtspunkte Macht, Herrschaft und Konflikt ins

---

[129] Zur soziopolitischen Problematik, Klassengebundenheit und ideologischen Funktion historischer Quellen s. z. B. *K. Czok*: Bürgerkämpfe und Chronistik im deutschen Spätmittelalter. In: ZfG 10 (1962) S. 637–645 und *ders.*: Städtische Volksbewegungen im Spätmittelalter. Leipzig 1963 (masch. Habil. schr.) S. 12 ff.

[130] Von partiellen Befruchtungen abgesehen; vgl. *Wiehn* (wie Anm. 2) S. 13 und *E. K. Scheuch* und *D. Rüschemeyer*: Scaling social status in Western Germany. In: Brit. Journal of Sociology 11 (1960) S. 151–169 und *Scheuch-Rüschemeyer* in: *Glass-König* S. 86.

Auge faßt, die hier in erster Linie beachtet wurden und werden, und wegen einer unverkennbaren ahistorischen Tendenz. Über diese Pauschalabwertung hinaus hat Renate Mayntz in einer sorgsamen Kritik[131] anhand der Äußerungen Davis', Barbers und Nagels[132] weitere theorieimmanente Argumente gegen die funktionalistische Schule vorgetragen.

Nach dem funktionalistischen Modell ist – wie geschildert – Sozialschichtung die institutionalisierte Ungleichheit der Belohnungen verschiedener sozialer Positionen mit der »positiven Funktion«, den für den Bestand der Gesellschaft notwendigen selektiven Effekt zu erzielen; Stratifikation wird damit zugleich »unvermeidbar« und »unerläßlich«. Das Modell impliziert, daß, wenn Talente (als Voraussetzung für die Besetzung wichtiger sozialer Positonen) angeboren und knapp sind, sich ohne Belohnungsanreiz niemand um schwierigere Positionen bemüht und gesellschaftliche Stellungen nur im Wettbewerb errungen werden, indem sozial relevantere Positionen höher belohnt werden müssen, falls die in Frage kommenden Gesellschaftsaufgaben erfüllt werden sollen.

Nach Frau Mayntz ist hier die eigentliche Wirkungsrichtung der Theorie nicht durchschaut, da sie realiter nur besage, »daß, wenn unter diesen drei Bedingungen die wichtigeren Positionen adäquat besetzt werden sollen, sie höhere Belohnungen zugeteilt haben ›müssen‹[133]. Der Trugschluß liegt darin, daß die abhängige Variable (Zielzustand der Gesellschaft) »vorweg« vom funktionalistischen Forscher definiert sein muß, wenn Wirkungen als funktional, dysfunktional oder funktional irrelevant gewertet werden sollen[134]. Nun wird die Annahme der (funktionalistisch notwendigen, funktionalen) »Entsprechung zwischen Bedeutungshierarchie der Tätigkeiten und der Belohnungsverteilung« (Mayntz) nicht bewiesen, sondern axiomatisch unterstellt. D.h., entweder die »universale Funktionalität alles Bestehenden« zu fordern und damit »den Status quo der Ungleichheit aufgrund seiner funktionalen Notwendigkeit zu rechtfertigen« oder aber jede »Ursache kausal aus der Wirkung herzuleiten«[135].

Wird allerdings, wie es Nagel versucht, ein gesellschaftliches System als zielorientiert geortet und dieser Zielzustand systemimmanent ermittelt, wird auch – mit Renate Mayntz – die funktionalistische Schichtungstheorie erfolgreich anwendbar.

Damit wird der Nachweis der Gültigkeit von systemgesetzten sozialen Zielzuständen zur Bedingung der strukturell-funktionalen Theorie. Gelingt diese sozusagen historische-konkrete Identifizierung gesellschaftlicher Systeme nicht, bleibt – nach Mayntz – vom kritisierten Ansatz nichts als »eine höchst allgemeine These«[136].

[131] *Mayntz* (wie Anm. 124); vgl. *dies.* (wie Anm. 82) S. 66.
[132] Dazu *B. Barber* (wie Anm. 39) S. 19 f.
[133] *Mayntz* (wie Anm. 124) S. 13.
[134] Ebd. S. 14.
[135] S. 20.
[136] S. 26.

5. Der synthetisch-historische Ansatz: die Schichtungstheorie Lenskis

Zu den bedeutenderen Schichtungstheorien mit universellem Geltungsanspruch zählt auch der von Gerhard Lenski vorgelegte synthetische Ansatz, soziale Ungleichheit von ihrer Entstehung her zu erklären[137]. Zwar ist Lenskis Theorie auf einer empirisch-historischen Anwendungsebene festgemacht, gleichwohl kann sie einen kategorialen Erklärungshorizont nicht überschreiten. Lenski unterscheidet zwei Typen sozialen Handelns als Regulierung und Kooperation entweder zur Absicherung puren physischen Überlebens der Mitglieder von (sehr frühen) Gesellschaften oder aufgrund von Zwang und Macht in sozialen Situationen jenseits von »Überlebensbedürfnissen«.

Gesellschaften ohne ökonomisches Mehrprodukt fehlt nahezu jede soziale Ungleichheit, sie regulieren und befriedigen ihre Bedürfnisse im Rahmen eines allgemeinen Konsens. Mit der Entwicklung eines wirtschaftlichen Surplus entstehen sowohl soziale Ungleichheit als auch Konflikt als Folge der unterschiedlichen Chancen zur Surplusdistribution. Die Ungleichheit an Macht über ökonomisches Mehrprodukt[138] wird sichtbar in unterschiedlicher Privilegierung, d.h. letztlich in institutionalisierten Rangstufungen. Soziale Schichtung wird somit eine Funktion der ungleichen Verteilung von Prestige, Macht und Privileg, die ihrerseits in dem vom jeweiligen Produktionssystem erarbeiteten Mehrprodukt begründet liegen. Der technische Fortschritt bestimmt, vereinfacht formuliert, das Ausmaß sozialer Differenzierung; die stratifikatorische Klassifizierung historischer Gesellschaften hängt vom Stand ihrer technologisch-ökonomischen Entwicklung ab.

Neben grundsätzlichen Bedenken, die etwa von Allardt, Wiehn und Hörning[139] wegen des Fehlens jeglicher »Hypothesen über die Beziehungen zwischen technischem Entwicklungsstand, Produktionssystem und Mehrprodukt«[140] vorgebracht wurden, muß in der hier tragenden Perspektive gegen Lenski der Ein-

---

[137] *G. A. Lenski*: Macht und Privileg. München 1973 (zuerst engl.: Power and Privilege. 1966).

[138] S. ebd. bes. S. 70 ff.

[139] S. *E. Allardt*: Theories about Social Stratification. In: *J. A. Jackson* (Hg.): Social Stratification. London 1968. *Wiehn* (wie Anm. 2) sowie *K. H. Hörning*: Power and Social Stratification. In: The Sociological Quarterly 12 (1971).

[140] *K. H. Hörning*: Soziale Schichtung und Soziale Mobilität. Trendreport zum 17. Deutschen Soziologentag in Kassel 1974. (verv. Manuskript) S. 3 und *ders.* (wie Anm. 1) S. 15 ff.

wand mangelnder empirischer Überprüfbarkeit erhoben werden. Lenski hat z.B. keine erfahrungswissenschaftlichen Indikatoren, um etwa Überlebensniveaus auszuloten und messen zu können, d.h. auch ihm gelingt eine Quantifizierung von »Armut« nicht[141]. Insoweit bleibt im Hinblick auf gesellschaftliche Unterschichten der Erklärungsversuch in ›Power and Privilege‹ fruchtlos; die allgemeine Hypothese von der Korrelation zwischen dem Wachstum des ökonomischen Mehrprodukts und der damit einhergehenden Differenzierung der Verteilungschancen einerseits und der Zunahme sozialer Ungleichheit andererseits kann sich jedoch als heuristisch wertvoll erweisen[142]. Innerhalb des ökonomischen Entwicklungsrahmens des 15. und 16. Jahrhunderts wäre gerade in den Bearbeitungsstädten ein möglicherweise spezifisches Verhältnis von Surplusverfügbarkeit und Macht- und Privilegienbesitz und -steigerung einerseits und dem Stand der technologischen Entwicklung und dem Grad sozialer Differenzierung andererseits zu beachten und zu prüfen[143].

6. Der integrativ-eindimensionale Ansatz: das Index-Verfahren Warners

Zur Feststellung von sozialer Schichtung auf der Basis der Ermittlung von Prestigedifferenzierungen haben sich im wesentlichen drei Forschungsansätze entwickelt[144]. Wir unterscheiden:

1. Beobachtung und Erfragung von schichtenspezifischem Verhalten (Wer verhält sich wem gegenüber in welchen Situationen wie? Wer hat Kontakte welcher Art zu wem? Wer heiratet wen? Wer wohnt in welchen Stadtvierteln?). Unter dem Einfluß der Warner-Schule hat August B. Hollingshead 1949 eine beispielhafte Studie vorgelegt[145]. Angewandte Technik: teilnehmende Beobach-

---

[141] Vgl. dazu *P. Townsend* (Hg.): The Concept of Poverty. Working Papers on Methode of Investigation of Life-Styles of the Poor in Different Countries. London 1970 und *ders.*: Poverty as Relative Deprivation: Resources and Style of Living. In: *D. Wederburn* (Hg.): Poverty, Inequality and Class Structure. London 1974.

[142] Ohnehin sei Lenskis historisches Interesse und seine Betonung der Notwendigkeit detaillierter historischer Forschungen hervorgehoben. Er selbst hat jedoch nicht auf der Grundlage archivalischer Studien gearbeitet.

[143] Vgl. *C. Haase* (Hg.): Die Stadt des Mittelalters. 3 Bde. Darmstadt 1969–1973. Einleitung in *ders.* Bd. 3 S. 3.

[144] Vgl. *Bolte*: Artikel Schichtung. In: *R. König* (Hg.): Soziologie. Frankfurt/M. 1971 (Fischer Lexikon 10). S. 271 f.

[145] *A. B. Hollingshead*: Elmtown's Youth. The Impact of Social Classes on Adolescents. New York 1949. Insgesamt sind hier die Arbeiten der Warner-Schule wegweisend gewesen.

tung[146] und Interview.

2. Erkundung von sozialen Schichten durch sog. Selbsteinschätzung. Hier wird ermittelt, welche Vorstellungen über gesellschaftliche Schichtung bei den Befragten selbst vorhanden sind, sodann werden diese zu ihrer Selbsteinstufung angehalten. Kleining und Moore nennen diese Methode »Soziale Selbsteinschätzung SSE«[147]. Angewandte Technik: Interview.

3. Berechnung von Indizes, zumeist als Status-[148] oder Positionsindizes[149] bezeichnet. Die Index-Methode hat besonders in Nordamerika eine immense Verbreitung gefunden[150], ist aber auch in der BRD in großangelegten Untersuchungen angewandt worden; Indizierung wurde für die »Empiriker« nahezu gleichbedeutend mit Schichtenforschung.

Bei diesem Verfahren werden »relevante« Statuskriterien bestimmt, für jedes Kriterium eine skalierte Rangordnung aufgestellt, diesen Rängen Zahlenwerte zugeteilt, welche dem tatsächlichen sozialen Rang entsprechen (sollen). Durch verschiedene Verfahren wird dann ein Index errechnet, der die Zuordnung zu einem bestimmten Status ermöglicht[151]. Man unterscheidet multifaktorielle Bestimmungsmethoden, bei denen der Status aus mehreren, bis zu neun Faktoren berechnet wird[152], und Verfahren, die sich nur auf ein signififikantes Merkmal (Faktor) beschränken[153].

Das Verfahren der sozialen Selbsteinschätzung entfällt in einer historischen Schichtenerhebung aus methodischen Gründen. Die beiden anderen Vorgehensweisen (Index-Erstellung und – in modifizierter Form – teilnehmende Beobachtung) scheinen jedoch Möglichkeiten zu versprechen, methodische Ansätze und Fertigkeiten auch für eine historische Untersuchung nutzbar zu machen. Wir referieren hier exemplarisch nur die Index-Methode in ihrer Grundlegung durch Lloyd W. Warner[154].

[146] S. *R. König*: Die Beobachtung. In: *ders.* (Hg.): Hdb. der emp. Sozialforschung. 2. Aufl. Stuttgart 1969 (3. Aufl. 1973). Bd. 2 S. 1–65.

[147] *G. Kleining* und *H. Moore*: Soziale Selbsteinschätzung (SSE). Ein Instrument zur Messung sozialer Schichten. In: KZfSS 20 (1968) S. 503–552. S. hierzu die Bemerkungen von *Kirchberger* (wie Anm. 2) S. 18.

[148] S. *Lasswell* (wie Anm. 111) S. 77 passim.

[149] Ebd. S. 86 ff.

[150] S. *Barber* (wie Anm. 39) S. 111. Der Trend hat sich allerdings in den 70er Jahren nicht fortgesetzt.

[151] Vgl. *Kleining-Moore* (wie Anm. 147) und *E. K. Scheuch* und *H. Daheim*: Sozialprestige und soziale Schichtung. In: *Glass-König* (wie Anm. 124) sowie die zusammenfassende Übersicht bei *Bolte-Kappe-Neidhardt* (wie Anm. 2) S. 86 ff.

[152] Beispiele: *Scheuch-Rüschemeyer* (wie Anm. 130) und *Scheuch-Daheim* (wie Anm. 151).

[153] *Kleining-Moore* (wie Anm. 147).

[154] Der Bericht stützt sich in der Hauptsache auf *L. W. Warner; M. Meeker* und *K. Eells*: Social Class in America. Chicago 1949. ND New York 1960. Es wird auf Einzelnachweise verzichtet; lediglich Zitate aus anderen Arbeiten Warners werden belegt. Ein

Warner geht von folgenden Grundannahmen aus:
Jede Gesellschaft ist geschichtet. Eine nicht stratifizierte Gesellschaft ist ein Mythos. Soziale Schichtung konstituiert sich aus Teilgruppen, von denen jede eine »social structure« genannt wird. Als solche »Sozialstrukturen« (gemeint sind natürlich : Strukturelemente) gelten Familie, Clique, Verein, »classes«, Schule, Kirche, wirtschaftliche Institutionen, politische Organisationen, Alters- und Geschlechtsgruppen. Schichtung ist ein Interrelationsgeflecht und zielt ab auf Verhaltenssteuerung durch Bewertung.

Die Lokalisierung innerhalb eines Schichtungsgefüges geschieht durch den »Status«. »...status is the most general term used to refer to the location of the behaviour of individuals or the social positions of individuals themselves in the structure of any group. It is a defined social position located in a social universe. The term is synonymous with social position, social place, or social location«[155].

Sozialschichtung ist erkenn- und meßbar. Es gibt »subjektive« und »objektive« Methoden[156].

Soziale Schichten sind real, d.h. sie existieren wirklich. Sie sind nicht nur ein analytisches Hilfsmittel des Forschers oder eine heuristische Konstruktion. Mit sozialer Schichtung kann die ganze Gesellschaft erfaßt und verstanden werden[157]. Es gibt »ranked« und »non-ranked« Schichtungen. Warner ist besonders an den an den ersteren interessiert. Diese formen sich aus in sozialen Beziehungen der Über- und Unterordnung. Die verschiedenen Rangstufen verteilen materielle und immaterielle Werte und Belohnungen ungleich. Symbole für diese Variablen sind (u.a.) Macht (»power«) und Prestige.

Macht entspricht dem Besitz der Kontrolle über andere Personen und Sachen in einem sozialen Feld, sie kann Veränderungen bewirken, welche ohne die Kontrolle nicht stattgefunden hätten bzw. stattfinden könnten. Prestige entspricht

---

rascher Überblick kann im ersten Teil des Buches von *Warner-Meeker-Eells* gewonnen werden, S. 3–45. Eine nahezu vollständige Bibliographie der Arbeiten Warners in *ders.*: American Life. Dream and Reality. Chicago 1953. Vgl. auch *Barber* (wie Anm. 39) S. 18 Anm.

[155] *W. L. Warner*: The Study of Social Stratification. In: *Tumin* (wie Anm. 5) S. 232. Diese inhaltliche Gleichsetzung ist natürlich kaum haltbar.

[156] »Subjektiv« wird ein Verfahren genannt, in dem die Schichtzuordnung durch die Subjekte des Stratifikationssystems selbst erfolgt. »Objektiv« heißt eine Methode, bei der der Forscher eine »objektive« Definition von Schicht trifft und die Untersuchungspersonen entsprechend einer ausgewählten Skala bewertet und einordnet. Dies geschieht ohne Rücksicht auf die Selbstbewertung der Personen oder deren Bewertung durch andere Mitglieder der Gesellschaft. Vgl. dazu allgemein *W. Kornhauser*: »Power Elite« or »Veto Group«. In: *Bendix-Lipset* (wie Anm. 39) S. 210–217, S. 226; *Geiger* (wie Anm. 5) S. 192; *Bolte* in: *König* (wie Anm. 144) S. 32 f. sowie die durchdringende, methodologisch zwingende Kritik bei *Kirchberger* (wie Anm. 2) S. 100 ff.

[157] Hier schimmert Warners anthropologische »Neigung« durch; vgl. *Kornhauser* (wie Anm. 156) S. 225.

der Art und dem Gewicht des Wertes (»value«), der gesellschaftlichen Objekten, Tätigkeiten, Personen und Positionen zugeschrieben wird. Macht und Prestige sind interdependent. Entgegen der marxistischen Aufassung[158] haben Macht und Prestige multiple Ursachen, wenngleich ökonomische Faktoren hoch einzuschätzen sind.

Es gibt eine Korrelation zwischen dem Grad der Komplexität einer Gesellschaft bzw. Gruppe und dem Differenzierungsgrad der sozialen Stufung. In der Regel ist das Verhältnis direkt proportional.

Schicht ist, »what people say it is«. Für die Zuordnung zu bestimmten gesellschaftlichen Positionen ist die Bewertung der Mitglieder der Gesellschaft ausschlaggebend, zugesprochenes Prestige also der entscheidende Maßstab.

Warner und seine Mitarbeiter haben u.a. die Schichtenstruktur in drei Gemeinden Nordamerikas untersucht: Yankee City, eine Stadt in Neu-England mit 17000 Einwohnern; Old City im Süden der USA mit 10000 Bewohnern und Jonesville, eine Ortschaft im mittleren Westen mit einer Bevölkerung von 6000 Personen[159]. Die Untersuchungsstädte sind nach besonderen Kriterien ausgewählt worden: »well-integrated«, arm an sozialen Konflikten, für alle Einwohner überschaubar.

Warner und Mitarbeiter haben zwei Techniken zur Bestimmung des sozialen Status erarbeitet: die bewertete Teilnahme (»evaluated participation«, = EP) und den Index der Statusmerkmale (»index of status characteristics«, = ISC).

Bei der EP-Methode wird unterstellt, daß die Teilnahme eines Individuums an organisierten wie nicht organisierten Gruppen oder Tätigkeiten allgemein bekannt ist und von anderen Individuen bewertet wird, und zwar nach dem Rang, der diesen Tätigkeiten und Gruppen selbst zugeteilt worden ist. Alle Individuen sind »explicitly or implicitly aware of the ranking and translate their evaluations of such social participation into social-class ratings that can be communicated to the investigator«[160]. EP kombiniert sechs verschiedene Beurteilungstechniken (»rating techniques«). Ziel ist ein Abbild der sozialen Schichtung der untersuchten Gruppe nach dem erfragten und in Rangstufen umgesetzten Selbstverständnis der Gruppenmitglieder. D.h., nicht der Analytiker legt seine Rangmaßstäbe auf die Gruppe, sondern er übersetzt lediglich die Schichtungsbeurteilungen der Gruppenmitglieder in eine einheitliche Terminologie. Die Informanten aber »are the final authorities«. Die Arbeitsmedien sind: Interview und Personenkarteien.

Mittels EP konnte von Warner und Mitarbeitern eine sechsstufige Schichtenstruktur aufgedeckt werden[161]:

[158] Zur Kritik Warners an Marx s. *Warner-Meeker-Eells* (wie Anm. 158) S. 9 f.
[159] »Yankee City« ist der Ort Newburyport, Mass. Die Untersuchungsergebnisse sind vorgelegt in *Warner-Meeker-Eells*. »Jonesville« ist ein Pseudonym für den Ort Morris, Ill.; vgl. *L. W. Warner u. a.*: Democracy in Jonesville. A Study of Equality and Inequality. New York 1949.
[160] *Warner-Meeker-Eells* (wie Anm. 158) S. 35.
[161] Vgl. hierzu Anm. 204. Die Benennungen der sechs Schichten sind wie folgt aufzulö-

Der Index der Statusmerkmale ISC basiert auf zwei Prämissen: 1. Wirtschaftliche und andere Prestige-Faktoren sind für soziale Schichtung sehr wichtig und stehen in enger Beziehung zu ihr; 2. diese sozialen und ökonomischen Faktoren (wie Begabung, Einkommen, Vermögen) schlagen sich in schichtenspezifischem Verhalten der Mitglieder des untersuchten Sozialsystems nieder. Das Verhalten ist als solches von den Mitgliedern erkennbar und identifizierbar. Im engeren Sinne ist der ISC also ein Index sozio-ökonomischer Faktoren. Aber Warner behauptet, daß sich mit beachtlichem Maß an Zuverlässigkeit der ISC als Index der Schichtenposition (»social class position«) verwenden läßt. »This method is designed to provide an objective method for establishing the social level of everyone in the community«[162].

Der ISC errechnet sich aus vier Merkmalen: Beruf, »Art« des Einkommens (»source of income«; nicht Höhe!), Haustyp (»house typ«) und Wohngegend. Warner nimmt an, daß diese vier Faktoren »die« Träger von Sozialwertungen sind. Denn nicht – um ein Beispiel zu nennen – der Haustyp an sich, sondern die Bewertung (»evaluation«) des Hauses durch Dritte sei zentral und für Schichtungsbestimmung maßgebend. Gemessen werden nicht Objekte, sondern deren sozialsymbolischer Wert. Der ISC wird in mehreren Schritten erstellt:

1. Taxierung einer Person in den vier Merkmalen an Hand einer 7 Punkte Skala.
2. Die Taxierungen werden summiert, nachdem jedem der vier Merkmale das Gewicht zugeteilt wurde, das seiner Bedeutung für die Eruierung im Schichtengefüge entspricht. So wird z. B. Beruf doppelt so stark gewichtet wie Wohngegend.
3. Die Summe ergibt eine Ziffer zwischen (min.) 12 (sehr hoher sozio- ökonomischer Status) und (max.) 84 (sehr niedriger Status). Wird lediglich eine numerische Indizierung gewünscht, kann das Verfahren hier abgebrochen werden; die Ziffer wird dann als ausreichend signifikant angesehen. Eine Umsetzung in »social-class terms« ist jedoch möglich[163].

Das eigentlich sachangemessene Verfahren zur Analyse der Stratifikation ist nach Warner EP. Allerdings ist dieser Weg aufwendig, zeitraubend und teuer. Der ISC wurde entwickelt, um die umständliche EP durch eine praktikablere Methode zu ersetzen. Das Problem des Verhältnisses von EP und ISC hat Warner eingehend untersucht und einen hohen Korrelationswert von 0.972 errechnen können. Damit eignet sich der ISC mit genügender Zuverlässigkeit als Mittel zur Erforschung sozialer Schichten.

---

sen: UU = upper-upper-class; LU = lower-upper-class; UM = upper-middle- class; LM = lower-middle-class; UL = upper-lower-class; LL = lower-lower-class.

[162] *Warner-Meeker-Eells* (wie Anm. 158) S. 39.

[163] Ebd. S. 127.

Der ISC basiert normalerweise auf Beruf, Art des Einkommens, Haustyp und Wohngegend. Fehlt eines dieser Merkmale, kann der Status mit den verbleibenden errechnet werden. Dabei verschiebt sich aber die Gewichtung der einzelnen Merkmale. Fehlen Angaben zu zwei Faktoren, ist eine Berechnung nicht mehr möglich. Die Klassifizierung der Faktoren erfolgt im übrigen auf einer Skala, deren erste Ziffer (1) einen sehr hohen Wert, deren letzte (7) einen sehr niedrigen Wert repräsentiert[164]. Generell wurde bei der Gestaltung der Skala so verfahren, daß sie ein Maximum an Unterscheidungsmöglichkeiten bei ausreichender Standarisierung und Praktikabilität bot. Die Skalierung erfolgte, indem zunächst die Maximalwerte (Grenzwerte) fixiert und dann der Mittelwert bestimmt wurden. Von diesen »base points« aus wurden die Zwischenwerte festgelegt[165]. Die Taxierungen auf den einzelnen Merkmalstellen wurden zu einem numerischen Index aufsummiert, nachdem sie mit einem speziellen Gewichtungskoeffizienten multipliziert wurden. Diese Koeffizienten sind von Warner in seiner Studie über Jonesville erarbeitet und getestet worden. Sind Daten für vier Faktoren vorhanden, gelten folgende Koeffizienten : Beruf = 4, Art des Einkommens = 3, Haustyp = 3, Wohngegend = 2.

Ziel der Arbeiten der Warner-Gruppe war jeweils – neben der ständigen Verbesserung und Verfeinerung ihrer Methodik – die Ermittlung der sozialen Struktur der untersuchten Städte. Dabei ist sich Warner grundsätzlich der Schwierigkeit bewußt gewesen, die zur Schichtenbestimmung notwendige Umrechnung auf eine an einem bestimmten Ort angefertigte Schichtenklassifizierung auf andere Städte übertragbar zu machen. Immerhin postuliert er dennoch eine allgemeine Gültigkeit und Verwendbarkeit seiner Methode.

Daß Warners Arbeiten einer intensiven Kritik unterzogen wurden, mag auch als ein Beweis dafür gelten, daß sie einen nachhaltigen Reiz auf die Sozialwissenschaft ausgeübt haben. Die Kritik konzentrierte sich dabei einerseits auf Methode und Verfahrenstechnik und andererseits auf die inhaltlichen und theoretischen Implikationen.

Die Technik der EP ist schärfer kritisiert worden als der ISC[166], dem, wenn auch mit mancherlei Vorbehalten, prinzipiell Gültigkeit und Aussagekraft attestiert wurde[167]. Vorgehalten wurde Warner und Mitarbeitern die mangelnde Repräsentativität der ausgewählten Untersuchungseinheiten, es wurde etwa auf die Diskrepanz aufmerksam gemacht, daß 21% der Untersuchungsfamilien der Oberschicht angehören, diese aber realiter – in Jonesville – nur 3% der Gesamt-

---

[164] Die Zusammenstellung der einzelnen Skalen ebd. S. 123.
[165] Generell zum Problem der Skalenfindung und -konstruktion z. B. *W. S. Torgerson*: Theory and Methods of Scaling. New York 1958 und *K. Holm*: Gültigkeit von Skalen und Indizes. In: KZfSS 22 (1970) S. 693–714 und *ders.*: Zuverlässigkeit von Skalen und Indizes. In: KZfSS 22 (1970) S. 356–386. Weitere Literatur bei *Kirchberger* (wie Anm. 2).
[166] Vgl. *H. W. Pfautz* und *O. D. Duncan*: Critical Evaluation of Warner's Work in Community Stratification. In: *Tumin* (wie Anm. 5) S. 270 f.
[167] Ebd.

bevölkerung ausmachen. Trotz der hohen Korrelation von 0.972 zwischen EP und ISC wurde die Genauigkeit der Analysen bemängelt. Bei 200 Untersuchungsfällen waren 33 = 16% Fehlanalysen zu verzeichnen[168]. Auf einzelne Schichten bezogen stieg die Fehlerquote bis auf 32% (UL) an. Schließlich wurde vor allem die Übertragbarkeit der Warnerschen Techniken auf größere Städte angezweifelt[169].

Warner und seine Mitarbeiter wurden kritisiert wegen ihrer »anthropologischen« Neigung, eins für alles zu nehmen und etwa mit ihrer universalen Schau zu Unrecht »community« für »society« zu setzen[170]. Mit Verve ist ihnen ihr undifferenzierter Gebrauch des Terminus »class« angelastet worden; »class« sei irreführend dort verwendet worden, wo man »status« gemeint habe. »Social class« im operationalisierten Sinn bedeutet bei Warner: Lokalisierung in einer Prestigehierarchie. In der Diskussion der gefundenen Ergebnisse gibt er aber den inhaltlich eingeschränkten Begriff auf und gebraucht »social class« mit dem gesamten, inhaltlich weiteren Begriffsbereich.

Letztlich wurden das 6-stufige Schichtenmodell im allgemeinen und die Eingrenzung der einzelnen Schichten im besonderen angegriffen. Warner selbst hatte schon beklagt, daß die »upper-lower class« (UL) am wenigsten bestimmbar sei und die unschärfsten Statuscharakteristika aufweise. Sie sei überdies am schwierigsten in der Hierarchie der Klassen auszumachen. Dazu bemerken Pfautz und Duncan: die Sichtbarkeit und Unterscheidbarkeit von Klassen und Schichten ist nicht nur ein methodisches und technisches Problem. Vielmehr muß geprüft werden, ob eine Kategorie »upper-lower« in dem Sinne existiert wie Mittel-, Ober- oder Unterschicht. Unter Hinweis auf eine Untersuchung von Maurice Halbwachs[171] wird die These aufgestellt, daß der Mangel an »housing need«, ein Bedürfnis, das Oberschichten auszeichnet, typisch für Unterschichten sei. Innerhalb der Unterschicht sei gerade das Fehlen weiterer Differenzierungen charakteristisch, während ihre Existenz innerhalb der oberen Schichten durch deutliche Stufungsintervalle unschwer nachweisbar sei. Die Unbestimmtheit einer Zwischenschicht kann gerade ihre Signifikanz darstellen. Der Schichtungsprozeß ist (noch) nicht abgeschlossen, der Entwicklungstrend und die Mobilitätsrichtung noch offen. Wird Unbestimmtheit nur als methodisches und nicht auch als theoretisches Problem begriffen, gerät man in Gefahr, derartige »Trends« zu übersehen bzw. »ideologisch« zu beeinflussen, indem man sie als nicht existent behauptet[172].

---

[168] Ebd. S. 273.

[169] *Mayntz* (wie Anm. 82) S. 70; *Kornhauser* (wie Anm. 156) S. 248.; *J. L. Haer*: A comparative study of the classification techniques of Warner and Centers. In: ASR 20 (1955) S. 689–699, S. 692; *Barber* (wie Anm. 39) S. 95 hat seine Bedenken plastisch ausformuliert: »A big fish in a small pond may be a smaller fish in a bigger pond«.

[170] *Barber* (wie Anm. 39) S. 95; *Kornhauser* (wie Anm. 156) S. 244.

[171] Vgl. *M. Halbwachs*: La classe ouvrière et les niveaux de vie. Paris 1913.

[172] *Pfautz-Duncan* (wie Anm. 166) S. 275.

Im Kontext um die Auseinandersetzung mit der 6-stufigen Schichten-hierarchie wird auch noch einmal die Oberklassenvoreingenommenheit rele-vant[173]. Mit Blick darauf, daß nur die Oberschichten eine differenzierte, mehr-gliedrige Vorstellung von der Gesellschaftsstruktur haben, wird gefragt, ob die 6er Teilung realistischer (»more ›real‹) sei als eine 2er oder 3er Gruppierung, wie sie im Bewußtsein von Unterschichtangehörigen vorherrscht. »Why, we wonder, is the upper-class view of the social structure more acceptable than the lower-class view. It would have been equally possible to approach the problem of analyzing the social structure of Jonesville from . . . this point of view. There is some evidence that he is, in fact, accurately describing the power structure of the town«[174].

Können Ansätze der Warner-Methode für ein historisches Forschungsprojekt nutzbar gemacht werden?

Bei der Beantwortung dieser Frage ist zunächst festzuhalten, daß Methoden der Indexerstellung vom Grad dieser Raffinesse – und das Warner-Verfahren ist eines von vielen mehr oder minder sophistischen – selbst in den Sozialwissen-schaften an die Grenze des Interpretierbaren stoßen. Für eine sinnvolle Aussage geben jedenfalls wenige Punkte Differenz im ISC dann kaum etwas her, wenn man die zahlreichen Unwägbarkeiten und subjektiven Einflüsse bei der Skalen-bildung, der Bewertung der Merkmale, der Datenerhebung u.ä. bedenkt. Da hier nicht der Wert und die Verwertbarkeit der Index-Verfahren zur Debatte stehen, kann unser Urteil eindeutig formuliert werden: für Zwecke der sozialgeschicht-lichen Untersuchung innerstädtischer Ungleichheit im 15. und 16. Jahrhundert besteht ein beinahe ridiküles Verhältnis zwischen der raffinierten Systematik der modernen Index-Methoden und den tatsächlichen Voraussetzungen, unter de-nen der Historiker in der Regel an und mit seinen Quellen zu arbeiten hat. Indizierung in dieser Form scheidet mithin aus.

Unabhängig von dieser prinzipiellen Einschätzung wird der Sozialhistoriker gleichwohl davon ausgehen können, daß in einer Reihe von möglichen Unter-suchungsfällen[175] die zur Verfügung stehenden Quellen Aussagen und Infor-mationen liefern können, um Status- und Positionsmerkmale, also Indikatoren sozialer Differenzierung, in ausreichender Dichte zu ermitteln und zu bestim-men. In Teilaspekten erscheint auch eine Skalierung bestimmter Variablen nicht völlig ausgeschlossen, wobei entweder die Maßstäbe der Zeit oder die analyti-schen Entscheidungen der Forschung die Basis bilden können[176]. Diesbezügliche

---

[173] Dazu *Kornhauser* (wie Anm. 156) S. 249 f.

[174] *Lipset* und *Bendix* zit. nach *Kornhauser* (wie Anm. 156).

[175] In der Explorationsphase des Arbeitsvorhabens wurden systematisch eine große An-zahl projektrelevanter Archive der süddeutschen Gebiete des alten Reiches hinsichtlich der Durchführbarkeit der angestrebten Untersuchungen auf archivalischer Grundlage über-prüft. In immerhin etwa zwei Dutzend Städten scheinen nach den Ergebnissen dieser Erkundigungen entsprechende Studien auf Quellenbasis möglich.

[176] Vgl. z. B. eine Colmarer Steuerordnung (ca. 1550), die 13 Stufen aufweist; Archives

Aussagen werden aber in aller Regel nur für den jeweiligen Untersuchungsfall gültig sein und sich für Verallgemeinerungen und Analogieschlüsse kaum eignen. Mit der Menge der verarbeiteten Quellen wächst freilich die Gültigkeit der gewonnenen Daten und die Genauigkeit und Griffigkeit der Ergebnisse.

7. Der strukturalistische Ansatz: soziale Ungleichheit im Spannungsfeld von Macht- und Sozialstruktur

Die geraffte Übersicht über zentrale Ansätze zur Beschreibung und Analyse sozialer Ungleichheit hat bisher fünf verschiedene Konzeptionen behandelt: die klassentheoretische (Marx), konflikttheoretische (Dahrendorf), systemtheoretische (Parsons), die synthetisch-historische (Lenski) und das Warner-Verfahren. In jüngster Zeit sind verstärkt »strukturalistische« Entwürfe in die sozialwissenschaftliche Diskussion eingebracht worden[177], die sich besonders mit den Beziehungen zwischen »Macht« und »Sozialstruktur« befassen[178]. Da diese Ansätze soziale Ungleichheit im Grunde sehr viel weiter interpretieren, als dies hier in der engen Zusammenschau von Ungleichheit und Sozialschichtung geschieht, genügt für unsere Zwecke eine konzentrierte Zusammenfassung dieser strukturalistischen Vorstellung.

Macht steht in Beziehung zu spezifischen »Besitzprivilegien und Zugangschancen«[179], die jeweils gesellschaftlich-historisch strukturiert sind. Macht- und Abhängigkeitsverhältnisse zwischen sozialen Gruppen definieren sich entspre-

Municipales de Colmar CC 152. Die Straßburger Kleiderordnung von 1628 unterscheidet sechs gesellschaftliche Ränge; auszugsweise abgedruckt von *W. Mauser*: Dichtung, Religion und Gesellschaft im 17. Jahrhundert. München 1976. S. 263 Anm. 703. Dies sind zwei von zahllosen möglichen Beispielen. In der Forschung überwiegen drei- bis sechsstufige Modelle. S. etwa *H. Jecht*: Studien zur gesellschaftlichen Struktur der mittelalterlichen Städte. In: *Haase* (Hg.) (wie Anm. 143) Bd. 3. S. 217–255 (zuerst 1926) oder *K. Arnold*: Spätmittelalterliche Sozialstruktur, Bürgeropposition und Bauernkrieg in der Stadt Kitzingen. In: Jb. f. fränk. Landeskunde 36 (1976) S. 173–214. Zur Methode der Schichtenstufung s. jetzt auch *E. Weyrauch*: Zur wirtschaftlichen und sozialen Lage Kitzingens im 16. Jahrhundert. In: *I. Bátori* und *ders.*: Die bürgerliche Elite in der Stadt Kitzingen. Stuttgart 1980.

[177] S. z. B. *W. G. Runciman*: Class, Status and Power? In: *Jackson* (Hg.) (wie Anm. 139) S. 25–61 und *D. R. Jessop*: Exchange and Power in Structural Analysis. In: The Sociological Review 17 (1969) S. 415–435.

[178] Komprimierte Information hierzu bei *Hörning* (wie Anm. 1) S. 17 ff.; danach das Folgende.

[179] *Hörning* (wie Anm. 1) S. 18.

chend durch die Gesamtheit der jeweils verfügbaren Ressourcen als auch durch die jeweilige Position der Gruppen in der tatsächlichen »Besitz-, Kontroll- und Chancenstruktur«. Die Pole dieser Beziehungen werden einerseits in den prozessualen Zugriffsmöglichkeiten der »Privilegierten« auf Ressourcen, Kontrollen und Chancen, andererseits in der »Annahme« bzw. »Hinnahme« dieser Verfügungspotentiale durch die weniger Privilegierten und Abhängigen gesehen. Soziale Ungleichheit erscheint in dieser Konzeption als die »typischen Unterschiede in ›Macht‹ ... und ›Privileg‹[180]. Wenn dabei Macht als die Möglichkeit verstanden wird, bestimmte Probleme durch Rückgriff auf Ressourcen lösen zu können, und Privileg als Möglichkeit, über materielle und normative wertbesetzte Mittel zu verfügen bzw. diese zu kontrollieren, ist bereits die konstitutive Wechselbeziehung zwischen beiden Phänomenen angedeutet: der eine Sachverhalt stützt und sichert den anderen, ja die verschiedenen Formen von Macht und Privileg tendieren typischerweise zur »Konvertibilität«[181].

Das Ende dieses Argumentationsbogens ruht auf Max Webers analytischer Unterscheidung dreier Typen von »Macht«[182], denen drei entsprechende Teilstrukturen der Gesellschaft zugeordnet werden, die »ökonomische, politische und sozial-kulturelle«[183]. Auch diese sind aufgrund der historischen Entwicklung in charakteristischer Weise interdependent. Hörning schreibt: »Um so mehr dabei das ökonomische Machtverhältnis des politischen Schutzes seiner Produktion bedarf, oder um so mehr der Einsatz der politischen Mittel von der Lage der ökonomischen Produktion abhängt, desto mehr sind diese Teilstrukturen aufeinander bezogen (jedoch nicht aufeinander rückführbar)«[184].

Weiteren Details und Differenzierungen der strukturalistischen Ansätze gehen wir hier nicht nach. Abgesehen von der schon von Weber vorgeschlagenen idealtypischen Unterscheidung der analytisch abgrenzbaren Dimensionen der sozialen Ungleichheit, enthalten sie in ihrer z.T. hochabstrakten Beschäftigung mit den Relationen zwischen »Macht« und Sozialstruktur, soweit wir sehen, wenig, was zur Operationalisierung des Ansatzes geeignet wäre. Darüberhinaus argumentieren sie auf der thematischen Ebene gesamtgesellschaftlicher Erklärungen, ohne den zur Konzeptualisierung empirischer historischer Forschung unerläßlichen methodischen Aspekt einer individualistischen Perspektive in den Blick zu bekommen.

[180] Ebd.
[181] Vgl. hierzu die Literatur in Anm. 177 sowie *Hörning* (wie Anm. 1) S. 18.
[182] S. hier Anm. 47.
[183] Hörning modernisiert Webers Ansatz verbal; in der Sache ist au fond nichts neu.
[184] *Hörning* (wie Anm. 1) S. 19.

8. Der »dritte« Weg: die empirische Analyse

Komprimieren wir die Inhalte der verschiedenen Modelle und Methoden zur Erfassung und Erklärung sozialer Ungleichheit in den Sozialwissenschaften, können wir sie – präterpropter – auf zwei Kernansätze reduzieren:

1. Klasse und Schicht stehen in inhaltlicher Beziehung zur Verteilung von ökonomischem Mehrprodukt bzw. politischer Macht und Herrschaft[185];
2. Schichtung ist zentriert auf das Phänomen Prestige, d.h. soziale Schichten befinden sich in einer Hierarchie gesellschaftlichen Ansehens und gesellschaftlicher Wertung[186].

Die stärker theoretisch orientierte Macht/Herrschaft-Vorstellung wird allgemein herangezogen zur Identifizierung von Klassenexistenz auf wirtschaftlicher und/oder politischer Basis. Die empirische Erfassung der Verteilung von Macht stellt jedoch »den am schwersten greifbaren Aspekt sozialer Ungleichheit«[187] dar und konnte bisher nicht voll befriedigend gelöst werden. Dies gilt für Gegenwart und Vergangenheit. Macht, soweit sie sich überhaupt offen zeigt, wird sicher nur in Einzelfällen oder über Symptome und Indikatoren als Faktor sozialer Schichtung faßbar. Wenn dennoch Machtbesitz und Machtverhältnisse als stratifikatorisch relevant berücksichtigt werden sollen, so erscheint dies in einer breit angelegten Untersuchung nur operationalisierbar, indem a) die Inhaberschaft von Ämtern und Funktionen mit der »Chance, innerhalb einer sozialen Beziehung den eigenen Willen auch gegen das Widerstreben anderer durchzusetzen, gleichviel, worauf diese Chance beruht«[188], formal nach Dauer und Häufigkeit verzeichnet, und b) eine wenigstens grobe Hierarchie von Ämtern und Funktionen erstellt wird. Der tatsächliche persönliche Anteil an Macht und die Effizienz ihrer Ausübung kann mit diesem Verfahren nur annäherungsweise bestimmt werden; informelle bzw. nicht institutionalisierte Macht ist gar nicht zu fassen. Immerhin bleibt aber die Inhaberschaft institutionalisierter Machtpositionen mit anderen, beispielsweise ökonomischen Faktoren korrelierbar und damit grundsätzlich signifikant[189].

---

[185] *Bolte-Kappe-Neidhardt* (wie Anm. 2) S. 12 sprechen von »dichotomischen Abhängigkeitsverhältnissen«.

[186] Vgl. ebd. S. 12 f. und S. 85 ff.

[187] Ebd. S. 49. Dieser Sachverhalt findet bei Hörning kaum die ausreichende Berücksichtigung.

[188] *Weber* (wie Anm. 47) S. 28.

[189] Auch *Bolte-Kappe-Neidhardt* (wie Anm. 2) S. 50 beklagen das Überwiegen abstrakttheoretischer Literatur und den Mangel an empirischen Untersuchungen; S. 79 Hinweise

Der Prestige-Ansatz wird allgemein herangezogen zur Identifizierung von Bewertungen ungleichen Verhaltens. Nach einem Höhepunkt sozialwissenschaftlicher Forschungen zu Prestigedifferenzierungen in den vierziger, fünfziger und ersten sechziger Jahren in den USA und der BRD[190] spielen Untersuchungen dieser Art in neuerer Zeit eine geringere Rolle[191]. Freilich, die Methoden sind entwickelt und die technische Umsetzung mit Erfolg durchgeführt. Die Erfassung sozialer Schichten in einer Zeit, die wie das 15. und 16. Jahrhundert in ihrer Wertschätzung gesellschaftlicher Vornehmheit und Ehrbarkeit sogar zu Kodifizierungen kam, wird dem Prestigeaspekt eine hervorragende Bedeutung zumessen[192].

Neben der Macht/Herrschaft-Vorstellung und dem Prestige-Ansatz stellt mit pragmatischem Selbstverständnis eine empirisch-analytische Richtung in der Sozialwissenschaft operationalisierbare Methoden und Verfahrensweisen zur Ermittlung von Sozialindikatoren[193] und i.w.S. von Schichtenzugehörigkeit, d.h. also zur Einordnung in ein Gefüge sozialer Ungleichheiten, zur Verfügung, bei der Elemente beider skizzierter Grundvorstellungen einfließen. Hier interessieren inbesondere die Unterschiede im Besitz von materiellen und/ oder immateriellen Gütern und Werten, die sozial generell hoch geschätzt werden, wie z.B. Vermögen, Einkommen, Beruf, Bildung, Herkunft, Einflußmöglichkeiten, Rechte, Privilegien usw. Diese Richtung ist stärker an einer erfahrungswissenschaft-

---

auf diesbezügliche Literatur. Einschlägig für das Problem ist auch die breit angelegte Fallstudie von *W. Zapf*: Wandlungen der deutschen Elite. Ein Zirkulationsmodell deutscher Führungsgruppen 1919-1961. 2. Aufl. München 1965.

[190] S. o. S. 34 ff.

[191] Eine kurze Begründung für diese Entwicklung ist bei *Bolte-Kappe-Neidhardt* (wie Anm. 2) S. 85 zu finden.

[192] Vgl. hierzu bes. *Mitterauer* (wie Anm. 6) sowie auch hier Anm. 213.

[193] Beide Ansätze liegen in der Sache, weniger jedoch in den Zwecken nahe beieinander. Die Sozialindikatorenbewegung gibt sich teils »neutral«, teils als Hilfswissenschaft der praktischen Politik aus. S. z. B. *R. Bartholomäi*: Soziale Indikatoren. In: Die neue Gesellschaft 19 (1972) S. 943-947; *J. Frank* und *O. Roloff*: Sozialberichterstattung: Administratives Steuerungsinstrument oder wissenschaftliche Analyse. Regensburg 1972 und *W. Zapf*: Lebensqualität und soziale Indikatoren. In: Archiv für Wissenschaft und Praxis der sozialen Arbeit 3,1 (1972) S. 267-279. Scharfe Kritik an der Sozialindikatorforschung üben *S. Herkommer*: Gesellschaftsbild und politisches Bewußtsein. Gegen affirmative und defensive Sozialforschung. In: Das Argument 50/2 (1969) S. 208-222 und *Kirchberger* (1975) S. 169 ff., der ihr vor allem Beliebigkeit, Kritiklosigkeit und Status-quo-Denken vorwirft. S. hierzu auch *Th. W. Adorno*: Soziologie und empirische Forschung. In: *E. Topitsch* (Hg.): Logik der Sozialwissenschaften. Köln-Berlin 1965. S. 511-525. In der Geschichtswissenschaft sind bisher Bedeutung und Methodik von Indikatoraussagen systematisch kaum behandelt worden. Als Beispiel für Konzepte und Ergebnisse der sozialwissenschaftlichen Forschung sei verwiesen auf *W. Zapf* (Hg.): Soziale Indikatoren I-III. Frankfurt/M. 1974-1975 und *ders.*: Gesellschaftliche Zielsysteme. Soziale Indikatoren VI. Frankfurt/M. 1976.

lichen Erfassung verhaltensbezogener sozialer Ungleichheit und deren Beschreibung interessiert. Sie konzentriert sich auf die konkrete Ermittlung des wirklichen Gefüges gesellschaftlicher Differenzierungen; eine in sich schlüssige, theoretisch abstrahierende Gesamterklärung des Phänomens gesellschaftlicher Ungleichheit bzw. der Gesellschaft als ganzer mit dem Anspruch universeller Gültigkeit steht ihr fern[194].

Ein historisches Projekt zur Erfassung sozialer Schichten im 15. und 16. Jahrhundert wird sinnvollerweise auf diese empirisch-analytischen Methoden zurückgreifen. Dies bezieht sich sowohl auf die Feststellung schichtungsrelevanter Dimensionen und Faktoren als auch auf die Konstruktion von anwendbaren Meßinstrumenten, die Umsetzung in ein praktikables Registrationsschema und dessen konkrete Anwendung. Als leitender Erkenntnisanspruch bei der Erfassung sozialer Schichten beschäftigt weniger die Frage nach den Ursachen gesellschaftlicher Differenzierungen[195] noch steht (zunächst) eine erklärende Synthese der diversen Aspekte sozialer Ungleichheit und ihres Enstehungsprozesses im Vordergrund. Nächstliegende Aufgabe ist die Erfassung, Ordnung und Registrierung schichtungsrelevanter Daten, die ihrerseits das Ergebnis der Verteilung von materiellen bzw. immateriellen Gütern enthalten und fixieren.

9. Ergebnis

Datensammlung ohne Definition dessen, was als ein Datum verstanden werden soll, ist methodisch absurd. Empirische Forschung ohne ein Minimum an kategorialer Begriffsbestimmung und analytischer Konzeption ist nicht möglich. Für vergleichende Studien, die untereinander auch vergleichbar sein sollen[196], sind begriffliche Vorklärungen und Vereinheitlichungen Voraussetzung des angestrebten Forschungserfolges. Als Ergebnis unserer Tour d'horizon der einschlägigen sozialwissenschaftlichen Ansätze wird für die Erfassung städtischer sozialer Schichten im Spätmittelalter und in der frühen Neuzeit zur Vereinheitlichung

---

[194] Genau an diesem Punkt setzt die Kritik Kirchbergers an; s. z. B. *Kirchberger* (wie Anm. 2) S. 171 f. und passim.

[195] Vgl. z. B. *R. Dahrendorf*: Über den Ursprung der Ungleichheit unter den Menschen (wie Anm. 64).

[196] Daß Einzelforscher oft genug – aus verschiedenen Gründen – dem Zwang erliegen, die eigenen Studien durch Wahl je eigener methodischer Verfahren und inhaltlicher Konzeptionen zu immunisieren, ist aus der gegebenen Arbeitssituation heraus zwar verständich, für den wissenschaftlichen Diskurs jedoch ein beklagenswerter Zustand, der von geschichts- wie sozialwissenschaftlicher Seite bedauert wird. S. z. B. *K. Svalastoga*: Gedanken zu internationalen Vergleichen sozialer Mobilität. In: KZfSS Sonderheft 1961. S. 284–302 und *Kirchberger* (wie Anm. 2) S. 13.

des Begriffsapparates ein terminologisches Modell und zur Operationalisierung der Datenermittlung und -speicherung ein Erhebungsbogen zur Bestimmung der sozialen Position vorgeschlagen. Ist man sich des subsidiären bzw. komplementären Charakters jeder Sozialgeschichtsforschung bewußt, wenn man zu einem Verständnis der Epoche der Reformation in den Städten gelangen möchte, erscheint dies Ergebnis nicht allzu dürftig.

9.1 Terminologisches Modell

1.1 Soziale Schichtung wird ein Gefüge sozialer Einheiten mit vertikaler Ausrichtung genannt. Es stellt eine spezifische Art sozialer Differenzierung dar, bei der Abstufungen »im Sinne von besser- oder schlechtergestellt, bevorzugt oder benachteiligt, mehr oder weniger geachtet usw.«[197] vorliegen und der bestimmte unterschiedliche Verhaltensweisen entsprechen. Als »soziale Ungleichheit« ist gesellschaftliche Schichtung in diesem Sinne ein zentraler »Schlüssel für das Verstehen der gesamten Sozialstruktur«[198].

1.2 Soziale Schichtung ist mehrdimensionalisiert. Es werden mit Max Weber drei Hauptebenen angenommen: politische Dimension, ökonomische Dimension, soziale (ständische) Dimension. Diese Dimensionen decken die Fel-

---

[197] *Bolte-Kappe-Neidhardt* (wie Anm. 2) S. 15. Im Sinne des hier versuchten terminologischen Modells erscheinen die jüngst geäußerten Bedenken Stoobs gegen eine Verwendung des Schichtbegriffes, »von krasseren und stärker bewerteten Ausdrücken weniger der Fach- als der Ideologiesprache [?] zu schweigen«, nicht verständlich, jedenfalls dann nicht, wenn man zur Kenntnis nimmt, daß die in der Historiographie offenbar immer noch gängige Vorstellung von sozialer Schichtung als eines festgefügten Baus sozialer Einheiten mit »eindeutigen horizontalen Schranken« (Stoob) von den historisch interessierten Sozialwissenschaften längst verworfen ist. Der Begriff der Schichtung, der freilich per definitionem erkennbare horizontale Einschnitte einer vertikal ausgerichteten sozialen Population voraussetzt, stellt analytisch eine Möglichkeit dar, die gewesene Wirklichkeit stadtbürgerlicher Sozialverbände zu beschreiben. Ob er hierfür der einzige sein kann oder der dominierende, scheint in der Pauschalierung, in der Stoob seine Verwendbarkeit für das altständische Bürgertum in Zweifel zieht, kaum ernsthaft behauptet werden zu können. Auch die unterstellte Statik der Schichtstruktur ist als eine überholte Konzeption anzusehen. Schichtanalysen sind Momentaufnahmen sozialer Prozesse, die sich indessen in der Zeit der altständischen Gesellschaften weitaus langsamer und »weicher« abgewickelt haben, als dies von den Epochen nach den großen sozialen und ökonomischen Umwälzungen des 18. und 19. Jahrhunderts bekannt ist. Insgesamt spricht Stoob eine zentrale Problematik jeder Stratifikationsforschung zur frühen Neuzeit an; seine Einwände und Bedenken gehen aber u.E. vor allem wegen eines nebulösen, nicht näher explizierten Verständnisses von sozialer Schichtung in die Leere. Vgl. *H. Stoob* (Hg.): Altständisches Bürgertum, Bd. 2. Erwerbsleben und Sozialgefüge. Darmstadt 1978. Hier Vorwort S. IX f.

[198] *Bottomore*: Soziale Schichtung. In: Hb. d. emp. Sozialforschung. Bd. 5 (1976) S. 33. Vgl. auch *F. Fürstenberg*: »Sozialstruktur« als Schlüsselbegriff der Gesellschaftsanalyse. In: KZfSS 18 (1966) S. 439–453.

der Macht/Herrschaft, Reichtum und gesellschaftliche Bewertung ab. Es bestehen Wechselbezüge zwischen den verschiedenen Dimensionen.

2.1 Soziale Position wird jeder erkennbare Ort innerhalb des sozialen Gefüges genannt. Sie ist multifaktoriell bestimmt; als Gesamtposition übergreift sie mindestens eine Dimension. Soziale Positionen verweisen auf Existenz, Richtung und Partner gesellschaftlicher Beziehungen.

2.2 Jedes Individuum besitzt (in der Regel) eine Mehrzahl von sozialen Positionen. Die Zahl, die im 16. Jahrhundert sehr viel geringer ist als im 20., ist ein Maßstab für soziale Interrelativität (Individualperspektive), soziale Differenzierung (Kollektivperspektive).

3.1 Status wird ein hierarchisch bestimmter Ort einer sozialen Einheit innerhalb einer Dimension oder eines Dimensionssegmentes genannt. Statusgruppe wird eine Menge von Orten mit gleichen oder vergleichbaren Status genannt.

3.2 Sozioökonomischer Status ist ein hierarchisch bestimmter Ort einer sozialen Einheit in der Dimension Reichtum/Wirtschaft (Faktoren bzw. Indikatoren: wirtschaftliche Tätigkeit, Beruf, Vermögen, Einkommen, Steuerleistung usw.), politischer Status entsprechend in der Dimension Macht/Herrschaft.

4. Hierarchie wird die Gliederung sozialer Orte nach Beziehungen der Über- und Unterordnung genannt. Konstitutiv ist das Element der gesellschaftlichen Bewertung, d.h. Aspekte von größer oder kleiner, besser oder schlechter, privilegiert oder benachteiligt, mehr oder weniger angesehen.

9.2 Erhebungsbogen zur Bestimmung der sozialen Position (EB)

Der Erhebungsbogen ist ein offenes Registrationsschema zur Auflistung der für die Bestimmung der sozialen Position erforderlichen Merkmale. Kennzeichend für ihn ist neben der Tatsache, daß Kategorien und Ansätze der Sozialwissenschaft in ihn eingegangen sind, vor allem, daß er der prosopographischen Erfassung einer ganz bestimmten sozialen Gruppe innerhalb der städtischen Gesellschaft, der politischen Führungsschicht[199], dient. Für gesamtstädtische Untersuchungen sozialer Ungleichheit stehen in der Regel weder ausreichende Quellen noch genügend Forschungskapazität bereit, um sich des Erhebungsbogens als eines Instrumentes zur Datensammlung zu bedienen[200].

[199] S. die praktische Umsetzung des Erhebungsbogens am Beispiel der Führungsschichten in der Stadt Kitzingen bei *I. Bátori* und *E. Weyrauch* (wie Anm. 24).

[200] Während sich die Ermittlung gesamtstädtischer Schichtungsgefüge im wesentlichen auf die Auswertung von Steuerlisten, Zunftbüchern und ähnlichen Quellen, die die ›ganze‹ Bevölkerung einer Stadt erfassen, konzentrieren kann, bedarf es für die »Ausfüllung« des Erhebungsbogens der Heranziehung möglichst zahlreicher und vielfältiger Quellen. Steuerbuchanalysen leiden u. a. typischerweise unter Randunschärfen »oben« wie »unten«, d.h. bei den Aussagen über die vermögendsten bzw. die ärmsten Schichten der Stadtgesellschaft; im Feld prosopographischer Forschungen sind Informationslücken aufgrund fehlender Quellen diffus gestreut. Vgl. hierzu *Brady* (wie Anm. 44) S. 36.

Der EB ist in sechs Sektoren untergliedert:
Sektor 1 Personale Merkmale
Sektor 2 Sozioökonomische Merkmale
Sektor 3 Assoziative Merkmale
Sektor 4 Partizipative Merkmale
Sektor 5 Kulturelle Merkmale
Sektor 6 Sozialpsychologische Merkmale.

In der Anlage ist der EB derart aufgebaut, daß er in größtmöglicher Differenzierung schichtungsbestimmende Merkmale erfassen und speichern kann, ohne eine spezielle Strafikationsvorstellung zu präjudizieren[201]. Die Ausprägung der sozialen Ungleichheit (innerhalb einer bestimmten sozialen Gruppe wie der Einwohnerschaft der Städte insgesamt) wird mit angestrebter Spannweiten- und Profilgenauigkeit und gewünschter Objektivität[202] erst nach Aufarbeitung der Quellen beantwortbar. Es erscheint erst dann möglich, das »visual image« (Lawrence Stone) der spätmittelalterlich- frühneuzeitlichen Stadtgesellschaft zu zeichnen[203], das, wie man seit Thomas A. Brady weiß, keineswegs nur in der Rekon-

---

[201] Dies bestreitet entschieden *Kirchberger* (wie Anm. 2) passim, dessen Einwände zwar an die Adresse der »empirischen« Sozialwissenschaftler gerichtet sind, in der Sache aber auch hier zutreffen. Die von Kirchberger aufgeworfene Problematik kann nicht bestritten werden; dem »logischen Kreuz aller Wissenschaft« unterliegt auch die historische Schichtungsforschung. S. zu den wechselseitigen Gefährdungen der Empirie *G. Myrdal*: Das logische Kreuz aller Wissenschaft. Hannover 1965. S. 235-239 und *Kirchberger* (wie Anm. 2) S. 84 f.

[202] Hierzu zuletzt *R. Koselleck; W. J. Mommsen; J. Rüsen* (Hgg.): Objektivität und Parteilichkeit. München 1977 (Beiträge zur Historik, Bd. 1).

[203] Vgl. *L. Stone*: Social Mobility in early modern England. In: Past and Present 10 (1966). S. 3-55. Es sind diverse Visualisierungen von Schichtungsmodellen und -verhältnissen entworfen und angeboten worden. Vorherrschend, und entgegen der Auffassung von *Stone* (wie Anm. 203) S. 16 nicht nur in der Soziologie, ist das Modell der mehr oder minder gestuften Pyramide. S. o. Abschnitt 6 die Vorstellung Warners. Ein anderes Bild, von Stone einigermaßen unglücklich das »United Nations model« genannt (wegen des UN-Gebäudes am East-River in New York), bildet einen hohen Wolkenkratzer auf einem weiten niedrigen Podest. *R. Kießling*: Bürgerliche Gesellschaft und Kirche in Augsburg im Spätmittelalter. Ein Beitrag zur Strukturanalyse der oberdeutschen Reichsstadt. Augsburg 1971. S. 47 bietet die in Abb. 2 unten S. 57 wiedergegebene Ansicht. Kießling unterscheidet allerdings nicht immer streng zwischen »Vermögensschichtung« und der »Sozialschichtung«; beides hängt zwar eng zusammen, ist aber nicht identisch. Nach Stone lebten etwa 95% der Gesamtbevölkerung (im frühneuzeitlichen England!) im »Podest«, die übrigen 5% im »Wolkenkratzer«; vgl. bei *Kießling* S. 46. die Werte für Augsburg. Schließlich sei das sog. San Gimignano Modell genannt, eine Reihe von Türmen auf einem Hügel; s. *Stone* (1966) S. 17. Jeder Turm symbolisiert dabei eine mehr oder minder unabhängige Wirtschafts- oder Statushierarchie, der Hügel repräsentiert die amorphe Masse der Unterschichtangehörigen. *Bolte-Kappe-Neidhardt* (wie Anm. 2) S. 35 zeichnen von der mittelalterlichen Stadt ein zwiebelähnliches Bild (siehe Abb. 1 S. 50). Die unterschiedlichen Formen, mit denen *Barber* (wie Anm. 39) S. 90 spekuliert, stellen wohl eher eine Spielerei dar.

struktion ihrer ständischen Gliederung voll sichtbar wird[204]. Erst dann wird auch die in der Sozialwissenschaft lebhaft erörterte Frage akut, ob soziale Schichten real oder analytische Konstrukte der Forschung sind[205]. Grundsätzlich kann der Historiker dem regulativen Prinzip einer dem Zeitgeist verpflichteten Objektivität nicht entraten; er darf seine analytischen Bemühungen aber nicht allein dessen kognitiver Begrenztheit aussetzen. Auch für ihn trifft die Feststellung Geigers zu, daß »prinzipiell ... eine Gesellschaftsschicht sehr wohl als solche bestehen kann, ohne daß ihre Mitglieder sich dessen bewußt sind«[206]. Allgemeinbegriffe wie Sozialschichtung transzendieren in jedem Fall die Wirklichkeit, sie sind stets durch eine »gewisse Offenheit« (Atteslander) charakterisiert und bedürfen aus diesem Grund stets der inhaltlichen Füllung[207], welche nur durch erfahrungswissenschaftlich gewonnene Ergebnisse möglich ist. Die im Raster des Erhebungsbogens eingebrachten Kategorien bleiben insofern zunächst hypothetische Konstrukte mit analytischem Zweck.

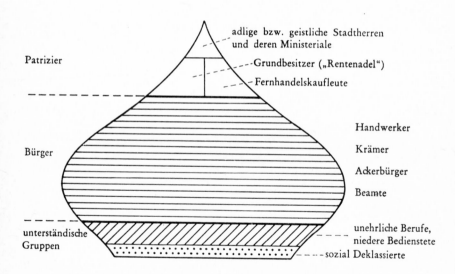

Abb. 1: Hauptgruppen im Statusaufbau der mittelalterlichen Stadt (nach *Bolte-Kappe-Neidhardt,* siehe Anm. 203).

[204] *Brady* (wie Anm. 44) S. 19 ff.
[205] S. z. B. *Barber* (wie Anm. 39) S. 76 f. oder *Lasswell* (wie Anm. 111) S. 473 ff.
[206] *Geiger* (wie Anm. 5) S. 201.
[207] *Atteslander* (wie Anm. 14) S. 34.

Erhebungsbogen zur Bestimmung der sozialen Position

(Stand: 1978)

1100 Name[208]	1200 Ehe(n): Zahl
1110 Vorname(n)	1201 Trauzeuge von 1100 und 1211
1111 Übername	1202 Trauzeuge von 1100 und 1212
1120 Lebensalter	1210 Ehepartner
1121 Geburtsdatum	1211 Ehepartner 1
1122 Geburtsort	1212 Ehepartner 2 usw.
1124 Taufe, Taufpate	1220 Lebensalter des Ehepartners
1125 Krankheit, Gesundheitszustand	1221 Geburtsdatum des Ehepartners
1131 Sterbedatum	1222 Geburtsort
1140 Herkunftsort, -gegend	1231 Sterbedatum
1145 Zielort bei Wegzug,	1232 Sterbeort
Aufenthaltsort	1241 Herkunftsort, -gegend
1150 »FamiliärerHintergrund«[209]	des Ehepartners
1155 Familiäre Beziehungen	1251 Familiärer Hintergrund des
nach auswärts	Ehepartners
1160 Vater	1260 Schwiegervater
1161 Stiefvater	1266 Beruf von 1260
1162 Pflegevater	1270 Schwiegermutter
1163 Vormund	1280 Stand, Titel von 1210 etc.
1166 Beruf von 1160	1290 Beruf des Ehepartners
1169 Großvater	1300 Kinder: Zahl
1170 Mutter	1310 Name, Geburtsdatum
1171 Stiefmutter	1311 Kind 1
1172 Pflegemutter	1312 Kind 2 etc.
1179 Großmutter	1320 Schwiegerkind
1180 Stand, Titel von 1100	1330 Pflegekind

[208] Die Ziffer vor dem Item bezieht sich auf die numerische Codierung des Merkmals zum Zwecke der maschinellen Verarbeitung der Daten. Es werden hier keine Details über die Konventionen zur Aufbereitung der Daten (z. B. Schreibweisen, Vereinheitlichungen, Umrechnungen, Angabe von Kontrolldaten, Belegstellen u.ä.) und ihre Verarbeitung mitgeteilt. Eine ausführliche Dokumentation des EDV-Programmablaufs jetzt bei *I. Bátori*: Programmdokumentation in: *dies.* und *Weyrauch* (wie Anm. 24) sowie ihre Erläuterungen über den verfahrenstechnischen Zweck der vierstelligen Ziffern in: *F. Irsigler* (Hg.) (wie Anm. 11) S. 40 Anm. 3.

[209] Diese Kategorie wird nicht so eng angesetzt, wie dies *W. Jacob*: Politische Führungsschicht und Reformation. Zürich 1970. S. 122 tut. Das Kriterium der »Ehrbarkeit« und »Vornehmheit« wird mit herangezogen; vgl. *Maschke* (wie Anm. 4) S. 374. Ebenso ist die Bedeutung des Faktors »Geburt« einzubringen; vgl. *Bolte-Kappe-Neidhardt* (wie Anm. 2) S. 34. Insgesamt ist die Operationalisierung dieser Merkmalstelle, wenn nicht eindeutige Quellenaussagen vorliegen, einigermaßen diffizil.

1340	Patenschaft	2000	Steuer
1350	Mündel	2100	Beruf(e)[210]
1360	Vormundschaft für 1310	2110	Einkommen, Besoldung
1370	Adoption	2200	Gesamtvermögen (kapitalisiert)[211]
1390	Enkel(in)	2300	Gesamtes Barvermögen
1400	Gesinde, »familia«	2390	Schulden
1410	Knecht bzw. Magd	2400	Sachvermögen
1500	Geschwister	2500	Haus- und Gebäudebesitz
1510	Schwager bzw. Schwägerin	2510	»nur« Hausbesitz
1520	Vetter bzw. Base	2600	Grundbesitz
1530	Onkel bzw. Tante	2700	Zinseinnahmen
1540	Nichte bzw. Neffe	2800	Zinszahlungen
1600	Beistand, Kurator, Zeuge bei	2850	Bürgschaft
	Eheverträgen, Erbteilungen	2900	Wohngegend, -straße[212]

[210] Die Dominanz des Bestimmungskriteriums »Beruf« zur Einordnung in die Schichtenhierarchie ist von der modernen Soziologie nahezu ohne Einschränkung mit Nachdruck hervorgehoben worden. Dies wird für das 15. und 16. Jahrhundert nicht ohne Modifikation zu übernehmen sein. Zwar setzte unter dem Einfluß der Reformation ein neues Verständnis von Arbeit und Beruf ein, vgl. *W. Conze*: Art. Arbeit und Beruf. In: Geschichtliche Grundbegriffe (wie Anm. 1) Bd. 1 S. 163 ff. und S. 493 ff.; auf der anderen Seite beginnt für viele Berufssparten erst in dieser Zeit die Ausbildung klarer und fester Berufsbilder, setzen also Professionalisierungstendenzen wirksam ein. Schließlich, und dies verunklart die Kategorie für unsere Zwecke weiter, waren Privatleben und Berufstätigkeit sehr viel enger verflochten. Daneben war auch die Ausübung verschiedener »Berufe« neben- oder nacheinander nichts Ungewöhnliches; vgl. etwa die Angaben zur Berufstätigkeit der politischen und ökonomischen Oberschicht Kitzingens im 16. Jahrhundert in *Bátori* und *Weyrauch*: Die bürgerliche Elite. Prosopographie (wie Anm. 24) sowie *Mitterauer* (wie Anm. 6) S. 25 Anm. 37. Zum Methodischen vgl. auch *A. Daumard*: Structures sociales et classement socioprofessionel. In: Revue Historique (1962) S. 139–154 sowie *J. Duraquier*: Problèmes de la codification socio-professionelle. In: L'Histoire Sociale. Sources et méthodes. Paris 1967. S. 157–181.

[211] Vgl. *Maschke* (wie Anm. 4) S. 373: ». . . galt in der erwerbsorientierten Gesellschaft des Mittelalters der ›Reichtum‹, d.h. die Vermögensgröße als dominanter Wertmaßstab«; *ders.* (1967) (s. Anm. 223) S. 5: »Das Leitbild des sozialen Ansehens in der mittelalterlichen Stadt war vom Reichtum bestimmt«. S. auch hier den Vorspruch von Hans Sachs! Daß insgesamt die Vermögenslage (und weniger die Standeszugehörigkeit) Status und Position im gesellschaftlichen Gefüge festlegten, kann u.E. für die Stadt des Spätmittelalters und der frühen Neuzeit in keiner Weise bezweifelt werden.

[212] Vgl. *Maschke* (wie Anm. 4) S. 376 und *H. zur Mühlen*: Versuch einer soziologischen Erfassung der Bevölkerung Revals im Mittelalter. In: Hans. Geschichtsbll. 75 (1957) S. 48 ff. Die besonders von Warner betonte Bedeutung der städtischen Sozialtopographie gilt im Grundsatz auch für das 15. und 16. Jahrhundert. Vgl. generell *M. R. G. Conzen*: The Use of Town Plans in the Study of Urban History. In: *H. J. Dyos*: The Study of Urban History. London 1968. S. 113–130 und jetzt mit zahlreichen Hinweisen auf weitere Literatur *H.-C. Rublack*: Probleme der Sozialtopographie. In: *W. Ehbrecht* (Hg.): Voraussetzungen und Methoden geschichtlicher Städteforschung. Köln-Wien 1979 und *K.-J. Lo-*

2910	Wohnverhältnisse, Wert	3100	Soziale Assoziation,
	des Hauses		Korporationszugehörigkeit[213]
2920	Hausbezifferung	3200	Sozial-rechtliche Assoziation

renzen-Schmidt: Zur Sozialtopographie Schleswigs im 16. Jahrhundert. In: Beiträge zur Schleswiger Stadtgeschichte. Schleswig 1976. S. 17– 34.

[213] Diese Kategorie versucht den sozialen »Stand« zu fassen, also die Zugehörigkeit zu Stadtgeschlechtern, zum Patriziat, zu Gilden und Zünften u.ä. *Maschke* (wie Anm. 4) S. 369 definiert Stand in Anlehnung an Max Weber, Wiese und Tönnies als »Gesamtheit von Personen, die durch zugeteilte, erworbene oder usurpierte Rechte (Privilegien) und entsprechende Pflichten sowie gleichartige Lebensführung nach den Normen einer gemeinsamen ›Ehre‹ und durch eine spezifische Wertschätzung gekennzeichnet ist«. Diese Definition ist partiell zutreffend. Es wird im Erhebungsbogen jedoch versucht, den Gesamtbegriff in seine Teilelemente zu zerlegen und diese, wo immer möglich, gesondert zu erheben. Die Summe der Informationen zu den Merkmalstellen 3100, 3200 sowie 4100 bis 4300 ergibt dann den Gesamttatbestand »Stand« im Sinne von sozialem und rechtlichem Gesamtstatus. Ziel ist demnach eine weitestgehend differenzierte Erfassung diskreter Merkmalbestandteile; die Grenzbestimmung der einzelnen Elemente wird freilich oft genug problematisch sein. Die Unterscheidung der Teilelemente erfolgt auch in der Absicht, in der Analyse der Sozialstruktur zu einer begründeteren Überprüfung der Brauchbarkeit des Klassenbegriffs zu gelangen, als dies bei *Maschke* S. 370 der Fall ist. Sein Verständnis von Klasse als einer »Gesamtheit von Personen . . ., deren Lebenschancen ökonomisch durch die Verfügung über wirtschaftliche Güter (Vermögen, Einkommen) oder das Fehlen derselben unter Bedingungen des Marktes sowie durch die gleiche Interessenslage bestimmt sind und die ein Bewußtsein ihrer Lage haben«, fällt doch hinter die Trennschärfe und den Präzisionsgrad der historisch-materialistischen Forschung zurück. Der Begriff Klasse sollte reserviert sein, auch für die spätmittelalterlich-frühneuzeitliche Gesellschaft, für die »Analyse des Grundverhältnisses der gesellschaftlichen Produktion und Reproduktion«, so *Herkommer* (wie Anm. 50) S. 5 f. unter Verweis auf *Tjaden–Steinhauer-Tjaden* (wie Anm. 39) S. 34. Für eine Untersuchung sozialer Ungleichheiten i. e. S. rückt er damit zugegebenermaßen aus dem Mittelpunkt des Interesses, behält jedoch seinen Erkenntniswert für eine (mögliche) politökonomische Analyse der urbanen Gesellschaftsstruktur im Ganzen. Die Beschränkung des Klassenbegriffs auf die moderne Industriegellschaft erscheint jedenfalls dann nicht zwingend, wenn seine Sinnsetzung nicht einzig und allein auf die Frage nach dem Eigentum an Produktionsmitteln zugespitzt wird, wie dies Marx allerdings selbst tat, sondern sich auf die ökonomisch bestimmmte gesellschaftliche Grundstruktur bezieht, bei der fraglos »die aus Handelsgewinnen akkumulierten großen Vermögen . . ., die die entscheidenden Unterschiede in der sozialen und ökonomischen Lage der gesellschaftlichen Gruppen hervor[brachten],« (*Maschke* (wie Anm. 4) S. 371) als wesentlicher Sinnbaustein eingebracht wird. Wenn Maschke das Verständnis von Klasse auf die Entsprechung von Vermögensgröße – Klasse reduziert (S. 374), dann wird der Wortsinn so knapp, daß der Begriff für jeden Anwendungsfall unbrauchbar wird. – *R. Mousnier* hat 1964 die folgende Definition der ständischen Gesellschaftshierarchie vorgeschlagen: »Dans la stratification en Ordres ou en ›estats‹ ces groups sociaux sont hiérarchisés en principe non d'après la fortune des membres et leur capacité de consommer, mais d'apres l'estime, l'honneur, la dignité, attachée par la société à des fonctions sociales qui peuvent n'avoir aucun rapport avec la production du biens matériels«. In: *R. Mousnier; J.-P. Labatut* und

3300	Geistlicher Stand	4700	Abweichendes Verhalten,
3400	Minderheits-Assoziation		kriminelle Auffälligkeit
3410	Täufer	4800	Tätigkeit, Amt und Funktion
4050	Landesherrl. Amtsträgerschaft		im Bereich soziale
4100	Politische Partizipation		Fürsorge, Armenpflege usw.
4120	Politisch-kirchl. Partizipation	4840	Tätigkeit, Amt und Funktion
4130	Administrativ-kirchliche		im Bereich Erziehung,
	Partizipation		Lehre, Schule
4200	Administrative Partizipation	5100	Kulturtechniken
	(Amt und Funktion im	5200	Bildung
	Bereich Verwaltung i.e.S.)	5210	Schule(n)
4300	Korporative Partizipation	5220	Universität(en)
4400	Kirchlich-religiöse Partizipation	5230	Akademisch(e) Grad(e)
	(Stiftungen etc.)	5300	Kunst, Wissenschaft
4500	Reformatorische Partizipation	5310	Schriftstellerische
4550	Mutmaßliche Beziehung		Tätigkeit
	zwischen Einstellung zur	5320	Gedruckte Werke
	Reformation und politischer	5400	Reisen
	Wirksamkeit[214]	6000	Sozialpsychologische Merkmale
4560	Militärische Partizipation		Selbstverständnis, Fremdver-
4600	Revolutionäre Partizipation		ständnis, Gruppenidentifikation.
	(Bauernkrieg, Stadtunruhen)		

Im Feld der allgemeinen wissenschaftlich betriebenen Geschichtsforschung ist die sozialgeschichtliche »Betrachtungsweise«[215] seit Ende des Weltkrieges, auch unter dem Einfluß der fortgeschritteneren Entwicklung der außerdeutschen Sozialgeschichte[216], verstärkt ins Blickfeld gerückt, wobei das Bewußtsein der Krise

Y. Durand: Problèmes de stratification sociale. Deux cahiers de la noblesse our les états généraux de 1649-1651. Paris 1965. S. 15; gleichlautend in *R. Mousnier*: Problèmes de stratification sociale. Paris 1968. S. 8 Dieser Vorschlag, der 1966 in einem internationalen Kolloquium diskutiert wurde, grenzt ebenfalls u.E. den Gegenstandsbereich einer Untersuchung von sozialer Schichtung in Städten in einer Weise ein, daß von den realhistorischen Gesellschaftsdifferenzierungen nur noch ein, wenn auch im Bewußtsein der Zeitgenossen maßgebender Aspekt sozialer Schichtung übrigbleibt. Zwar lassen sich in der Tat soziale Gruppen nach Gründen der »ständischen Ehrbarkeit« hierarchisieren. Aber, und dies wurde bereits während des Kolloquiums eingewandt (*H. Stuke*: La signification du môt ›Stand‹ dans les pays de langue allemande. In: *Mousnier* (1968) S. 37 ff.), ein soziales System ist kein »ensemble homogène«. Die Struktur der urbanen sozialen Ungleichheit erschließt sich nur durch eine Feinermittlung, die auch die vorgegebene Kategorie Stand hinterfragt und andere Dimensionen des gesellschaftlichen Gefüges mit einbezieht. Vgl. jetzt vor allen Dingen die treffenden Überlegungen bei *Brady* (wie Anm. 44) S. 19 ff.

[214] Vgl. *Jakob* (wie Anm. 209) S. 122 und passim.

[215] *O. Brunner*: Das Problem der europäischen Sozialgeschichte. In: *ders.*: Neue Wege der Sozialgeschichte. Vorträge und Aufsätze, 2. Aufl. Göttingen 1968.

[216] Vgl. dazu z. B. *G. G. Iggers*: Die »Annales« und ihre Kritiker. Probleme moderner französischer Sozialgeschichte. In: HZ 219 (1974) S. 578-608 zum französischen Beispiel.

der Historie und des Wettbewerbs mit Disziplinen wie Ökonomie, Politologie oder Soziologie zweifellos eine gewichtige Rolle gespielt haben[217]. Postulate zur interdisziplinären Kooperation reichten sich die Historiker und die Sozialwissenschaftler wechselseitig zu. Aber die programmatischen Forderungen implizieren offensichtlich nicht automatisch die gewünschte intensive Zusammenarbeit. So darf nicht erstaunen, daß bisher »die Sozialgeschichte in wesentlichen methodologischen Kategorien der traditionellen Fachhistorie verpflichtet« blieb[218].

In der sozialwissenschaftlich orientierten Konzeptualisierung eines historischen Forschungsvorhabens liegt die Chance, durch »cross fertilization« zweier Disziplinen über jene programmatische Ebene hinaus die Konvergenz verschiedener, aber sachlich und thematisch benachbarter Fächer zu praktizieren und somit einen konkreten Beitrag zu einer historischen Sozialwissenschaft auch des Spätmittelalters und der frühen Neuzeit zu leisten.

Die Schwierigkeiten eines solchen Unterfangens sind nicht zu unterschätzen, vor allem dann nicht, wenn man die harten sozialwissenschaftlichen Debatten um Sinn und Nutzen einer Schichtungsforschung, die gleichsam im Bereich der Sozialstatistik anzusiedeln ist[219], ernst nimmt. Der Vorwurf freilich, daß die Auswahl der Methoden einer empirischen Schichtenforschung bereits bestimmte theoretische Vorentscheidungen einschließt, läßt sich auch auf den Kopf stellen; jedenfalls ist nicht prinzipiell die Gefahr von der Hand zu weisen, daß auch theoretische Ansätze das empirische Material bzw. seine Ermittlung und Aufbereitung präjudizieren. Kirchberger hat knapp, aber scharf die kontroversen Interpretationsmöglichkeiten ein und derselben Daten und Indikatoren aufgezeigt[220]. Der von ihm formulierte Vorwurf, die Schichtungsforschung »reproduziert das konditionierte Individuum«[221], trifft indessen mit seinem Wahrheitsgehalt den Historiker anders als den Sozialwissenschaftler. Die Geschichte und die Bedingungen, denen sie die Bewohner spätmittelalterlicher und frühneuzeitlicher Städte unterwarf, sind nicht umkehrbar. Insofern intendiert jede historische Forschung zur innerstädtischen Ungleichheit zunächst in der Tat »nur« die Bestandsaufnahme sozialgeschichtlicher Sachverhalte, was durchaus nicht zwangsläufig, wie Kirchberger behauptet, die »Apologetik des Status quo« beinhaltet[222].

Trotz zahlreicher Einzelstudien zum Thema der städtischen Sozialschichtung und -struktur[223] fehlt eine präzise und systematische sozialgeschichtliche Ge-

---

[217] *M. Asendorf*: Deutsche Fachhistorie und Sozialgeschichte. In: *I. Geiss*: und *R. Tamchina*: Ansichten einer künftigen Geschichtswissenschaft I, München 1974. S. 38 f. sowie insgesamt zur Problematik *Schulze* (wie Anm. 10). Vgl. ferner *Weyrauch*: Konfessionelle Krise (wie Anm. 99) mit weiteren Literaturhinweisen.

[218] *Asendorf* (wie Anm. 217) S. 39.

[219] So kritisch *Kirchberger* (wie Anm. 2) S. 169 und passim.

[220] Ebd. S. 173 f.

[221] Ebd. S. 179.

[222] Dies behauptet *Kirchberger* S. 181 von der modernen Sozialindikatorenbewegung.

[223] Neben der in Anm. 17 angeführten Literatur sind vor allem immer noch zu beachten

samtanalyse der Städte des 15. und 16. Jahrhunderts, deren Erstellung durch Datenumfang und Integration methodischer und konzeptioneller Ansätze so abgesichert ist, daß »Aussagen über Regelmäßigkeiten« möglich werden. Für eine Sozialgeschichte der Reformation in den Städten gilt diese Feststellung allzumal. Wie sehr allein die methodische und methodologische Validierung der geschichtswissenschaftlichen Forschung in diesem Felde Vorsprünge der Sozialwissenschaften aufzuholen hatte (und noch hat), läßt sich noch deutlich an der Studie über soziale Schichtung, vom Altmeister städtischer Sozialgeschichte, Erich Maschke, vorgelegt[224], ablesen; freilich ist der Entwicklungsprung der Sozialgeschichte in den letzten Jahren auch klar an Beiträgen wie jenen von Mitterauer[225], Kocka[226] und Heide Wunder[227] zu erkennen. Wenngleich eine historisch fundierte Theorie der sozialen Schichtung bzw. Ungleichheit für das Spätmittelalter und die frühe Neuzeit nicht gewagt werden kann, so lange nicht die erforderlichen Daten in ausreichendem Umfang und – noch wichtiger – vergleichbarer Systematik zur Verfügung stehen, ist die Geschichtswissenschaft doch längst aufgefordert, für den Bereich der Ermittlung sozialer Strukturen im Doppelsprung sowohl quantifizierende Techniken und konzeptionelle Ansätze anderer Sozialwissenschaften einzuholen als auch durch eine historisch qualifizierte Aufarbeitung der relevanten Ergebnisse die »soziale Analyse« (Iggers) vorzubereiten[228]. Der hier vorgelegte konzeptuelle Beitrag dient diesem Zweck.

E. Maschke und *J. Sydow* (Hgg.): Gesellschaftliche Unterschichten in den südwestdeutschen Städten. Stuttgart 1967 und *dies.*(Hgg.): Städtische Mittelschichten. Stuttgart 1972 sowie Untersuchungen zur gesellschaftlichen Struktur der mittelalterlichen Städte in Europa. Reichenau-Vorträge 1963–1964. Konstanz-Stuttgart 1966. (Vorträge und Forschungen 11).

[224] *Maschke* (wie Anm. 4) S. 367–379.

[225] S. *Mitterauer* (wie Anm. 6 und 16).

[226] S. *Kocka* (wie Anm. 16) S. auch *ders.*: Theorien in der Praxis des Historikers. In: GG Sonderheft 3 (1977) S. 13–43 und Sozialgeschichte. Göttingen 1977.

[227] S. *Wunder* (wie Anm. 16).

[228] In die hiermit angedeutete Richtung zielt der anregende Versuch einer komplexen, quellennahen Auseinandersetzung mit der Problematik der innerstädtischen sozialen Differenzierungen, der kürzlich von *J. Ellermeyer* vorgelegt worden ist. S. *ders.*: Sozialgruppen, Selbstverständnis, Vermögen und städtische Verordnungen. Ein Diskussionsbeitrag zur Erforschung spätmittelalterlicher Stadtgesellschaft. In: Bll. f. dt. Landesgeschichte 113 (1977) S. 203–275 (mit umfangreichen Literaturangaben!).

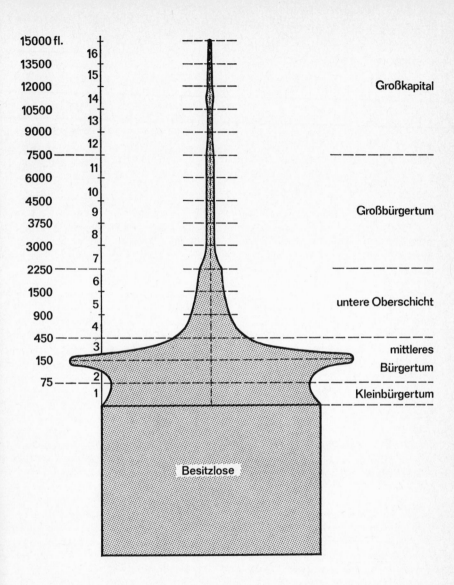

Abb. 2: Vermögensverteilung in Augsburg 1475 (nach *Kießling*, siehe Anm. 203).

Erik Fügedi

Steuerlisten, Vermögen und soziale Gruppen in mittelalterlichen Städten

I

Vor genau zwanzig Jahren schrieb ich eine Einführung zur Methode der statistischen Aufbereitung mittelalterlicher städtischer Steuerbücher[1]. Damals veranlaßte mich zu dieser Arbeit nicht nur die Freude an der noch nicht lange bekannten statistischen Methode, sondern auch der Wunsch, neue Wege für die ungarische Stadtgeschichtsforschung zu eröffnen. Daß das Städtewesen Ungarns nicht einmal in seiner Blütezeit, im 14. Jahrhundert, jenes von Westeuropa erreichte, in den darauffolgenden Jahrhunderten dann hoffnungslos verfiel, stand fest; es ergab sich logischerweise der Gedanke, mit Hilfe der statistischen Bearbeitung auch die Gründe, die zu dieser Entwicklung geführt hatten, feststellen zu können. Die Fragestellung rückte den Vergleich mit den westeuropäischen Städten in den Vordergrund, so sammelte ich die Steuerbearbeitungen westlicher Städte, und da damals unsere Bibliotheken hauptsächlich über deutsche Bücher verfügten, in erster Reihe die Angaben zu deutschen Städten. Inzwischen erfolgte durch die vorzügliche Bearbeitung der Konstanzer und Esslinger Steuerbücher von B. Kirchgässner eine erfreuliche Erweiterung[2]. Ebenso wurden die mittelalterlichen Steuerlisten der Stadt Bartfeld (Bártfa / Bardejov) in der ČSSR von der leider früh verstorbenen Frau E. Gács statistisch aufbereitet[3].

Sicherlich hätten die Erweiterungen schon an sich Anlaß zu einer Überprüfung meiner damaligen Arbeit gegeben, zur selben Zeit machte aber auch die statistische Methode einen großen Schritt vorwärts. 1972 konnte ich die ersten Ergebnisse der überprüften Bearbeitung auf einer Konferenz über quantitative Geschichtwissenschaft in Warschau vorlegen[4], hier möchte ich diese Ergebnisse eingehend schildern und mit weiteren Gedanken ergänzen.

[1] *E. Fügedi*: Középkori Várostörténetünk Statisztikai Forrásai [Statistische Quellen unserer mittelalterlichen Stadtgeschichte]. In: Történeti-Statisztikai Közlemények I (1957) S. 43–85; II (1958). S. 16–75.

[2] *B. Kirchgässner*: Wirtschaft und Bevölkerung der Reichsstadt Eßlingen im Spätmittelalter. Nach den Steuerbüchern 1360–1460. Eßlingen 1964. (Eßlinger Studien 9). *Ders.*: Das Steuerwesen der Reichsstadt Konstanz 1418–1460. Konstanz 1960. (Konstanzer Geschichts- und Rechtsquellen X).

[3] *A. Gácsová*: Spoločenská struktura Bardejova v 15. storoči a v prvej polovici 16. storoča [Sozialstruktur Bartfelds im 15. und in der ersten Hälfte des 16. Jahrhunderts]. Bratislava 1972.

[4] *E. Fügedi*: O bogactwie i warstwach spolecznych w średniowiecznych zaalpejskich ośrodkach miejskich [Reichtum und soziale Schichten in den transalpinen Städten im Mit-

Einführend soll noch erwähnt werden, daß ich mich im Grunde genommen zweier Verfahren bediene: des herkömmlichen Verfahrens und des Verfahrens der sogenannten Dezilen. Die herkömmliche Methode ist allgemein bekannt. Die Steuerzahler und die von ihnen geleistete Steuer werden in Klassen zerlegt, die Häufigkeit bzw. die Verteilung errechnet. Dazu kommt noch die Errechnung der sogenannten Lorenz-Kurve. Es handelt sich um ein gleichseitiges Rechteck, auf dessen einer Seite sich die Verteilung der Steuerzahler (in Prozent), auf der anderen die der Steuer befindet. Zeichnet man die kumulierten Werte in das Rechteck, bekommt man eine Kurve. Es ist leicht einzusehen, daß, wenn die Verteilung absolut gleichmäßig wäre, sich die Werte an der Diagonalen, wäre sie jedoch absolut ungleichmäßig, an den Seiten befinden würden. Diese beiden Fälle kommen aber nie vor, deswegen erhält man immer eine Kurve, die zwischen der Diagonale und der rechten Hälfte des Rechtecks verläuft. Diese Kurve entspricht der Konzentration: je größer sie ist, desto weiter zieht sich die Kurve von der Diagonalen weg. Die Schwierigkeit der Lorenz-Kurve besteht darin, daß sie nicht leicht begreifbar ist. Benützt man sie um Konzentrationen miteinander zu vergleichen, gibt sie zwar bessere, aber noch immer schwer vorstellbare Informationen (Abb. 1). Um eine bessere Vorstellung zu ermöglichen, drückt man die Lorenz-Kurve mit einer Zahl aus. Da die Fläche des Rechtecks 1 beträgt, ist diese Zahl immer kleiner als 1 und je mehr sie sich 1 annähert, desto größer ist die Konzentration[4a].

II

Der Vergleich verschiedener Steuerlisten kann sowohl theoretisch als auch praktisch auf zweierlei Art durchgeführt werden: 1. vertikal, im Längsschnitt, wenn man die Steuerlisten mehrerer Jahre ein und derselben Stadt miteinander vergleicht; 2. horizontal, wenn die Steuerlisten verschiedener Städte aus demselben Jahr oder einem größeren Zeitraum einander gegenübergestellt werden.

---

telalter]. In: *J. Leskiewiczowa; S. Kowalska-Glikman* (Red.): Historia i nowoczesność. Problemy unowocześnienia metodologii i warsztatu badawczego historyka. Warszawa 1974. S. 237–251.

[4a] Der Wert des Konzentrationsindexes entspricht dem Verhältnis der von der Diagonale und der Lorenz-Kurve eingeschlossenen Fläche zu jener Fläche, die von den Achsen und der Diagonale eingeschlossen ist. Ich habe die Werte des Indexes mit Hilfe der Boldrinischen Annäherung errechnet. Die Formel lautet:

$$K = \tfrac{1}{2} - \tfrac{1}{2} \sum g_i \left(z_{i-1} + z_i \right)$$

Erläuterung der Symbole vgl. Anhang S. 85.

Wobei f_i Zahl der Steuerzahler, s_i Verteilung der Steuer, g_i Verteilung der Steuerzahler, z_i kumulierte Werte von s_i ist. Siehe dazu das Beispiel im Anhang unten S. 85.

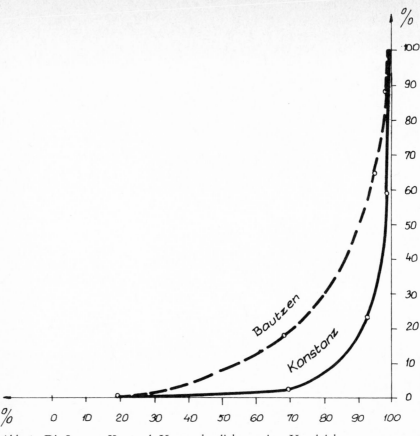

Abb. 1: Die Lorenz-Kurve als Veranschaulichung eines Vergleichs.

Die Schwierigkeiten eines vertikalen Vergleichs sind viel kleiner, besonders wenn die untersuchten Jahre nicht sehr weit voneinander entfernt sind. Da die untersuchte Menge – die Zahl der Besteuerten – sich meistens nur gering verändert – demographische Explosionen oder massenhafte Zuwanderung gehören nicht zur Charakteristik der mittelalterlichen Stadt – die Währung, in der die Steuer erhoben wurde, unverändert bleibt und ebenso die Klassenintervalle, besteht eigentlich nur eine Schwierigkeit. Sie liegt in der Änderung – meistens Verminderung – der Kaufkraft des Geldes. Am einfachsten wäre dieses Übel mit Hilfe eines Preisindexes zu beseitigen, doch es ist selbst in den mit außerordentlich reichen Archiven ausgestatteten Städten bis jetzt noch nicht gelungen, einen solchen Index auszuarbeiten, und auch für die Zukunft scheint ein Erfolg unwahrscheinlich. Die Lösung bietet sich eher in der Umrechnung auf eine wertbeständige Währung. Die deutsche Geschichtswissenschaft bevorzugt in diesen Fällen den rheinischen Gulden, teils, weil meistens für die Umrechnung entsprechende Quellen zur Verfügung stehen, teils, weil der Gulden langsamer entwertet wurde als z. B. das Zürcher oder Basler Pfund.

III

In der älteren deutschen Fachliteratur unternahm man schon am Anfang unseres Jahrhunderts den Versuch, die Steuer- bzw. die Vermögensverteilung verschiedener Städte miteinander zu vergleichen. Einer der ersten war F. Buomberger, der die Steuerliste Freiburgs i. Ue. von 1445 der Basler von 1446 gegenüberstellte[5]. Der Vergleich beschränkte sich auf die Steuerzahler nach Kategorien, die Steuersumme wurde außer Betracht gelassen. Gewählt wurde Basel nicht nur wegen der geographischen Nähe und wegen des identischen wirtschaftlichen Charakters der beiden Städte, sondern, weil zum gegebenen Zeitpunkt noch keine andere Bearbeitung zur Verfügung stand. In Basel wurde die Steuer in rheinischen Gulden, in Freiburg in Freiburger Pfund erhoben. Buomberger ließ die zwei Tabellen unverändert, bemerkte nur, daß 1 Gulden dem Wert von 1 Pfund und drei Schillingen entsprach, die Klassenintervalle im Großen und Ganzen gleich, die Abweichung also klein wäre. Nebenbei wurde sie durch die Tatsache vermindert, daß die runden Zahlen beim Gulden an der linken Seite – z.B. 100–499 – beim Pfund aber an der rechten – z.B. 101–500 – plaziert waren. Buomberger hat auch in der Hinsicht Glück gehabt, daß beide Klassifizierungen nach Dezimalgruppen aufgebaut waren, eine Abweichung zeigte sich nur in den höheren Klassen, da in Basel in die höchste Klasse die Steuern für Vermögen zwischen 10 000 – 20 999 Gulden in Freiburg aber zwischen 10 000 – 40 000 Pfund fielen.

Zwei Jahrzehnte nach Buomberger versuchte der Herausgeber der Zürcher Steuerbücher, H. Nabholz, einen Vergleich, indem er die Vermögensverhältnisse zu Anfang des 15. Jahrhunderts in Zürich, Basel, Bern und Freiburg zusammenstellte[6]. Als Grundlage diente für Basel die Arbeit G. Schönbergs[7], für Bern jene von K. Schindler[8], für Freiburg jene von Buomberger. Nabholz begann mit der Beschreibung der Steuersysteme. Grundsätzlich wurde in allen vier Städten

---

[5] *F. Buomberger*: Bevölkerungs- und Vermögensstatistik in der Stadt und Landschaft Freiburg im Üchtland um die Mitte des 15. Jahrhunderts. In: Zeitschrift für schweizerische Statistik 36 (1900) S. 205–255.

[6] *H. Nabholz*: Zur Geschichte der Vermögensverhältnisse in einigen Schweizerstädten in der ersten Hälfte des 15. Jahrhunderts. In: Festgabe Paul Schweizer. Zürich 1922. S. 93–119.

[7] *G. Schönberg*: Die Finanzverhältnisse der Stadt Basel im 14. und 15. Jahrhundert. Tübingen 1879.

[8] *K. Schindler*: Finanzwesen und Bevölkerung der Stadt Bern im 15. Jahrhundert. In: Zeitschrift für schweizerische Statistik 36 (1900) No. II S. 173. – Leider wurde nur die Verteilung der Steuerzahler in den Jahren 1448, 1458 und 1494 angegeben, nicht aber die der Steuer, deswegen konnten diese Angaben im weiteren nicht berücksichtigt werden.

eine Vermögenssteuer erhoben; unter Vermögen wurde nicht nur die liegende und fahrende Habe, sondern auch die aus Investitionen stammenden Renten verstanden – mit einem Wort alles, was der Bürger besaß mit Ausnahme der militärischen Ausrüstung. Die Selbstveranlagung geschah unter Eid, dennoch unterlag sie einer Kontrolle und im Falle von Betrug waren Sanktionen in Aussicht gestellt. In dieser Hinsicht war die Gleichartigkeit also gesichert, doch nicht in bezug auf die Steuerpflichtigen und zwar bei zwei Gruppen: So wurden die Kleriker nur in Zürich besteuert, in Bern nur die kirchlichen Korporationen, in Freiburg beide, in Basel aber weder die Kleriker noch die Korporationen. Die Unvermögenden wiederum zahlten in Basel, Bern und Zürich eine Kopfsteuer, diese zog Nabholz von der Steuersumme ab, da er die Vermögenstruktur erforschen wollte. Die Schwierigkeit, die sich aus der Währungsverschiedenheit ergab, beseitigte Nabholz dadurch, daß er die verschiedenen Währungen auf Gulden umrechnete, die andere, die durch den unterschiedlichen Steuersatz verursacht worden war, dagegen mit Hilfe einer Umrechnung der Steuersummen auf den Wert des besteuerten Vermögens, – ebenfalls in Gulden.

Eine letzte Schwierigkeit verdient genannt zu werden. Basel erhob zwar von seinen Bürgern ebenfalls eine Vermögensteuer, doch wurden die Vermögen in Klassen eingeteilt, so konnte aus den Angaben die genaue Höhe des Vermögens nicht festgestellt werden, sondern nur der jeweilige Grenzwert der Klassen. Nabholz übernahm die Daten aus Schönbergs Studie, in der nicht weniger als 26 Klassen zu finden sind. Den Vergleich unternahm Nabholz durch das Zusammenstellen der rohen Ziffern und Errechnung des Durchschnittswertes. Sein Vorgehen ist vollkommen verständlich, wenn man bedenkt, daß sein Ziel die Untersuchung der Großvermögen im Sinne von Werner Sombart war.

IV

Bis zum ersten Weltkrieg wurden die Steuerbücher mehrerer deutscher Städte bearbeitet, oft in langen, sich auf 50–60 Jahre erstreckenden, und beinahe geschlossenen Reihen. Mit dem Ertrag dieser fruchtbaren Jahre setzte sich H. Jecht auseinander, in seiner 1926 erschienenen, bis heute wirkenden und vielfach als gültig betrachteten Studie[9]. Der Ausgangspunkt ergab sich für Jecht in den Werken Sombarts und Max Webers mit der Feststellung, daß die Stadt »nicht mehr als etwas Feststehendes und Unveränderliches, sondern als etwas im engsten Zusammenhange mit der gesamten ökonomischen und gesellschaftlichen Entwicklung Stehendes« betrachtet werden muß[10].

In der aus den Steuerlisten erarbeiteten Vermögensstatistik sah Jecht »ein Mittel, um die sozialen Veränderungen wenigstens in ihren materiellen Voraus-

---

[9] *H. Jecht*: Studien zur gesellschaftlichen Struktur der mittelalterlichen Städte. In: VSWG 19 (1926) S. 48–95.
[10] Ebd. S. 54.

setzungen festzuhalten«[11]. Die bishin als einheitlich betrachteten Städte gliederte er in drei Typen: 1. Städte mit überwiegend Agrarcharakter (Ackerbürgerstadt), 2. Städte als »Mittelpunkte eines lokalen Absatzgebietes für ihre Erzeugnisse, die ebenso auch ihren Bedarf an landwirtschaftlichen Rohstoffen aus der nächsten Umgebung beziehen«[12] 3. Städte »deren wichtigste wirtschaftliche Grundlage im Fernhandel und im Export ihrer gewerblichen Erzeugnisse lag«[13]. Als Beispiele nannte er zum ersten Typ Bregenz und Dresden, zum zweiten Frankfurt a.M., Basel und Mühlhausen i.Th. und zum dritten Augsburg und das schlesische Görlitz. Die drei Typen unterschieden sich durch eine fortschreitende Differenzierung in der Vermögensverteilung, die in den Fernhandels- bzw. Exportgewerbestädten am schärfsten war. Dieser Skala entsprach auch die entsprechend größere Bevölkerungszahl. Jechts Ergebnisse wurden von der deutschen Geschichtswissenschaft nicht nur angenommen, sondern werden weitgehend noch heute als gültig betrachtet. Die Typisierung wurde lediglich von A. von Brandt ergänzt, der in Zusammenhang mit einer Untersuchung über Lübeck den Vorschlag machte, einen Typ der ausschließlich sich mit dem Fernhandel befassenden Stadt zu schaffen, in denen die Hansestädte eingereiht werden sollten, da in ihnen ein für Export arbeitendes Gewerbe fehlt[14]. Der Leitgedanke Jechts und seiner Nachfolger war die Erkenntnis, daß die Vermögensverteilung den Grund der Sozialstruktur darstellt, das Vermögen bestimmt die soziale Lage, mit anderen Worten: die Position in der Verteilung bestimmt zugleich die soziale Lage des Individuums. Dabei wurde schon von Jecht darauf hingewiesen, daß diese Auffassung insoweit einseitig ist, als sie mit anderen Wirkungen nicht rechnet[15]. Dieser Gedanke wurde kürzlich von G. Wunder weitergeführt, der im Zusammenhang mit der Untersuchung von Schwäbisch Hall hervorhob, daß einerseits »die soziale und politische Schichtung der Bevölkerung …zwar weitgehend,· doch nicht völlig mit der wirtschaftlichen gleichzusetzen« ist. Es gäbe einflußreiche Leute, die nicht zu den vermögendsten gehören, und es gäbe Reiche, die an dem politischen Leben der Stadt nicht teilnehmen, andererseits wird auch das »soziale Bewußtsein…nicht unbedingt« von der Vermögenslage bestimmt, da die Anfänger sich zu den Vermögenden zählen könnten und später durch Erbschaft auch dorthin gehören[16]. Wunder schnitt hier eine schwierige Frage an, auf die wir am Ende unseres Aufsatzes noch zurückkehren.

[11] Ebd. S. 57.

[12] Ebd. S. 58.

[13] Ebd.

[14] *A. von Brandt*: Die gesellschaftliche Struktur des spätmittelalterlichen Lübeck. In: Untersuchungen zur gesellschaftlichen Struktur der mittelalterlichen Städte in Europa. Konstanz/Stuttgart 1966. S. 215–235. (Vorträge und Forschungen 11).

[15] *Jecht* (wie Anm. 9) S. 56.

[16] *G. Wunder*: Die Sozialstruktur der Reichstadt Schwäbisch-Hall im späten Mittelalter. In: Untersuchungen zur gesellschaftlichen Struktur der mittelalterlichen Städte in Europa. S. 51 f. (Vorträge und Forschungen 11).

Jecht ging es um eine sozialgeschichtliche Untersuchung, er bediente sich aber leider einer einseitigen Methode. Er zog nämlich nur die Verteilung der Steuerzahler in Betracht, nicht aber jene der Steuer. Aus der Bearbeitung der Steuerlisten von Dresden, übernahm er die Verteilung der Steuerzahler folgendermaßen[17]:

Vermögen		1488	1502
unter	25 fl	32,2 %	46,6 %
25 —	100 fl	25,6 %	23,5 %
100 —	200 fl	21,8 %	16,4 %
200 —	500 fl	15,1 %	10,1 %
500 —	1000 fl	3,8 %	2,5 %
über	1000 fl	1,5 %	0,9 %

Der Vergleich stößt hier auf keine Schwierigkeiten, zu beiden Zeitpunkten beziehen sich die Angaben auf dieselbe Stadt, Währung und Klassifizierung sind in beiden Fällen gleich. Jecht folgert aus den zwei Reihen, daß 1488 die Mittelschicht noch stark war, die wirtschaftliche Entwicklung der Zwischenzeit aber »nicht der gesamten Einwohnerschaft gleichmäßig, sondern ausschließlich der untersten Schicht zugute gekommen (ist), ein Zeichen dafür, daß in weitem Umfange eine Proletarisierung der Bevölkerung stattgefunden hat«[18].

Jechts Methode kann noch besser durch das Verfahren charakterisiert werden, mit dem er die Steuerzahler Frankfurts, Basels und Mühlhausens, die nach verschiedenen Währungen und in verschiedene Klassen eingeteilt wurden, miteinander vergleicht (natürlich auch hier nur die Verteilung der Steuerzahler) und zum Ergebnis kommt, daß die Verteilung in allen drei Fällen miteinander identisch sei, begründet durch »das Vorhandensein einer breiten besitzlosen oder doch sehr gering bemittelten Schicht, die in diesen Städten nahezu die Hälfte der gesamten Bevölkerung ausmacht, während die Mittelklassen nur etwa ein Drittel umfassen«[19].

Jechts Studie hat hinsichtlich der Methode Schule gemacht, seine Nachfolger haben größtenteils nur die Verteilung der Steuerzahler in Betracht gezogen, nicht aber die Steuersummen. Es ist durchaus kennzeichnend für Jechts Bedeutung, daß seine Methode selbst in dem 1971 erschienen Handbuch für Wirtschafts- und Sozialgeschichte nachwirkte. R. Sprandel, der die Sozialgeschichte der Städte zwischen 1350 und 1500 behandelt, faßte die Angaben von neun Städten und insgesamt 16 Jahren in drei Klassen zusammen, obzwar die Angaben im Zeitraum 1405–1533 aus sehr verschiedenen Jahren stammen und die

---

[17] *Jecht* (wie Anm. 9) S. 60.
[18] Ebd. S. 61.
[19] Ebd. S. 62.

Klassenintervalle auch sehr verschieden sind, so bildet z.B. die untere Grenze der ersten (höchsten) Klasse in Basel 1000, in Augsburg 400, in Dresden 500 Gulden, in Lübeck, Mühlhausen und Rostock werden verschiedene Werte in Mark angeführt. Die Tafel soll beweisen, welche Schichten großes oder wenigstens mittelmäßiges Vermögen erworben haben.

V

Ein gemeinsamer Fehler der von Jecht ausgewerteten und seitdem bearbeiteten Untersuchungen - meine eigene über Ödenburg (Sopron, Ungarn) nicht ausgenommen[20] - rührt aus der Klassifizierung. Die Steuerzahler müssen irgendwie gegliedert werden und in den meisten Fällen ist die Basis dazu die lokale Währung nach dem Dezimalsystem abgestuft. Diese Lösung ist willkürlich, alle Autoren sind sich dessen bewußt und in allen Studien findet man wenigstens einen Satz der Entschuldigung. Um mit den Wertverhältnissen der Zeit einen Zusammenhang herzustellen wäre - wie gesagt - ein Preisindex nötig, einen solchen gibt es aber nicht.

Als einzige Ausnahme muß hier die schon zitierte Studie Wunders über Schwäbisch Hall erwähnt werden[21], in der der Autor neben der traditionellen Klassifizierung auch den Durchschnittswert (M) errechnet und mit dessen Hilfe eine zweite Skala aufgestellt hat:

bis	0,5	M
0,5 —	1	M
1 —	5	M
5 —	10	M
über	10	M

Es kann nicht geleugnet werden, daß diese Lösung geistreich ist, doch vom rein statistischen Standpunkt aus leider verfehlt. Die Mittelwerte im allgemeinen und der Durchschnitt im besondern können nur bei einer Normalverteilung aufschlußreich sein (Gauss-Glocke), die Vermögensverteilung ist aber nie normal, sondern immer eine »J« Verteilung. Das geht übrigens auch schon daraus hervor, daß bei Wunder unter dem Durchschnitt nur zwei Klassen, über dem Durchschnitt aber drei zu finden sind, wobei die dritte nach oben offen steht und das höchste Vermögen (13 600 Gulden) das vierzigfache des Durchschnitts (340 Gulden) beträgt.

Man darf nicht denken, daß das Klassifizieren der Einkommen und Vermögen für die heutige praktische Statistik eine weniger harte Nuß ist. Aus dem Bestreben, ein logisches Verfahren auszuarbeiten, ist die Methode der Dezilen

---

[20] *Fügedi* (wie Anm. 1).
[21] *Wunder* (wie Anm. 16) S. 31.

erwachsen[22]. Das Wesentliche an diesem Verfahren ist, daß, nachdem die Vermögen nach der Größe geordnet sind, die gesamte Menge in zehn gleiche Teile zerlegt wird; d.h. jede Klasse beinhaltet 10% der Gesamtmenge. Dem Anschein nach ist auch diese Methode vollkommen willkürlich und formal, sie beruht jedoch auf der Logik, die schon die Lorenz-Kurve charakterisierte, daß nämlich bei vollkommen gleicher Verteilung auf jede Klasse 10% des Gesamtvermögens fallen sollten, bei extremer Ungleichheit dagegen das ganze Gesamtvermögen auf eine oder zwei Klassen. Ich möchte betonen – und hoffe, daß die beigegebene Abbildung dies beweist –, daß die Dezilenskala visuell viel besser faßbar ist, als die Lorenz-Kurve (Abb. 2).

Auch bei den Dezilen kann die Verteilung mit einer Ziffer ausgedrückt werden. Man mißt hier die Ungleichheit, indem man jene Prozentsätze addiert, die über 10% liegen. Um bei unserem Bild zu bleiben, betrug in Ödenburg 1459 die Steuer der ersten Gruppe 52,2 der zweiten 16,1 und bei der dritten 10,4% der Gesamtsteuer, d.h. $(52,2 - 10,0) + (16,1 - 10,0) + (10,4 - 10,0) = 42,2 + 6,1 + 0,4 = 48,7\%$. Für unsere Untersuchungen scheint es von besonderer Bedeutung, daß man aus der Lorenz-Kurve die Dezilen ausrechnen kann. Ist man in der Lage eine ausreichend genaue Lorenz-Kurve zu zeichnen, kann man durch Abziehen des jeweils kleineren Werts die Reihe der Dezilen bestimmen (vgl. Abb. 3). Im Falle unseres Beispiels beträgt bei 90% der Steuerzahler der Wert der Kurve 47,8, also $100 - 47,8 = 52,2$. Diese Zahl wird der Wert der ersten Dezile.

Beide Methoden bringen ein und dieselbe Verteilung und Konzentration zum Ausdruck. Sie ersetzen einander nicht, sondern ergänzen sich im Laufe der Analyse. Ist die Lorenz-Kurve und der damit verbundene Konzentrationsindex bekannt, können wir diese mit Hilfe der Dezilen erklären, wir können feststellen, in welcher Klasse und in welchem Maße die Konzentration stattfand. Der Konzentrationsindex unseres Beispiels beträgt 0,566. Diese Zahl verrät nur soviel, daß eine gewisse Konzentration vor sich ging, aus den Dezilen kann aber mühelos festgestellt werden, daß die Konzentration in den ersten drei Klassen zu beobachten ist, und selbst innerhalb dieser drei Klassen extrem war, da die erste 42,2% Vermögensüberschuß besaß.

VI

Kehren wir nun, in Kenntnis der Dezilen, zu Jechts Ausführungen zurück. Wir möchten zwei Beispiele herausgreifen. Das erste Beispiel soll Dresden sein, von dem Jecht behauptete, daß die Steuerlisten von 1488 und 1502 die »Proletarisierung« des Bürgertums beweisen. Die Angaben übernahm Jecht aus O. Richters

---

[22] *Ö. Eltető; E. Frigyes*: Uj jövedelem - egyenlőtlenségi mutatók, tulajdonságaik és hasznositási lehetőségeik (Neue Einkommenungleichheitsindices, ihre Eigenschaften und Anwendungsmöglichkeiten). In: Szigma 1968. S. 17–28.

Aufsatz[23], doch sind die beiden Tabellen nicht miteinander identisch, da Jecht die von der Steuer befreiten Unvermögenden wegließ. Zur Veranschaulichung führen wir die beiden Tabellen hier an:

Klasse	1488 Richter Steuer-zahler %	1488 Richter Steuer %	1488 Jecht Steuer-zahler %	1488 Jecht Steuer %	1502 Richter Steuer-zahler %	1502 Richter Steuer %	1502 Jecht Steuer-zahler %	1502 Jecht Steuer %
0	32,9	0,0	—	—	34,0	0,0	—	—
unter 25	21,6	3,1	32,2	3,1	30,7	6,0	46,6	6,0
25— 50	8,5	2,9	25,6	9,1	5,0	2,6	23,4	12,6
50— 100	8,7	6,2			10,4	10,0		
100— 200	14,6	19,4	21,8	19,4	10,8	21,1	16,4	21,1
200— 500	10,1	32,0	15,1	32,0	6,7	29,1	10,1	29,1
500—1000	2,6	17,9	3,8	17,9	1,8	17,0	2,6	17,0
über 1000	1,0	18,5	1,5	18,5	0,6	14,2	0,9	14,2
Insgesamt:	100,0	100,0	100,0	100,0	100,0	100,0	100,0	100,0

Der wichtigste logische Unterschied zwischen den beiden Tabellen liegt darin, daß wir bei Richter die gesamte wirtschaftliche Tragfähigkeit des Bürgertums, bei Jecht aber nur die Vermögensverteilung beobachten können. Der Konzentrations- und Ungleichheitsindex beweist aber, daß die Tabellen miteinander doch nicht identisch sind. Der Konzentrationsindex beträgt auf Grund der Tabelle:

	1488	1502
Richter	0,754	0,771
Jecht	0,629	0,652

d.h. die Konzentration wuchs in beiden Fällen, und zwar in den vermögenden Schichten (Jecht) in stärkerem, in der ganzen Bürgerschaft in schwächerem Maße. Insofern unterstützt der Konzentrationsindex Jechts Ausführungen. Weiter aber können wir ihm nicht mehr folgen, wenn er behauptet, daß die Zunahme der Konzentration eine Proletarisierung bedeutet. Es geschah etwas ganz anderes, wie aus der Analyse der Dezilen sichtbar wird:

[23] *O. Richter:* Zur Bevölkerungs- und Vermögensstatistik Dresdens im 15. Jahrhundert. In: Neues Archiv für sächsische Geschichte und Altertumskunde 2 (1881) S. 285 f.

	1.	2.	3.	4.	5.	6.	7.	8.	9.	10.
1488	52,5	27,5	9,0	5,0	3,0	1,5	1,0	0,5	0,0	0,0
1502	64,0	18,5	8,0	3,5	3,0	1,5	1,0	0,5	0,0	0,0

Unterschied:

	+11,5	−9,0	−1,0	−1,5	0,0	0,0	0,0	0,0	0,0	0,0

Die Änderung fand in den ersten vier Klassen, also in der höchstvermögenden Schicht statt, und dort dadurch, daß die erste Klasse ihren Prozentsatz um 11,5 vermehrte. Nicht die Lage der unteren hat sich verändert, sondern jene der höheren Schichten. Zu diesem Ergebnis – das sind wir der Wahrheit schuldig – konnte Jecht nicht kommen, da die Dezilenmethode damals noch unbekannt war. Hätte er aber nicht nur die Verteilung der Steuerzahler, sondern auch die der Steuer in Erwägung gezogen, hätte er sicher andere Folgerungen getroffen. Die Analyse der herkömmlichen Klassenintervalle ist zwar unzweifelhaft schwerfällig, doch hätte er mit einer einfachen Prozentrechnung feststellen können, daß in der untersten Klasse die Zahl der Steuerzahler weniger zugenommen hat (144,7%), als die von ihnen gezahlte Steuersumme (193,5%). Den Fehler beging er eben dadurch, daß er die Verteilung der Steuer außer Acht ließ.

Schließen wir das erste Beispiel mit der Feststellung, daß Dresden nach Jecht eine Ackerbürgerstadt war.

Das zweite Beispiel bezieht sich auf die Mittelstädte. Hier untersuchte Jecht: Frankfurt a.M., Basel und Mühlhausen i. Th.. Der Vergleich stößt hier auf eine Reihe von Schwierigkeiten, für die wir in der Studie keine Erklärung finden.

a) Die Klassifizierung erfolgte im Falle von Frankfurt und Basel in Gulden, in Mühlhausen in lokaler Währung (Mark). Diese Schwierigkeit hätte teilweise beseitigt werden können, hätte Jecht die Werte auf Grund des von Vetter angeführten Kurses umgerechnet. Er hätte die folgende Tabelle bekommen:

	1418/19	1504/05
0 — 10 M	0 — 60 fl	0 — 80 fl
10 — 50 M	60 — 300 fl	80 — 400 fl
50 — 100 M	300 — 600 fl	400 — 800 fl
100 — 500 M	600 — 3000 fl	800 — 4000 fl
über 500 M	über 3000 fl	über 4000 fl

b) Größer war der Fehler, daß Basels Tabelle mit den anderen beiden Städten unvergleichbar ist. Während in den meisten süddeutschen Städten aus der

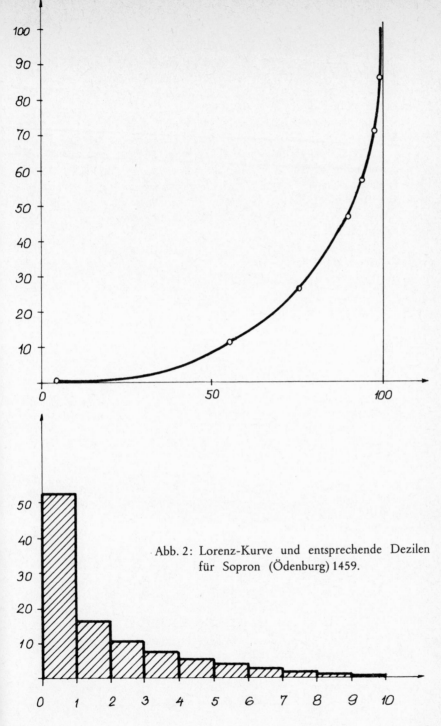

Abb. 2: Lorenz-Kurve und entsprechende Dezilen für Sopron (Ödenburg) 1459.

Steuersumme die Höhe des Vermögens errechenbar ist, weil die Feststellung der Steuer sich in den Städten nach dem gleichen Steuersatz richtete, wurden in Basel Steuerklassen aufgestellt, 1466 z.B. zahlten die Basler für ein Vermögen
von 60 – 100 Gulden: 4 Pfennige
von 100 – 200 Gulden: 6 Pfennige
von 200 – 300 Gulden: 8 Pfennige usw.,
das bedeutet soviel, daß, wenn wir zehn Steuerzahler aus der untersten Klasse nehmen, in deren Vermögen mit einem Unterschied von (1000–600) 400 Gulden gerechnet werden muß. Hinzuzufügen wäre, daß die Stadt zwischen 30 – 20 000 Gulden 58 Steuerklassen festlegte. Es ist schwer aus diesem System die tatsächliche Höhe des Vermögens auszurechnen, da in der Klasse mit einem Vermögen von 10 000 – 11 000 Gulden Wert bei fünf Steuerzahlern schon 5000 Gulden Unterschied auftreten kann.

c) Basel fällt nicht nur deswegen aus dem Vergleich aus, sondern auch, weil in der Steuerliste 1446 ein Bezirk fehlt, die Liste also unvollständig ist. Der Bezirk St. Martin dürfte kaum bedeutungslos sein, da 1453/54 von 2100 Basler Steuerzahlern 245 dort lebten.

d) In Mühlhausen ließ Jecht die Unvermögenden nicht außer Acht (wie in Dresden), sondern rechnete sie zur ersten Klasse. Um den Vergleich zu erleichtern, stellen wir die beiden Tabellen wieder nebeneinander:

	1418/19				1504/05			
	Vetter		Jecht		Vetter		Jecht	
Klasse	Steuer-zahler	Steuer	Steuer-zahler	Steuer	Steuer-zahler	Steuer	Steuer-zahler	Steuer
	%	%	%	%	%	%	%	%
0	19,6	0,0	52,3	3,6	17,4	0,0	46,9	2,7
0,5— 10	32,7	3,6			29,5	2,7		
10— 50	30,5	20,9	30,5	20,9	25,2	12,7	25,2	12,7
50—100	9,7	20,3	9,7	20,3	15,7	25,8	15,7	25,8
100—500	7,1	44,3	7,1	44,3	11,7	46,8	11,7	46,8
über 500	0,4	10,9	0,4	10,9	0,5	12,0	0,5	12,0
Insgesamt:	100,0	100,0	100,0	100,0	100,0	100,0	100,0	100,0

Die Konzentrationsindices der beiden Tabellen zeigen natürlich auch in diesem Fall eine Abweichung, und zwar:

	1418/19	1504/05	1418/19 = 100,0 %
Vetter	0,733	0,696	95,0 %
Jecht	0,699	0,663	94,8 %

Mühlhausen war der Schauplatz einer gegenüber Dresden entgegengesetzten
Entwicklung, hier verminderte sich die Konzentration, was durch die Errechnung der Dezilen klar bewiesen werden kann:

Dezilen:	1.	2.	3.
1418/19	64,0	13,5	8,5
1504/05	52,0	23,0	12,0

Während 1418 nur zwei Klassen einen höheren Prozentsatz als 10% aufwiesen,
waren es 1504 schon drei, wobei die erste einen hohen Prozentsatz verlor, was
wieder der zweiten Klasse zugute kam.

VII

Die Überprüfungen der Ergebnisse Jechts weisen darauf hin, daß hinter den
gleichen Verhältniszahlen der Vermögensverteilung die Konzentration in zwei
entgegengesetzten Richtungen fortschreiten kann, sie kann sich intensivieren
oder aber abnehmen. Die Überprüfung erfolgte auf zwei Wegen. Im Gegensatz
zu Jecht nahmen wir auch die Verteilung der auf eine Klasse fallenden
Steuersumme in Betracht. So stellte sich im Falle Dresdens heraus, daß einander
so nahe liegende Werte wie die mit einem Vermögen von über 1000 Gulden
Besteuerten (1,0 und 0,6%) nicht gleich beurteilt werden können, da neben diesen Werten ein unterschiedlicher Prozentsatz der Gesamtsteuer steht. Die Erklärung dafür wurde mit Hilfe der Analyse der Dezilen gesucht, und – so möchte
ich hoffen – auch gefunden. Im Laufe der Überprüfung war der Fall Mühlhausen besonders bemerkenswert, da hier die Werte noch näher zueinander standen
(0,4 und 0,5%). Allem Anschein nach ist die herkömmliche Methode nicht im
Stande, den wichtigsten Charakterzug der Entwicklung, nämlich die Tendenz,
zu bestimmen.

So mühsam es auch ist, muß ich den Leser doch bitten noch ein drittes Beispiel, diesmal Mühlhausen und Dresden, mitzuverfolgen. Wie oben gezeigt, hat
Jecht seine Quellen in beiden Fällen umgearbeitet, doch nicht in gleicher Weise,
da er bei Dresden die Unvermögenden einfach außer Acht ließ, in Mühlhausen
aber der niedrigsten Klasse zurechnete. Es scheint nicht unbegründet, auch bei
Mühlhausen dasselbe Verfahren anzuwenden, das Jecht im Falle Dresdens verwendete. In diesem Fall untersuchen wir natürlich in beiden Städten die bürgerliche Vermögensbildung (s. Tabelle nächste Seite).

Die Umarbeitung betrifft natürlich auch den Konzentrationsindex, dessen Wert
jetzt für 1418/19 0,636, für das Jahr 1504/05 0,596 betragen wird, also noch

Klasse	1418/19		1504/05	
	Steuer-zahler %	Steuer %	Steuer-zahler %	Steuer %
0,5— 10	40,6	3,6	35,7	2,7
10— 50	38,0	20,9	30,4	12,7
50—100	12,1	20,3	19,0	25,8
100—500	8,8	44,3	14,2	46,8
über 500	0,5	10,9	0,7	12,0
Insgesamt:	100,0	100,0	100,0	100,0

steiler abnimmt als früher auf Grund von Jechts Berechnungen.

Aus all dem folgt noch, daß beim Anwenden der gleichen Methode kein signifikanter Unterschied zwischen Dresden (0,629-0,652) und Mühlhausen (0,636-0,596) feststellbar ist. Dieses Ergebnis wird durch die Dezilen noch bekräftigt:

Stadt	Steuerjahr	1.	2.	3.
Dresden	1488	50,0	18,5	11,0
Dresden	1502	53,0	17,0	12,0
Mühlhausen	1418/19	52,0	21,5	9,5
Mühlhausen	1504/05	48,5	18,5	13,5

Noch kürzer mit Hilfe der Ungleichheitsrate ausgedrückt:

Dresden   1488   = 49,5   1502   = 52,0

Mühlhausen   1418/19 = 53,5   1504/05 = 50,5

Unser Ergebnis besitzt deshalb besondere Bedeutung, weil Jecht die zwei Städte – eben auf Grund der Vermögensverteilung – in zwei verschiedene Kategorien einreihte: Dresden wurde als Ackerbürgerstadt, Mühlhausen als eine über einen eigenen Handels- und Gewerbemarkt verfügende Mittelstadt qualifiziert. Diese Qualifikation widerspricht den statistischen Ergebnissen und läßt Jechts Ausführungen gegenüber Zweifel aufkommen. In der Beurteilung dieser Frage möchte ich mich nicht mehr auf Jechts Studie, sondern auf einen Aufsatz viel jüngeren Datums stützen, dessen Autor die seit 1926 bearbeiteten Städte in die Kategorien von Jecht einreihte. Dementsprechend befinden sich in vier Kategorien die folgenden Städte:

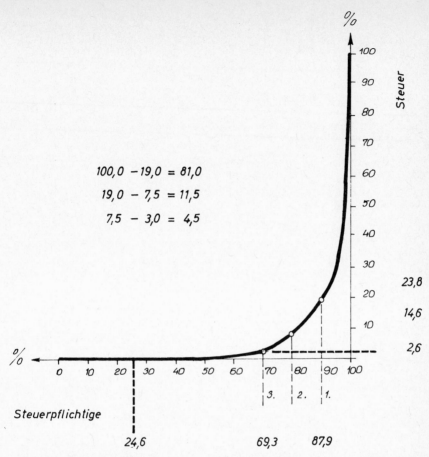

Abb. 3: Lorenz-Kurve für Konstanz 1450 (siehe Anhang) und ihre Umgestaltung in Dezilen.

A. *Ackerbürgerstädte*
Dresden
Bautzen (3000 – 4000)

B. *Mittelpunkte eines Lokalmarktes*
Freiburg i.Br. (5200)
Bern (5600)
Konstanz (6000)
Zürich (7300)
Hildesheim (6000 – 8000)
Osnabrück (8000 – 10 000)

Frankfurt a.M. (10 000)
Basel (8000 – 12 000)
Mühlhausen (8000 – 12 000)

C. *Städte mit Exportgewerbe und Fernhandel*
Erfurt (1493: 18 700)
Augsburg (1475: 26 000)

D. *Reine Fernhandelsstädte*
Lübeck

Leider ermöglichen die Angaben nur im Falle der ersten zwei Kategorien eine eingehendere Analyse, und selbst hier muß Osnabrück weggelassen werden, da K.J. Uthmann aus den Steuerbüchern nur Bruchstücke veröffentlichte[24], außerdem, aus den oben angeführten Gründen, Basel, dann Dresden, weil selbst die erste Steuerliste aus dem Jahr 1488 von unserem untersuchten Zeitraum (1436–53) weit entfernt ist, dagegen kann die Kategorie B mit Esslingen ergänzt werden.

Ordnen wir die verbliebenen Städte nach dem Wert des Konzentrations- bzw. Ungleichheitsindexes, so ergibt sich die folgende Reihe:

Stadt	Steuerjahr	Konzentrations-Index	Ungleichheits-Index
Hildesheim	1450	0,515	47,5
Bautzen	1436	0,610	50,0
Nördlingen	1448	0,608	55,0
Esslingen	1450	0,689	53,5
Mühlhausen	1447/48	0,653	52,5
Zürich	1444	0,754	62,5
Freiburg	1445	0,818	72,0
Konstanz	1450	0,847	72,5

In dieser Reihenfolge fließen die Indices nicht mehr ineinander, wie früher bei Dresden und Mühlhausen, sondern bilden bestimmte Gruppen und zwischen den beiden Indices besteht ein gewisser Zusammenhang. Auch hier kam es zur Bildung einer Rangreihe, wie bei Jechts Untersuchung. In die erste Gruppe gehört hier Hildesheim allein, in die zweite Bautzen, Nördlingen, Esslingen und Mühlhausen, die dritte repräsentiert Zürich allein, in der vierten befinden sich Freiburg und Konstanz. Bevor aus dieser Gruppierung weitere Folgerungen gezogen werden, sind zwei Fragen zu beantworten:

[24] *K. J. Uthmann*: Sozialstruktur und Vermögensbildung in Hildesheim des 15. und 16. Jahrhunderts. 1957. (Schriften der wirtschaftswissenschaftlichen Gesellschaft zum Studium Niedersachsens e.V. Neue Folge 65).

a) die Frage der Abweichung zwischen dem Konzentrations- und dem Ungleichheitsindex und

b) die Frage der Vergleichbarkeit.

a) Vielleicht ist es dem Leser schon aufgefallen, daß nur der Konzentrationsindex kontinuierlich wächst, der Ungleichheitsindex aber nicht, der höhere Konzentrationsindex von Esslingen wird von einem niedrigeren Ungleichheitsindex begleitet. Ein gewisser Zusammenhang wird nur insofern deutlich, als zu Gruppen mit größerer Konzentration höhere Ungleichheitsindices gehören. Z.B. ist im Falle der Konzentration von 0,800 und höher die Ungleichheit mit 70% Überschuß in den zwei oder drei höheren Klassen vereint. Vor allem muß auch darauf hingewiesen werden, daß die Dezilen in diesen Fällen aus der Lorenz-Kurve berechnet wurden, was vielleicht einen Fehler von 1,0 - 1,5% mit sich brachte. Der Unterschied bleibt aber selbst dann bestehen, wenn man diesen Fehler berücksichtigt. Von mathematischer Seite ist die Abweichung ohne Schwierigkeit zu erklären. Im Konzentrationsindex kommt die durch die Kurve eingeschlossene Fläche zum Ausdruck, die Dezilen beschreiben dagegen den Ablauf der Kurve. Aus Kuriositätsgründen fügen wir hier (Abb. 4) die Lorenz-Kurven von Esslingen für 1403 und von Nördlingen für 1459 bei, der Konzentrationsindex beträgt in beiden Fällen 0,633, jener der Ungleichheit aber bei Esslingen 55,0 bei Nördlingen 57,5%. Vielleicht wird diese Abweichung noch von einer anderen Erscheinung beeinflußt und zwar davon, wieviel Klassen einen die 10% übersteigenden Prozentsatz aufweisen (was mit dem Ablauf der Kurve identisch ist). Nördlingen zeigt deswegen einen höheren Ungleichheitswert, weil dort nur zwei Klassen einen höheren Prozentsatz als 10 erreichen, während es in Esslingen und Mühlhausen drei sind. Im übrigen scheint es eine Gesetzmäßigkeit zu sein, daß in den Städten mit hoher Konzentration und Ungleichheit des Vermögens sich der Überschuß auf die zwei ersten (d.h. höchsten) Klassen beschränkt (Zürich, Konstanz, Freiburg).

b) Die zweite Frage bezieht sich auf die Vergleichbarkeit der Angaben. Ich habe in allen Fällen die Unvermögenden in Betracht gezogen, also nicht nur die bürgerlichen Vermögen sondern die Vermögensverhältnisse der ganzen Stadt. Zieht man allein die bürgerlichen Vermögen in Betracht, vermindert sich natürlich sowohl der Konzentrations- als auch der Ungleichheitsindex, da in diesem Fall die letzten zwei Dezilen auch einen gewissen Wert annehmen, wie im Falle Mühlhausens und Dresdens.

Zur Berücksichtigung des ganzen Bürgertums veranlaßte mich die Tatsache, daß es sich – mit Ausnahme von Ödenburg – in allen Fällen um eine sekundäre Bearbeitung handelt, die zwangsweise eine gewisse Unsicherheit mit sich bringt. Im Falle von Hildesheim, Esslingen und Zürich gaben die Verfasser die Zahl der von der Steuer befreiten Personen nicht an, sondern begannen das Klassifizieren mit der Vermögens-, bzw. Steuerklasse »von Null an«. Es konnte also nicht festgestellt werden, ob diese Klasse auch jene Bürger beinhaltet, die wegen ihrer Armut nicht zum Steuerzahlen verpflichtet waren. In den anderen vier Fällen

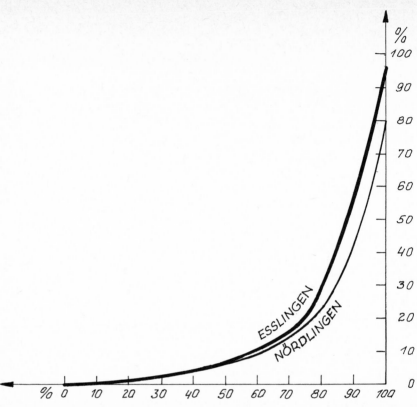

Abb. 4: Unterschiedliche Lorenz-Kurve bei gleichem Konzentrationsindex:
Esslingen 1403 und Nördlingen 1459.

(Bautzen, Mühlhausen, Freiburg und Konstanz) bewegte sich das Verhältnis der
Befreiten zwischen 15,0 und 28,3%. Im Falle Esslingens und Zürichs bedeutet
die Unsicherheit, daß der Konzentrationsindex einen etwas niedrigeren Wert
annehmen kann, wenn die Unvermögenden ausgelassen wurden, oder aber einen
etwas höheren, wenn sie in die erste (mit 0 beginnende) Klasse eingereiht wurden, wie es schon der Fall Dresden gezeigt hat. Betonen möchte ich aber, daß es
sich hier nur um eine kleinere Abweichung handeln kann, wie es der Fall Mühlhausen bewies.

Ich will nicht verhehlen, daß ich es für unbedingt wichtig halte auch die Unvermögenden oder von der Steuer befreiten in Betracht zu ziehen. Nicht nur,
weil wir vom gesamten Bürgertum nur auf diese Weise ein zuverlässiges Bild
erhalten, sondern auch, weil die Armen als Arbeitskraft eine Vorbedingung zur
Investition und dadurch zum Wachstum der Großvermögen stellen.

Nach der Erörterung der zweifelhaften Fragen kann aus unserer Tabelle die
Folgerung gezogen werden, daß in den Städten, die ihrer Einwohnerzahl nach

76

zu ein und derselben Gruppe gehören, das Bürgertum nicht einheitlich, sondern sehr unterschiedlich geschichtet war. In besonders krasser Weise trifft dies für die nach ihrer Einwohnerzahl beinahe gleich großen Städte Freiburg, Konstanz, Zürich und Hildesheim zu, bei denen die Vermögensverteilung starke Abweichungen aufzeigt.

VIII

Die Überprüfung von Jechts Methode führt uns zur Feststellung, daß die Vermögensverteilung des Bürgertums nicht so sehr von der Bevölkerungsgröße, als von der Sozial- und Wirtschaftsstruktur abhängig ist und diese Struktur mit Hilfe der Lorenz-Kurve und der Dezilen besser analysiert werden kann als mit jener der herkömmlichen statistischen Methode. Auch das kann kaum geleugnet werden, daß das neue statistische Verfahren die Stadtgruppen Jechts und seiner Nachfolger gesprengt hat. An diese Ergebnisse anknüpfend soll noch die Frage gestellt werden: was können die Dezilen über einen Längsschnitt aussagen?

Die deutsche wissenschaftliche Literatur konnte öfters längere Zeitreihen zusammenstellen, darunter auch solche, die keine oder nur wenige Lücken aufweisen, z.B. konnten in Bautzen 1414–1421 und 1432–1436 geschlossene Reihen zusammengestellt werden. In anderen Fällen konnten vereinzelte Jahre über einen mehr als ein halbes Jahrhundert umfassenden Zeitraum bearbeitet werden, z.B. in Esslingen zwischen 1403 und 1458 aus elf Jahren. Mit der längsten Reihe kann sich bis jetzt Mühlhausen rühmen, wo zwischen 1418/19 und 1506/07 nicht weniger als 15 Steuerlisten erhalten geblieben sind und bearbeitet wurden. Diese langen Zeitreihen bieten die Möglichkeit die Frage zu stellen, ob diese Ungleichheitsindices gleichbleiben oder nicht:

Stadt	n	R	$\bar{x}$	σ	V
Bautzen	15	10,0	47,33	3,07	6,49
Mühlhausen	15	7,0	56,30	2,31	4,10
Esslingen	11	5,0	53,05	1,78	3,36
Nördlingen	8	7,0	54,25	2,57	4,74
Konstanz	7	8,0	69,43	3,03	4,36

(n = Zahl der Steuerlisten, R = Ausdehnung/Range, $\bar{x}$ = Mittelwert, σ = Streuung/Standardabweichung v = Streuungskoeffizient/Variationskoeffizient). Die Streuung σ und der Streuungskoeffizient (V) beweisen eine sehr hohe Stabilität. Zum selben Ergebnis führt die Untersuchung der Streuung der Dezilen. Als Beispiel sollen hier die uns am meisten interessierenden ersten drei Dezilen stehen:

Dezilen		1.	2.	3.
Bautzen	R	10,0	9,0	3,0
	$\bar{x}$	48,1	17,6	11,6
	σ	3,89	2,52	0,98
	V	6,0	14,32	8,45
Mühlhausen	R	12,5	6,5	6,5
	$\bar{x}$	52,4	21,5	12,2
	σ	3,81	2,55	1,45
	V	7,27	11,86	11,88
Esslingen	R	5,5	4,0	3,0
	$\bar{x}$	57,0	15,7	10,4
	σ	1,44	1,39	1,26
	V	2,53	8,85	12,12
Nördlingen	R	8,0	2,5	—
	$\bar{x}$	61,5	12,9	—
	σ	3,0	1,27	—
	V	4,88	9,84	—
Konstanz	R	15,0	7,0	—
	$\bar{x}$	76,6	12,8	—
	σ	5,25	2,55	—
	V	6,85	12,11	—

Die Tabellen bestätigen die Feststellung Jechts über die Stabilität der Vermögensverteilung. Wenn wir nun auch in Betracht ziehen, daß die über einen Überschuß verfügenden Klassen die kleineren Streuungskoeffizienten aufweisen, immer kleiner als jene, die unter 10% bleiben, weiterhin, daß die Streuung des Ungleichheitsindex gleich oder noch kleiner ist als jene der ersten Klasse, dann charakterisiert die Struktur der Vermögensverteilung eben die Stabilität am besten.

Die Stabilität der Struktur bedeutet keineswegs Starrheit und Unbeweglichkeit, dies kann an Hand der drei Städte Mühlhausen, Esslingen und Konstanz bewiesen werden.

Aus den Steuerlisten Mühlhausens kann festgestellt werden (Abb. 5), daß die Steuer von 1418 bis 1460 sanfter, von 1474 an, nach einem Rückfall in den frühen 1470er Jahren, steiler zunimmt. Die Anzahl der Besteuerten wächst bis 1473, von da an vermindert sie sich, die Pro-Kopf Steuer erreicht 1458 den ersten, 1504 den zweiten Höhepunkt. Vollständigkeitshalber soll bemerkt werden, daß die höchsten Vermögen 1472 (mit 13000 Gulden Wert) und 1506 (17000 Gulden) besteuert wurden. Alles in allem haben wir es hier anscheinend, mit Ausnahme der 1470er Jahre, mit einer ausgeglichenen Prosperität zu tun. Die Vermögenskonzentration weist bis 1473 ein Anwachsen, von da an eine Abnahme auf. Der Ungleichheitsindex folgt der Konzentration nicht ganz dicht. Die Prosperität bedeutete augenscheinlich keine starke Konzentration, sondern

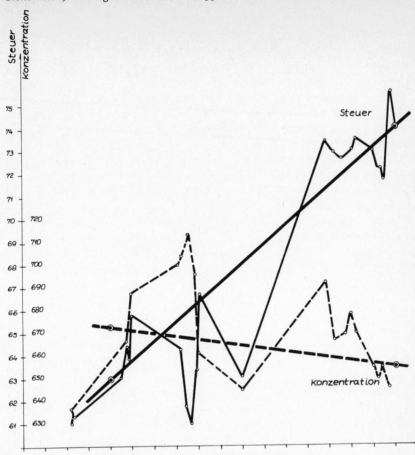

Abb. 5: Steuer und Konzentration in Mühlhausen 1446—1519 (mit Trendlinien).

nur eine Disproportion, die den Überschuß 20 - 30% der Steuerzahler zukommen ließ.

Ein ganz abweichendes Bild kann von Konstanz gezeichnet werden (Abb. 6). Verglichen mit der Gesamtsteuer weist 1418-1460 die Konzentration ein stärkeres, der Überschuß in der ersten Klasse ein noch stärkeres Wachstum auf. Übrigens verteilte sich hier der Überschuß nie auf drei, sondern immer nur auf zwei Klassen, d.h. nicht auf 30% sondern auf 20% der Bürger (s. Anhang). Die ansteigende Gesamtsteuer beweist eine Prosperität, die hier aber nicht dem ganzen Bürgertum, sondern nur einem Zehntel desselben zugute kam.

In Esslingen wächst die Gesamtsteuer 1403-1450, dann vermindert sie sich (Abb. 7). Der Konzentrationsindex zeigt aber einen gleichmäßigen Zuwachs nach 1430, selbst in jenen Jahren, in denen die Stadt in einen Krieg verwickelt und das Bürgertum in eine schwierige Lage gekommen war. Man wird durch diese progressive Konzentration dazu veranlaßt, Esslingen mit Konstanz zu vergleichen, doch machen die Dezilen darauf aufmerksam, daß die Konzentration viel kleiner ist als in Konstanz. Esslingens erste Klasse steht mit einem Überschuß von 47% viel näher zu Mühlhausens erster Klasse mit 42% als zum 67-prozentigen Überschuß in Konstanz. Außerdem verteilte sich der Überschuß auch in Esslingen auf drei Klassen wie in Mühlhausen. Im Falle Esslingens stehen wir einer Stadt gegenüber, in deren Wirtschaft eine Vermögenskonzentration möglich war, die jedoch das Ausmaß von Konstanz nicht erreichte.

Nach den letzten Schätzungen hatten Esslingen und Konstanz eine Bevölkerung von 6000 Einwohnern, Mühlhausen dagegen 12 000. Als Wirtschaftstypen reihte Uthman alle drei in die Gruppe der über einen eigenen Absatzmarkt verfügenden Städte. Unsere Analyse bewies jedoch, daß sie nicht in ein und dieselbe Gruppe fallen. Zwischen Mühlhausen und Esslingen ist der Unterschied klein, zwischen diesen beiden und Konstanz aber zu groß. Diese Kategorisierung scheint also unhaltbar zu sein. Die Städte sollten nicht nach ihren Steuerklassen, noch weniger nach ihrer Bevölkerungszahl, sondern danach qualifiziert werden, ob eine Konzentration stattfand oder nicht, mit anderen Worten, wie das bürgerliche Vermögen verteilt war.

Meine Ausführungen haben einen wunden Punkt: daß nämlich nur die relative Verteilung innerhalb der einzelnen Städte berücksichtigt wurde, die absolute Höhe der Steuersumme oder des Vermögens jedoch nicht. Deswegen muß die Frage gestellt werden: wie weit beeinflussen oder ändern die absoluten Zahlen diese Ergebnisse?

Die Tabelle veranschaulicht die Konzentration in denselben Städten am Anfang

| Stadt | | Überschuß der 10 % überschreitenden Klassen | | | | | |
| | | in Prozent | | | in Gulden | | |
		1.	2.	3.	1.	2.	3.
Esslingen	1411	50,0	5,0	— 55,0	96 762	9 676	— 106 438
Nördlingen	1415	55,0	2,0	— 57,0	112 167	4 079	— 116 246
Mühlhausen	1418	54,0	3,5	— 57,5	200 643	13 005	— 213 648
Zürich	1417	66,5	—	— 66,5	436 905	—	— 436 905
Konstanz	1418	62,0	4,5	— 66,5	485 794	35 259	— 521 053
Esslingen	1450	47,5	4,5	1,5 53,5	138 138	13 087	4362 155 587
Nördlingen	1448	53,0	2,0	— 55,0	165 487	6 245	— 171 732
Mühlhausen	1447	39,5	11,0	2,0 52,5	144 803	40 325	7332 192 460
Zürich	1444	59,0	3,5	— 62,5	395 890	23 485	— 419 375
Freiburg i. Ü.	1445	72,0	—	— 72,0	584 271	—	— 584 271
Konstanz	1450	71,0	1,5	— 72,5	584 893	12 357	— 597 520

und in der Mitte des Jahrhunderts, ausgenommen Freiburg i. Ü., für das nur eine Bearbeitung zur Verfügung stand. Aus der Gesamtsteuer errechnete ich den Wert des Überschusses in Gulden. Im Falle Mühlhausens beträgt der Wert des Guldens 1/6 der lokalen Währung, im Falle Freiburgs 1 Pfund 3 Schillinge.

Aus der Tabelle gehen auffallende Züge der Entwicklung hervor. Die Konzentration ließ nur in Mühlhausen und Zürich nach, in der ersten so, daß der Überschuß der zweiten Dezile wuchs und auch die dritte Klasse einen Überschuß aufzeigen konnte In Zürich erreichte die zweite Klasse einen ganz ansehnlichen Überschuß. In allen übrigen Städten kam das Ansteigen des Überschusses der ersten Klasse zugute. Diese Folgerungen erfolgten aber auf Grund der Relativität, da die Zahl der Steuerzahler innerhalb einer Klasse unterschiedlich ist. Ich errechnete deswegen den Pro-Kopf Wert des Überschusses in Gulden zu den zwei Zeitpunkten und bekam das folgende Ergebnis:

Stadt	Steuerjahr	I.	II.
Esslingen	1411, 1450	576	966
Nördlingen	1415, 1448	897	1504
Mühlhausen	1418/19, 1447/48	1096	978
Zürich	1417, 1444	1776	2429
Konstanz	1418, 1450	2878	3578

Auf Grund dieser Tabelle wird klar, daß die tatsächlichen (absoluten) Unterschiede noch viel größer waren, als es nach dem Konzentrations- und Ungleichheitsindex vermutet werden konnte. Im Laufe des 15. Jahrhunderts haben sich die wirtschaftlichen Unterschiede zwischen den Städten durch die Vermögenskonzentration vertieft. Ebensowenig können die absoluten Zahlen die Auffassung bestätigen, daß diese Städte in ein und dieselbe Kategorie einzureihen sind.

IX

Schließlich muß ich hier noch drei Gedanken anschneiden, deren Realisierung außerhalb meiner Möglichkeiten liegt.

a) Die bisherigen Ausführungen waren rein statistischer Art, eine eher formale Analyse gewisser Entwicklungszüge. Als nächsten Schritt müßte man weitere Detailfragen erörtern, so z.B. ob die Vermögenskonzentration das Anwachsen der fahrenden Habe oder der Immobilien (also eine Preiserhöhung der Grundstücke) bedeutet hat. Aus Kirchgässners Buch entnehme ich, daß eine solche Untersuchung anhand der Konstanzer Quellen durchführbar wäre. Kirchgässner führt den Wert der Immobilien an, leider aber nicht nach Steuerklassen, sondern nur in einer Gesamtzahl für die ganze Stadt. Es braucht kaum gesagt werden, daß so eine Untersuchung von größter Bedeutung wäre, und ebenso

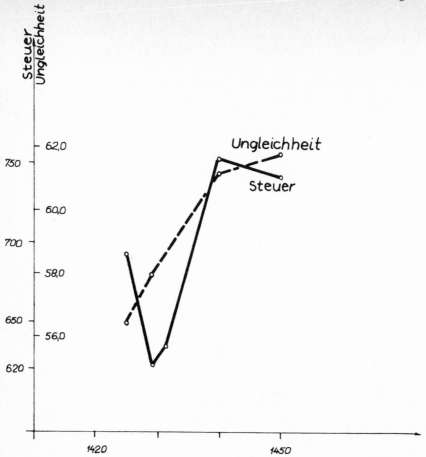

Abb. 6: Steuer und Konzentration in Konstanz 1418—1460.

überflüssig zu erwähnen, daß ein ungarischer Historiker für die Durchführung weder die Schulung noch die Möglichkeit hat.

b) Wie schon erwähnt, habe ich mit dem Sammeln der Angaben angefangen, um einen Vergleich zwischen den westeuropäischen und den ungarischen Städten durchzuführen. Trotzdem wurde in der Analyse weder Ödenburg noch Bartfeld erwähnt. Der Grund liegt darin, daß in den ungarischen Städten im Mittelalter nur der Immobilienbesitz, nicht aber die fahrende Habe, noch weniger die Kapitalerträge besteuert wurden. Verglichen werden könnte also nur die Gesamtsteuer der ungarischen Städte mit den aus Immobilien stammenden und besteuerten Vermögen (z.B. in Konstanz). Da die letzteren unveröffentlicht sind, gibt es augenblicklich keine Möglichkeit diesen Vergleich - so interessant und aufschlußreich er auch wäre - durchzuführen.

c) Ich glaube, daß die Dezilenmethode, mit einem einfachen graphischen Verfahren erweitert, uns ein ausgezeichnetes Mittel zuspielt, mit dessen Hilfe der
Wunsch E. Keysers - wenigstens teilweise - erfüllt werden kann, daß »die Bevölkerung einer Stadt (nicht nur) nach ihrem Vermögen oder Einkommen gegliedert wird, sondern ... auch festgestellt werden (sollte), welche Menschen eine
Lebensgemeinschaft im weiteren Sinne in den Städten gebildet haben«[25].

Das graphische Verfahren ist sehr einfach. Man fügt der Liste, die für die
Dezilen nach der Größenordnung zusammengestellt worden ist, laufende Num-
mern hinzu und schreibt die Nummer in einer, den Dezilen (also dem Vermögen) entsprechenden Reihe ab. Auf dieser Tabelle, die ausschließlich Ziffern
enthält, markiert man nach Belieben jene Gruppen, die man untersucht. Schließt
man sich der Auffassung E. Maschkes an[26], daß die Stände (Patrizier, Zünftler,
Nichtzünftige) eine primäre Gruppe des Bürgertums bildeten, kann man durch
das Markieren feststellen, ob und wieweit sich diese Stände mit den Vermögens-
verhältnissen decken, wo die Grenzen des einen oder anderen Standes zu finden
sind. Möchte man die materielle Lage einer Zunft messen, kann man dasselbe
Verfahren anwenden und das Ergebnis z.B. mit den von G. Wunder errechneten
Lorenz-Kurven vergleichen[27]. Dasselbe gilt für den Wohnort (nach Stadtvierteln, Straßen, Plätzen).

Ich möchte das wesentliche in zwei Punkten wiederholen:
1. Das Verfahren ermöglicht eines der schwierigsten Probleme einer Lösung
   näher zu führen, indem man Gruppen definiert und durch die Gruppen-
   bildung einen Einblick in die soziale Organisation der Städte erhält;
2. Man kann Institutionen (Zünfte, Bruderschaften usw.) besser nach ihrer
   Zusammensetzung beurteilen.

Es ergibt sich auch ein dritter Punkt, obzwar mir bewußt ist, daß ich in diesem
Fall ein heißes Eisen anpacken muß. Jecht glaubte noch daran, - im Sinne von
Max Weber - in den Steuerlisten ein Mittel gefunden zu haben, »um die sozialen
Verhältnisse wenigstens in ihrer materiellen Voraussetzung festzuhalten«[28]. In
jüngster Zeit wurde gegen die These, daß die soziale Lage in etwa durch die
wirtschaftliche bestimmt wird, Bedenken erhoben. Th. Mayer bekräftigte: Vermögen und politischer Einfluß »hängen wohl zusammen, aber bedingen sich
nicht zwangsläufig«[29], und B. Schwineköper hat die Anschauung, »aus der Größe der Vermögen einzelner Stadtbewohner unbedingt auf deren politische Rolle

---

[25] *E. Keyser*: Diskussionsbeitrag in: Gesellschaftliche Unterschichten in den südwestdeutschen Städten. Hg. v. E. Maschke und J. Sydow. Stuttgart 1967. S. 176. (Veröffentlichungen der Kommission für geschichtliche Landeskunde in Baden-Württemberg. Reihe
B. Bd. 41).
[26] *E. Maschke*: Die Unterschichten der mittelalterlichen Städte Deutschlands. Ebd. S. 5
ff.
[27] *Wunder* (wie Anm. 6) S. 39f.
[28] *Jecht* (wie Anm. 16) S. 56.
[29] *Th. Mayer*: Einleitung. In: (wie Anm. 16) S. 9.

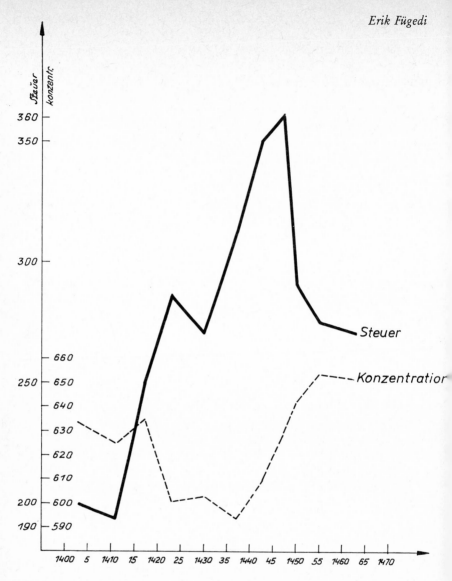

Abb. 7: Steuer und Konzentration in Esslingen 1403—1458.

in der Stadt . . . schließen«[30] zu können, als falsch abgetan. Ich glaube, daß diese beiden Aussagen, in denen der Schwerpunkt auf den Begriffen »zwangsläufig« und »unbedingt« liegt, recht haben. Im übrigen muß, – ohne hier die Rolle eines

[30] *B. Schwineköper*: Bemerkungen zum Problem der städtischen Unterschichten aus Freiburger Sicht. In: Gesellschaftliche Unterschichten (wie Anm. 25). S. 140.

ungebetenen Fürsprechers spielen zu wollen – so viel doch bemerkt werden, daß die angefochtene These eine entstellte Form der marxistischen Auffassung darstellt, die allerdings 1. nicht vom Vermögen, sondern von Produktionsmitteln spricht und sich 2. auf die Verhältnisse des Kapitalismus bezieht.

Ich bin überzeugt davon, daß mit Hilfe des von mir vorgeschlagenen Verfahrens eben jene These einer eingehenden Überprüfung unterzogen werden kann: Wie weit die Vermögensverhältnisse in der sozialen Organisation und im Leben bestimmend wirkten. Und das wäre ein großer Fortschritt.

Beispiel zu *Fügedi*, Anm. 4a:

f_i	s_i	g_i	z_i	$g_i(z_{i-1}+z_i)$	
46	0	0,025	0	0,025 (0)	= 0
290	1,1	0,1599	0,011	0,1599 (0,011)	= 0,00176
780	10,0	0,43	0,111	0,43 (0,011+0,111)	= 0,0525
275	9,9	0,1516	0,21	0,1516 (0,111+0,21)	= 0,049
341	37,4	0,188	0,584	0,188 (0,21+0,584)	= 0,149
60	21,4	0,033	0,798	0,033 (0,584+0,798)	= 0,0456
20	16,6	0,011	0,964	0,011 (0,798+0,964)	= 0,019
2	3,6	0,0011	1,0	0,0011 (0,964+1,0)	= 0,0022
1814	100	$\approx$ 1,0*			0,319

$$K = \tfrac{1}{2} - \tfrac{1}{2}(0,319) = 0,34$$

f_i = Anzahl der Steuerzahler
s_1 = prozentualer Anteil der Steuerleistung
g_i = relative Häufigkeit der Steuerzahler pro Dezile
z_i = kumulierte relative Beträge von s_i
k = Konzentrationsfläche mit $0 \leq k \leq \tfrac{1}{2}$
i = Dezile mit $i = 1, 2, \ldots, 10$
* Ungenauigkeiten entstehen durch Rundungsfehler

Bautzen

	Verteilung der Steuer in Prozent					
Jahr	2—10 M	10—50 M	50—100 M	100—200 M	>200 M	Insges.
1414	19,1	47,3	19,8	12,0	1,8	100,0
1415	19,4	46,3	20,3	10,0	4,0	100,0
1416	18,9	44,4	19,5	11,5	5,7	100,0
1417	18,1	45,6	19,5	12,3	4,5	100,0
1418	17,2	47,9	16,4	14,6	3,9	100,0
1419	16,9	46,9	16,5	15,8	3,9	100,0
1420	17,2	47,0	15,3	16,8	3,7	100,0
1421	18,0	49,4	11,6	19,0	2,0	100,0
1422	20,0	43,2	19,1	15,8	1,9	100,0
1431	19,1	46,1	23,8	9,1	1,9	100,0
1432	21,6	45,1	23,2	8,1	2,0	100,0
1433	17,0	47,7	25,4	7,7	2,2	100,0
1434	21,4	38,5	28,1	9,6	2,4	100,0
1435	21,5	50,2	16,6	8,8	2,9	100,0
1436	18,1	46,8	23,6	8,7	2,8	100,0

	Verteilung der Anzahl der Steuerpflichtigen in Prozent						
Jahr	0	2—10 M	10—50 M	50—100 M	100—200 M	>200 M	Insges.
1414	8,2	55,0	31,7	3,8	1,2	0,1	100,0
1415	10,9	52,4	31,4	3,8	1,3	0,2	100,0
1416	11,8	51,4	31,2	4,1	1,2	0,3	100,0
1417	12,4	50,3	31,5	4,2	1,3	0,3	100,0
1418	4,7	56,6	34,2	3,6	1,7	0,2	100,0
1419	6,0	54,9	33,5	3,6	1,8	0,2	100,0
1420	6,3	55,4	32,9	3,3	1,9	0,2	100,0
1421	7,0	55,3	32,6	3,0	2,0	0,1	100,0
1422	6,7	58,0	29,0	4,4	1,8	0,1	100,0
1431	20,3	49,5	25,2	4,1	0,8	0,1	100,0
1432	22,3	49,0	24,0	3,9	0,7	0,1	100,0
1433	25,6	46,7	23,2	3,8	0,6	0,1	100,0
1434	20,4	50,1	24,2	4,4	0,8	0,1	100,0
1435	19,2	51,2	24,9	3,9	0,7	0,1	100,0
1436	19,1	49,3	26,5	4,2	0,8	0,1	100,0

J. Jatzwauk: Die Bevölkerungs- und Vermögensverhältnisse der Stadt Bautzen zu Anfang des 15. Jahrhunderts. Diss. Leipzig. Bautzen 1912. S. 68 und 70. Tafel XII und XV.

Esslingen

rh. fl. Jahr	0 – 10	10 – 50	50 bis 100	100 bis 500	500 bis 1000	1000 bis 3000	3000 bis 5000	über 5000	Insges.
				Verteilung der Steuer in Prozent					
1403	1,1	10,0	9,9	37,4	21,4	16,6	3,6	–	100,0
1411	1,2	9,6	9,4	39,3	17,0	20,0	3,5	–	100,0
1417	0,6	6,8	7,4	33,9	21,7	26,6	3,0	–	100,0
1423	0,3	5,3	7,1	34,9	20,1	22,7	7,1	2,5	100,0
1430	0,3	6,1	6,0	39,1	17,1	22,4	6,7	2,3	100,0
1437	0,2	4,2	5,0	35,4	20,8	24,6	4,2	5,6	100,0
1443	0,1	3,2	4,3	33,1	19,5	24,1	2,8	12,9	100,0
1447	0,2	3,1	5,2	30,3	21,0	26,3	5,5	8,4	100,0
1450	0,6	3,4	5,5	33,2	22,9	23,0	3,5	7,9	100,0
1455	0,2	3,6	5,1	37,6	21,9	17,8	4,1	9,7	100,0
1458	0,1	3,9	5,3	36,8	21,9	22,2	7,9	1,9	100,0

rh. fl. Jahr	0	0 – 10	10 bis 50	50 bis 100	100 bis 500	500 bis 1000	1000 bis 3000	3000 bis 5000	über 5000	Insges.
			Verteilung der Anzahl der Steuerpflichtigen in Prozent							
1403	2,5	16,0	43,0	15,2	18,8	3,3	1,1	0,1	–	100,0
1411	1,7	17,8	41,0	14,7	20,4	2,9	1,4	0,1	–	100,0
1417	1,8	11,9	39,6	15,6	23,9	4,8	2,3	0,1	–	100,0
1423	1,5	7,1	35,1	18,5	29,3	5,2	2,8	0,4	0,1	100,0
1430	1,9	7,7	38,4	14,6	30,3	4,3	2,4	0,3	0,1	100,0
1437	3,5	6,7	30,3	15,4	33,4	6,8	3,5	0,2	0,2	100,0
1443	7,3	4,9	25,3	14,8	36,0	7,2	3,9	0,1	0,5	100,0
1447	7,1	7,2	25,5	16,9	30,6	7,8	4,3	0,3	0,3	100,0
1450	3,6	18,1	23,5	15,5	29,2	6,8	2,9	0,2	0,2	100,0
1455	24,1	3,6	20,6	12,9	30,1	6,0	2,2	0,2	0,3	100,0
1458	24,3	2,1	21,5	13,3	30,1	5,8	2,5	0,3	0,1	100,0

B. Kirchgässner: Wirtschaft und Bevölkerung der Reichsstadt Esslingen im Spätmittelalter 1964. (= Esslinger Studien 9).

Hildesheim

		Verteilung der Steuer in Prozent					
Jahr	0 − 15 M	16 bis 100 M	101 bis 500 M	501 bis 1000 M	1001 bis 5000 M	über 5000 M	Insges.
1404	5,0	34,0	43,0	14,1	3,9	−	100,0
1425	5,9	31,8	37,5	20,0	4,8	−	100,0
1450	3,1	31,0	49,7	11,7	4,5	−	100,0
1463	3,3	28,1	52,5	9,3	6,8	−	100,0
1484	3,2	28,3	50,1	10,8	7,6	−	100,0
1504	2,7	18,8	43,2	14,9	20,4	−	100,0
1525	1,3	10,8	38,8	21,6	21,9	5,6	100,0
1552	0,5	6,2	30,5	21,3	38,1	3,4	100,0
1572	0,2	2,8	19,1	17,0	35,7	25,2	100,0

		Verteilung der Anzahl der Steuerpflichtigen in Prozent					
Jahr	0 − 15 M	16 bis 100 M	101 bis 500 M	501 bis 1000 M	1001 bis 5000 M	über 5000 M	Insges.
1404	30,2	55,6	12,7	1,3	0,2	−	100,0
1425	31,6	54,5	11,7	2,0	0,2	−	100,0
1450	18,0	61,6	18,8	1,4	0,2	−	100,0
1463	21,3	58,1	19,1	1,1	0,4	−	100,0
1484	23,6	55,6	19,1	1,3	0,4	−	100,0
1504	52,3	30,4	14,8	1,7	0,8	−	100,0
1525	43,2	29,3	21,7	4,0	1,7	0,1	100,0
1552	22,4	33,5	30,9	7,5	5,6	0,1	100,0
1572	17,6	28,0	33,0	11,3	9,0	1,1	100,0

K. J. Uthmann: Sozialstruktur und Vermögensbildung in Hildesheim des 15. und 16. Jahrhunderts Bremen 1957 (= Schriften der Wirtschaftswissenschaftlichen Gesellschaft zum Studium Niedersachsens e. V. Neue Folge Bd. 65). S. 23—24 und 33.

Kiel

Jahr	0 – 49 M.L.	50 – 99	Verteilung der Steuer in Prozent 100 bis 199	200 bis 299	300 bis 499	500 bis 999	über 1000	Insges.
1448	11,9	12,8	18,8	26,9	18,6	5,0	6,0	100,0
1472	19,3	15,6	23,8	11,2	13,3	12,8	4,0	100,0
1474	20,0	17,4	24,4	14,0	16,1	8,1	–	100,0
1486	18,6	17,4	23,7	12,3	5,7	11,2	11,1	100,0
1488	18,5	13,5	28,9	10,4	13,1	10,6	5,0	100,0

Jahr	0 M.L.	0 – 49	50 – 99	Verteilung der Anzahl der Steuerpflichtigen in Prozent 100 bis 199	200 bis 299	300 bis 499	500 bis 999	über 1000	Insges.
1448	40,1	24,3	12,3	9,4	9,4	3,6	0,6	0,3	100,0
1472	13,0	45,1	18,2	15,0	3,9	2,9	1,6	0,3	100,0
1474	11,9	44,5	20,7	13,2	4,8	3,6	1,3	–	100,0
1486	18,5	42,3	18,1	13,8	4,0	1,3	1,3	0,7	100,0
1488	14,5	45,2	15,7	16,9	3,4	2,8	1,2	0,3	100,0

H. Landgraf: Bevölkerung und Wirtschaft Kiels im 15. Jh. Neumünster 1959. (= Quellen und Forschungen zur Geschichte Schleswig-Holsteins 39). Tab. 8. S. 35.

Konstanz

Jahr	Verteilung der Steuer in Prozent						
	I	II	III	IV	V	VI	Insges.
1418	2,5	13,6	11,9	44,8	18,2	9,0	100,0
1425	3,2	15,0	11,0	42,3	15,2	13,3	100,0
1428	3,8	20,1	13,3	47,6	13,0	2,2	100,0
1433	2,3	13,4	9,0	44,2	16,5	14,6	100,0
1440	2,4	12,2	9,4	38,9	17,8	19,3	100,0
1450	2,6	12,0	9,2	34,5	24,6	17,1	100,0
1460	2,6	13,0	8,2	37,3	21,6	17,3	100,0

Jahr	Verteilung der Anzahl der Steuerpflichtigen in Prozent							
	0	I	II	III	IV	V	VI	Insges.
1418	14,7	43,2	24,6	7,5	8,6	1,2	0,2	100,0
1425	13,4	50,6	22,1	5,6	7,1	0,9	0,3	100,0
1428	25,8	43,1	20,4	4,7	5,4	0,5	0,1	100,0
1433	23,4	42,0	21,7	4,9	6,9	0,9	0,2	100,0
1440	19,5	44,3	21,9	5,6	7,1	1,2	0,4	100,0
1450	24,6	44,7	18,6	4,6	5,9	1,4	0,2	100,0
1460	22,4	47,3	19,0	3,9	5,9	1,1	0,4	100,0

B. Kirchgässner: Das Steuerwesen der Reichsstadt Konstanz 1418—1460. Konstanz 1960 (= Konstanzer Geschichts- und Rechtsquellen, Bd. X). S. 188—189, Tafel 5—6.

Mühlhausen i. Th.

| Jahr | Verteilung der Steuer in Prozent | | | | über | |
	0,5—10 M	10—50 M	50—100 M	100—500 M	500 M	Insges.
1418/19	3,6	20,9	20,3	44,3	10,9	100,0
1446/47	2,9	11,9	35,9	42,2	7,1	100,0
1447/48	2,9	12,6	37,3	40,2	7,0	100,0
1457/58	3,0	12,7	31,4	40,3	12,6	100,0
1458/59	3,0	13,0	32,2	37,5	14,3	100,0
1459/60	3,0	12,9	32,5	38,6	13,0	100,0
1460/61	2,9	13,0	30,8	39,6	13,7	100,0
1471/72	2,8	12,8	36,2	38,9	9,3	100,0
1472/73	2,8	13,2	36,5	38,1	9,4	100,0
1473/74	2,6	12,7	35,4	41,3	8,0	100,0
1474/75	3,1	12,7	35,6	41,3	7,3	100,0
1475/76	3,1	13,2	35,8	40,9	7,0	100,0
1485/86	2,5	10,2	39,0	39,4	8,9	100,0
1504/05	2,7	12,7	25,8	46,8	12,0	100,0
1506/07	2,7	13,1	26,4	45,7	12,1	100,0
1508/09	2,7	12,9	25,8	47,6	11,0	100,0
1510/11	2,7	12,3	27,8	45,2	12,0	100,0
1511/12	2,7	12,1	28,4	44,1	12,7	100,0
1515/16	2,3	10,8	30,5	44,6	11,8	100,0
1516/17	2,4	11,0	30,3	44,3	12,0	100,0
1517/18	2,4	11,3	29,9	44,3	12,1	100,0
1518/19	2,2	11,0	31,4	42,2	13,2	100,0
1519/20	2,2	10,6	31,2	43,6	12,4	100,0

A. Vetter: Bevölkerungsverhältnisse der ehemals freien Reichsstadt Mühlhausen i. Th. im 15. und 16. Jahrhundert. Diss. Leipzig 1910.

Mühlhausen i. Th.

Jahr	Verteilung der Anzahl der Steuerpflichtigen in Prozent						Insges.
	0	0,5 bis 10 M	10 bis 50 M	50 bis 100 M	100 bis 500 M	über 500 M	
1418/19	19,6	32,7	30,5	9,7	7,1	0,4	100,0
1446/47	12,1	30,5	24,0	23,0	10,1	0,3	100,0
1447/48	15,0	29,0	23,6	23,0	9,1	0,3	100,0
1457/58	18,2	29,6	23,8	18,5	9,2	0,7	100,0
1458/59	17,7	29,7	23,8	19,2	8,8	0,8	100,0
1459/60	20,5	28,1	23,4	18,6	8,8	0,6	100,0
1460/61	24,2	26,6	22,6	17,1	8,8	0,7	100,0
1471/72	32,8	22,5	19,0	17,5	7,8	0,4	100,0
1472/73	34,8	21,4	18,9	16,9	7,4	0,6	100,0
1473/74	38,3	18,9	18,0	16,7	7,7	0,4	100,0
1474/75	26,4	25,3	21,0	18,0	8,8	0,3	100,0
1475/76	19,9	29,0	22,3	19,5	9,0	0,3	100,0
1485/86	22,7	24,9	19,2	23,0	9,7	0,5	100,0
1504/05	17,4	29,5	25,2	15,7	11,7	0,5	100,0
1506/07	17,7	29,1	25,3	16,0	11,4	0,5	100,0
1508/09	18,9	28,8	24,7	15,4	11,7	0,5	100,0
1510/11	20,5	28,5	23,6	16,0	10,8	0,6	100,0
1511/12	20,0	28,5	23,3	16,7	10,9	0,6	100,0
1515/16	18,9	27,0	22,0	19,7	11,8	0,6	100,0
1516/17	18,2	27,2	22,4	19,7	11,9	0,6	100,0
1517/18	18,2	27,6	22,5	19,5	11,6	0,6	100,0
1518/19	18,4	26,1	22,5	20,6	11,6	0,8	100,0
1519/20	17,9	26,7	21,9	20,8	11,9	0,8	100,0

A. Vetter: Bevölkerungsverhältnisse der ehemals freien Reichsstadt Mühlhausen i. Th. im 15. und 16. Jahrhundert. Diss. Leipzig 1910.

Nördlingen

| Jahr | bis 300 fl. | Verteilung der Steuer in Prozent | | Insges. |
		300—2000 fl.	über 2000 fl. Vermögen	
1415	28,9	44,6	26,5	100,0
1421	29,3	44,9	25,8	100,0
1441	25,1	46,7	28,2	100,0
1448	22,8	43,9	33,3	100,0
1459	23,3	41,3	35,4	100,0
1466	30,2	53,2	16,6	100,0
1481	23,0	49,9	27,1	100,0
1504	21,4	56,6	22,0	100,0

| Jahr | Verteilung der Anzahl der Steuerpflichtigen in Prozent | | | | Insges. |
	0	bis 300 fl.	300 bis 2000 fl.	über 2000 fl. Vermögen	
1415	1,8	84,8	12,3	1,1	100,0
1421	2,6	81,5	14,5	1,4	100,0
1441	1,2	76,9	20,1	1,8	100,0
1448	1,1	76,3	20,6	2,0	100,0
1459	2,5	78,7	17,0	1,8	100,0
1466	1,1	80,3	17,7	0,9	100,0
1481	0,0	77,4	20,5	2,1	100,0
1504	0,2	76,5	21,8	1,5	100,0

F. Dorner: Die Steuern Nördlingens zu Ausgang des Mittelalters. Diss. München, Nürnberg 1905. S. 107.

Zürich

Jahr	0—15 fl. Vermögen	15 bis 100	100 bis 500	500 bis 1000	1000 bis 5000	5000 bis 10 000	über 10 000	Insges.
			Verteilung der Steuer in Prozent					
1412	0,5	9,3	16,9	9,3	45,5	12,1	6,4	100,0
1417	0,5	8,9	15,4	8,7	42,9	15,2	8,4	100,0
1444	0,3	5,2	16,3	11,9	32,2	25,0	9,1	100,0
1467	0,0	5,4	20,7	13,3	37,9	16,1	6,6	100,0

Jahr	0—15 fl. Vermögen	15 bis 100	100 bis 500	500 bis 1000	1000 bis 5000	5000 bis 10 000	über 10 000	Insges.
		Verteilung der Anzahl der Steuerpflichtigen in Prozent						
1412	13,7	57,1	20,0	3,4	5,3	0,4	0,1	100,0
1417	13,1	59,1	18,8	3,3	5,0	0,6	0,1	100,0
1444	8,7	44,9	30,9	6,7	7,0	1,6	0,2	100,0
1467	33,7	30,9	25,4	4,5	4,8	0,6	0,1	100,0

H. Ammann: Untersuchungen über die Wirtschaftsstellung Zürichs im ausgehenden Mittelalter. In: Zeitschrift für Schweizerische Geschichte 29 (1949). S. 305—356. Tab. IV. S. 341.

Steuerlisten, Vermögen und soziale Gruppen

				Steuerverteilung nach Dezilen						
Jahr	1	2	3	4	5	6	7	8	9	10
Bautzen										
1414	46,5	18,0	11,0	8,0	5,5	4,0	3,0	2,5	1,0	0,5
1415	51,5	13,0	10,5	8,5	5,5	4,0	3,0	2,5	1,5	0,0
1416	47,0	16,0	12,0	8,5	5,5	4,0	3,5	2,5	1,0	0,0
1417	45,0	17,0	12,5	8,5	6,0	4,0	3,0	2,5	1,5	0,0
1418	44,0	18,0	13,0	8,0	4,5	3,5	3,0	2,5	2,5	1,0
1419	48,5	15,5	11,0	9,0	5,5	3,5	3,5	2,0	1,0	0,5
1420	48,0	16,0	11,0	9,0	5,5	4,0	3,0	2,0	1,0	0,5
1421	44,5	18,5	13,0	8,0	5,0	4,0	3,0	2,5	1,0	0,5
1422	46,0	18,0	11,5	8,0	5,5	4,0	3,0	3,0	1,0	0,0
1431	49,0	20,0	11,5	6,5	4,5	3,5	3,0	2,0	0,0	0,0
1432	48,0	19,5	12,0	7,0	4,5	4,0	3,0	2,0	0,0	0,0
1433	53,0	21,5	10,5	6,0	4,0	2,5	2,0	0,5	0,0	0,0
1434	54,0	15,5	10,0	6,0	5,0	4,0	3,5	2,0	0,0	0,0
1435	45,0	22,0	12,0	7,0	5,0	4,0	2,5	2,0	0,5	0,0
1436	49,0	18,5	12,5	8,0	4,5	3,0	3,0	1,0	0,5	0,0
Dresden										
1488	52,5	27,5	9,0	5,0	3,0	1,5	1,0	0,5	0,0	0,0
1502	64,0	18,5	8,0	3,5	3,0	1,5	1,0	0,5	0,0	0,0
Esslingen										
1403	57,0	18,0	9,5	5,0	3,5	2,5	1,0	2,0	1,0	0,5
1411	60,0	15,0	8,5	6,0	4,0	2,0	1,5	2,0	0,5	0,5
1417	57,0	17,0	10,5	5,5	3,5	3,0	2,0	1,0	0,5	0,0
1423	55,0	14,5	11,5	8,0	4,5	2,5	1,5	1,5	0,5	0,5
1430	55,0	18,0	10,0	6,0	4,0	2,5	1,5	1,5	1,0	0,5
1437	54,5	14,5	11,0	8,0	5,0	3,0	1,0	1,5	1,0	0,5
1443	56,5	14,0	9,5	8,0	5,0	3,0	2,0	1,0	0,5	0,5
1447	56,5	15,5	11,0	6,5	5,0	2,5	1,5	1,0	0,5	0,0
1450	57,5	14,5	11,5	7,0	4,5	2,0	1,5	0,5	0,5	0,5
1455	56,0	16,0	12,0	8,0	3,5	2,5	1,5	0,5	0,0	0,0
1458	57,0	15,5	11,5	7,0	4,0	2,0	1,5	1,0	0,0	0,0
Hildesheim										
1404	49,0	21,0	10,0	5,5	4,0	3,0	2,5	2,0	1,5	1,5
1425	55,0	14,0	8,0	5,5	4,5	4,5	3,6	2,5	1,5	1,5
1450	52,5	15,0	10,0	8,0	6,0	3,0	2,5	1,0	1,0	1,0
1484	52,0	15,5	10,0	7,0	4,5	3,5	2,5	2,5	1,5	1,0
Kiel										
1448	47,0	23,0	13,0	7,5	5,0	4,5	0,0	0,0	0,0	0,0
1472	45,0	16,5	9,5	8,5	7,5	6,5	4,5	1,5	0,5	0,0
1474	39,0	20,0	11,0	8,0	6,0	5,0	4,5	4,0	2,5	0,0
1486	49,0	14,5	11,0	8,0	6,5	5,5	5,0	1,0	0,0	0,0
1488	45,0	17,0	11,0	8,5	5,5	4,5	3,5	3,5	1,5	0,0

Jahr	1	2	3	4	5	6	7	8	9	10

Steuerverteilung nach Dezilen

Freiburg i. Ü.

Jahr	1	2	3	4	5	6	7	8	9	10
1445	82,0	8,0	4,0	2,5	1,5	1,0	0,5	0,5	0,0	0,0

Konstanz

Jahr	1	2	3	4	5	6	7	8	9	10
1418	72,0	14,5	7,5	3,0	1,0	1,0	0,5	0,5	0,0	0,0
1425	74,5	13,5	7,0	2,0	1,5	0,5	0,5	0,5	0,0	0,0
1428	68,0	17,0	8,5	3,5	1,0	1,0	0,5	0,5	0,0	0,0
1433	80,0	11,0	5,0	2,0	1,0	0,5	0,5	0,0	0,0	0,0
1440	78,0	12,0	5,5	2,5	1,0	0,5	0,5	0,0	0,0	0,0
1450	81,0	11,5	4,5	1,5	0,5	0,5	0,5	0,0	0,0	0,0
1460	83,0	10,0	4,5	1,0	0,5	0,5	0,5	0,0	0,0	0,0

Mühlhausen i. Th.

Jahr	1	2	3	4	5	6	7	8	9	10
1418/19	64,0	13,5	8,5	6,0	4,5	2,0	1,0	0,5	0,0	0,0
1446/47	49,0	19,5	13,0	9,0	5,5	1,5	1,0	1,0	0,5	0,0
1447/48	49,5	21,0	12,0	8,5	5,0	2,0	1,0	0,5	0,5	0,0
1457/58	53,0	20,5	12,5	6,5	4,0	1,5	1,0	1,0	1,0	0,0
1458/59	54,0	18,5	12,5	7,0	4,5	2,0	2,0	1,0	0,5	0,0
1459/60	54,5	20,0	12,5	6,0	4,0	1,5	1,0	0,5	0,0	0,0
1460/61	55,0	22,0	10,5	5,0	4,5	2,0	0,5	0,5	0,0	0,0
1471/72	59,0	19,5	9,0	7,0	4,0	1,0	0,5	0,0	0,0	0,0
1472/73	55,0	22,5	11,5	6,5	2,5	1,5	0,5	0,0	0,0	0,0
1473/74	57,5	20,0	12,5	5,5	3,5	1,0	0,0	0,0	0,0	0,0
1474/75	45,0	29,0	13,5	6,5	3,5	1,5	1,0	0,0	0,0	0,0
1475/76	49,5	22,5	13,5	7,0	4,0	2,0	1,0	0,5	0,0	0,0
1485/86	48,5	21,0	15,0	8,0	4,5	1,5	1,5	0,0	0,0	0,0
1504/05	52,0	23,0	12,0	6,0	3,5	1,5	1,0	0,0	0,0	0,0
1505/06	52,5	22,5	11,0	6,5	3,0	2,5	1,0	0,5	0,5	0,0

Nördlingen

Jahr	1	2	3	4	5	6	7	8	9	10
1415	65,0	12,0	6,5	4,0	3,5	2,5	2,0	2,0	1,5	1,0
1421	62,5	11,5	6,0	4,0	4,0	3,5	2,5	2,5	2,0	1,0
1441	60,0	13,5	6,0	5,0	3,5	3,0	3,0	2,0	2,0	1,5
1448	63,0	12,0	6,5	4,5	3,5	3,0	2,5	2,0	1,5	1,5
1459	65,5	12,0	6,5	4,0	3,0	2,5	2,5	1,5	1,5	1,0
1466	57,5	14,0	7,5	5,0	3,5	3,5	3,0	2,0	2,0	2,0
1481	58,0	12,0	7,5	4,5	4,0	3,5	3,0	3,0	2,5	2,0
1504	60,5	15,0	7,0	5,0	3,0	3,0	2,5	1,5	1,5	1,0

Zürich

Jahr	1	2	3	4	5	6	7	8	9	10
1412	74,0	11,0	5,5	3,0	2,0	1,5	1,0	0,5	0,5	1,0
1417	76,5	9,5	5,5	3,0	2,0	1,5	1,0	0,5	0,5	0,0
1444	69,0	13,5	6,5	4,0	2,5	1,5	1,5	0,5	0,5	0,5

Winfried Schich

Die Reichen und die Armen von Würzburg im Jahre 1361

Der sozialen Schichtung in den deutschen Städten des späten Mittelalters wie auch den Auseinandersetzungen innerhalb der städtischen Bevölkerung, die in der zweiten Hälfte des 14. Jahrhunderts einen Höhepunkt erreichten, hat die stadtgeschichtliche Forschung in den letzten Jahren ein lebhaftes Interesse entgegengebracht. Würzburg spielt in dieser Diskussion bisher keine Rolle. Die Stadt fehlt in der Reihe der süddeutschen Städte, aus denen der einschlägigen Forschung innerbürgerliche Konflikte des 14. Jahrhunderts bekannt sind; der Aufsatz von Erich Maschke über »Verfassung und soziale Kräfte« in den oberdeutschen Städten des Mittelalters sowie der Überblick von Karl Czok über die »Bürgerkämpfe in Süd- und Westdeutschland« zeigen dies deutlich[1]. Wir

ABKÜRZUNGEN: MB = Monumenta Boica; MJb = Mainfränkisches Jahrbuch für Geschichte und Kunst; QFW = Quellen und Forschungen zur Geschichte des Bistums und Hochstifts Würzburg; QFW 5 = Urkundenregesten zur Geschichte der Stadt Würzburg (1201-1401), (Regesta Herbipolensia 1). Bearb. v. *W. Engel*, Würzburg 1952; QFW 14 = Urkundenregesten zur Geschichte des Zisterzienserinnenklosters Himmelspforten 1231-1400 (Regesta Herbipolensia 4). Bearb. v. *H. Hoffmann*, Würzburg 1962; QFW 25 = Das älteste Lehenbuch des Hochstifts Würzburg 1303-1345. Bearb. v. *H. Hoffmann*, T. 1 u. 2, Würzburg 1972; StAM:WU = Bayerisches Hauptstaatsarchiv München, Würzburger Urkunden vor 1400; StadtAW:Rb = Stadtarchiv Würzburg, Ratsbuch; StAW:Stb = Staatsarchiv Würzburg, Standbuch; UBW = Universitätsbibliothek Würzburg, Handschriftenabteilung; WUR = Würzburger Urkundenregesten vor dem Jahre 1400, bearb. v. *W. Engel*, Würzburg 1958.

[1] *E. Maschke*: Verfassung und soziale Kräfte in der deutschen Stadt des späten Mittelalters, vornehmlich in Oberdeutschland. In: VSWG 46 (1959) S. 289-349, 433-476; *K. Czok*: Die Bürgerkämpfe in Süd- und Westdeutschland im 14. Jahrhundert. In: Jb. f. Geschichte der oberdeutschen Reichsstädte (Esslinger Studien) 12/13 (1966/67) S. 40—72, wieder abgedr. in: Die Stadt des Mittelalters, Bd. 3. Hg. v. *C. Haase*, Darmstadt ²1976. S. 303-344. (Wege der Forschung 245). Über innerstädtische Konflikte im 14. Jahrhundert vgl. ferner *K. Czok*: Zunftkämpfe, Zunftrevolutionen oder Bürgerkämpfe. In: Wiss. Zs. d. Karl-Marx-Univ. Leipzig, Ges.- u. sprachwiss. R. 8 (1958/59) S. 129-143; *ders.*: Zur Volksbewegung in den deutschen Städten des 14. Jahrhunderts. In: Städtische Volksbewegungen im 14. Jahrhundert (Tagung der Sektion Mediävistik der Deutschen Historiker-Gesellschaft 1960 Bd. 1). Hg. v. *E. Werner* und *M. Steinmetz*, Berlin (O.) 1960. S. 157-169. (Und weitere Beiträge in diesem Band); *M. Mollat* und *Ph. Wolff*: Ongles bleus, Jacques et Ciompi. Les révolutions populaires en Europe aux XIVᵉ et XVᵉ siècles. Paris 1970. S. 65 ff.; *R. Barth*: Argumentation und Selbstverständnis der Bürgeropposition in städtischen Auseinandersetzungen des Spätmittelalters. Köln/Wien 1974. (Kollektive Einstellungen und sozialer Wandel im Mittelalter 3); *F. Graus*: Ketzerbewegungen

besitzen aber eine Quelle aus dem Jahre 1361, die über eine innerstädtische Auseinandersetzung in Würzburg berichtet; sie hat bisher nicht die ihr gebührende Beachtung gefunden. Freilich bietet sie in die Vorgänge auch nur einen sehr unvollständigen Einblick. Es handelt sich um einen Vertrag, den *die ryechen* und *die armen* der Stadt zur Beilegung von Streitigkeiten schlossen. Die Urkunde, die schon Wilhelm Engel einmal kurz vorgestellt hat, steht auch wegen der hohen Zahl der in ihr enthaltenen Namen von Bürgern unter den Quellen zur Geschichte Würzburgs im 14. Jahrhundert einzig da[2]. Es soll im folgenden versucht werden, die 157 namentlich bekannten Personen beruflich einzuordnen, um damit einen Beitrag zur Erhellung der Sozial- und Verfassungsstruktur Würzburgs im späten Mittelalter, für die eine neuere zusammenfassende Darstellung noch aussteht, zu liefern[3]. Unser Beispiel darf über den lokalen Bereich hinaus Interesse beanspruchen, weil den für die soziale Schichtung der spätmittelalterlichen Stadt so bedeutsamen Begriffen »reich« und »arm«[4] hier – dies ist ein seltener Fall – bestimmte Gruppen der Bürgerschaft zugeordnet werden.

und soziale Unruhen im 14. Jahrhundert. In: Zs. f. hist. Forschung 1 (1974) S. 3–21; *W. Ehbrecht*: Bürgertum und Obrigkeit in den hansischen Städten des Spätmittelalters. In: Die Stadt am Ausgang des Mittelalters. Hg. v. *W. Rausch*. Linz 1974. S. 275–294. (Beiträge zur Geschichte der Städte Mitteleuropas 3). Einen vollständigen Überblick über die Bürgerunruhen in den deutschen Städten hat *E. Maschke* (ebd. S. 40 Anm. 206) angekündigt.

[2] *W. Engel*: »Reiche und Arme« in Würzburg (1361). In: MJb 3 (1951). S. 284–288 mit Abdruck der Urkunde; diese ist erneut gedruckt: WUR Nr. 266 sowie unten S. 133. Das Original, das im 15. Jahrhundert als Einband einer Stadtrechnung benutzt worden war, befindet sich heute im Stadtarchiv Würzburg (Nr. 4485). Über eine alte Abschrift der Urkunde berichtet: *H. Hoffmann*: Zur Urkunde »Reiche und Arme« in Würzburg (1361). In: MJb 5 (1953) S. 317 f.

[3] Über die Bevölkerungsstruktur Würzburgs vor dem 14. Jahrhundert vgl. jetzt *W. Schich*: Würzburg im Mittelalter. Studien zum Verhältnis von Topographie und Bevölkerungsstruktur. Köln/Wien 1977. (Städteforschung A/3).

[4] Allgemein dazu *E. Maschke*: Die Unterschichten der mittelalterlichen Städte Deutschlands. In: Gesellschaftliche Unterschichten in den südwestdeutschen Städten. Protokoll über die 5. Arbeitstagung des Arbeitskreises für südwestdeutsche Stadtgeschichtsforschung 1966. Hg. v. *E. Maschke* und *J. Sydow*. Stuttgart 1967. S. 1–74, bes. S. 5 ff., 52 ff. (Veröff. d. Komm. f. gesch. Landeskunde in Baden-Württ. B/41), wieder abgedr. in: Stadt des Mittelalters 3 (wie Anm. 1) S. 345–454; Zur sozialen Schichtung in den deutschen Städten des Mittelalters ferner *E. Maschke*: Mittelschichten in deutschen Städten des Mittelalters. In: Städtische Mittelschichten. Protokoll der 8. Arbeitstagung des Arbeitskreises für südwestdeutsche Stadtgeschichtsforschung 1969. Hg. v. *E. Maschke* und *J. Sydow*. Stuttgart 1972. S. 1–31. (Veröff. d. Kommission f. gesch. Landeskunde in Baden-Württ. B/69); *ders*: Die Schichtung der mittelalterlichen Stadtbevölkerung Deutschlands als Problem der Forschung. In: Mélanges en l'honneur de Fernand Braudel. Bd. 2. Méthodologie de l'histoire et des sciences humaines. Paris 1973. S. 367–379, sowie weitere Beiträge in den Sammelbänden »Unterschichten« und »Mittelschichten«.

Bemerkenswert ist auch, daß diese Begriffe zur Bezeichnung von zwei ver-
feindeten bürgerlichen Gruppierungen verwendet werden, kann doch sonst bei
den spätmittelalterlichen »Bürgerkämpfen« angeblich (nach Reinhard Barth)
»von einem Kampf ›arm‹ gegen ›reich‹ nie die Rede sein«[4a]. Als Bürgerkämpfe
bezeichnet Czok bekanntlich Auseinandersetzungen zwischen den die Macht
ausübenden Geschlechtern auf der einen und einer Bürgeropposition (von lokal
unterschiedlicher Zusammensetzung) auf der anderen Seite um die politische
Macht. Es wird abschließend zu fragen sein, wie der Fall Würzburg hier eingeordnet werden kann.

1. Bürger und Gemeinde

Zunächst erscheint es notwendig, frühere innerhalb der Würzburger Bürgerschaft erkennbare Gruppierungen vorzustellen, um sie mit denen von 1361 vergleichen zu können. Die Geschichte Würzburgs war in der zweiten Hälfte des
13. und während des 14. Jahrhunderts entscheidend von der Gegnerschaft zwischen der Bürgerschaft auf der einen und dem Bischof, als dem Stadtherren, und
der Geistlichkeit auf der anderen Seite geprägt. Seit der Mitte des 13. Jahrhunderts strebte die Bürgerschaft nach Autonomie; eine Abschüttelung der bischöflichen Stadtherrschaft gelang ihr auf Dauer jedoch nicht. Die zwischen beiden
Seiten bestehenden Spannungen führten immer wieder zu bewaffneten Auseinandersetzungen. Mit dem entscheidenden Sieg in der Schlacht von Bergtheim
im Jahre 1400 sicherte der Bischof dann seine Stadtherrschaft endgültig[5]. Einen

---

[4a] *B. Barth*: Bürgeropposition (wie Anm. 1) S. 3.

[5] Über das Verhältnis der Stadt Würzburg zu ihren Bischöfen im 13. und 14. Jahrhundert vgl. allgemein *V. Gramich*: Verfassung und Verwaltung der Stadt Würzburg vom
13. bis zum 15. Jahrhundert. Würzburg 1882; *W. Füßlein*: Das Ringen um die bürgerliche
Freiheit im mittelalterlichen Würzburg des 13. Jahrhunderts. In: HZ 134 (1926)
S. 267–318; *W. Engel*: Würzburger Zunftsiegel aus 5 Jahrhunderten. Würzburg 1950.
(Mainfränkische Hefte 7); *ders.*: Die Stadt Würzburg und die Kurie. Aus dem mittel-
alterlichen Verfassungskampf einer deutschen Bischofsstadt. In: ZRG 68 KA 37 (1951).
S. 303–359; *E. Schubert*: Die Landstände des Hochstifts Würzburg. Würzburg 1967.
S. 34–42. (Veröff. d. Gesellsch. f. fränkische Geschichte 9/23); Das Bistum Würzburg.
Bearb. v. *A. Wendehorst*, T. 1 u. 2 (Germania Sacra NF 1 u. 4). Berlin 1962–69 passim.
Über die Situation im 15. Jahrhundert *K. Trüdinger*: Stadt und Kirche im spätmittelalter-
lichen Würzburg. 1977. Trüdinger betont, daß mit der Niederlage der Bürger im Jahre
1400 nicht, wie gemeinhin angenommen, die Auseinandersetzungen zwischen Bischof bzw.
Geistlichkeit und Bürgerschaft beendet waren. Die Konflikte im 15. Jahrhundert schlagen
danach eine Brücke zur Beteiligung der Würzburger Bürger am Bauernkrieg; dazu zuletzt
H. Ch. Rublack: Die Stadt Würzburg im Bauernkrieg. In: Archiv für Reformationsgeschichte 67 (1976) S. 76–99.

wesentlichen Streitpunkt bildete seit der Mitte des 13. Jahrhunderts die wirtschaftliche Aktivität der geistlichen Institutionen. Die Bürgerschaft versuchte — auf die Dauer freilich ebenfalls erfolglos —, die Geistlichen zum Mittragen der allgemeinen städtischen Lasten heranzuziehen[6].

In der zweiten Hälfte des 13. Jahrhunderts wurde die Bürgerschaft im wesentlichen stets von den gleichen Familien, die allein aus ihren Reihen die Ratsherrenstellen besetzten und die besonders wohlhabend waren, vertreten. Ihrer Herkunft nach können die Ratsgeschlechter der Kaufmannschaft, der Münzerschaft und der Ministerialität zugewiesen werden[7]. Freilich spielten auch die Handwerker in den Kämpfen schon früh eine hervorragende Rolle; aus diesem Grunde verbot der Bischof – nicht zuletzt auf Drängen der Geistlichkeit – die Zünfte als politische Organisationen immer wieder[8]. Aber die politische Führung der *universitas civitatis* blieb stets in den Händen der Gruppe der *cives Herbipolenses et potenciores* (so 1274)[9] bzw. der *cives pociores* (1297)[10], die wir mit dem zwar nicht zeitgenössischen, aber in der Literatur eingebürgerten Terminus »Patriziat« bezeichnen können[11]. 24 patrizische *cives* vertraten 1265 die Bürgerschaft, als erneut durch einen Schiedsvertrag Streitigkeiten zwischen Bischof und Stadt beigelegt wurden[12]. Als Bürgen für die Einhaltung des Vertrages stellte die Bürgerschaft dem Bischof ebenfalls 24 Bürger; am Ende der Namenliste finden wir mit Hartmud *carnifex*, also einem Metzger, und Konrad Swefus, der an anderer Stelle als Schuhmacher genannt wird[13], auch zwei Handwerker.

Beim Abschluß eines vergleichbaren Vertrages vertraten im Jahre 1289 *drizec burger* – genannt werden 35 (!) Personen aus führenden Familien – und *zwelve uz der gemeinde* – das sind 13 (!) Handwerker – die *burger von Wirceburg arm unde riche*[14]. Die Beauftragten der in Zünften organisierten Handwerker wur-

---

[6] Neben der in Anm. 5 genannten Literatur vgl. noch *F. Brass*: Verfassung und Verwaltung Würzburgs vom Beginne der Stadt bis zur Mitte des 13. Jahrhunderts. Phil. Diss. Würzburg 1886. S. 61 ff.; *W. Schich*: Die Stadthöfe der fränkischen Zisterzienserklöster in Würzburg. Von den Anfängen bis zum 14. Jahrhundert. In: Zisterzienser-Studien 3 Berlin 1976. S. 68 ff. (Studien zur europäischen Geschichte 13).

[7] Dazu *W. Schich*: Würzburg (wie Anm. 3) S. 220 ff.

[8] *W. Engel*: Zunftsiegel (wie Anm. 5) S. 6 ff.; *H. Hoffmann*: Würzburgs Handel und Gewerbe im Mittelalter. 1. Allgemeiner Teil. Kallmünz o. J. [1940]. S. 134 ff.

[9] MB 37 (1864) Nr. 388 = QFW 5 Nr. 39.

[10] MB 38 (1866) Nr. 89 = QFW 5 Nr. 62.

[11] Zur Problematik des Begriffs und seiner Anwendung für das Mittelalter vgl. *I. Bátori*: Das Patriziat der deutschen Stadt. Zu den Forschungsergebnissen über das Patriziat besonders der süddeutschen Städte. In: Zs. f. Stadtgeschichte, Stadtsoziologie und Denkmalpflege 2 (1975) S. 1–30.

[12] MB 37 Nr. 370 = QFW 5 Nr. 34.

[13] 1262–1263: QFW 14 Nr. 30, 31; Urkunden und Regesten zur Geschichte der Augustinerklöster Würzburg und Münnerstadt von den Anfängen bis zur Mitte des 17. Jahrhunderts (Regesta Herbipolensia 5). Bearb. v. *A. Zumkeller*, T. 1 (QFW 18). Würzburg 1966. Nr. 16.

[14] MB 38 Nr. 7. An anderer Stelle heißt es in der Urkunde: *wir burger beide arm unde riche*.

den damit zur Regelung von Angelegenheiten der Gesamtbürgerschaft herangezogen. Sie gehörten neben den »Bürgern« im engeren Sinne zur Gesamtheit der Bürger im weiteren Sinne[14a]. Diese Gesamtheit wird hier durch den bekannten Terminus »arm und reich« ausgedrückt. 1296/97 wurde die Würzburger Bürgerschaft von 21 Patriziern und 17 Personen, die hier oder andernorts als Handwerker bezeichnet sind, vertreten[15]. Zum städtischen Rat hatten die Handwerker in dieser Zeit noch keinen Zutritt gefunden. Erst im Jahre 1303 gehörten zu den damals genannten 20 *consules iurati* mit dem Bäcker Ludwig Schudel[16] und dem Fleischhauer Ubelinus auch zwei Handwerker[17].

Als die Stadt 1319 mit dem Bischof einen Vertrag über militärische Hilfeleistung schloß, repräsentierten 5 führende Patrizier der Zeit sowie 5 Handwerker *die gemeinde der burger und des volkes von der stat ze Wirtzburg*[18]. Gleichzeitig verbündeten sich hier auf Seiten der Bürgerschaft *alle gemeinlich arme und riche*; sie wurden von 60 namentlich aufgeführten Personen, von denen etwa der dritte Teil zur Handwerkerschaft gehörte, vertreten. 1337 erließ der Stadtrat *mit rate, willin und guonste aller geselleschefte, die bi uns geseszin sint armer und richir*, also mit Zustimmung aller Zünfte, ein Schutzprivileg für die Juden[19]. Im Schutzversprechen der Bürger für die Juden aus dem Jahre 1288 fehlt dagegen eine Erwähnung der Handwerkergesellschaften noch[20].

Wichtig für unsere Untersuchung erscheint die Feststellung, daß sich den vorgelegten Quellen zufolge innerhalb der Würzburger Bürgerschaft zwei Gruppen gegenüberstanden: die »Bürger« (im engeren Sinn) bzw. die *cives pociores* (*potenciores*) auf der einen und die Gemeinde bzw. das Volk (*populus*) – das sind namentlich die Handwerker – auf der anderen Seite[21]. Besonders deutlich werden beide Gruppen in einer Urkunde von 1354 charakterisiert: von 60 *burgern*, die die Stadt dem Bischof als Bürgen zu stellen hatte, sollten jeweils 30 *uz den besten und by den besten unser der burger zu Wirtzburg* und *uz den hant-*

[14a] Zum Begriff »Bürger« *H. Planitz*: Die deutsche Stadt im Mittelalter. Graz/Köln 1954. S. 255 f.; *K. Czok*: Bürgerkämpfe (wie Anm. 1) S. 47 f. Beide Varianten des Begriffs in unseren Beispielen gehören in die Kategorie des Bürgers im stadtrechtlichen Sinne; denn die umfassende, neutrale Bedeutung Stadtbewohner trifft hier zweifellos nicht zu. Wir haben also zwischen dem Bürger im stadtrechtlich engeren (bevorrechteten) und dem Bürger im stadtrechtlich weiteren (allgemeinen) Sinne zu unterscheiden. Das gleiche gilt für andere süddeutsche Städte; vgl. *E. Maschke*: Verfassung und soziale Kräfte (wie Anm. 1) S. 319 f.

[15] MB 38 Nr. 86.

[16] Als Bäcker wird er an anderer Stelle (1287) bezeichnet: StAM:WU 6530.

[17] *W. Füßlein* in: HZ 134 (wie Anm. 5) S. 298 Nr. 9.

[18] MB 39 (1868) Nr. 55.

[19] MB 40 (1870) Nr. 73.

[20] *W. Füßlein* in: HZ 134 (wie Anm. 5) S. 282 Nr. 2.

[21] Vgl. auch MB 40 Nr. 140 = QFW 5 Nr. 179 (zu 1339): *di burger und di gemein der stat ze Wirtzburg.*

werken auch burger zu Wirtzburg genommen werden[22]. 1373 schlossen schließlich der Rat und die Zünfte ein förmliches Bündnis, um den Frieden in der Stadt zu wahren; dem Rat gehörten auch mehrere Vertreter der Zünfte an[23]. Die Handwerker hatten also in Würzburg wie in anderen Städten über den beruflichen Zusammenschluß in den Zünften Anteil am politischen Leben beansprucht und im 14. Jahrhundert auch erreicht. Dies scheint ihnen in einem allmählichen Prozeß gelungen zu sein; über offene innerbürgerliche Konflikte besitzen wir aus der Zeit vor der Mitte des 14. Jahrhunderts keine Nachrichten.

Es stellt sich die Frage, in welchem Verhältnis die beiden Parteien der »Reichen« und der »Armen«, die 1361 einen Vertrag miteinander schlossen, zu den beiden bisher in den Quellen auftretenden Gruppierungen der Geschlechter und der Zunfthandwerker standen. Sollten »Reiche« und Ratsgeschlechter einerseits und »Arme« und Handwerker andererseits – wenn auch nicht vollständig, so doch weitgehend – gleichzusetzen sein? Die Anklage der Handwerker gegen die »Bürger« und den von ihnen besetzten Rat während des entscheidenden Kampfes der Bürgerschaft gegen Bischof Gerhard von Schwarzburg in den Jahren 1397–1400: *die burger... sie hant uns jämerlich verraten, uns hantwerksluet und armen*, die in einem zeitgenössischen Volkslied vom Würzburger Städtekrieg wiedergegeben ist[24], scheint diese Vermutung zu stützen – gleichgültig ob die Begriffe Handwerker und Arme hier zwei Gruppen, die gemeinsam gegen die »Bürger« in Opposition standen, bezeichnen, oder ob die Handwerker sich selbst als arm charakterisieren[24a]. In anderen Städten werden die Gruppierungen der »Reichen« und der »Armen« ebenfalls mit dem Patriziat und den Zünften gleichgesetzt[25]. In Erfurt und Magdeburg kämpfte z.B. im 14. Jahrhundert die von den Handwerkern geführte Gemeinde gegen die politische Führungsschicht der »Reichen«[26]. Die folgende Untersuchung wird zeigen, daß die Situation in unserem Fall so einfach nicht ist; 1361 gehörten jedenfalls in Würzburg Handwerker auch zu den »Reichen«.

---

[22] MB 42 (1874) Nr. 44/1 = QFW 5 Nr. 263.

[23] *W. Engel*: Zunftsiegel (wie Anm. 5) S. 37–41 = QFW 5 Nr. 351.

[24] *R. v. Liliencron*: Die historischen Volkslieder der Deutschen vom 13. bis 16. Jahrhundert. Bd. 1. Leipzig 1865 (Nachdr. Hildesheim 1966) Nr. 40, S. 174.

[24a] In diesem Sinne etwa *V. Gramich*: Verfassung (wie Anm. 5) S. 8; *W. Füßlein* in: HZ 134 (wie Anm. 5) S. 268; *E. Schubert*: Landstände (wie Anm. 5) S. 39 f. mit Anm. 49.

[25] Vgl. z. B. *A. Erler*: Bürgerrecht und Steuerpflicht im mittelalterlichen Städtewesen mit besonderer Untersuchung des Steuereides. 2. Aufl. Frankfurt a. M. 1963. S. 30, 40; *B. Kirchgässner*: Wirtschaft und Bevölkerung der Reichsstadt Eßlingen im Spätmittelalter. Nach den Steuerbüchern 1360–1460. Eßlingen 1964. S. 161. (Eßlinger Studien 9).

[26] *W. Ehbrecht*: Zu Ordnung und Selbstverständnis städtischer Gesellschaft im späten Mittelalter. In: Bll. f. deutsche Landesgesch. 110 (1974) S. 83–103, bes. S. 97 f.

2. »Arm und reich«

Bevor wir die beiden Parteien näher kennenlernen, wenden wir uns noch der bereits erwähnten Formulierung »arm und reich« zu. Dieser bekannte Begriff war auch im mittelalterlichen Würzburg allgemein verbreitet. Einige Beispiele mögen dies verdeutlichen. Wir finden »arm und reich« in den Anordnungen des Stadtherrn, die für »alle« gelten sollten – zuerst in einer Urkunde aus dem Jahre 1243 über die Ablösung der zum Marktzoll gehörigen Marktpfennige zum Nutzen aller (*tam clericorum quam laicorum, pauperum et divitum*)[26a]. Bischof Manegold erließ seine Stadt- und Landfriedenssätze 1296/97 für *ieder man, er si arm oder riche* in der Stadt Würzburg[27]. Die von Bischof Otto II. von Wolfskeel in den 40er Jahren des 14. Jahrhunderts getroffenen Regelungen der innerstädtischen Ordnung, namentlich des Wirtschaftslebens, sollten dem *gemein nutz richer und armer luete in der stat zuo Wirtzeburg* dienen[28]. Auch die bischöflichen Gerichte in Würzburg, so das Synodalgericht[29] oder das Landgericht des Herzogtums Franken, sprachen Recht für »arm und reich«[30]. In allen diesen Fällen schloß der Begriff formelhaft »alle« Betroffenen, alle der bischöflichen Stadtherrschaft, Markt- oder Gerichtshoheit Unterworfenen, ein. In den spätmittelalterlichen Rechtsquellen aus mainfränkischen Dörfern begegnet die umfassende Formel in der gleichen Bedeutung, z.B. zur Kennzeichnung der Zusammensetzung des Gerichtsumstands oder derjenigen, die zur Nutzung der Allmende berechtigt waren[31].

[26a] MB 37 Nr. 273, 274 = QFW 5 Nr. 23.

[27] Würzburger Polizeisätze. Gebote und Ordnungen des Mittelalters, 1125–1495. Ausgewählte Texte. Hg. v. *H. Hoffmann* Würzburg 1955. Nr. 7 a. (Veröff d. Gesellsch. f. fränkische Geschichte 10/5).

[28] Ebd. Nr. 10, 11, 72, 89, 106.

[29] Das Gericht war 1298 zuständig für *dominus, servus, pauper, dives, miles, burgensis, mercator vel rusticus, pelliparius vel cerdo*. Vgl. *A. Amrhein*: Die Würzburger Zivilgerichte erster Instanz, T. 1. In: Archiv des Hist. Vereins v. Unterfranken u. Aschaffenburg 56 (1914) S. 83. Es handelt sich hier offensichtlich jeweils um Gegensätze zusammenfassende Begriffspaare.

[30] MB 40 Nr. 245 (zu 1343): Recht sprechen *dem armen als dem richen one alles geverde*. Über das Landgericht vgl. *F. Merzbacher*: Iudicium Provinciale Ducatus Franconiae. München 1956. (Schriftenreihe z. bayerischen Landesgeschichte 54).

[31] Fränkische Bauernweistümer. Ausgewählte Texte. Hg. v. *K. Dinklage* Würzburg 1954. S. 89 f., 105, 112. (Veröff. d. Gesellsch. f. fränkische Geschichte 10/4). Aus dem Würzburger Nachbardorf Randersacker sei folgendes Beispiel von 1287 genannt: *tota universitas parochialium in Randesacker, militum, pauperum et divitum*; Urkundenregesten des Zisterzienserklosters Heilsbronn, T. 1. Bearb. v. *G. Schuhmann* u. *G. Hirschmann* Würzburg 1957. Nr. 185. (Veröff. d. Gesellsch. f. fränkische Geschichte 3/3).

Während das Gegensätze zusammenfassende Begriffspaar ursprünglich vorzugsweise ständische Schichten, die Mächtigen und die Abhängigen, bezeichnete, trat mit dem Entstehen der Stadt im hohen Mittelalter der materielle Inhalt in den Vordergrund[32]. In der mittelalterlichen Stadt fand »arm und reich« als Rechtsformel für »alle Bürger« weite Verbreitung. *Quilibet burgensis Lubicensis tam dives quam pauper,* also j e d e r Lübecker Bürger, erhielt mit dem Reichsfreiheitsprivileg 1226 die Freiheit des Kaufens und Verkaufens zugesichert[33]. In gleichem Sinne wurde das Begriffspaar seit 1289 für die Würzburger Bürgerschaft gebraucht: »Bürger, arm und reich« meinte die Gesamtheit der Bürger, und zwar der Bürger im weiteren Sinne, d.h. unter Einschluß der Handwerker. Konkrete Gruppierungen der Bürgerschaft sind damit nicht angesprochen.

Es ist bemerkenswert, daß wir der Zwillingsformel in Würzburg gerade dann begegnen, wenn der Bischof den Verfassungsorganen der Bürgerschaft, den Bürgermeistern und dem Rat, den von ihnen selbst gebrauchten Titel verweigerte, um ihre Anerkennung zu vermeiden. Während z.B. *die burgermeistere, der rat und die burgere gemeinlich der stat ze Wirceburg* 1344 ein Bündnis mit der Stadt Nürnberg schlossen[34], wandte sich der Bischof in seinem Protest gegen diesen Schritt an *alle unser liebe burgere ze Wirtzburk arme und ryche*[35]. Eine dem entsprechende Formel finden wir in dem Ausgleichsvertrag zwischen Stadt und Bischof vom 19. Oktober des gleichen Jahres[36] sowie anläßlich der Unterwer-

---

[32] *F. Irsigler*: Divites und pauperes in der Vita Meinwerci. Untersuchungen zur wirtschaftlichen und sozialen Differenzierung der Bevölkerung Westfalens im Hochmittelalter. In: VSWG 57 (1970) S. 449–499, bes. S. 498 f.; *R. Ris*: Das Adjektiv *reich* im mittelalterlichen Deutsch. Geschichte – semantische Struktur – Stilistik. Berlin/New York 1971. S. 47 f., 152 ff. (Quellen und Forsch. z. Sprach- u. Kulturgeschichte der germanischen Völker NF 40); vgl. auch *K. Bosl*: Potens und Pauper. Begriffsgeschichtliche Studien zur gesellschaftlichen Differenzierung im frühen Mittelalter und zum »Pauperismus« des Hochmittelalters. In: Alteuropa und die moderne Gesellschaft (Festschrift Otto Brunner, 1963), abgedr. in: *Bosl*: Frühformen der Gesellschaft im mittelalterlichen Europa. München/Wien 1964. S. 106–134; *ders.*: Das Problem der Armut in der hochmittelalterlichen Gesellschaft (SB Ak. Wien 294, Abh. 5, 1974); *A. P. Wirth*: Vor- und Frühgeschichte des Wortes ›arm‹. Phil. Diss. Freiburg i.B. 1966.

[33] Die Urkunde wurde zuletzt gedruckt in: Lübeck 1226. Reichsfreiheit und frühe Stadt. Hg. v. *O. Ahlers* u. a., Lübeck 1976, S. 16. Ein ähnlicher Wortlaut findet sich im ungefähr gleichzeitigen Zweiten Straßburger Stadtrecht: *F. Keutgen*: Urkunden zur städtischen Verfassungsgeschichte. Berlin 1901 (Nachdr. 1965) Nr. 127. Abs. 33. (Ausgewählte Urkunden zur deutschen Verfassungs- und Wirtschaftsgeschichte 1). Weitere Beispiele vgl. ebd. Register S. 552 (arm), 573 (*dives*), ferner Deutsches Rechtswörterbuch. Bearb. v. *R. Schröder* und *E. Frhr. v. Künßberg*, Bd. 1. Weimar 1914/32. Sp. 822 f.; Handwörterbuch zur deutschen Rechtsgeschichte. Hg. v. *A. Erler* und *E. Kaufmann*, Bd. 1. Berlin 1971. Sp. 226.

[34] MB 41 (1872) Nr. 2 = QFW 5 Nr. 200.

[35] MB 41 Nr. 8. Ähnlich bereits in den Verträgen Bischof Manegolds von 1289 und 1296 (MB 38 Nr. 7, 85).

[36] MB 41 Nr. 33: *wir die burger arm und reich gemeinlich da selbs zu Wirtzburg.*

fung der Bürger unter den Willen des Bischofs 10 Jahre später[37]. Am 30. März 1357 urkundete die Bürgerschaft wieder selbständig als »Bürgermeister, Rat, Bürger und Gemeinde der Stadt Würzburg«[38]. Nachdem Albrecht von Hohenlohe am 23. September 1357 ein Verbot der Bürgermeister und des Rates seiner Stadt durch das kaiserliche Hofgericht erreicht hatte[39], trat die Bürgerschaft bis zum Tode dieses Bischofs (1372) in Rechtsangelegenheiten stets nur neutral als »Bürger, Arme und Reiche« auf[40]. Schon der bekannte Wützburger Chronist Lorenz Fries (1491–1550) hat auf diese Tatsache hingewiesen[41].

3. Der Kampf zwischen Bürgerschaft und Bischof 1353–1360

Die 50er Jahre des 14. Jahrhunderts bildeten erneut einen Höhepunkt in der Auseinandersetzung der Würzburger Bürgerschaft mit ihrem Bischof und mit der Geistlichkeit[42]. Für das vergleichsweise hohe Maß an Autonomie, das die Stadt zuvor erreicht hatte, legt das 1344 trotz bischöflichen Widerstandes abgeschlossene Bündnis mit Nürnberg deutliches Zeugnis ab. 1353 beteiligte sich Würzburg ebenso wie die Reichsstädte Regensburg, Nürnberg und Rothenburg als selbständiges Mitglied an der von Karl IV. ins Leben gerufenen fränkisch-bayrischen Landfriedenseinung[43]. Bald darauf führten die lang anhaltenden Spannungen zwischen Bürgerschaft und Bischof erneut zum Ausbruch einer

---

[37] Wie Anm. 22.

[38] WUR Nr. 260.

[39] MB 42 Anh. Nr. 6 = QFW 5 Nr. 277.

[40] WUR Nr. 139, 162, 261, 265, 271; MB 42 Nr. 92, 176, 219, Anh. Nr. 7, 8, 13; MB 45 (1899) Nr. 120; StAM: WU 5166 (*Wir die Burger Arme und Ryche der stat zu Wirczeburg gemeynlichen*).

[41] *Lorenz Fries*: Historie, Nahmen, Geschlecht, Wesen, Thaten, gantz Leben und Sterben der gewesenen Bischoffen zu Wirtzburg und Hertzogen zu Francken (1544). In: *Johann Peter Ludewig*: Geschichtschreiber von dem Bischoffthum Wirtzburg. Frankfurt a.M. 1713. S. 644 zu 1357: Bischof Albrecht habe der Bürgerschaft vorgeschrieben, in ihren Briefen statt des bisherigen Titels »Bürgermeister und Rath« die Formel »Wir die bürgere gemeiniglich reich und arm der stadt Wirtzburg« zu verwenden.

[42] Zum Folgenden vgl. vor allem *A. Wendehorst*: Bistum Würzburg 2 (wie Anm. 5) S. 91 f.; *H. Frhr. v. Heßberg*: Zur politischen Geschichte der Stadt Würzburg im 14. Jahrhundert. In: MJb 8 (1956) S. 96–106; *W. Engel*: Zunftsiegel (wie Anm. 5) S. 21 ff.

[43] MB 42 Nr. 28, 29. Zu Karls IV. Politik in Franken vgl. *H. H. Hofmann*: Karl IV. und die politische Landbrücke von Prag nach Frankfurt am Main. In: Zwischen Frankfurt und Prag. Vorträge der wissensch. Tagung des Collegium Carolinum in Frankfurt/M. 1962. München 1963. S. 51–74.

offenen Fehde. Bischof Albrecht ließ die Stadt ächten und belagerte sie. Die Bürger errichteten zusätzliche Befestigungsanlagen im Umkreis der Stadt und zerstörten die vor den Mauern gelegenen Kurien des Stiftes Haug wie auch die nahe gelegenen Klöster Himmelspforten und Unterzell. Auf der anderen Seite verwüsteten die bischöflichen Truppen die Weinberge der Bürger[44]. Dies zeigt, mit welcher Erbitterung der Kampf geführt wurde[45].

Am 24. Juli 1354 gelang es Karl IV., im Kloster Oberzell bei Würzburg einen für den Bischof günstigen Friedensvertrag zu vermitteln, der die Bürger u.a. zur Anerkennung der bischöflichen Stadtherrschaft und zum Ersatz der den geistlichen Institutionen zugefügten Schäden verurteilte[46]. Die letztere Bestimmung sollte sich als folgenschwer erweisen. Als erste konkrete Forderung aus den Schadenersatzansprüchen erscheint die des Stiftes Haug; die Stadt mußte für den Wiederaufbau der Kurien die hohe Summe von 10 600 Pfund Heller zahlen[47].

Die Bürgerschaft gab sich aber noch nicht geschlagen; 1356 warb sie erneut Söldner an[48]. Für die Fortdauer des Konfliktes legt die Tatsache Zeugnis ab, daß sich am 13. April 1357 die Würzburger Stifte und Klöster zur Verteidigung ihrer Vorrechte gegen alle ihre Feinde *et specialiter contra cives Herbipolenses* verbündeten[49]. Erneut fanden Bischof und Geistlichkeit Hilfe bei Karl IV. Am 22. September 1357 verurteilte das kaiserliche Hofgericht zu Tachau die Würzburger zur Anerkennung der Stadtherrschaft des Bischofs und zur Einhaltung aller früher eingegangenen Verpflichtungen[50]. Mit Schiedsspruch vom folgenden Tage verbot der Kaiser alle Schwureinungen, den Rat und die Zünfte zu Würzburg[51]. Zusätzlich wurden hier die Modalitäten der von der Stadt zu leistenden Zahlungen geregelt: Eine von Bischof und Bürgerschaft gemeinsam besetzte Kommission sollte 10 Jahre lang die städtische Steuer und Bede einziehen und ausschließlich zur Schuldentilgung verwenden; darüber hinaus hatte die Stadt bis zur Schuldentilgung dem Bischof jährlich die feste Summe von 1000 Pfund Heller zu entrichten. In diesem Zusammenhang bleibt zu bemerken, daß Bischof Albrecht selbst hoch verschuldet war[52].

[44] *Fries*: bei Ludewig (wie Anm. 41) S. 640.

[45] Wenn wir *Fries* (ebd. S. 652) Glauben schenken dürfen, so drängte die Bürgerschaft 1373 zum Ausgleich zwischen den Bischofskandidaten Gerhard von Schwarzburg und Albrecht III. von Heßberg, *dann sie ihre weingärten nicht mehr verwüsten lassen, wie bey Bischoff Albrechten beschehen, sondern unverderbet haben wollen.* Dies würde die nachhaltige Wirkung der grausamen Maßnahme von 1354 beleuchten.

[46] MB 42 Nr. 40.

[47] Am 16. März 1355 quittierten Dekan und Kapitel den Empfang der ersten Rate in Höhe von 4000 Pfund Heller (QFW 5 Nr. 264).

[48] *H. Frhr. v. Heßberg*: Zur politischen Geschichte (wie Anm. 42) S. 97.

[49] MB 42 Nr. 88.

[50] MB 42 Anh. Nr. 5 = QFW 5 Nr. 276.

[51] MB 42 Anh. Nr. 6 = QFW 5 Nr. 277.

[52] *A. Wendehorst*: Bistum Würzburg 2 (wie Anm. 5) S. 87 ff.; *W. Scherzer*: Schulden und Schuldentilgung des Fürstbischofs Albrecht von Hohenlohe (1345/50–72). In: Würzburger Diözesangeschichtsbll. 16/17 (1955) S. 353–358.

Nach erneut gewaltsamem Vorgehen gegen die Geistlichkeit mußte die Bürgerschaft im Januar 1358 ein weiteres Mal die Wiedergutmachung der den Stiften, Klöstern und Geistlichen zugefügten Schäden versprechen[53]. Der Widerstand der Stadt gegen Bischof Albrecht brach erst im Frühjahr 1360 endgültig zusammen. *Die gemeynde der buergere, rychere und armere der stat zuo Wirczbuorg* unterwarf sich dem Stadtherrn am 21. März 1360, nachdem sie ihm durch Aushändigung der Stadttore, Türme und Schlüssel die Verfügung über die Befestigungsanlagen abgetreten hatte[54]. Den Wiedergutmachungsforderungen konnte sie künftig keinen Widerstand mehr entgegensetzen.

Die Aufbringung der Schuldsumme bereitete Schwierigkeiten. Noch im Jahre 1364 bezifferte das Landgericht Nürnberg die Schulden der Stadt auf 36 500 Pfund Heller[55]. Der Gedanke der Heranziehung der Geistlichkeit zur Tilgung der Schulden mußte nach der Unterwerfung der Stadt fernliegen, zumal die Bürgerschaft schon in der Zeit, in der sie sich in einer weit günstigeren Situation befand, mit dem gleichen Versuch gescheitert war[56]. Die Würzburger Judengemeinde war 1349 vernichtet, ihr Vermögen vom Bischof eingezogen worden[57], so daß auch von dieser Seite keine Entlastung kommen konnte. Schwerer wog die Tatsache, daß im Verlauf der geschilderten Kämpfe die Solidarität innerhalb der Bürgerschaft selbst zerbrach. In den Auseinandersetzungen seit der zweiten Hälfte des 13. Jahrhunderts handelten in Würzburg - soweit wir dies erkennen können - Geschlechter und Zünfte gemeinsam. Von Konflikten innerhalb der Bürgerschaft erfahren wir lange nichts. Die gemeinsame Gegnerschaft zum bischöflichen Stadtherrn hat anscheinend manche der innerhalb der Bürgerschaft zweifellos bestehenden sozialen Spannungen überdeckt. Eine vergleichbare Situation lag im 13. Jahrhundert in Worms vor[58].

Aus der im Frühjahr 1357 von der Stadt Würzburg geführten lebhaften diplomatischen Korrespondenz erfahren wir zum ersten Mal, daß nicht mehr alle Bürger bereit waren, die städtischen Lasten gemeinsam mit ihren Mitbürgern zu tragen. Die Würzburger baten die Bürger von Mainz, keinen von denjenigen aufzunehmen, die unter Bruch ihres Bürgereides Würzburg verlassen hatten[59]. In Nürnberg und in anderen Reichsstädten fanden jedoch in der gleichen Zeit viele Bürger aus Würzburg Aufnahme[60]. Unter den in den folgenden Jahren dort namentlich erwähnten einstigen Würzburger Bürgern finden wir zahlreiche

[53] MB 45 Nr. 120 = QFW 5 Nr. 281.
[54] MB 42 Anh. Nr. 13 = QFW 5 Nr. 294.
[55] WUR Nr. 268 = *H. Frhr. v. Heßberg*: Zur polit. Geschichte (wie Anm. 42). S. 105 f.
[56] Vgl. *W. Schich*: Stadthöfe (wie Anm. 6) S. 70 ff.
[57] Dazu *H. Hoffmann*: Die Würzburger Judenverfolgung von 1349. In: MJb 5 (1953) S. 91–114.
[58] *K. Czok*: Bürgerkämpfe (wie Anm. 1) S. 50.
[59] *H. Frhr. v. Heßberg*: Zur polit. Geschichte (wie Anm. 42) S. 99 f.
[60] Ebd. S. 103–106; *Fries*: bei Ludewig (wie Anm. 41) S. 645; *Johann Ferdinand Roth*: Geschichte des Nürnbergischen Handels. T. 1. Leipzig 1800. S. 50.

Angehörige der Geschlechter[61]. Wenn die Ausgewanderten auch später vom kaiserlichen Gericht verurteilt wurden, für ihren in Würzburg zurückgelassenen Grundbesitz einen Beitrag zur Abtragung der Schulden der Stadt zu leisten[62], so wurde durch die »Steuerflucht« kapitalkräftiger Bürger die Finanzkraft der Stadt doch erheblich beeinträchtigt und die Schuldentilgung somit erschwert.

Auf einen Gegensatz innerhalb der Bürgerschaft deutet zudem die Tatsache hin, daß sich der Rat genötigt sah, bestimmte Gruppen von Gewaltmaßnahmen zurückzuhalten. Gegen eigenmächtige Angriffe auf die Geistlichkeit wandte er sich 1357 mit der Anordnung: *Ez sol auch nymant in keyne kyrchen, in keyn unserre herren vonn styften oder der clostere hofe oder in der vicarien husere noch in deheyn andere husere oder hofe lauffen oder gen, und deheynerley schaden dorinne tun on heizze der burgermeistere und des rats*[63]. Der Rat hatte offenbar Mühe, auch während der Unruhen die Führung der Bürgerschaft in der Hand zu behalten. Wir erfahren aus anderen Quellen, daß vor allem die Häcker während der Kämpfe gegen Bischof und Geistlichkeit durch eine besondere Radikalität hervortraten[64]. Sie und andere Handwerker, die weitergehende Forderungen erhoben und diese gewaltsam durchzusetzen versuchten, gefährdeten den Führungsanspruch des Rates.

4. Der innerbürgerliche Konflikt 1361

Nach der Unterwerfung der Stadt im Jahre 1360 führte die Frage der Verteilung der infolge der städtischen Schulden (aus den militärischen Ausgaben und den Wiedergutmachungsforderungen) erhöhten Steuerlasten sogar zu einem offenen Konflikt innerhalb der Bürgerschaft, über dessen Verlauf Einzelheiten freilich kaum bekannt sind. Aus unserer Urkunde vom 21. April 1361 erfahren wir soviel, daß es wegen der Schulden in der Stadt zu »Zweiung« und »Aufläufen« gekommen war, daß »die Armen« Anklage und Forderungen gegen »die Rei-

---

[61] *H. Frhr. v. Heßberg*: Zur polit. Geschichte (wie Anm. 42) S. 104 f.; *J. F. Abert*: Aus Würzburgs Vergangenheit. Sieben Jahrhunderte Würzburger Geschichte. Würzburg 1922. S. 29; vgl. auch *W. Schich*: Würzburg (wie Anm. 3) Kap. 8 passim.

[62] MB 42 Anh. Nr. 15 = QFW 5 Nr. 309 (zu 1362); WUR Nr. 268 (zu 1364).

[63] *H. Frhr. v. Heßberg*: Zur polit. Geschichte (wie Anm. 42) S. 102; *H. Hoffmann*: Polizeisätze (wie Anm. 27) Nr. 107.

[64] *L. Fries*: bei Ludewig (wie Anm. 41) S. 643 zu 1356. Besonders deutlich wird dies in dem erwähnten Volkslied über den Städtekrieg von 1397–1400. Dort heißt es u. a.: *Die hecker sind gar unversunnen: wann sie hacken mit den hauwen und an dem felse* [d.i. der Marienberg mit der bischöflichen Burg] *werden krauwen* oder *Die burger namen ein gesprech, sie forchten auch die hecker frech* (*R. v. Liliencron*: Volkslieder (wie Anm. 24) S. 167, 170; vgl. ebd. S. 174 f., 179 f.).

chen« erhoben hatten[65]. Die Armen riefen den Bischof an, der zwischen *beyden partyen* eine Art Waffenstillstand vermittelte – dies zeigt den Ernst des Streits. Keine Partei durfte Angehörige (*fruende oder wercggnossen*) der Gegenseite abwerben. Zum nächstfälligen Steuertermin, zu St. Michael (29.9.), sollten beide Gruppen jeweils zwei Vertreter entsenden, die zusammen mit einem Vertrauensmann des Bischofs und mit dessen Zustimmung die Festsetzung der Steuer vorzunehmen hatten[66]. An der Steuerumlage waren »die Armen« bisher offensichtlich nicht beteiligt; gegen eine zu starke Heranziehung zur Steuer durch »die Reichen« hatten sie sich zur Wehr gesetzt. Das Problem der Schuldentilgung hatte die bisherige, durch die Gegnerschaft zum Bischof bedingte Gemeinsamkeit zwischen den verschiedenen sozialen Schichten der Bürgerschaft zerbrochen. In den gleichen Zusammenhang gehört vermutlich auch der Streit (*uflauf und zweyunge*) um die Steuerveranlagung zwischen den Altmäntlern (Flickschneidern) und den Linwatern (Leinwandhändlern) im Jahre 1360[67].

Der Wortlaut unserer Urkunde von 1361 zeigt einen anderen Gebrauch der Begriffe reich und arm, als wir ihn bisher – zuletzt in der Unterwerfungsurkunde von 1360 – kennengelernt haben. Hier wird nicht die Gesamtheit der Bürgerschaft formelhaft angesprochen, mit den Titeln »die Reichen« und »die Armen« werden vielmehr zwei innerbürgerliche P a r t e i e n bezeichnet; auch die letzteren sind *buorgere zuo Wirceburg*. Sie stehen einander als zwei Gruppierungen der Gesamtbügerschaft gegenüber – ähnlich wie früher die Geschlechter und die Zünfte. Ein vergleichsweise frühes Beispiel für die Spaltung der Bürgerschaft in *divites* und *pauperes* ebenfalls infolge eines Streites um die Besteuerung liegt zu 1285 aus der altmärkischen Stadt Stendal vor[67a].

Wir wollen im folgenden eine der beiden »Parteien« in ihrer sozialen Zusammensetzung näher kennenlernen. Die Möglichkeit dazu bietet die Nennung der Namen von insgesamt 154 Reichen. Wir können freilich mit den uns zur Verfügung stehenden Quellen nicht sämtliche Personen, aber doch eine für unsere Zwecke ausreichende Zahl von ihnen, identifizieren[68]. Die Charakterisierung der

[65] . . .*uomb die zweyuong, uoffleuffe, ansprach und vorderuonge, die wir die obgnanten armen haben gen den obgnanten ryechen. . .*

[66] Die Steuerveranlagung blieb Recht der Bürgerschaft (*V. Gramich*: Verfassung (wie Anm. 5) S. 15).

[67] StAW: Stb. 826, Bl. 34. Es ging um die Veranlagung einer Gruppe von Personen, deren Zuweisung zu einer der beiden Gesellschaften strittig war, zum »Geschoß«. Diese Steuer wurde also anscheinend auf die Zünfte umgelegt. Vergleichbare Rechtsstreitigkeiten um einzelne Personen führten beide Gesellschaften auch bereits früher (1349/50) gegeneinander (StAW: Stb. 824, S. 119–121).

[67a] *A. F. Riedel*: Codex diplomaticus Brandenburgensis, Hauptteil I. Bd. 15. Berlin 1858. S. 34, Nr. 42.

[68] Als wichtigste ungedruckte Quellengruppe dienen die Protokolle des Landgerichts des Herzogtums Franken (vgl. Anm. 30) und die bischöflichen Lehenbücher im Staatsarchiv Würzburg (StAW: Standbücher 822, 824–826; Lehenbücher 4 u. 8). Lehenbuch 1 hat *Hermann Hoffmann* herausgegeben (QFW 25).

Gegenpartei macht größere Schwierigkeiten. Wie so oft in der mittelalterlichen Stadt – und nicht nur dort – sind auch im vorliegenden Fall die unteren sozialen Schichten schwer zu fassen; denn es werden die Namen von lediglich 3 »Armen« genannt. Ein erster Blick auf die Urkunde macht bereits deutlich, daß die beiden Parteien nicht mit den *besten* und den *hantwerken* von 1354 gleichzusetzen sind; denn am Schluß der Liste der Reichen wird eine Reihe von Personen mit ihrem handwerklichen Beruf näher gekennzeichnet. Wir werden sehen, daß dies bei weitem nicht die einzigen Handwerker unter den Reichen waren.

5. Die »Reichen«

Die Namen der 154 Reichen sind in unterschiedlich große Gruppen gegliedert, die jeweils mit dem Wort *item* eingeleitet werden. Auf die ersten beiden Gruppen, die je 12 Namen umfassen, kann hier nicht eingegangen werden. Die Zugehörigkeit des überwiegenden Teils der 24 Personen zu führenden Familien der Zeit ist leicht festzustellen[68a]. Sie treten häufig als Bürgen oder als Zeugen in den Quellen auf, verfügten über einen ausgedehnten Besitz und verwalteten in der Stadt verschiedene, darunter auch vom Bischof verliehene Ämter. Handwerkliche Berufe sind bei ihnen nicht vertreten. Daß sie zur Partei der Reichen gehörten, entspricht den Erwartungen. Es ist wahrscheinlich, daß diese 24 Personen eine Vertreterkörperschaft bildeten, die der Bischof als den Ersatz für den verbotenen Rat, der ebenfalls aus 2 mal 12 Mitgliedern bestanden hatte, billigte. Daß die bedeutendsten alten Würzburger Geschlechter, wie die Familien Weibeler, vom Steren oder vom Rebstock, hier fehlen, dürfte als eine Folge der vorangegangenen Kämpfe zwischen der Bürgerschaft unter Führung ihres Rates und dem Bischof anzusehen sein. Die Klärung der Rolle der führenden Familien in den Auseinandersetzungen dieser Zeit bedarf einer besonderen Untersuchung.

An der Spitze der dritten, 9 Personen umfassenden Gruppe steht *Heincz Stuepphfler der alte* (1359–70)[69]. 1368 verkaufte derselbe seine Ware in dem im Untergeschoß des Rathauses Zum Grafeneckart befindlichen Gewandhaus[70]. Die *Stuepflerin*, vermutlich seine Witwe, wohnte 1391 in der Lodenergasse[71]. In dieser Gasse, die auch Wollenergasse genannt wurde und die in der Nordostecke der ummauerten Stadt lag, wohnten und arbeiteten die Wollweber, die nach dem von ihnen vorzugsweise gefertigten groben Wolltuch (Loden) gewöhnlich als

[68a] Die älteren Familien Hane, von hern Zinken, von der Eglestern, Ziechlin, Scholle und Lutzmann vgl. bei *W. Schich*: Würzburg (wie Anm. 3) Kap. 8.
[69] StAM: WU 5163; StAW: Stb. 826, Bl. 11.
[70] QFW 14 Nr. 379.
[71] QFW 5 Nr. 485.

Lodener bezeichnet wurden[72]. Wir dürfen schließen, daß Heinrich Stüpfler Wollweber war, der seine Ware selbst im Gewandhaus verkaufte[73].

Herman Meyer (1361-76) erscheint 1373 als Zunftmeister der Lodener[74]; auch er wohnte *in der Lodenergazze*[75]. An sein Grundstück grenzte 1362 das des Lodeners *Baldwin*[76]. Mit *Heincz Leyster* (1361-81)[77] und *Hans von Hoechheim* (1361-71)[78] wohnten zwei weitere Personen aus der hier untersuchten Gruppe in der gleichen Gasse. Um 1380 hatten u.a. Heinz Leister, Hans Meyer, die Erben des Hermann Meyer, Hans Stupfler und Bezold Meyer Tuchrahmen in ihrem Besitz[79]. Diese Rahmen zum Trocknen der gewaschenen Tuche standen an dem hinter der Lodenergasse entlangfließenden Nebengraben des Stadtgrabens und wurden von der Stadt verliehen. Im Seldener Buch, einem Verzeichnis von Steuerpflichtigen, das ungefähr auf das Jahr 1398 datiert wird, finden wir unter *Lodener Gasse* u.a. die Namen Heinz Leister, Hans Meyer, Hans Stupfler, Stupflerin, Hänslin Meyer, Jacob Meyer und Else Hochheimin[80]. Ein Clor von Augsburg, vielleicht ein Verwandter unseres *Cuoncz von Auspurg*, wohnte der gleichen Quelle zufolge *Uffem Dorenbühel*, d.i. am Eingang der Lodenergasse[81].

Ullin Kerreczenmeister bezeugte 1362 den Verkauf eines Zinses vom Haus des Baldwin in der Lodenergasse durch die Witwe des Lodeners Fritz Huter[82]. Der in unserer Liste aufgeführte *Cuncz Cyrvas* (1351-63) bewohnte ebenfalls ein Haus in der *Wollensleher gazzen* und führte einen Prozeß um weitere dort gelegene Häuser und Tuchrahmen[83]. Er darf mit dem 1351 genannten *laniator Zyrvaz* gleichgesetz werden[84] und ist damit ebenfalls als Wollweber nach-

---

[72] Vgl. *W. Schich*: Würzburg (wie Anm. 3) S. 155 f.

[73] Die verbreitete Trennung zwischen Wollweberei und Gewandschnitt war in diesem Fall also aufgehoben.

[74] QFW 5 Nr. 351.

[75] Ebd. Nr. 312, 367.

[76] Ebd. Nr. 312.

[77] MB 43 (1876) Nr. 173; StadtAW: Rb. 159, Bl. 9.

[78] QFW 5 Nr. 340; StadtAW: Rb. 159, Bl. 9. Mit dem Herkunftsnamen von Höchheim (nach den benachbarten Dörfern Veits- bzw. Margetshöchheim) wurden in Würzburg während des 14. Jahrhunderts mehrere Familien bezeichnet.

[79] StadtAW: Rb. 159, Bl. 8-9. Für Heinz Leister liegt ein Nachweis auch schon aus dem Jahre 1362 vor (StAW: Stb. 826, Bl. 164).

[80] Der Seldener Buch. Ratsbuch Nr. 35 des Stadtarchivs Würzburg (aus dem Jahre 1409). Hg. v. *G. Meyer-Erlach* Leipzig 1932. S. 6 f. (Mitt. d. Zentralstelle f. Deutsche Personen- und Familiengesch. 48). Die Datierung durch den Herausgeber hat *H. Frhr. v. Heßberg* in: Frankenwarte Jg. 1934, Nr. 12 auf ca. 1398 berichtigt.

[81] Seldener Buch, S. 7. Zur Lage *W. Schich*: Würzburg (wie Anm. 3) S. 67.

[82] QFW 5 Nr. 312.

[83] StAW: Stb. 825, S. 567; Stb. 826, Bl. 71, 123'. Vielleicht stammte Konrad Zirfas (Zirrefuz) aus Karlstadt; denn dort wird 1335-1350 eine gleichnamige Familie genannt: QFW 25 Nr. 3256; StAW: Stb. 822, Bl. 47; Stb. 824, S. 105, 137.

[84] QFW 5 Nr. 245. Das für Wollweber gebräuchlichere lateinische Wort lautete auch in

gewiesen; denn *laniator* bedeutet nicht Metzger, wie der Herausgeber des Urkundenregests übersetzt, das Wort ist vielmehr von *lana* (Wolle) abgeleitet und entspricht in seiner Bildung dem zeitgenössischen deutschen Wort *wollener*. Nach dem Befund der Untersuchung der dritten Gruppe unserer Urkunde gehen wir sicher nicht fehl in der Annahme, daß sämtliche 9 Personen Angehörige der Tuchmacherzunft waren, die geschlossen in der nach ihnen benannten Gasse wohnten und arbeiteten.

Die Familie *Herrlin* (oder Herrelin) ist die in den Quellen des 14. Jahrhunderts am häufigsten erscheinende Metzgerfamilie Würzburgs. In der vierten Gruppe unserer Urkunde werden 4 Angehörige von ihr aufgeführt; der an der Spitze stehende *Bertolt Herren, Oettenwalt gnant*, der andernorts nicht erwähnt wird, darf ebenfalls als Mitglied der Familie vermutet werden; denn Berthold ist wie Gottfried bei ihr ein Leitname[84a]. Ein *carnifex* Berthold Herrelin wird erstmals in der zweiten Hälfte des 13. Jahrhunderts genannt[85]. Gottfried Herrelin (1293–ca.1305) gehörte 1296/97 zu den Handwerkern innerhalb der Vertretung der Bürgerschaft[86]. Er trug zusammen mit seinen Söhnen Berthold, Konrad und Gottfried sowie 3 weiteren Familienangehörigen die hohe Zahl von 9 Fleischbänken vom Bischof zu Lehen[87]. Auch die in unserer Urkunde genannten *Goecz* (ca.1340–67)[88] und *Beczolt Herrlin* (1345–65)[89] waren Metzger und hatten Fleischbänke in ihrem Besitz[90]. *Hans Herrlin* (1361–74) tritt 1373 als Zunftmeister der Metzger hervor[91]. Wie fast alle Würzburger Metzger hatten auch Götz, Berthold und Hans Herrelin ihren Wohnsitz in der nördlichen Vorstadt Pleichach[92], wogegen sie ihre Waren auf den vom Bischof zu Lehen gegebenen

Würzburg *lanifex*, z. B. in der Umschrift auf dem Zunftsiegel: *S(igillum) lanificum Herbipolen(sium)* (*W. Engel*: Zunftsiegel (wie Anm. 5) S. 47).

[84a] Beim ältesten Angehörigen der Familie wurde hier offenbar die im Familiennamen enthaltene Verkleinerungsform weggelassen. Einen vergleichbaren Fall bietet die Metzgerfamilie Tesellin: Hans Tesellin wurde nach seinem Tode auch Hans Tesel genannt (StAW: Stb. 826, Bl. 175').

[85] Corpus Regulae seu Kalendarium Domus S. Kiliani Wirceburgensis, saecula IX.- XIV. amplectens. Hg. v. *F. X. Wegele*. In: Abh. d. hist. Classe d. Bayer. Akad. München 13, Abt. 3 (1877) S. 49.

[86] MB 38 Nr. 86; QFW 14 Nr. 92; vgl. oben S. 101.

[87] QFW 25 Nr. 573, 688, 1396; StAW: Stb. 213, S. 63; Stb. 344, S. 389; Stb. 822, Bl. 3'.

[88] Urkundenregesten zur Geschichte der Städte des Hochstifts Würzburg (Regesta Herbipolensia 3). Bearb. v. *W. Engel* (QFW 12). Würzburg 1956. Nr. 238; StAW: Stb. 824, S. 149; Stb. 825, S. 374, 397, 407, 449, 479 u.ö.; Stb. 826, Bl. 206'; Lehenbuch 4, Bl. 32'.

[89] QFW 5 Nr. 212, 213; StAW: Stb. 824, S. 96 f.; Stb. 826, Bl. 9'.

[90] QFW 25 Nr. 3845; UBW: M.p.mi.f. 16, Bl. 24, 27'; StAW: Stb. 826, Bl. 83, 84', 159'.

[91] QFW 5 Nr. 351. Fritz Herrelin wird 1348 genannt (Stb. 824, S. 66).

[92] MB 44 (1883) Nr. 114; StAW: Stb. 680, Bl. 392', 394; Stb. 824, S. 45; Stb. 826, Bl. 64, 206'; UBW: M.p.mi.f. 16, Bl. 22'; vgl. Seldener Buch (wie Anm. 80) S. 8 f.; über die Vorstadt *W. Schich*: Würzburg (wie Anm. 3) S. 190 ff.

Fleischbänken auf dem Markt bei der Andreaskapelle (im heutigen Rathauskomplex) innerhalb der Stadt verkauften[93].

Heincz Strigel (1355–61) war *fleischhawer*[94], ebenso sein gleichnamiger Vorfahr (1293–1322)[95]. Der Metzger Walter Strigel (1394–1404) wohnte in der Vorstadt Pleichach[96]. *Dyetrich Musel* (1356–63) führte vor dem Landgericht zu Würzburg einen Prozeß um eine Fleischbank; der in der Liste weiter unten aufgeführte *Sycz Muosel* (1356–63) besaß ebenfalls eine Fleischbank[97]. *Claus Hedrich* (1361–ca.1398) bewohnte ein Haus zu Pleichach[98] – ebenso ein anderer Angehöriger der Familie, Heinrich Hedrich (1336–59), der als *carnifex* und als Besitzer von zwei Schäfereien bezeugt ist[99].

Die Familie Flozze kennen wir im übrigen als Bäckerfamilie – allein *Hans Floezze* (1356–72) begegnet als *fleyschslehter*[100]. Das gleiche gilt wieder für *Luecz Hofman* (1361–63)[101] und *Fricz Sweblin* (1358–76); letzterer besaß zudem eine Fleischbank[102]. Der Beruf des *Fricz Tesellin* (1357–ca.1398) wird zwar in den vorliegenden Quellen nicht genannt. Da er aber zum Verkauf von Fleischbänken als Zeuge bzw. als Bürge herangezogen wurde und in der Vorstadt Pleichach seinen Wohnsitz hatte[103] und außerdem Johann Tesellin (1380–1404) als *fleischslechter* und Besitzer einer Fleischbank bezeugt ist[104], dürfen wir auch Fritz Tesellin als Metzger vermuten.

Beczold Beyr (1356–80) trug vom Bischof eine Fleischbank zu Lehen[105]. Schon 1338 wird ein *carnifex* Berthold Beyer genannt[106]. *Cuoncz Uebellin* (1361–84)[107] und der in der Liste weiter unten aufgeführte *Hans Ubellin* (1361–91)[108] können ebenfalls als Metzger und Besitzer von Fleischbänken

---

[93] Dazu ebd., S. 83, 108 f.

[94] StAW: Stb. 825, S. 349, 393, 437, 453, 567 (*Stigel* wohl verschrieben für Strigel); Stb. 826, Bl. 2', 83, 84', 159'.

[95] MB 39 Nr. 55; QFW 14 Nr. 92; QFW 25 Nr. 692, 1013, 2125.

[96] Seldener Buch (wie Anm. 80) S. 8; StAW: Stb. 673, Bl. 219'; Lehenbuch 8, Bl. 85.

[97] StAW: Stb. 825, S. 382, 421, 568; Stb. 826, Bl. 111', 115, 117, 173'.

[98] Seldener Buch (wie Anm. 80) S. 9; StAW: Stb. 826, Bl. 66, 70, 127'.

[99] StAW: Stb. 822, Bl. 42, 99; Stb. 825, S. 374, 407, 449; Stb. 826, Bl. 45, 73, 152, 153'; UBW: M.p.mi.f. 16, Bl. 22'.

[100] WUR Nr. 166; StAW: Stb. 825, S. 349, 355; StAM: WU 5163, 5166.

[101] Urkunden der Augustinerklöster (wie Anm. 13) Nr. 143. Ein Hofmann *carnifex* wird auch 1338–50 genannt (StAW: Stb. 822, Bl. 99, 125; Stb. 824, S. 147).

[102] QFW 5 Nr. 283, 320, 367; WUR Nr. 138; StAW: Stb. 825, S. 484, 494; Stb. 826, Bl. 113.

[103] QFW 5 Nr. 278, 283; Seldener Buch (wie Anm. 80) S. 9.

[104] StAW: Stb. 673, Bl. 220'; Stb. 680, Bl. 404, 406'; Lehenbuch 8, Bl. 36'.

[105] QFW 5 Nr. 270; StAW: Stb. 825, S. 359, 374, 444, 483, 490, 495; Stb. 826, Bl. 11, 17, 24', 27', 175'; Lehenbuch 8, Bl. 36'.

[106] StAW: Stb. 822, Bl. 99, 125, 126.

[107] StAW: Stb. 233, S. 37; Stb. 826, Bl. 101'; Lehenbuch 8, Bl. 51'.

[108] MB 44 Nr. 114.

nachgewiesen werden. Sie waren sehr wahrscheinlich Nachkommen des *Ubelinus Fleischhewer*, der schon 1286 und 1303 seine Zunftgenossen vertrat[109].

Syefrid Rabnolt (1336-61) hatte eine Fleischbank in seinem Besitz[110]. Von seinem Vater (?), dem *carnifex* Bruno Rabenolt (1337), erbte er ein Wohnhaus neben der Pfarrkirche in der Vorstadt Pleichach[111]. Hans Rabenolt, der ebenfalls in dieser Vorstadt wohnte[112], war 1373 Vorsteher der Metzgerzunft[113]. Als Besitzer von Fleischbänken können wir *Cuoncz Uluong* (1361-80)[114] und *Heincz Fuelhaber* (1361-63)[115] fassen. Der *fleischlechter Heincz Hawenhart* (1350-84) wohnte zu Pleichach und besaß ebenfalls eine Fleischbank[116]. Das gleiche gilt für *Hans Hoetisch* (1360-80)[117] und für *Cuoncz Buocz* (1361-87)[118]. Bereits der Vorfahr des Kunz, Gottfried Butz (1330-38), war Metzger und besaß eine Fleischbank[119].

Im Falle des *Fricz Bocksteche* (1355-80)[120] gibt schon der Familienname einen Hinweis auf die Tätigkeit des ersten Namensträgers. Als solcher erscheint der *carnifex* Konrad Bocksteche (1310-48) aus der Vorstadt Pleichach[121]. Er vertrat 1339 neben dem patrizischen Bürgermeister Ulrich Weibeler in Nürnberg seine Vaterstadt[122]. Konrad wie auch Fritz Bocksteche besaßen jeweils eine Fleischbank[123]. *Roterhans* (1338-61) wird 1358 als *carnifex* bezeichnet[124].

Für die Einordnung des *Cuoncz Grefe* (1336-61)[125] und des *Cuenczlin Grefe* in die Reihe der Metzger spricht allein die Tatsache, daß 1384 Henlin Grefe zu den Fleischbankbesitzern gehörte[126]. *Hans Ruellin* (1361-80)[127] und der *fleisleh-*

---

[109] MB 38 Nr. 7, 86; *W. Füßlein* in: HZ 134 (wie Anm. 5) S. 298 Nr. 9.

[110] QFW 5 Nr. 283; StAW: Stb. 822, Bl. 31, 34.

[111] WUR Nr. 90; UBW: M.p.mi.f. 16, Bl. 20, 22.

[112] StAW: Stb. 825, S. 365; Seldener Buch (wie Anm. 80) S. 8.

[113] QFW 5 Nr. 351.

[114] StAW: Lehenbuch 8, Bl. 36'; StAM: WU 6191.

[115] WUR Nr. 138; StAW: Stb. 826, Bl. 113.

[116] QFW 5 Nr. 367, 420; WUR Nr. 138; StAW: Stb. 824, S. 128; Stb. 825, S. 365, 397, 407 u.ö.; Stb. 826, Bl. 56, 64; Lehenbuch 4, Bl. 64; Lehenbuch 8, Bl. 36', 51'; StAM: WU 6191. Es dürfte sich um zwei Personen handeln; denn 1358 und 1361 wird Heinz Hauwenhart der Junge genannt (StAW: Stb. 825, S. 500 f.; Stb. 826, Bl. 61).

[117] QFW 5 Nr. 386; StAW: Stb. 680, Bl. 392', 394; Lehenbuch 4, Bl. 126; Lehenbuch 8, Bl. 36'.

[118] Urkundenreg. zur Geschichte der Städte (wie Anm. 88) Nr. 246; StAW: Stb. 826, Bl. 155, 159', 199'; Lehenbuch 8, Bl. 56, 59'; StAM: WU 6191.

[119] QFW 5 Nr. 171; QFW 25 Nr. 3518, 3739; StAW: Stb. 822, Bl. 16; StAM: WU 5019.

[120] MB 43 Nr. 68; StAW: Stb. 825, S. 349, 355, 553.

[121] QFW 5 Nr. 171, 184; StAW: Stb. 822, Bl. 20, 33, 139; Stb. 824, S. 61, 114.

[122] QFW 5 Nr. 179.

[123] QFW 25 Nr. 1015, 2125, 2653, 3244; StAW: Lehenbuch 4, Bl. 37; Lehenbuch 8, Bl. 36'.

[124] StAW: Stb. 822, Bl. 99; Stb. 825, S. 489, 498.

[125] StAW: Stb. 822, Bl. 43, 63, 65.

[126] StAW: Lehenbuch 8, Bl. 51'.

[127] StAW: Lehenbuch 8, Bl. 36'.

ter Heinrich Wiezzenburg (1336–61)[128] sind dagegen wieder selbst als Besitzer jeweils einer Fleischbank nachzuweisen. *Heincz Oeheim* (1348–61) wohnte offenbar in der Vorstadt Pleichach, seine Frau führte einen Prozeß um ein dort *bi Bogstechen* gelegenes Haus[129]. *Ott Langman* können wir nicht fassen. Sein zu vermutender Vorfahr Wölflein Langmann (1324–35) war Metzger und gehörte 1324 dem Stadtrat an[130].

Heincz Sarregozze (1330–67), der zu Pleichach wohnte[131], sowie sein gleichnamiger Sohn (1372–80)[132] und Peter Sargoz (1378)[133] trugen jeweils eine Fleischbank zu Lehen. *Hertlin Nivergalt* (1357–63) führte 1363 einen Rechtsstreit mit dem Würzburger Metzger Johann Hettenstadt[134]. *Heinrich Smencklin* dürfte mit dem Smenklin , der 1387 eine Fleischbank beim Turm der Andreaskapelle besaß[135], gleichzusetzen sein. Berthold Smenklin (1312–46), der ein Haus zu Pleichach und eine Fleischbank in seinem Besitz hatte[136], und Herold Smenklin (1338–50)[137] waren ebenfalls Metzger.

Bei *Herman Bocklin* gibt allein der Familienname Anlaß zu der Vermutung, daß es sich um einen Metzger handeln könnte; unbekannt bleiben vorläufig auch *Hiltbrant von Suelczdorf*[138], *Heincz Merterer*[139], *Cuoncz Brechtlin, Heincz Kuebuech*[140], *Apel Veczer, Cuoncz Studigel* und *Hans Sengwin*. Trotzdem ist der Befund. insgesamt eindeutig. Von den 43 Personen der hier untersuchten Gruppe waren 23 zweifelsfrei Metzger bzw. Besitzer von Fleischbänken, den Verkaufsplätzen der Metzger. 10 weitere Personen gehörten Familien an, aus deren Reihen Metzger bekannt sind. Insgesamt können folglich mehr als 3/4 der in der vierten Gruppe aufgeführten Personen als Fleischhauer zumindest wahrscheinlich gemacht werden. Wir dürfen danach auch die übrigen Personen als Angehörige der Würzburger Metzgerzunft vermuten. Die in unserer Gruppe

---

[128] StAW: Stb. 822, Bl. 30, 33', 34', 38, 41', 48; Stb. 826, Bl. 57, 83, 84'.

[129] StAW: Stb. 824, S. 51, 61, 63, 70, 153.

[130] QFW 5 Nr. 124; StAW: Stb. 822, Bl. 16'.

[131] QFW 14 Nr. 329; QFW 25 Nr. 2805; StAW: Stb. 679, Bl. 60; Stb. 826, Bl. 66, 70, 206'; StadtAW: Rb. 58, Bl. 58'.

[132] StAW: Lehenbuch 4, Bl. 126; Lehenbuch 8, Bl. 36'.

[133] QFW 5 Nr. 386.

[134] StAW: Stb. 825, S. 465; Stb. 826, Bl. 112, 115.

[135] QFW 5 Nr. 458.

[136] QFW 5 Nr. 215; Urkundenreg. zur Geschichte der Städte (wie Anm. 88) Nr. 27; UBW: M.p.mi.f. 16, Bl. 22.

[137] StAM: WU 3528; StAW: Stb. 822, Bl. 99.

[138] Heinz von Sülzdorf war 1356 Schwiegersohn (*eyden*) des Smenklin, eines Metzgers (StAW: Stb. 825, S. 409).

[139] Ein Merterer diente dem Metzger Berthold Beyer 1338 als Zeuge bei einem Prozeß um eine Fleischbank (StAW: Stb. 822, Bl. 99).

[140] Hans Kubüch wohnte um 1398 am Judenkirchhof in der Vorstadt Pleichach (Seldener Buch (wie Anm. 80) S. 8).

auftretenden Familiennamen treffen wir unter den Bewohnern der Vorstadt Pleichach, wo die Metzger fast geschlossen wohnten und arbeiteten, immer wieder an. Dort wurde übrigens ein eigenes Gericht für sie wie auch für die Gerber und Gärtner (*iudicium in Bleichach carnificum, cerdonum et ortulanorum*) gehalten[141].

Es bietet keine Überraschung, daß wir in der folgenden Gruppe die Bäcker als Vertreter des zweiten wichtigen städtischen Lebensmittelgewerbes finden. An der Spitze steht mit *Heincz Floezze* (1354-83) einer der bekanntesten Bäcker der Zeit. Er war 1373 der Zunftmeister der Rockener[142]. Die Zunft der nach dem Roggenbrot benannten Bäcker war die der eigentlich städtischen Bäcker. Die Semmelbäcker, die sich ursprünglich in einem besonderen Rechtsverhältnis zum Bischof und zur Domkirche befanden, waren unabhängig von ihnen in einer besonderen Zunft zusammengeschlossen[143]. Heinrich Flozze besaß die an der Pleichach in der Vorstadt Haug gelegene Pfarrmühle des Stiftes Haug zur Pacht[144]. Schon 1336 hatte (sein Vater?) Heinrich Flozze (1334-49)[145] die am gleichen Bach gelegene Ellenmühle vom Benediktinerkloster St. Stephan gepachtet[146], er übernahm dafür die Verpflichtung, das für das Kloster nötige Brot zu backen[147]. Sein Wohn- und Backhaus befand sich in der nach den Semmelern benannten Gasse (*platea simlariorum*) vor dem Hauger Tor[148].

Die Brüder *Heincz Fuchstat* (1351-91)[149] und *Hans Fuochstat* (1357-61) waren ebenfalls Bäcker[150]. Der in unserer Urkunde vor ihnen aufgeführte *Heincz*

---

[141] QFW 25 Nr. 497 (zu 1303). Näheres: *W. Schich*: Würzburg (wie Anm. 3) S. 191-193. Über die jüngere Geschichte des Handwerks vgl. *J. Morgenroth*: Die Entwicklung des Metzgerhandwerks in Würzburg unter bes. Berücksichtigung der letzten 500 Jahre. Leipzig/Erlangen 1925. (Wirtschafts- und Verwaltungsstudien mit bes. Berücks. Bayerns 65).

[142] QFW 5 Nr. 351; ferner QFW 5 Nr. 367; Das älteste Urbar des Cistercienserklosters Langheim (um 1390). Bearb. v. *F. Geldner* Würzburg 1952. S. 164. (Veröff. d. Ge-sellsch. f. fränk. Geschichte 10/3); StAM: WU 6162; StAW: Stb. 826, Bl. 41. 1383 wird Heinrich Flozze d.Ä. (QFW 5 Nr. 417), seit 1376 Heinz Flozze d.J. (MB 43 Nr. 68; QFW 5 Nr. 443, 444) genannt.

[143] Dazu *W. Schich*: Würzburg (wie Anm. 3) S. 93, 95 f., 196 f.

[144] Er wird 1364 Heinrich Flozze Pfarrmulner genannt (StAM: WU 6550).

[145] QFW 5 Nr. 184; StAW: Stb. 185, Bl. 102'; Stb. 822, Bl. 2; Stb. 824, S. 62, 114.

[146] Über die zahlreichen Würzburger Mühlen an der Pleichach vgl. *F. Seberich*: Pleichach und Kürnach und ihre Mühlen im Stadtbereich. In: Die Mainlande (Beilage zur Main-Post) 5 (1954) Nr. 18-23 S. 69 ff.

[147] QFW 5 Nr. 154.

[148] *W. Engel*: Zwei mittelalterliche Seelbücher der Würzburger Dompfarrei. In: Würzburger Diözensangeschichtsbll. 31 (1969) S. 34.

[149] QFW 14 Nr. 321; StAW: Stb. 824, S. 292; Stb. 826, Bl. 8, 158. Hier sind beide Personen mit dem Namen Heinz Fuchsstadt zusammengefaßt, da sie in den vorliegenden Quellen nicht zu trennen sind.

[150] MB 42 Anh. Nr. 7 = QFW 5 Nr. 279.

Fuchstat war möglicherweise ihr Vater. Einer der beiden gleichnamigen Personen wohnte (1361) in der Vorstadt Sand[151], vermutlich der andere bewohnte (1391) einen Teil des vom Domkapitel zu Lehen gehenden Hofes Zum Propstgerlach[152]. 1373 gehörte Heinz Fuchsstadt dem Stadtrat an[153]. Hans Fuchsstadt verkaufte 1358 ein Haus beim Hauger Tor[154]. 1389 trat Henlin Fuchsstadt als Stiftsbäcker in ein Dienstverhältnis zum Domkapitel: Er verpflichtete sich, für die Domherren (*myne herren*) die *hofewecke* zu backen[155].

Über *Fricz Beyer* (1347-76) kann hier Näheres nicht ausgesagt werden[156]; Apel Beyer (1384-87) wohnte in der Semmelergasse[157]. *Wolf Engellin* besaß 1349 ein Fischlehen im Main[158], war danach offenbar Fischer. Ein Bäcker Engellin wird freilich 1336 wie auch 1374 genannt, er besaß die Mittelmühle des Domkapitels an der Pleichach zu Erbrecht[159]. *Heincz Stoer* (1356-61) wird dagegen an anderer Stelle wieder ausdrücklich als *pfister* bezeichnet[160]. Noch über ein Jahrhundert später (1471) begegnet Klaus Stör unter den Würzburger Bäckern[161].

Der *pfister Wolflin Kobs* (1347-61) besaß als Pfand einen Brottisch im Brothaus[162] und hatte Anteil an der am Bach Pleichach gelegenen Lindlesmühle[163]. Zusammen mit seinem Bruder *Cuoncz Kobs* (Konrad Kobes 1347- 61)[164], dessen Sohn Heinrich (1350-66)[165] und anderen Würzburger Bürgern trug er vom Benediktinerkloster St. Burkard jenseits des Mains Mühlgewässer (*aquas molendinarias*) zu Lehen[166]. Konrad hatte dort, in der Vorstadt jenseits des Mains, auch seinen Wohnsitz[167].

[151] StAW: Stb. 826, Bl. 57: *HeiNr. Fuhstat de Sande.*

[152] QFW 5 Nr. 488.

[153] QFW 5 Nr. 351 = *W. Engel*: Zunftsiegel (wie Anm. 5) S. 38. Die Berufsangabe *vischer* am Ende der Ratsliste bezieht sich nur auf die zuletzt genannten Personen; das vom Herausgeber des Regests hinzugesetzte Wort »allesamt« ist irreführend.

[154] StAW: Stb. 825, S. 512.

[155] MB 45 Nr. 346 = QFW 5 Nr. 470.

[156] StAW: Stb. 824, S. 16, 23, 25; StAM: WU 5095.

[157] MB 43 Nr. 213; StAM: WU 4305.

[158] StAW: Stb. 824, S. 89, 106, 110.

[159] QFW 5 Nr. 355; StAW: Stb. 822, Bl. 37'.

[160] StAW: Stb. 825, S. 443.

[161] *H. Hoffmann*: Polizeisätze (wie Anm. 27) S. 174 Nr. 352.

[162] StAW: Stb. 824, S. 247, 249.

[163] StAW: Stb. 824, S. 253, 261; ferner ebd. S. 241, 251, 252, 257, 258; Stb. 825, S. 488; QFW 5 Nr. 241.

[164] StAW: Stb. 824, S. 58, 133, 135, 139, 144, 147, 241, 287; Stb. 826, Bl. 147.

[165] Urkundenreg. zur Geschichte der Städte (wie Anm. 88) Nr. 103; MB 46 Nr. 71; StAW: Stb. 680, Bl. 456; StAM: WU 6049.

[166] UBW: M.ch.f. 43 (Lehenbuch des Klosters St. Burkard) S. 25.

[167] StAW: Lehenbuch 4, Bl. 33: *Cunradus dictus Kobiz pistor ultra Mogum et cum eo Wolflinus frater eius.*

Die Situation des *Cuoncz vor sant Stephans toer* bleibt bisher unbekannt. Da sich vor dem Stephanstor wie vor anderen Toren Würzburgs ein Backhaus befand[168], liegt freilich die Vermutung nahe, daß auch er Bäcker war, zumal 1356 eine *Ellen phfisterin vor sant Stephans tor* genannt wird[169]. *Cuoncz Johan* (1358-61), der jenseits des Mains wohnte, besaß einen Brottisch im Backhaus, war also zweifellos Bäcker[170]. Der *pistor Cuoncz Buoch* (1357-61) besaß zusammen mit seinem Vater, dem Bäcker Walter Buch (1357-58), ein Haus in der Semmelergasse und einen Brottisch im Brothaus am Markt[171]. *Heincz Lauer* wird in unserer Urkunde selbst als *pfister* näher bezeichnet – möglicherweise zur Unterscheidung von einem uns nicht bekannten Namensvetter.

Hans Schiezzer (1339-63) und *Woelflin Schiezzer* können mit den vorliegenden Quellen zwar nicht selbst als Bäcker nachgewiesen werden, sie gehörten aber einer Familie an, aus deren Reihen Bäcker bekannt sind. Das gilt für Gernod Schießer (1319-36)[172] wie auch für seine Söhne Heinrich (1340-61)[173] und Konrad Schießer (1340-88)[174]. Gernod war einer der führenden Bäcker seiner Zeit; er vertrat mehrfach seine Mitbürger in Rechtsangelegenheiten[175]. Hans Schießer hatte Nutzungsanteil an einer Mühle[176]. Daß Wölflein Schießer, der sonst nicht wieder genannt wird, mit dem *pistor* Wölflein, der 1376 das Backhaus Zur Rinne des Stiftes Neumünster am Hauger Tor aufgab[177], gleichzusetzen ist, kann nur als Vermutung geäußert werden.

Heincz Smelcz (1356-61) war der Sohn der vermutlich aus der bekannten Bäckerfamilie stammenden Guta Flozzin[178]. Er wohnte ebenso wie Otto Smelcz (1336-59)[179] in der nach den Semmelern benannten Gasse[180]. Der Pfister *Rychart Hezse* (1356-61) wohnte ebenfalls dort vor dem Hauger Tor[181].

---

[168] Urkundenbuch der Benediktiner-Abtei St. Stephan in Würzburg, Bd. 2. Bearb. v. *G. Schrötter* Würzburg 1932, Nr. 428. S. 56. (Veröff. d. Gesellsch. f. fränk. Geschichte 3/2); StadtAW: Rb. 159, S. 13. Vgl. *W. Schich*: Würzburg (wie Anm. 3) S. 93 mit Anm. 82.

[169] StAW: Stb. 825, S. 341.

[170] StAW: Stb. 825, S. 456, 483; Stb. 826, Bl. 83'.

[171] StAW: Stb. 825, S. 456; 483; Stb. 826, Bl. 42'.

[172] QFW 5 Nr. 135; QFW 25 Nr. 1732; StAW: Stb. 822, Bl. 37', 153'; StadtAW: Rb. 58, Bl. 27'; StAM: Bamberger Urk. Nr. 1903, 1908.

[173] StAW: Stb. 824, S. 118, 120, 123-125, 260; Stb. 825, S. 360, 417, 456; Stb. 826, Bl. 58'.

[174] QFW 5 Nr. 468; QFW 25 Nr. 4056; StAW: Lehenbuch 4, Bl. 31'.

[175] MB 39 Nr. 55; StadtAW: Rb. 58, Bl. 20', 21.

[176] StAW: Stb. 822, Bl. 108'; Stb. 825, S. 381, 396, 416, 438; Stb. 826, Bl. 11, 24, 45', 116'.

[177] QFW 5 Nr. 369.

[178] StAW: Stb. 826, Bl. 48'.

[179] StAW: Stb. 822, Bl. 43'; Stb. 826, Bl. 38, 50.

[180] QFW 5 Nr. 251; StAW: Stb. 826, Bl. 39', 60'.

[181] StAW: Stb. 825, S. 421.

Der Name *Hans Negellin* erscheint in unserer Quelle in zwei verschiedenen Gruppen. Angehörige der Familie, von der wir den Beruf kennen, waren nicht Bäcker, sondern Gerber oder Metzger[182]. *Gernot Hilfmirselber* bleibt unbekannt, aber Hans Hilfmirselber (1380) war Pfister, er besaß das Backhaus Zur Rinne am Hauger Tor vom Stift Neumünster zu Lehen[183].

Der Befund in der fünften Gruppe ist nicht so eindeutig wie der in den beiden zuvor untersuchten. Freilich konnte mit zusammen 14 mehr als die Hälfte der 25 Personen als Bäcker oder als Angehöriger einer Bäckerfamilie nachgewiesen werden, bei 3 weiteren deuten einige Hinweise auf die gleiche Stellung hin. Zwei Personen, Wolf Engellin (Fischer?) und Hans Negellin (Metzger?), passen freilich bisher überhaupt nicht in das Bild. Trotz dieser beiden vorläufig noch widersprechenden Fälle glauben wir berechtigt zu sein, die hier untersuchte Gruppe als die der Bäcker, näherhin der Rockener, zu bezeichnen, zumal der 1373 an der Spitze ihrer Zunft stehende Meister Heinz Flozze auch unsere Gruppe anführt[184]. Das gleiche konnten wir bei den Metzgern beobachten: Hans Herrelin, der 1373 die Zunft vertrat, steht zusammen mit seinen Familienangehörigen auch 1361 an der Spitze seiner Berufsgenossen.

Die in der hier untersuchten Gruppe genannten Bäcker wohnten in verschiedenen Teilen der Stadt, vor allem in den Vorstädten. Dort befanden sich auch ihre Produktionsstätten, die Backhäuser (*pistrinae*)[185]. Dies gilt für die Vorstadt jenseits des Mains, in der zahlreiche Bäcker, die ausdrücklich der gesamtstädtischen Rockenerzunft zugeordnet waren, nachgewiesen sind, ferner für die Vorstadt Sand, in der sich eine Pfistergasse befand, und nicht zuletzt für die Semmelergasse vor dem Hauger Tor, die ursprünglich vorzugsweise für die Semmeler angelegt worden war. Die Zugehörigkeit zu einer der beiden Zünfte hing also in der hier untersuchten Zeit nicht vorrangig vom Wohnsitz ab, sie war vielmehr rechtlich begründet[186].

In den 6 Personen der folgenden Gruppe glauben wir Angehörige der gemeinsamen Zunft der *semeler, mulner und melwer* erkennen zu können; der an der Spitze stehende *Cuoncz Hilfmirselber* (1350–73) ist mit dem Zunftmeister der im Jahre 1373 genannten Zunft identisch[187]. Das Haus des Hilfmirselber stand in dieser Zeit in der Semmelergasse[188]. Der Beruf des *Cuoncz Fricz* (1351–77)[189] bleibt unbekannt. Peter Fritz wohnte am Ende des Jahrhunderts *In*

---

[182] QFW 25 Nr. 3581; über den Gerber Hans Negellin vgl unten S. 120. 1336 tritt Johann Negellin zusammen mit dem als Bäcker vermuteten Otto Smelcz vor Gericht auf (StAW: Stb. 822, Bl. 43').

[183] StAW: Stb. 233, S. 26.

[184] QFW 5 Nr. 351.

[185] Vgl. *W. Schich*: Würzburg (wie Anm. 3) S. 93.

[186] Näheres ebd. S. 95 f., 196 f., 203 f.

[187] QFW 5 Nr. 351 = *W. Engel*: Zunftsiegel (wie Anm. 5) S. 39; ferner StAW: Stb. 826, Bl. 5', 206'.

[188] StAW: Stb. 824, S. 320 (zu 1350); Stb. 826, Bl. 103' (zu 1363).

[189] MB 43 Nr. 74; StAW: Stb. 824, S. 338.

der Reysegruben in der Vorstadt Haug[190]. Gerade hier, zwischen den Bächen Pleichach und Kürnach, wohnten im späten Mittelalter viele Müller[191], da in der näheren Umgebung die meisten Mühlen standen. *Goecz Hering* wird in unserer Urkunde selbst als *muelner* bezeichnet. Über die anderen 3 Personen dieser Gruppe war nichts zu ermitteln. Die Zunft der Semmelbäcker, Müller und Melber (Mehlhändler) hatte eine weit geringere Bedeutung als die eigentliche Bäkkerzunft der Rockener[192]. Übergänge innerhalb einer Familie waren, wie der Fall Hilfmirselber zeigt, möglich. Überschneidungen zwischen den beiden Berufsgruppen ergaben sich auch dadurch, daß einige von den Rockenern, die hauptberuflich Brot backten und verkauften, ebenfalls Mühlen pachteten.

Über die nächste, 6 Personen umfassende Gruppe kann vorläufig Zuverlässiges nicht ausgesagt werden. Einiges deutet darauf hin, daß es sich um Schuhmacher handelte. Dafür spricht zunächst die Tatsache, daß die folgende Gruppe dem Gerberhandwerk zugewiesen werden kann. Gestützt würde die Vermutung, wenn wir den an der Spitze der Gruppe aufgeführten *Dyecz von Sande* mit dem Schuhmachermeister Dietz gleichsetzen könnten. In der schon mehrfach zum Vergleich herangezogenen Zunfturkunde von 1373 vertrat u.a. Heinrich, der Schwiegersohn des Meisters Dietz (*meyster Dyeczen eydem*), die Zunft der »Gezzener« genannten Schuhmacher[193]. Der Würzburger *sutor* Dietrich erscheint in einer Urkunde von 1336[194]. Auch die Person des *Heincz Windsheim* bringt keine Klarheit. Nach der fränkischen Stadt nannten sich mehrere Familien[195].

Sicherheit gewinnen wir wieder bei den folgenden 3 Personen. *Hans Negellin* (1352–61)[196] gehörte einer Gerberfamilie an. Der *lowermeyster* Heinrich Negellin (1361–73) vertrat 1373 die Zunft der Gerber[197]. Der ältere Heinz Negellin (1331–62) bewohnte ein Haus neben dem Judenfriedhof in der Vorstadt Pleichach[198]. Er wie auch Hans Negellin verkauften das von ihnen hergestellte Leder auf ihren Ledertischen auf dem Markt bei der Münze (auf dem heutigen Platz Beim Grafeneckart gegenüber dem Rathaus)[199]. Die Gerber wohnten und

---

[190] Seldener Buch (wie Anm. 80) S. 11.

[191] *H. Hoffmann*: Würzburgs Handel (wie Anm. 8) S. 174.

[192] Wie Anm. 186.

[193] QFW 5 Nr. 351 = *W. Engel*: Zunftsiegel (wie Anm. 5) S. 40; ebd. S. 63 die Siegelumschrift: *S(igillum) calcificum gezzener d(i)c(t)or(um)*.

[194] QFW 5 Nr. 159.

[195] Wir finden darunter folgende Personen mit Berufsangaben: den Schuhmacher Fritz Windsheim (1371: QFW 5 Nr. 338), den Lodener Wölflein Windsheim (1362: ebd. Nr. 312), den Kohlenträger Rüdel von Windsheim (1385: ebd. Nr. 440), den Schneider Heinz Windsheim (ca. 1398: Seldener Buch, S. 3) und den Bäcker Dietrich Windsheimer (1349: StAM: WU 5332).

[196] QFW 14 Nr. 286, 304, 305.

[197] QFW 5 Nr. 351 = *W. Engel*: Zunftsiegel (wie Anm. 5) S. 40.

[198] StAM: WU 5868; StAW: Stb. 213, S. 66; Stb. 826, Bl. 92', 155.

[199] QFW 25 Nr. 3796; StAW: Stb. 826, Bl. 155, 168. Über die Ledertische *W. Schich*: Würzburg (wie Anm. 3) S. 85.

arbeiteten ebenso wie die Metzger in der Vorstadt Pleichach, wo sie genügend fließendes Wasser für die Ausübung ihres Gewerbes vorfanden. Das in dieser Vorstadt gehaltene Gericht war, wie erwähnt, für die Metzger, Gerber und Gärtner zuständig[200]. Der in unserer Urkunde nach Hans Negellin genannte *Luocz Beppel* (1359-73) wohnte ebenfalls in der erwähnten Vorstadt[201]. *Beczolt Fuonck* (1352-61) schließlich verkaufte Leder auf seinem Ledertisch bei der Münze[202]. Es unterliegt keinem Zweifel, daß diese 3 Personen Mitglieder der Gerberzunft waren.

Die folgende Gruppe umfaßt 5 Personen. Der zuerst genannte *Hans Schade* (1346-62)[203] besaß einen Salzkasten *under den Heringern*[204]. Die Salz- und Heringshändler wurden in Würzburg nach ihren Verkaufsräumen gewöhnlich als Salzkästner bezeichnet[205]. Die Salzkästen standen neben den Fleischbänken (im heutigen Rathauskomplex)[206]. Im Jahre 1373 war Konrad Schade (1356-76)[207] der Zunftmeister der Salzkästner. Mit Gotzo Schade (1330-ca.1338)[208] und Heinrich Schade (1360-71)[209] erscheinen weitere Mitglieder der Familie als Salz- und Heringshändler. Auch Katharina Schedin besaß 1385 einen Gadem *under den Salczkasten*[210]. Der in unserer Liste vertretene *Heincz Gretlin* (1336-61) war der Schwiegersohn der Irmela Schedin (1339-42), der Witwe (?) des Gotzo Schade[211]. Er wohnte in der Metgasse, die unmittelbar an die Salzkästen anschloß[212]. Zwischen zwei Salzkästen der Familie Schade stand der Salzkasten der Grete Bolruzzin (1356-76)[213]. In unserer Urkunde finden wir den Namen *Fricz Bolruezze* (1359-61)[214]. Auch Hans Bolraz

[200] QFW 25 Nr. 497 (zu 1303).

[201] QFW 5 Nr. 318; StAW: Stb. 826, Bl. 10', 184; Lehenbuch 8, Bl. 21. Er stammte anscheinend aus Fulda; denn bei seiner ersten Erwähnung in Würzburg (1359) wird er Lutze Beppel von Fulda genannt.

[202] StAW: Stb. 824, S. 265; Stb. 826, Bl. 155.

[203] StAW: Stb. 344, S. 480; Stb. 825, S. 567; Lehenbuch 4, Bl. 61'.

[204] QFW 5 Nr. 295; QFW 25 Nr. 4071; StAW: Stb. 344, S. 480; Stb. 825, S. 353, 369, 396, 481 u.ö.; Lehenbuch 4, Bl. 30'.

[205] Der Berufsbezeichnung *salczkestner* im Text der Zunfturkunde von 1373 (QFW 5 Nr. 351 = W. *Engel*: Zunftsiegel (wie Anm. 5) S. 40) entspricht auf dem anhängenden Siegel die Umschrift *S(igillum) sa(l et a)llecia vendencium* (ebd. S. 49).

[206] Vgl. W. *Schich*: Würzburg (wie Anm. 3) S. 84 mit Anm. 32.

[207] QFW 5 Nr. 351, 367; StAW: Stb. 825, S. 567.

[208] QFW 25 Nr. 2734; W. *Engel*: Seelbücher (wie Anm. 148) S. 42; StadtAW: Rb. 263, S. 66.

[209] QFW 5 Nr. 295, 338; QFW 14 Nr. 358; StAM: WU 3172.

[210] QFW 5 Nr. 438.

[211] StadtAW: Rb. 263, S. 66: Gotzo Schade und seine Frau Irmgard.

[212] QFW 14 Nr. 217, 246; StAW: Stb. 822, Bl. 68, 70, 134 u.ö.; Stb. 824, S. 152, 158, 162; Stb. 825, S. 361, 374, 456, 483.

[213] QFW 5 Nr. 367; StAW: Stb. 825, S. 567; Stb. 826, Bl. 23, 25; Lehenbuch 4, Bl. 61.

[214] QFW 5 Nr. 295; StAW: Stb. 826, Bl. 10.

(1384) gehörte zu den Salzkästnern[215]. *Cuoncz Vederberg* (1361–63) wohnte unter den Salzkästen[216]. *Hans Wyegant* bleibt unbekannt. An seiner wie der ganzen Gruppe Zuordnung zu den Salzkästnern besteht kein Zweifel.

Der an der Spitze der folgenden Gruppe stehende *Cuonrat Rot* (1340–61) wohnte *in der Kunebach*, in der nach dem heutigen Kühbach benannten Siedlung beim Kloster St. Burkard jenseits des Mains[217]. Das gilt auch für *Wolflin im hof* (1347–61)[218]. Seinen Namen (oder den seines Sohnes) finden wir erneut in der Zunfturkunde von 1373; er vertrat zusammen mit Heinz Ventzlin die Zunft der Winzer in der Kunbach[219]. Heinz Ventzlin dürfte danach mit dem in unserer Gruppe genannten *Heincz Venczlin bim toer* gleichzusetzen sein[220]. *Syecz Werre* (1356–73) wohnte ebenfalls in der Kunbach[221]. Das gleiche gilt für *Cuenczlin Swop* (1334–61)[222] und vermutlich auch für *Wolflin Torman*; denn der Wohnsitz des Kunz Torman (1391) ist dort nachweisbar[223].

Der Befund erscheint klar. Wir haben hier Vertreter der Weingärtner, näherhin der jenseits des Mains in der Kunbach, vor uns. In dem Vertrag, den der Rat im Jahre 1373 mit den Zünften schloß, finden wir insgesamt 10 Winzergesellschaften, die jeweils nach einer Vorstadt benannt waren[224]. Ihre Reihe wird von der Zunft in der Kunbach angeführt, sie galt offenbar als die bedeutendste. Wie alt die oranisatorische Aufsplitterung der Würzburger Weingärtner ist, bleibt bisher unbekannt.

Auch von den in der nächsten Gruppe genannten Personen wohnten einige jenseits des Mains. Dies gilt jedenfalls für *Heincz Venczlin in der Kindhof*; denn dieser Hof lag in der Pfarrei St. Burkard[225]. Dort, nahe der Mainbrücke, befand sich auch der Hof Zum Schakan, nach dem sich *Hans zuom Schakan* und sein Bruder *Kuon* nannten[226]. Kuno Schakan saß 1373 im Stadtrat[227]. Jenseits des

[215] QFW 5 Nr. 424.

[216] StAW: Stb. 826, Bl. 123: *dicto Vederberg under den saltzkasten* (mit Lücke für den fehlenden Vornamen).

[217] QFW 14 Nr. 231; StAW: Stb. 824, S. 259; Stb. 825, S. 440; UBW: M.p.mi.f. 16, Bl. 10', 11.

[218] WUR Nr. 113; Seldener Buch (wie Anm. 80) S. 25; vgl. ferner StAW: Stb. 824, S. 15; Stb. 825, S. 491; Stb. 826, Bl. 34.

[219] QFW 5 Nr. 351.

[220] In der nächsten Gruppe der Liste folgt Heinz Ventzlin im Kinderhof. In einer Urkunde von 1357 werden Heinrich und Heinrich Ventzlin ebenfalls nebeneinander genannt (QFW 14 Nr. 329). Der Name begegnet ferner: QFW 5 Nr. 509; StAW: Stb. 824, S. 323, 333, 350; Seldener Buch, S. 25.

[221] StAW: Stb. 825, S. 424; StAM: WU 3192.

[222] QFW 14 Nr. 173; StAW: Stb. 822, Bl. 107', 115, 116'; Stb. 825, S. 481.

[223] Seldener Buch (wie Anm. 80) S. 25; StAM: WU 6243.

[224] QFW 5 Nr. 351; vgl. *W. Schich*: Würzburg (wie Anm. 3) S. 183 ff.

[225] QFW 5 Nr. 509; QFW 14 Nr. 329.

[226] QFW 5 Nr. 367; zum Hof *W. Schich*: Würzburg (wie Anm. 3) S. 177.

[227] QFW 5 Nr. 351. Der Zusatz *cremer* am Ende der Ratsliste gilt sicher nicht für die gesamte Gruppe, vgl. Anm. 153.

Mains wohnten neben den Bäckern, die zu der schon behandelten Zunft der Rockener gehörten, und den Weingärtnern, die in den Zünften in der Kunbach und zu Niedernhofen zusammengefaßt waren, vor allem die Fischer[228]. Mehr kann über die Personen in dieser Gruppe nicht ausgesagt werden; ihre Situation bleibt also bisher unbekannt.

In der letzten Gruppe sind 17 Personen aus 8 verschiedenen Berufen – mit jeweils einem oder mehreren Vertretern – zusammengefaßt. Vom bisherigen Prinzip, Angehörige einer Zunft in einer Gruppe zusammenzufassen, wurde hier also abgewichen. Aus diesem Grunde ist zu dem Namen der meisten Personen die Berufsangabe hinzugesetzt. Bezeichnenderweise erscheint darunter kein Angehöriger der oben nachgewiesenen Zünfte.

Der zuerst genannte *Wolflin Kannengiezzer* (1338–61) wohnte unter den Kurdewanern am Markt (der heutigen Domstraße)[229]. Die Kannengießer (Zinngießer) waren mit den »Kurdewaner« genannten Schuhmachern in einer gemeinsamen Zunft zusammengeschlossen[230]. Als einer ihrer Zunftmeister erscheint 1373 Hanemann Kannengießer[231].

Es folgen der Altmäntler *Uelrich von Tuengen*, der Zimmermann *Herolt*, die Fütterer[232] *Heinrich Ruozze uof dem Eyrmarkt*, *Otte Fueterer* (1349– 61)[233] und *Heincz Sydenspinner*, die Weinmesser[234] *Luepolt Hemming* (1359–73)[235], *Cuoncz Engelbolt*, *Hans Rotermuont* (1343–61)[236] und *Syecz Elichbrot*

---

[228] *W. Schich*: Würzburg (wie Anm. 3) S. 26 f., 201 ff.

[229] QFW 5 Nr. 270; StAW: Stb. 822, Bl. 101, 107, 113', 115'.

[230] StadtAW: Rb. 58, Bl. 20' (zu 1319).

[231] QFW 5 Nr. 351. In beiden Fällen scheint der Zuname Kannengießer noch den Beruf des Trägers zu bezeichnen.

[232] Die Fütterer versorgten die Pferde auf dem Hafermarkt neben dem Eiermarkt (heute Sternplatz); viele Fütterer wohnten auch dort (vgl. *W. Schich*: Würzburg (wie Anm. 3) S. 134). Aus diesem Grunde ist zu vermuten, daß die Berufsbezeichnung Fütterer auch für Heinrich Ruzze gilt. Dafür spricht zudem folgende Beobachtung: In der Urkunde wird die Berufsangabe, wenn sie sich auf eine einzelne Person bezieht, unmittelbar zum Namen (ohne Trennungsstrich) hinzugefügt. Folgt sie dagegen auf mehrere Namen, so wird sie durch einen Strich von den Namen abgesetzt. W. Engel berücksichtigt in seiner Edition diese Unterscheidung nicht und setzt stets ein Komma vor die Berufsbezeichnung.

[233] QFW 14 Nr. 286, 305.

[234] Die Weinmesser prüften die Weinfässer auf ihren Inhalt und schenkten Wein aus (*H. Hoffmann*: Polizeisätze (wie Anm. 27) Nr. 15–18, 127); sie waren also zugleich Gastwirte. In der Zunfturkunde von 1373 werden sie *winmezz(er)* genannt, die Umschrift auf dem anhängenden Siegel lautet: *S(igillum) cauponum Herbipolen(sium)* (*W. Engel*: Zunftsiegel (wie Anm. 5) S. 40, 48). In einem Eintrag des Landgerichts zu 1360 wird der in unserer Liste erwähnte Buschlin einmal als Buschlin *winmezzer*, ein anderes Mal als Buschlin *caupo* bezeichnet (StAW: Stb. 826, Bl. 150).

[235] QFW 5 Nr. 307; MB 43 Nr. 18; StAW: Stb. 826, Bl. 11, 23.

[236] QFW 5 Nr. 270; *H. Hoffmann*: Polizeisätze (wie Anm. 27) Nr. 98; StAW: Stb. 825, S. 449.

(1361-63)[237], der nicht näher bezeichnete *Engel in dem Garten*, der Krämer *Herman Masbach*, der Goldschmied *Hans Vischer* (1361-83)[238], der Schneider *Goecz Engel*[239] und zuletzt erneut 3 Weinmesser, nämlich *Kruos* (1359-61)[240], *Bueschlin* (1360-61)[241] und sein Bruder *Allemeintage*[242].

Wenn auch mancher aus der langen Reihe der »Reichen« bisher nicht näher charakterisiert werden konnte, so zeigt die vorstehende Untersuchung doch eindeutig, daß nicht, wie Wilhelm Engel glaubte[243], nur die hier mit ihrem Beruf bezeichneten Personen Handwerker waren, sondern daß die Masse der »Reichen« zur Handwerkerschaft gehörte. Die Bezeichnung »reich« schloß also in Würzburg 1361 die besitzenden Angehörigen der bürgerlichen Mittelschicht mit ein. Zu dem gleichen Ergebnis gelangte bereits Werner Schnyder für Luzern auf anderem Wege, nämlich durch Auswertung der Steuerbücher[244].

Die meisten der »Reichen« sind in unserer Liste gruppenweise nach Zünften aufgeführt. An der Spitze stehen jeweils die am häufigsten in den Quellen erscheinenden und offenbar auch wohlhabendsten und angesehensten Vertreter der Genossenschaft. Abgesehen von den noch unsicheren Gezzener-Schumachern konnten Angehörige von 15 Berufen nachgewiesen werden, wobei die Zahl der Vertreter bei den einzelnen Zünften freilich extrem unterschiedlich hoch ist. Darüberhinaus sind bei weitem nicht alle wichtigen Berufsguppen vertreten. Dies wird bei einem Vergleich mit dem bereits mehrfach erwähnten Vertrag zwischen dem Rat und den Zünften von 1373 deutlich; dort werden 37 Zünfte, darunter freilich allein 10 Winzergenossenschaften, genannt[245].

Auffallend bleibt in unserer Liste der ungewöhnlich hohe Anteil der in den Lebensmittelgewerben Beschäftigten. Allein die Metzger und Bäcker (zusammen mit den Müllern und Mehlhändlern) stellen 48% aller hier genannten »Reichen« – vorausgesetzt, daß auch die bisher nicht identifizierten Personen das Gewerbe ausübten, dem die Mehrheit der Angehörigen der jeweiligen Gruppe zugewiesen werden konnte. Hinzu kommen die Salz- und Heringshändler und auch die Weingärtner. Die Bekleidungsgewerbe treten mit den Wollwebern, Gerbern und Schuhmachern sowie jeweils einem Schneider und Flickschneider (Altmäntler) ebenfalls noch deutlich in Erscheinung. Aus dem Bereich der Holz- und Me-

---

[237] QFW 14 Nr. 365; StAM: WU 3538.

[238] QFW 351, 354, 362, 406; Urkunden der Augustinerklöster (wie Anm. 13) Nr. 179; MB 43 Nr. 197. Er vertrat auch 1373 seine Zunftgenossen.

[239] Er wohnte am Ende des Jahrhunderts in der Vorstadt Sand (Seldener Buch (wie Anm. 80) S. 21).

[240] StAW: Stb. 826, Bl. 25'.

[241] StAW: Stb. 826, Bl. 150.

[242] Der Weinmesser Heinz Almintag wird 1376 genannt (QFW 5 Nr. 366).

[243] *W. Engel*: »Reiche und Arme« (wie Anm. 2) S. 284.

[244] *W. Schnyder*: Reich und Arm im spätmittelalterlichen Luzern. In: Der Geschichtsfreund 120 (Stans 1967) S. 51–86, bes. S. 81.

[245] QFW 5 Nr. 351.

tallverarbeitung finden wir dagegen mit jeweils einem Zimmermann, Goldschmied und Zinngießer nur ungewöhnlich wenig Vertreter. Bei den Goldschmieden ist zu berücksichtigen, daß auch Angehörige der Patrizierfamilien in dem lukrativen, mit dem Edelmetallhandel verbundenen Gewerbe tätig waren[246]. Wir vermissen derart wichtige Berufe wie die Schmiede, Wagner und Büttner. Die letzteren waren in der Weinstadt nachweislich in großer Zahl vertreten[247]. Die Verbände der Holzwaren herstellenden Handwerker gehörten aber auch andernorts gewöhnlich zu den ökonomisch schwachen Zünften[248].

Wir kennen freilich das Kriterium, nach dem die »Reichen« 1361 zum Vetragsschluß herangezogen wurden, bisher nicht. Es erscheint zweifelhaft, daß allein die Höhe des Vermögens ausschlaggebend war. Die Zusammensetzung der Liste kann auch von dem Anteil, den die einzelnen Handwerkergesellschaften an dem voraufgegangenen innerbürgerlichen Streit genommen hatten, beeinflußt worden sein. Die Zünfte der Metzger und Bäcker spielten in Würzburg schon in der kommunalen Bewegung während des 13. Jahrhunderts eine führende Rolle; ihre Vertreter fanden zuerst (1303) Zutritt zum Rat[249]. Die Genossenschaften der für jede mittelalterliche Stadt lebensnotwendigen Metzger und Bäcker gehörten in den meisten Städten zu den angesehensten Handwerkerverbänden, deren Mitglieder auch oft wohlhabend waren[250]. Hinsichtlich der Höhe der Vermögen innerhalb der Handwerkerschaft bestanden, in Abhängigkeit von der jeweiligen Wirtschaftsstruktur, freilich erhebliche lokale Unterschiede. Die führende Stellung der Wollweber überrascht, da von einer besonderen Bedeutung der Weber in Würzburg, im Gegensatz zu anderen Städten, bisher nichts bekannt ist. Die Vermutung, daß die reichen Weber in Würzburg ihren Wohlstand durch den Tuchverkauf erworben haben, liegt nahe, zumal die Verkaufstätigkeit in einem Fall nachgewiesen ist. Es bleibt bemerkenswert, daß die Reihenfolge der ersten Berufsgruppen in unserer Urkunde (Wollweber, Metzger, Bäcker, Schuhmacher (?), Gerber) mit der Rangfolge der bedeutendsten Zünfte in Frankfurt am Main in der gleichen Zeit (1355) weitgehend übereinstimmt (dort stehen zwischen den Metzgern und den Bäckern noch die Kürschner)[251].

---

[246] *W. Schich*: Würzburg (wie Anm. 3) Kap. 8 (passim).

[247] *P. Johanek*: Vicus doliatorum – die Büttnerstraße; *W. Teige*: 600 Jahre Büttnerzunft Würzburg. Beides in: 600 Jahre Büttnerzunft Würzburg 1373–1973. Würzburg 1973. S. 11–44. (Mainfränk. Hefte 59); *W. Schich*: Würzburg (wie Anm. 3) S. 151 f.

[248] *E. Maschke*: Mittelschichten (wie Anm. 4) S. 18 f.

[249] Wie Anm. 17; vgl. auch *W. Schich*: Würzburg (wie Anm. 3) S. 95 f.

[250] *E. Maschke*: Mittelschichten (wie Anm. 4) S. 18. Vgl jetzt auch *U. Dirlmeier*: Untersuchungen zu Einkommensverhältnissen und Lebenshaltungskosten in oberdeutschen Städten des Spätmittelalters. Heidelberg 1978. (Abh. Heidelb. Ak. Wiss. Phil.-Hist. Kl.; 1978 Abh. 1). S. 103 ff.

[251] *K. Bücher*: Die Bevölkerung von Frankfurt am Main im 14. und 15. Jahrhundert. Bd. 1. Tübingen 1886. S. 88 f.

Absolute Zahlen über die in der hier untersuchten Zeit in den einzelnen Handwerken Beschäftigten kennen wir aus Würzburg nicht[252], so daß ein Vergleich mit anderen Städten – z.B. mit den beiden großen Nachbarstädten Würzburgs, Nürnberg und Frankfurt, aus denen entsprechende Listen vorliegen[253], – in dieser Hinsicht nicht möglich ist.

Die aus der Untersuchung der Liste der »reichen« Handwerker gewonnenen Einsichten passen durchaus zu dem bisher erkennbaren Bild von der Wirtschaftsstruktur Würzburgs im späten Mittelalter. Dazu gehört nicht zuletzt die Tatsache, daß der Stadt ein exportorientiertes, spezialisiertes Handwerk fehlte[254]. Die Grundlage für den Fernhandel bildete hier schon früh der Weinbau. Auch ein erheblicher Teil des auf den Lößflächen des Maindreiecks erzeugten Getreides wurde in der verkehrsgünstig gelegenen Bischofsstadt umgeschlagen. Auswärtige Klöster besaßen in Würzburg Höfe, die vorrangig dem Wein- und Getreidehandel dienten[255].

Die hohe Zahl von »reichen« Metzgern und Bäckern wirft ein bezeichnendes Licht auf die Konsumkraft der Bischofsstadt. Wir dürfen in der zweiten Hälfte des 14. Jahrhunderts in Würzburg mit einer Einwohnerzahl in der Größenordnung von etwa 8000 rechnen[256]. Hier befanden sich insgesamt 18 Stifte und Klöster. Die Versorgung der vergleichsweise zahlreichen Bevölkerung mit Nahrung und Bekleidung lag in den Händen der Masse der in unserem Vertrag vertretenen »reichen« Handwerker. Das Würzburger Handwerk arbeitete für einen starken Binnenmarkt. Die Funktion Würzburgs als kirchliches und weltliches Verwaltungszentrum band nicht nur eine größere Konsumentengruppe ständig an den Ort, sondern führte auch viele Auswärtige vorübergehend in die Stadt. Der lebhafte Personen- und Warenverkehr findet in unserer Quelle eben-

---

[252] Die Ermittlung der entsprechenden Zahlen für das 15. Jahrhundert bereitet ebenfalls Schwierigkeiten; vgl. *H. Hoffmann*: Würzburgs Handel (wie Anm. 8). S. 194.

[253] *K. Bücher*: Bevölkerung von Frankfurt (wie Anm. 251) S. 88 ff.; *K. Hegel*: Über Nürnbergs Bevölkerungszahl und Handwerkerverhältnisse im 14. und 15. Jahrhundert. In: Die Chroniken der fränkischen Städte. Nürnberg. Bd. 2 (Die Chroniken der deutschen Städte 2). Leipzig 1864. S. 507 f. Zur Wirtschaftsgeschichte Nürnbergs im späten Mittelalter vgl. noch *H. Ammann*: Die wirtschaftliche Stellung der Reichsstadt Nürnberg im Spätmittelalter. Nürnberg 1970. (Nürnberger Forschungen 13).

[254] Zur Wirtschaftsgeschichte Würzburgs im späten Mittelalter vgl. *H. Hoffmann*: Würzburgs Handel (wie Anm. 8); *W. G. Neukam*: Zur Würzburger Wirtschaftsgeschichte des hohen und späten Mittelalters. In: MJb 8 (1956). S. 123–139; *P. Johanek*: Von der Kaufmannsgenossenschaft zur Handelskorporation. In: 125 Jahre Industrie- und Handelskammer. Würzburg/ Schweinfurt. o. O. u. o. J. [1968]. S. 9–63.

[255] *W. Schich*: Stadthöfe (wie Anm. 6).

[256] Über Berechnungen der Bevölkerungszahl Würzburgs im 14. Jahrhundert *H. Hoffmann*: Würzburgs Handel (wie Anm. 8) S. 185 ff.; *F. Seberich*: Die Einwohnerzahl Würzburgs in alter und neuer Zeit. In: MJb 12 (1960) S. 49–68; *W. Schich*: Würzburg (wie Anm. 3) S. 208 ff.

falls einen gewissen Niederschlag; denn die Weinmesser, die zugleich Gastwirte waren[257], und die Fütterer stellten gemeinsam die Mehrzahl (10 von 17) der in der beruflich gemischten Gruppe der Liste genannten Personen. Zu den Aufgaben beider Berufsgruppen gehörte die Versorgung der Fremden und ihrer Pferde[258].

Die »reichen« Handwerker übten ihr Gewerbe selbständig aus und besaßen eigene Häuser. Als wesentliche Quelle ihres Wohlstandes darf der Besitz von festen Verkaufsständen (Fleischbänken, Brottischen, Salzkästen, Ledertischen, Plätzen im Gewandhaus) auf dem Markt und folglich ihre kommerzielle Tätigkeit betrachtet werden. Einige von den wohlhabenden Handwerkern hatten darüber hinaus aufwendigere Produktionsanlagen gepachtet: so die Lodener die Tuchrahmen oder die Bäcker die Mühlen und die Backhäuser der geistlichen Institutionen. Es ist bezeichnend, daß wir die Handwerker oft gerade über die Erwähnung ihrer Verkaufsstände fassen konnten; denn diese erscheinen als Vermögensobjekte neben den Wohn- und Produktionsstätten in den Quellen besonders häufig. In vielen Fällen blieben sie durch Vererbung längere Zeit innerhalb der Familie – wie ja auch oft über mehrere Generationen hinweg in einer Familie der gleiche Beruf ausgeübt wurde[259]. Diese Kontinuität trug zweifellos zur Erhöhung des Wohlstandes der Angehörigen der hier erfaßten Mittelschicht der Würzburger Bürgerschaft bei[260]. Darüber hinaus liegt die Vermutung nahe, daß einzelne Handwerker einen Teil ihres Vermögens im eigentlichen Handel erworben haben, z.B. die Metzger im Viehhandel, die Bäcker im Getreidehandel oder die Gerber im Handel mit Häuten. Aber dafür fehlen in Würzburg im Gegensatz zu anderen Städten bisher die Belege[261].

---

[257] Vgl. Anm. 234.

[258] Vgl. Anm. 232. Das Vorhandensein einer eigenen Füttererzunft in Würzburg weist auch auf starken Fuhrwerksverkehr hin; vgl. *E. Volckmann*: Alte Gewerbe und Gewerbegassen. Deutsche Berufs-, Handwerks- und Wirtschaftsgeschichte älterer Zeit. Würzburg 1921. S. 235. Die Fütterer in Würzburg besaßen zudem Unterkunftsmöglichkeiten für Fremde. Dies wird aus der Tatsache deutlich, daß Schuldner bzw. ihre Bürgen bei ihnen ebenso wie bei den Gastwirten »Einlager hielten«, d.h. bis zur Erfüllung der Ansprüche des Gläubigers dort verweilten; vgl. z. B. Urkundenreg. zur Geschichte der Städte (wie Anm. 88) Nr. 43; StadtAW: Rb. 58, Bl. 17; dazu *F. Merzbacher*: Iudicium Provinciale (wie Anm. 30) S. 192 ff.

[259] Zur Berufsvererbung in Handwerkerfamilien vgl. auch *E. Maschke*: Mittelschichten (wie Anm. 4) S. 27 f.

[260] Allgemein über die Mittelschichten vgl. den in Anm. 4 genannten Sammelband Städtische Mittelschichten, vor allem den einleitenden Beitrag von *E. Maschke*.

[261] Dazu z. B. *E Maschke*: ebd. S. 22; *ders.*: Verfassung und soziale Kräfte (wie Anm. 1) S. 440 ff.

6. Die »Armen«

Da nur 3 Vertreter der Partei der »Armen« namentlich erwähnt werden, ist es nicht möglich, über die Klärung der Lage dieser Personen zu allgemein gültigen Aussagen über die Situation ihrer Partei zu gelangen.

Heincz Schirmer (1340–62) besaß ein Haus unter den Kurdewanern am Markt und einen Weingarten[262]. 1357 diente er dem bekannten Würzburger Goldschmied Konrad von Meiningen und dessen Ehefrau Katharina als Bürge[263]. 1359 und 1360 wurde er als Gläubiger vom Landgericht in den Besitz von Pfändern gesetzt[264]. Seinen Beruf erfahren wir nicht. *Bertolt Huosbolt* (1349–67) wohnte in der Vorstadt Pleichach und besaß ebenfalls einen Weingarten[265]. Auch er fungierte im Jahre 1357 für einen Mitbürger als Bürge[266]. Allein die Übertragung von Bürgschaften zeigt, daß weder Heinz Schirmer noch Berthold Husbolt mittellos waren. 1365 diente Berthold den Würzburger Fischern in einem Rechtsstreit vor dem Stadtgericht auf dem Sal als *fürsprech*, d.h. als Vertreter im Wort (nicht in der Sache)[267]. 1366 und 1367 übte er mehrfach eine ähnliche Funktion, die des Mitklägers oder Redners, vor dem Würzburger Landgericht aus[268]. Mitkläger oder Redner traten für die Parteien vor dem Landgericht neben die Fürsprecher, die hier nur aus den Reihen der Ritter genommen werden durften[268a]. Es scheint, daß Berthold seine Tätigkeit als Parteisprecher berufsmäßig, gegen Honorar, ausübte[268b]. *Fricz Ruogger* (1352–61) hatte 1361 das Amt eines öffentlichen Baugeschworenen inne, d.h. er, der sehr wahrscheinlich Steinmetz war, wurde zur Beilegung von Baustreitigkeiten als Sachverständiger hinzugezogen[269]. Wie Berthold Husbolt bestimmten die Armen auch ihn anscheinend wegen seiner Rechtskenntnisse zur Vertretung ihrer Interessen.

---

[262] QFW 5 Nr. 292, 308; StAW: Stb. 822, Bl. 102'; Stb. 824, S. 103.

[263] QFW 5 Nr. 274.

[264] StAW: Stb. 826, Bl. 16, 33.

[265] StAW: Stb. 824, S. 117; Stb. 825, S. 411, 418, 459; Stb. 826, Bl. 159'.

[266] StAW: Stb. 825, S. 461.

[267] Staatsarchiv Bamberg: M.v.O. G 35 I L 970, Nr. 352 Bl. 1' (Regest von *W. M. Brod* in: MJb 8 (1956) S. 145 f.).

[268] StAW: Stb. 826, Bl. 184, 190, 208'.

[268a] *F. Merzbacher*: Iudicium Provinciale (wie Anm. 30) S. 89 f.

[268b] Vgl. allgemein *H. Winterberg*: Fürsprecher. In: Handwörterbuch zur deutschen Rechtsgeschichte. Hg. v. A. Erler u. E. Kaufmann. Bd. 1. Berlin 1971. Sp. 1333–37; für Lübeck: *W. Ebel*: Lübisches Recht. Bd. 1. Lübeck 1971. S. 335 ff.

[269] QFW 5 Nr. 307. Als Baugeschworene urteilten hier Fritz Rugger, Fritz von Zimmern, Heinz von Heidingsfeld und Heinz Selkmann. Da die Baugeschworenen gewöhnlich paarweise (2 Steinmetze und 2 Zimmerleute) auftreten und wir Heinz von Heidings-

Die vorstehenden Daten zeigen deutlich, daß die 3 Vertreter der Partei der »Armen« durchaus nicht zu den Besitzlosen gehörten. Ein anderes Ergebnis war, da es sich um einen Steuerstreit handelte, auch kaum zu erwarten. Arm im Sinne der Steuerveranlagung bezeichnete keineswegs notwendig in unserem heutigen Wortsinne den Mangel an Besitz[270]. Die Situation der 3 Vertreter spricht jedenfalls gegen die Annahme, daß die führenden Träger der Erhebung und die ihre Ziele bestimmenden Personen und Bevölkerungsgruppen zu den untersten Schichten der Stadtbewohner, die unterhalb des Existenzminimums lebten, gehörten. Die »Armen« waren wie die »Reichen« *buorgere zuo Wirceburg* und als solche vertragsfähig[271].

Auf der Seite der Opposition dürfen wir zunächst die große Gruppe der beruflich Unselbständigen vermuten[272]. Dazu gehörten in Würzburg in erster Linie die in den Weinbergen Beschäftigten[273], zumal sie, wie erwähnt, bei innerstädtischen Unruhen sich stets besonders hervortaten. Wir konnten zwar Weingärtner (*wingartlute*) schon unter den »Reichen« nachweisen, aber die Masse der Arbeiter, die für die – nicht zuletzt nach der Jahreszeit – unterschiedlichen Tätigkeiten in den Weinbergen (als *hecker, sniter, binder*) auf dem Markt angeworben wurden[274], befand sich zweifellos in einer weit schlechteren sozialen Lage[275].

Als wichtige Berufsgruppen bieten sich hier weiterhin die Transportarbeiter an – eigene Zünfte bildeten in Würzburg die Kärrner[276], die Sackträger und die Weinschröter (zusammen mit den Omenträgern)[277] – ferner die schon erwähn-

feld als Zimmermann kennen (QFW 5 Nr. 351 u.ö.), dürfen wir Fritz Rugger als Steinmetzen vermuten. Über die Baugeschworenen vgl. *H. Hoffmann*: Würzburgs Handel (wie Anm. 8) S. 210 ff.

[270] Vgl. z. B. *E. Maschke*: Unterschichten. In: Gesellschaftliche Unterschichten, (wie Anm. 4) S. 52 ff.; *B. Kirchgässner*: Probleme quantitativer Erfassung städtischer Unterschichten im Spätmittelalter, besonders in den Reichsstädten Konstanz und Eßlingen. Ebd. S. 75 ff.; *ders.*: Zur Frühgeschichte des modernen Haushalts. Vor allem nach den Quellen der Reichsstädte Eßlingen und Konstanz. In: Städtisches Haushalts- und Rechnungswesen. Hg. v. E. Maschke und J. Sydow. Sigmaringen 1977. S. 24 f. (Stadt in der Geschichte 2).

[271] »Bürger« ist hier weder in dem eingeschränkten Sinne des Patriziers noch auch in dem umfassendsten Sinne, der jeden Stadtbewohner einschließt, zu verstehen, vgl. oben S. 101 mit Anm. 14a.

[272] Über sie als wesentlicher Bestandteil der unteren sozialen Schichten der mittelalterlichen Stadt *E. Maschke*: Unterschichten (wie Anm. 4) S. 25 ff.

[273] So auch *W. Engel*: »Reiche und Arme« (wie Anm. 2) S. 284.

[274] *H. Hoffmann*: Polizeisätze (wie Anm. 27) Nr. 71, 209.

[275] Der Frage nach der sozialen Lage der in den Weinbergen Beschäftigten ist Werner Lutz in seiner Arbeit über den Weinbau zu Würzburg nicht nachgegangen; *W. Lutz*: Die Geschichte des Weinbaues in Würzburg im Mittelalter und in der Neuzeit bis 1800. Würzburg 1965. (Mainfränkische Hefte 43).

[276] Vgl. *H. Hoffmann*: Würzburgs Handel (wie Anm. 8) S. 142.

[277] Die Ohm war ein Weinmaß, vgl. ebd. S. 74 Anm. 13.

ten Büttner, die ebenfalls vom Handelsverkehr abhängig waren, sowie die Bauhandwerker; mit Fritz Rugger war ein Steinmetz am Abschluß des Vertrages beteiligt. »Arme« im steuertechnischen Sinne kann es freilich auch in jedem anderen Gewerbe, auch in den unter den »Reichen« vertretenen, gegeben haben. Steuerverzeichnisse mit Angaben der Steuersätze, die allein einigermassen präzise Aussagen über die Bevölkerungsstruktur ermöglichen, fehlen in Würzburg aus dieser Zeit, so daß für die Erhellung des Sozial- und Wirtschaftsgefüges der Stadt eine deutliche Quellenlücke besteht[278].

7. Schlußbemerkung

Es bleibt die Frage, wie der geschilderte Konflikt in die in den letzten Jahren zur Diskusssion stehenden sozialen Unruhen in den deutschen Städten des späten Mittelalters eingeordnet werden kann[279]. Eine abschließende Beurteilung ist hier angesichts des Fehlens weiterer zuverlässiger Daten und des Mangels an einschlägigen Vorarbeiten nicht möglich. Mit der Bezeichnung »Auflauf und Zweiung« verwendet unser Vertrag den gleichen Terminus, der in den Quellen dieser Zeit für innerstädtische Auseinandersetzungen allgemein gebräuchlich ist[280]. Der Anlaß, eine Änderung der Besteuerung, fügt sich ebenfalls noch in das übliche Bild ein[281]. Die innerstädtischen Konflikte im 14. Jahrhundert zeichnen sich aber im allgemeinen dadurch aus, daß eine bürgerliche Oppositionspartei, die sich aus Zunfthandwerkern, nichtpatrizischen Kaufleuten und oft auch Parteigängern aus den Reihen des Patriziats zusammensetzte, gegen die herrschenden Geschlechter um die Beteiligung an der politischen Macht kämpfte.

Von diesem Bild weicht der hier geschilderte Fall nicht unerheblich ab. Dies gilt abgesehen vom Ziel der Erhebung vor allem für die veränderte Zusammensetzung der Parteien. Die Führung der Opposition lag in Würzburg 1361 nicht in den Händen von wirtschaftlich starken, aber politisch benachteiligten Bürgern. Hier kämpften nicht die »Mittleren« gegen die »Großen«[282]. Die wohlhabenden Zunfthandwerker standen vielmehr auf der Seite der Angegriffenen. Eine gewisse Analogie für diese Konstellation bietet der bekannte Weberaufstand

---

[278] Das erwähnte Seldener Buch (wie Anm. 80) von ca. 1398 führt lediglich, nach Straßen geordnet, die Namen der Steuerpflichtigen auf.

[279] Vgl. Anm. 1.

[280] *E. Maschke*: Verfassung u. soziale Kräfte (wie Anm. 1) S. 290; *W. Ehbrecht*: Bürgertum u. Obrigkeit (wie Anm. 1) S. 283 f.

[281] Vgl. z. B. *W. Ehbrecht*: Ordnung städtischer Gesellschaft (wie Anm. 26) S. 100 f.

[282] Vgl. das Kapitel »Les ›moyens‹ contre les ›grands‹ bei *M. Mollat* u. *Ph. Wolff*: Ongles bleus (wie Anm. 1) S. 53 ff.

130

von 1370 in Köln, wo eine starke Mittelschicht von Kaufleuten und Zunfthandwerkern zunächst zwischen den Aufständischen und den Geschlechtern
schwankte, sich schließlich aber der stärkeren patrizischen Partei anschloß (und
damit die Niederlage der Weber besiegelte)[283]. Das Verbot der gegenseitigen
Abwerbung in unserem Vertrag von 1361 deutet darauf hin, daß auch ein Teil
der Würzburger Bürgerschaft in seiner Stellungnahme nicht eindeutig festgelegt
war.

In Würzburg hatten sich die Geschlechter und die wohlhabenden Zunfthandwerker anscheinend vor Ausbruch des geschilderten Konflikts, nachdem die Ver-
mögensunterschiede zwischen ihnen geringer geworden waren, einander genä-
hert. Das Patriziat war infolge der im vorausgegangenen Kampf gegen Bischof
und Geistlichkeit erlittenen Niederlage in dieser Zeit politisch weitgehend ent-
machtet. Die Geschlechter hatten 1360/61 zusammen mit den wohlhabenden
Handwerkern wahrscheinlich versucht, die ihnen weiterhin überlassene Umlage
der Lasten der Gesamtbürgerschaft durch Verteilung auf alle Bevölkerungs-
schichten zugunsten der Besitzenden zu regeln[284]. Dagegen erhoben sich die
wirtschaftlich Schwächeren, d.h. vor allem die weniger bemittelten Handwerker
und die Arbeiter in den Weinbergen, die durch eine zusätzliche Besteuerung ihre
Existenz bedroht sahen. Sie kämpften – soweit die wenigen vorliegenden Angaben das erkennen lassen – nicht um die Teilhabe an der politischen Macht,
sondern nur um die Beteiligung an der sie unmittelbar berührenden Frage der
Festsetzung der Steuer.

Welchen Ausgang der Konflikt nahm, erfahren wir nicht. E i n Ergebnis
erscheint freilich sicher: Die innerbürgerlichen Auseinandersetzungen trugen
zur Festigung der bischöflichen Stadtherrschaft bei. Die Armen richteten ihre
Beschwerden über die Organe der Bürgerschaft hinweg unmittelbar an den Stadtherrn. Sie wie auch die Reichen erkannten in dem Vertrag die bischöfliche
Steuerhoheit uneingeschränkt an. Der Wortlaut des Vertrages gibt einen deutlichen Eindruck von der vollständigen Unterwerfung beider bürgerlicher Parteien, der »Reichen« wie der »Armen«, unter den Willen ihres »Herrn von Würzburg«.

Der Streit zwischen den »Armen« und den »Reichen« von Würzburg zeigt,
daß »arm und reich« in der mittelalterlichen Stadt keineswegs nur als eine leere
Formel empfunden wurde, sondern daß darunter auch konkrete Gruppierungen
innerhalb der Bürgerschaft verstanden werden konnten. Die Erhellung der beruflichen Situation der Mehrheit der in dem Vertrag genannten Personen hat darüber hinaus deutlich gemacht, daß es sich bei den beiden Parteien nicht um
ständische Gruppen handelte. Die bis zur Mitte des 14. Jahrhunderts auch in

---

[283] *K. Czok*: Bürgerkämpfe (wie Anm. 1) S. 67 ff.

[284] Wir kennen den Modus der Besteuerung hier nicht. Es ist möglich, daß die »Armen«
eine Besteuerung proportional nach dem Vermögen verlangten. Vgl. dazu allgemein *A.
Erler*: Bürgerrecht und Steuerpflicht (wie Anm. 25) S. 27 ff.

Würzburg in den Quellen erkennbare Differenzierung der Bürgerschaft in Geschlechter und Handwerker wurde 1361 im Zusammenhang mit einem Konflikt um die Steuererhebung durch eine andere Konstellation ersetzt bzw. von ihr überlagert, die sich – wenn wir auf dem geschilderten Hintergrund den an geldwirtschaftlichen Gesichtspunkten orientierten Parteinamen folgen – nach der tatsächlichen sozialen Schichtung richtete (die freilich schwerer zu fassen ist als die ständische Strukturierung der städtischen Bevölkerung). Wir treffen auf eine als zweischichtig empfundene Gesellschaft[285]. Wenn wir die in der modernen Forschung verbreitete, aus dem Sprachgebrauch der Soziologie übernommene soziale Dreiteilung der städtischen Bevölkerung[286] zugrunde legen, bedeutet dies: Nicht nur die Angehörigen der »Oberschicht«, sondern auch die Besitzenden der handwerklichen »Mittelschicht« wurden zu den »Reichen« gezählt, denen die Angehörigen der »Unterschicht« und die weniger Bemittelten der handwerklichen »Mittelschicht« – also nicht nur die Armen in unserem heutigen Sprachgebrauch – als die »Armen« gegenübertraten. Dies wird auch in anderen Fällen, in denen die Quellen des späten Mittelalters von einem Gegensatz zwischen Armen und Reichen innerhalb der Bürgerschaft berichten, zu berücksichtigen sein. Man sollte also nicht davon ausgehen, daß darunter in der Regel Patriziat und Zünfte zu verstehen sind[287].

---

[285] Vgl. auch *W. Ehbrecht*: Bürgertum und Obrigkeit (wie Anm. 1).

[286] Vgl. vor allem die in Anm. 4 genannten, von *E. Maschke* und *J. Sydow* herausgegebenen Sammelbände »Gesellschaftliche Unterschichten« und »Städtische Mittelschichten«.

[287] Vgl. oben S. 102 mit Anm. 24a und 25.

In Gots namen amen. Wir Marquart Han, Heinrich Sueppan, Fricz von hern Zincken, Wolf Rose, Cunrat Rose, Volck von der Eglestern, Heincz vom Rotenkolben, Heincz von Bruennebach, Cuoncz Ziechlin, Tyrolf Scholle, Heincz Kelner zum Guldin Ringe, Fricz Schenck,

item Hans von Hoechheim, Ecck vom Juengen Henslin, Heinrich Vetterlin, Hans Vetterlin, Ecck Danyel, Heincz Lueczman, Hans sin brueder, Fricz Huenfelt, Fricz Margrefe, Sycz Vischlin, Syecz Rapot, Goecz Speckfelt,

item Heincz Stuepphfler der alte, Herman Meyer, Hans Meyr, Baldwin, Heincz Leyster, Hans von Hoechheim, Ullin Kerreczenmeister, Cuncz Cyrvas, Cuoncz von Auspurg,

item Bertolt Herren, Oettenwalt gnant, Goecz Herrlin, Fricz Herrlin, Hans Herrlin, Beczolt Herrlin, Heincz Strigel, Dyetrich Musel, Claus Hedrich, Hans Floezze, Luecz Hofman, Fricz Sweblin, Fricz Tesellin, Beczolt Beyr, Cuoncz Uebellin, Syefrid Rabnolt, Cuoncz Uluong, Sycz Muosel, Heincz Fuelhaber, Mercklin Hawenhart, Heincz Hawenhart, Hiltbrant von Suelczdorf, Hans Hoetisch, Cuoncz Buocz, Heincz Merterer, Fricz Bocksteche, Roterhans, Cuoncz Brechtlin, Cuoncz Grefe, Cuenczlin Grefe, Hans Ruellin, Heincz Kuebuech, Heinrich Wiezzenburg, Heincz Oeheim, Hans Ubellin, Ott Langman, Apel Veczer, Heincz Sarregozze, Hans Sarregozze, Cuoncz Studigel, Hertlin Nivergalt, Hans Sengwin, Heinrich Smencklin, Herman Bocklin,

item Heincz Floezze, Heincz Fuchstat, Heincz Fuchstat, Hans Fuochstat, Fricz Beyer, Wolf Engellin, Heincz Stoer, Wolflin Kobs, Cuoncz Kobs, Cuoncz Geweman, Cuoncz vor sant Stephans toer, Ryecholf Schel, Cuoncz Johan, Cuoncz Buoch, Heincz Lauer pfister, Hans Schiezzer, Woelflin Schiezzer, Heincz Smelcz, Hans Meweczel, Heincz Meweczel, Rychart Hezse, Rudiger Merczensheim, Hans Ottlin, Hans Negellin, Gernot Hilfmirselber,

item Cuoncz Hilfmirselber, Cuoncz Fricz, Hans Mueslin, Goecz von Hamelenburg, Goecz Hering muelner, Hans Lynsner,

item Dyecz von Sande, Ulrich von Oech, Luocz Schilher, Heincz Windsheim, Syecz Schublin, Hertlin jensit Mewens,

item Hans Negellin, Luocz Beppel, Beczolt Fuonck,

item Hans Schade, Cuoncz Vederberg, Hans Wyegant, Fricz Bolruezze, Heincz Gretlin,

item Cuonrat Rot, Wolflin im hof, Wolflin sin suon, Syecz Werre, Heincz Venczlin bim toer, Wolflin Torman, Fricz Kuoczelhus, Cuoncz Loeser, Cuenzlin Swop,

item Cuonrat Gerlach, Cuoncz sin suon, Heincz Venczlin in der Kindhof, Hartmuot Nuvewirt, Hans zuom Schakan, Kuon sin bruoder, Heincz Mercklin,

item Wolflin Kannengiezzer, Uelrich von Tuengen altmentler, Herolt ein zimerman, Heinrich Ruozze uof dem Eyrmarkt, Otte Fueterer, Heincz Sydenspinner, fueterer, Luepolt Hemming, Cuoncz Engelbolt, Hans Rotermuont, Syecz Elichbrot, wyenmezzer, Engel in dem Garten, Herman Masbach kremer, Hans Vischer

goltsmid, Goecz Engel snyder, Kruos wyenmezzer, Bueschlin wyenmezzser, Alle-meintage sin bruodere, die ryechen gnant, uof einsyten
und wir Heincz Schirmer, Bertolt Huosbolt, Fricz Ruogger und ander unser fruon-
de, die armen gnant, uof die andern syeten, buorgere zuo Wirczburg, bekennen
und tuon kuont offenlichen an disem brief allen den, die in sehent, lesent oder
hoerent lesen, daz zwischen uns beydersyt mit unsers hochwirdigen gnedigen her-
ren Albrechts byschofs zuo Wirczburg guonst, willen und wort uomb die
zweyuong, uoffleuffe, ansprach und vorderuonge, die wir die obgnanten armen
haben gen den obgnanten ryechen gnant von der schuolde und andrer sache we-
gen, damit wir und unsers vorgnanten herren stat zuo Wirczburg beladen und
beswert sin, geretde und geteyedigt ist, als hernach beschriben stet:
zuo dem ersten, daz wir, die vorgnanten armen, die vorderunge, clage und an-
sprach, die wir biz uof disen huetigen tag unserm vorgnanten herren Albrecht
byschof zuo Wirczburg von den vorgnanten ryechen getan haben, in guetlichen
dingen sollen lazzen sten und belyben hye zwischen[1] und dem suontag, der da
allernechst wirdet und koemet nach unsers Herren uffart tag, der schirst koemet,
denselben suontag und dieselben nacht[2] alle one geverde, unschedlichen uns bey-
den partyen an unsern rechten. Auoch ist mere geretde und geteydigt zwischen
uns, daz unserre twederre partye der andern fruende oder wercggnossen nicht
abezihn, in oder zu in nemen sollen noch sich anders meren sollen in dheine wise
one alles geverde. Were aber dez beschuoldigt wuorde, moecht oder woelt der oder
die, ir wer wenig oder vil, mit iren eyden und rechten sich davon nicht benemen,
die solten ein halb jare die vorgnant unsers herren stat zuo Wirczburg ruomen
czehen myle davon und in denselben zilen dahin nicht wider noch neher komen
one alles geverde one suonderlich straffuonge, die unser vorgnant herre Albrecht
byschof zuo Wirczburg in daruober anlegen und tuon mag, wie er dez danne zuo
rate wirdet.
Auoch ist mere beretde und geteydigt: wanne uns beydersyt und unsers vor-
gnanten herren byschof Albrechts stat zuo Wirczburg noetliche schuolde swerliche
anligend ist, davon man einen sacz umbe stuore und bete zuo nemen uomb den
nechsten sant Michels tag[3] tuon muozze, daz unser ieglicher partye irre fruende
zwene zuo demselben sacz geben und bescheiden. Und dieselben vier eins fuenften
ueberein komen sollen, doch mit unsers vorgnanten herren von Wirczburg guonst,
wizsen, willen und worte. Und was dieselben fuenf uomb den sacz also zuo rat
werden, daz sollen sie bringen und tragen an den vorgnanten unsern herren von
Wirczbuorg und sollen mit im davon also reden und ueberein komen, daz ez sin
guonst, willen und wort sye. Were ez aber sin wille und wort nicht, so sollen
dieselben fuenf keinen gewalt noch macht haben, dezselben saczs ueberein ze
komen. Auoch sollen die vorgnanten teydinge unserm vorgnanten herren von

[1] April 21
[2] Mai 9
[3] September 29

Wirczburg, sinem stifft und pfaffheit an iren briefen, fryeheiten, gewonheiten, gerichten und rechten kein hindersal noch schaden bringen in dheine wise one alles geverde.

Und daz wir die vorgeschriben beyde partye alle vorgeschriben teydinge stete und veste halten genczlichen und gar one geverde, haben wir unsern vorgnanten herren von Wirczburg gebeten, daz er sine und siner vorgnanten stat zuo Wirczburg insigele zuo eim gezuognuesse und warem urkuonde heizze henken an disen brief. Wir auoch Albrecht von Gots gnaden byschof zuo Wirczburg, der vorgnant, bekennen, daz alle vorgeschriben teydinge mit unsrer guonst und willen geschehen sin. Und dez zuo bestetiguonge, sicherheit und warem uorkuonde haben wir duorch der vorgnanten beyder partye bete willen unser und der vorgnanten unsrer stat zuo Wirczbuorg insigele heizzen gehenckt an disen brief, der gegeben ist zuo Wirczbuorg, da man zalt nach Crists gebuort drueczehenhuondert jare und darnach in dem einen und sechczigstem jare an der nechsten mittwochen vor sant Georien tag.

Original: Stadtarchiv Würzburg Urk.Nr.4485
Druck: vgl. oben Anm. 2.
Die Gliederung der Namenliste wurde von mir vorgenommen.

Dieter Demandt

Konflikte um die geistlichen Standesprivilegien im spätmittelalterlichen Colmar

Konflikte um die geistlichen Standesprivilegien bilden einen Teil der Auseinandersetzungen zwischen Stadt und Kirche im Spätmittelalter, allerdings einen wichtigen. So ist es gerechtfertigt, diesen Sonderaspekt einer umfassenden Darstellung des Verhältnisses von Stadt und Kirche im spätmittelalterlichen Colmar als erstes Ergebnis zu präsentieren. Zudem haben die Untersuchungen von G. Braeuner[1] und K. von Greyerz[2] erneut gezeigt, eine wie bedeutende Rolle diese Problematik in der Colmarer Vorreformation gespielt hat[3].

In den Beziehungen von Stadt und Kirche waren besonders gravierend das privilegium immunitatis, das für kirchliche Personen, Orte und Sachen die Befreiung von Abgaben und öffentlichen Lasten beanspruchte, und das privilegium fori, das für die Geistlichen die alleinige Zuständigkeit kirchlicher Richter forderte. Das privilegium canonis zum Schutz vor Realinjurien und das privilegium competentiae, das Geistliche vor Zwangsvollstreckung und Personalarrest bewahren sollte, spielten hingegen eine geringere Rolle.

Die Geistlichkeit genoß zwar den Schutz und Schirm der Bürgergemeinde, war aber nicht bereit, deren finanzielle Lasten mitzutragen. Sie gründete ihre Sonderstellung auf die kirchliche Gesetzgebung, die darin der spezifischen Ausbildung eines Priesterstandes in der lateinischen Kirche folgte. Grundlegend war der Kanon 19 des 3. Laterankonzils von 1179, der sich besonders gegen Steuerforderungen italienischer Städte wandte. Unter Androhung der Exkommunikation wurde ihnen verboten, Kirchen und Geistliche, die »pauperes Christi«, mit Abgaben zu belasten. Während in Frankreich und den Niederlanden dem kirchlichen Anspruch entgegengearbeitet wurde, unterstützte in Deutschland die Gesetzgebung des Reiches weitgehend diejenige der Kirche. Friedrich I. garantierte schon 1158 in der Constitutio pacis das privilegium immunitatis unter der Strafandrohung doppelter Rückerstattung des Abverlangten. Friedrich II. ergänzte

---

Der Abhandlung liegt ein Vortrag zugrunde, der am 5. 11. 1977 auf einer Tagung von Historikern aus Frankreich, der Schweiz und Deutschland in Colmar gehalten wurde.

[1] *G. Braeuner*: La Préréforme à Colmar (1522-75). In: Annuaire de la Société d'Histoire et d'Archéologie de Colmar 25 (1975/76) S. 55-72.

[2] *K. von Greyerz*: La Préréforme à Colmar, 1535-1555. Continuité ou rupture? In: Bulletin de la Société du Protestantisme Français CXXII (1976) S. 551-566.

[3] Konflikte mit einzelnen Konventen, in denen es u. a. auch um die Standesprivilegien ging, wurden zurückgestellt, da sie nicht von allgemeiner Relevanz für das Verhältnis von Stadt und Kirche waren.

kirchliche Bestrafung durch die des Staates, indem er Bruch des Privilegs mit Geldstrafe und Acht bedrohte, die erst nach kirchlicher Absolution zurückgenommen werden konnte. Umfassend war die Gesetzgebung Karls IV. zugunsten der Geistlichkeit und ihrer Privilegien. Besonders problematisch war, daß das Steuerprivileg nicht nur von Geistlichen in Anspruch genommen wurde, sondern auf ihre »familia« ausgedehnt wurde und sich dann als immunitas localis auch auf Häuser und Güter erstreckte[4].

Wie das Steuerprivileg so separierte auch das privilegium fori die Geistlichkeit von der Bürgerschaft und trug dazu bei, deren Einbürgerung zu verhindern. Auf Grund des kanonischen Rechts hatten Geistliche für alle straf- und zivilrechtlichen Streitigkeiten ihren eigenen Gerichtsstand vor dem geistlichen Gericht. Dort wurden jedoch nicht nur Rechtsstreitigkeiten zwischen Geistlichen verhandelt, vielmehr trugen Geistliche auch ihre Prozesse mit Laien vor diesem Gericht aus. Auch waren Laien gehalten, gegenüber Geistlichen ihr Recht vor dem kirchlichen Gericht zu suchen. Gegen dieses Privileg wurde besonders polemisiert wegen dessen Geltendmachung in ganz weltlichen Angelegenheiten. Damit verbunden wurde der Vorwurf, aus dem Privileg erwüchsen den Bevorrechteten Strafminderung und nachlässiger Strafvollzug[5].

Die geistlichen Standesprivilegien wurden für das Bistum Basel, in dem die Stadt Colmar lag, erstmals durch Bischof Peter von Aspelt in den Synodalstatuten von 1297 förmlich verkündet, die im Bistum grundlegend blieben[6]. Befreiung von weltlichen Steuern findet sich darin nicht, wohl aber die Befreiung von Zollabgaben[7]. Man wird davon ausgehen müssen, daß die Befreiung von Steuern, die gesamtkirchlich sanktioniert war, als selbstverständlich vorausgesetzt war, die Zollbefreiung jedoch einer Aktualisierung bedurfte. Nachdrücklich werden Verordnungen und Maßnahmen weltlicher Gewalten, unter denen auch die Städte genannt sind, gegen die Rechtsprechung des Basler geistlichen Gerichts verurteilt und mit Exkommunikation bedroht[8]. Weiterhin werden Maßnahmen gegen das Leben, die körperliche Unversehrtheit und die persönliche Freiheit von Geistlichen mit Exkommunikation und Interdikt bedroht[9]. Geistlichen wird unter Androhung des Entzugs des Schutzes geistlicher Privilegierung

---

[4] *A. Störmann*: Die städtischen Gravamina gegen den Klerus am Ausgange des Mittelalters und in der Reformationszeit. Münster i.W. 1916. S. 161 f. (Reformationsgeschichtliche Studien und Texte, Heft 24–26).

[5] Ebd. S. 178–188.

[6] *J. Trouillat*: Monuments de l'histoire de l'ancien Evêché de Bâle, tome III, Porrentruy 1854, Nr. 506, S. 655–665. Vgl. *K. Holder*: Basler Synodalstatuten. In: Katholische Schweizer-Blätter N. F. 20 (1904) S. 241–258. *W. Koch*: Die klerikalen Standesprivilegien nach Kirchen- und Staatsrecht unter besonderer Berücksichtigung der Verhältnisse in der Schweiz. Jur. Diss. Freiburg/Schweiz 1949. S. 94, 126, 140.

[7] *Trouillat*: II (wie Anm. 6) S. 658.

[8] Ebd. S. 660.

[9] Ebd. S. 661–663.

geboten, sich nicht in die Jurisdiktion weltlicher Richter verwickeln zu lassen[10]. Offenkundig hielt man in Basel die Stärkung der geistlichen Gerichtsbarkeit für vorrangig.

Die besonders detaillierten Ausführungen über die Gefangennahme von Geistlichen haben vermutlich konkrete Vorfälle in der Diözese Basel zum Anlaß. Unter dem Vorgänger Bischof Peters, Bischof Heinrich IV. von Basel, war die Stadt Colmar einige Zeit mit dem Interdikt belegt. Im Jahre 1280 verhängte Bischof Heinrich diese Strafe über die Stadt, da sie den kirchenrechtlich strafwürdigen Tatbestand der Gefangennahme von Geistlichen erfüllt hatte[11]. Unklar ist, ob 1290 die Gefangennahme von zwei Beginen und zwei Begarden in Colmar wegen Häresieverdachts auf Veranlassung des Lektors der Franziskaner zu Basel durch städtische Bedienstete erfolgte. Wenn das zutrifft, so handelte es sich um Amtshilfe, also nicht um eine Verletzung geistlicher Rechte[12].

Konflikte um die geistlichen Standesprivilegien hat es in Colmar vor allem wegen des privilegium fori gegeben. Zuständig war das geistliche Gericht in Basel, dessen Rechtsprechung in Colmarer Angelegenheiten nicht unbestritten blieb. Während des Hochmittelalters gelang es der Kirche zunehmend, ihre Gerichtsbarkeit materiell auszudehnen und selbstverständlich beanspruchte sie uneingeschränkte Zuständigkeit in Fällen der streitigen Gerichtsbarkeit, in die Geistliche verwickelt waren, besonders, wenn ein Geistlicher Beklagter war. Gegen diese Ausdehnung der geistlichen Gerichtsbarkeit wehrten sich im Reich trotz der kirchenfreundlichen Rechtspolitik Friedrichs II. und auch noch Karls IV. vor allem die Städte[13]. Angesichts dieses Zustandes mußte die Kirche vor allem darauf achten, daß die Verkündung kirchlicher Urteile in den Städten gewährleistet und damit die Durchsetzbarkeit der kirchlichen Rechtsprechung gesichert wurde. Wegen Ungehorsams gegenüber den Basler geistlichen Richtern wurde Colmar 1299 mit dem Interdikt belegt[14]. Es ist bemerkenswert, daß es dem Bischof von Basel gerade in der Zeit schärfster politischer und ideologischer Auseinandersetzungen zwischen Kirche und Staat unter Ludwig dem Bayern, die auch im Elsaß nicht ohne Echo blieben, 1 1/2 Jahre vor den Beschlüssen des Rhenser Kurvereins gelang, die Gerichtsbarkeit über Colmar wesentlich zu sichern. Die Stadt verpflichtete sich 1336, Briefe und Gebote des Bischofs von Basel und seiner Richter ohne Einschränkung in Colmar verkünden und beachten zu lassen[15].

---

[10] Ebd. S. 665.

[11] Annales Colmarienses maiores, MGH SS XVII, S. 206.

[12] Ebd. S. 217.

[13] *H. E. Feine*: Kirchliche Rechtsgeschichte. Die katholische Kirche. 5. Aufl. Köln/Wien 1972. S. 434.

[14] Annales Colmarienses maiores, MGH SS XVII., S. 225.

[15] *P. W. Finsterwalder*: Colmarer Stadtrechte. Bd. I. Heidelberg 1938. Nr. 81. (Elsässische Stadtrechte III).

Kaiser Karl IV. bekräftigte 1347 der Colmarer Bürgerschaft das Privileg der alleinigen Zuständigkeit des Schultheißengerichts in der Stadt[16]. Damit war die Ausschließung auch der auswärtigen geistlichen Gerichte, besonders des Basler geistlichen Gerichts, zwar nicht expressis verbis verbunden, aber doch zumindest angelegt. Im Jahre 1370 befreite er die Colmarer vom geistlichen Gericht in bürgerlichen Angelegenheiten[17]. Im Privileg seines Sohnes Wenzel von 1384 wurde ausdrücklich auch Befreiung von Gerichten auswärtiger geistlicher Fürsten ausgesprochen. Nur bei Rechtsverweigerung war auswärtige Klage möglich[18].

Ausdrücklich ausgenommen von der weltlichen Gerichtsbarkeit in der Stadt war das Kollegiatstift St. Martin. Dies wurde durch eine Entscheidung des Bürgermeisters und des Rates von Schlettstadt 1357 bekräftigt. Ausgehend von einem konkreten Fall, wurde die Exemtion des Stifts von Rechtsentscheidungen des Gerichts und des Rates der Stadt Colmar bestätigt[19]. Von Dauer war diese Schlichtung nicht. In einer Grundsatzentscheidung verlangte 1366 der Rat von allen Schaffnern des Stifts St. Martin, der Klöster und Klosterhöfe, die Recht vor dem Stadtgericht suchten, sich auch in Rechtsstreitigkeiten, die ihre Wirtschaftsverwaltung für Stift und Klöster betrafen, vor Rat oder Stadtgericht zu verantworten[20]. Damit wurde ausgeschlossen, daß die Schaffner, waren sie die Beklagten, sich auf das geistliche Gericht in Basel zurückzogen und die Durchsetzbarkeit bürgerlicher Forderungen unterliefen.

Die Befreiung von geistlicher Gerichtsbarkeit ermutigte die Stadt, die 1336 gegenüber dem Bischof von Basel eingegangene Verpflichtung zu lösen, indem sie die Briefe und Gebote des geistlichen Gerichts unterdrückte. Da die Bischöfe von Basel keineswegs geneigt waren, sich mit der Einschränkung von Kompetenzen ihres geistlichen Gerichts abzufinden, wurde die Stadt Anfang des 15. Jahrhunderts mit dem Kirchenbann bestraft, aus dem sie erst entlassen wurde, nachdem die Einhaltung der einmal gegebenen Zusage 1403 erneuert worden war[21].

Schon 1405 wurden dann in einem päpstlichen Privileg die berechtigten Klagen der Colmarer Führung über die Zitierung vor das bischöfliche Gericht in Basel, eben auch in ganz weltlichen Streitigkeiten, anerkannt und Bürger, Seß-

---

[16] Ebd. Nr. 92.

[17] *H. G. Gengler*: Codex juris municipalis Germaniae mediiaevi. Regesten und Urkunden zur Verfassungs- und Rechtsgeschichte der deutschen Städte im Mittelalter. Bd. 1. Erlangen 1863. Colmar Nr. 45 (Regest). Vgl. *Th. F. X. Hunkler*: Geschichte der Stadt Colmar und der umliegenden Gegend. Colmar 1838. S. 51.

[18] *Finsterwalder* (wie Anm. 15) Nr. 145. Vgl. auch die Bestätigung durch König Wenzel von 1397, in der die Gerichte auswärtiger geistlicher Fürsten nicht ausdrücklich genannt, aber auch nicht ausgenommen sind. Ebd. Nr. 151.

[19] Ebd. Nr. 112.

[20] Ebd. S. 300 (Altes Rotbuch).

[21] AMC (Archives Municipales de Colmar): GG 22/1. AAEB (Archives de l' ancien Evêché de Bâle, Porrentruy): A 41/3 von 1403 IX 10.

hafte und Einwohner der Stadt von der geistlichen Gerichtsbarkeit außerhalb der Stadt befreit. Alle Gerichtsverhandlungen sollten vor einem Offizial oder Richter, den der Basler Bischof in Colmar einzusetzen hätte, oder vor einem anderen Richter stattfinden. Appellation sollte an das erzbischöfliche Gericht in Besançon oder an den Apostolischen Stuhl erfolgen. Damit war das geistliche Gericht in Basel ganz aus dem gerichtlichen Instanzenzug ausgeschlossen. Die vom Colmarer Rat gegenüber dem Bischof von Basel eingegangene Verpflichtung, Mandate seines Gerichts in Colmar verkünden zu lassen, wurde damit außer Kraft gesetzt[22].

Der Bischof von Basel dachte nicht daran, sich zu fügen. Der Streit ging weiter. Offen war die Frage geblieben, in welchen Angelegenheiten das geistliche Gericht nun wirklich zuständig sein sollte. Nach einem undatierten Entwurf waren dies alle causae spirituales, causae spiritualibus annexae und causae spiritualibus mixtae. Zur Vermeidung von Mißverständnissen und Reibereien sollte die geistliche Rechtsqualität der Klage vom Basler Offizial ausgewiesen werden[23]. Im Jahre 1412 wurde durch den Basler Bischof Humbert von Neuenburg die Zuständigkeit präzisiert. Demnach kamen nur die klassischen Fälle kirchlicher Justiz vor das geistliche Gericht in Basel. In allen Mahn- und Vorladungsbriefen an Geistliche und Laien in Colmar sollte die Anklage genau angegeben werden, damit die Zuständigkeit überprüft werden konnte[24].

In die der Übereinkunft vorangehenden Verhandlungen war nach Ausweis des narrativen Teils der Urkunde das Stift St. Martin als maßgeblicher Kern der gesamten Colmarer Geistlichkeit eingeschaltet. Das nimmt nicht wunder, da deren Interessen entscheidend betroffen waren. In der städtischen Urkunde von 1336 sind Rechtsstreitigkeiten, an denen Geistliche beteiligt waren, gar nicht erwähnt, und man wird davon ausgehen können, daß dafür die Zuständigkeit des geistlichen Gerichts unbezweifelt war. Demgegenüber stellt die Ordnung von 1412 einen eindeutigen Schritt dar in der Richtung der von den Städten vertretenen Politik: geistliche Sachen vor das geistliche, weltliche vor das weltliche Gericht[25].

Alle kaiserliche und päpstliche Befreiung von auswärtigen und eben auch von auswärtigen geistlichen Gerichten half wenig, wenn sie von den Geistlichen nicht respektiert wurde. Tatsächlich scherte sich die Colmarer Geistlichkeit wenig darum und lud Laien vor das geistliche Gericht nach Basel, wann immer es ihr opportun erschien. Zwar erhielt die Stadt 1438 vom Stift St. Martin die Zusage, Rechtsstreitigkeiten mit Bürgern nur noch vor dem Stadtgericht, dem Rat oder einem Bürgermeister auszutragen[26], eine Zusage, die eo ipso für die gesamte

---

[22] AAEB: A 41/3 von 1405 III 14. AMC: BB 44 (Neues Rotbuch) p. 392–394.
[23] AMC: GG 22/5.
[24] AMC: GG 22/6.
[25] *Störmann* (wie Anm. 4) S. 196–199.
[26] AMC: BB 44. p. 369.

Geistlichkeit der Stadt galt, doch hielt man sich nicht daran. Trotz kaiserlicher und päpstlicher Privilegien liefen immer wieder Verfahren von Geistlichen gegen Colmarer Bürger in Basel. Immer wieder mußte die Stadt unter Berufung auf das Privileg intervenieren. Die spätmittelalterliche Korrespondenz der Stadt – soweit sie überliefert ist – enthält zahllose Schreiben, aus denen das Bemühen zu ersehen ist, Verfahren vom geistlichen Gericht abzuziehen und vor das städtische Gericht in Colmar zu bringen[27]. Dabei ergibt sich der Eindruck, daß rein quantitativ das Eingreifen der Stadt wegen solcher Verfahren am Ausgang des Mittelalters nachläßt.

Anfang des 16. Jahrhunderts häuften sich Gewalttätigkeiten von Geistlichen in der Stadt. Lange Zeit hatten zahllose Geistliche bei solchen Delikten die üblichen Geldbußen an die Stadt entrichtet[28]. Nunmehr ging steigende Kriminalität Hand in Hand mit der solidarischen Weigerung der gesamten Geistlichkeit, Geldstrafen zu akzeptieren. Es kam zur Konfrontation zwischen Geistlichkeit und Stadtregiment. Von der Härte und Unnachgiebigkeit der Geistlichkeit und der Verbitterung bei städtischer Führung und Bürgerschaft legt der Schriftwechsel mit dem Bischof von Basel und seinen Amtsträgern beredtes Zeugnis ab[29]. Die Stadt ersuchte ihn, in Colmar einzugreifen, sich um die Besserung des geistlichen Standes zu kümmern und die Konfrontation zu überwinden. In Basel war man natürlich nicht bereit, der Stadt Colmar irgendeine richterliche Kompetenz über Geistliche einzuräumen. Betroffen war man allerdings auch dort. So sah sich der Generalvikar Dr. Heinrich Schönau 1507 veranlaßt, die Stadt darum zu ersuchen, einen Priester im Einvernehmen mit dem Dekan von St. Martin in aller Stille, so daß er davon vorher nichts erführe, gefangenzunehmen und im Gefängnis zu verwahren, bis er von dort zur Aburteilung nach Basel gebracht würde[30]. Die Verhältnisse müssen sehr bedenklich gewesen sein, wenn der Generalvikar die Gefangennahme eines Geistlichen durch die Stadt erbat. Allerdings kam es auch vor, daß die Stadt ohne solches Amtshilfeersuchen einen Geistlichen festnehmen ließ und nach Basel überstellte[31]. Gelegentlich wurde von Basel aus Beschwerde eingelegt, wenn ein Geistlicher eingesperrt wurde und zu befürchten stand, daß die Stadt die Bestrafung an sich zog. Hin und her gingen Briefe, in denen von einer durch den Bischof zu bewerkstelligenden Aussöhnung die Rede ist. Immer wieder wurde die Stadt hingehalten und vertröstet. Es hieß, der Bischof sei mit anderen Geschäften überhäuft.

[27] AMC: BB 52 (Missivbücher) 1442–1452, 1508, 1518–1521).

[28] Einheimische mußten 2, Fremde 4 Gulden bei widerrechtlichem Waffengebrauch entrichten. AAEB: A 41/3 von 1510 III 18. König Sigmund hatte 1417 der Stadt die Strafgerichtsbarkeit über alle Einwohner eingeräumt: *uber menglichen, wer in der Ringmuern daselbs seßhafftig ist.* Den Geistlichen war kein besonderer Status im Sinne des privilegium fori zugesichert worden. AMC: AA 7/6.

[29] AMC: GG 23, 24, 25/4; BB 52 (1518–1521). AAEB: A 41/3; Cod. 332 (Missivbuch des Bischofs Christoph von Utenheim).

[30] AMC: GG 23/10.

[31] AMC: GG 23/13 und 14.

Bischof Christoph von Utenheim behandelte die Angelegenheit dilatorisch, bis er sich dann 1519 nach Colmar bemühte und sich um die Angelegenheit kümmerte. Der Streit um die von gewalttätigen Geistlichen an die Stadt zu entrichtende Geldbuße wurde jedoch nicht beigelegt, wie sich bald zeigte[32]. Die Konfrontation zwischen der Stadt und ihrer Geistlichkeit, an ihrer Spitze das Stift St. Martin, hielt unvermindert an, da Geistliche, unbesorgt um weltliche Strafen, ihre Gewalttätigkeiten fortsetzten. Im November 1521 schickte der Bischof dann eine Gesandtschaft nach Colmar unter Beteiligung des Basler Generalvikars Dr. Heinrich Schönau[33]. Die Vermittlung schlug jedoch fehl. Die Stadt ging weiter gegen gewalttätige Priester vor und unterwarf sie städtischer Ordnung. Daher forderte der Bischof Anfang 1522 die Stadt nachdrücklich und unter Androhung kirchlicher Sanktionen auf, das privilegium fori zu beachten und ihm die Bestrafung seiner Geistlichen einzuräumen[34]. Vom Bischof unter Druck gesetzt, erklärte die Stadt sich schnell bereit, zukünftige Straftaten von Geistlichen ordnungsgemäß anzuzeigen und die Bestrafung duch geistliche Richter abzuwarten. Der Bischof sagte zu, für die Bestrafung Sorge zu tragen[35].

Da von Basel aus eine tragfähige Schlichtung nicht erfolgte, nahm sich der Landvogt des Unterelsaß der Angelegenheit an. Bei der im August in Hagenau durchgeführten Verhandlung legten beide Seiten ihre gegensätzlichen Standpunkte dar. Bezüglich der Gewalttaten von Geistlichen wurde vom Landvogt und seinen Beisitzern als Kompromiß vorgeschlagen, daß Geistliche dem Kapitel angezeigt werden und von diesem deren Bestrafung verlangt wird. Geschehe das dann nicht, so solle man sich an den Bischof in Basel wenden. Da man städtischerseits befürchtete, Geistliche würden auf diese Weise kaum bestraft werden, schlug man vor, deshalb an den Bischof zu schreiben und seine Entscheidung des andauernden Konflikts zu erbitten. Dieser Vorschlag wurde vom Landvogt akzeptiert. Er verlangte vom Basler Bischof, einzugreifen, da die Zeitläufte – besonders bezüglich des geistlichen Standes – seltsam seien und, wenn der Bischof kein Einsehen habe, Schlimmeres geschehen könne[36]. Gemeint war gewiß ein Übergreifen der Reformation. Anfang Oktober wandte sich der Basler Bischof an die Stadt. Er erklärte, wegen anderweitiger Geschäfte habe er einen früheren Termin für eine Verhandlung zwischen Geistlichkeit und Stadt nicht aufrechterhalten können, setzte nunmehr einen Verhandlungstag für die 2. Oktoberhälfte an und lud die städtischen Vertreter zu diesem Termin nach Basel. Die Stadt erklärte sich dazu bereit und vertrat in Basel nachdrücklich ihren Standpunkt unter Berufung auf ihr von Kaisern und Königen verbrieftes Recht, Gewalttaten sowohl von Laien als auch von Geistlichen zu bestrafen, konnte sich jedoch

[32] AAEB: A 41/3 von 1519 X 11.
[33] AMC: GG 24/11, GG 25/4, fol. 1ʳ-6ʳ.
[34] AMC: GG 24/9.
[35] AMC: GG 25/8.
[36] AMC: 25/4, fol. 8ʳ-15ʳ. AAEB: A 41/3 von 1522 VIII 22.

damit nicht durchsetzen, so daß die Spannungen zwischen Stadt und Geistlichkeit anhielten[37].

Es mutet befremdlich an, wie der Bischof und seine Amtsträger in dieser Angelegenheit versagten, so daß der Landvogt als weltliche Instanz eingreifen mußte. Man könnte fast meinen, er habe Luthers Schrift »An den christlichen Adel deutscher Nation von des christlichen Standes Besserung« gelesen, in welcher bekanntlich angesichts des Versagens der kirchlichen Instanzen den weltlichen Herren das Geschick der Kirche ans Herz gelegt wird – freilich bei Luther mit reformatorischem Mandat und nicht im Sinne einer Stabilisierung der bestehenden Kirche. Andererseits ist es auch erstaunlich, daß noch 1522 im Angesicht der Reformation der Bischof das Colmarer Stadtregiment ohne große Schwierigkeiten dazu zu bewegen vermochte, das privilegium fori zu respektieren. Die bischöfliche Administration war voll funktionsfähig, die kirchlichen Ordnungsvorstellungen waren noch fest gefügt, die Emanzipation von der überkommenen Kirche noch nicht in Sicht.

Eine relativ frühe Nachricht über die Nichtbeachtung der geistlichen Steuerfreiheit ist aus dem Jahre 1286 überliefert. Eine damals vom Rat beschlossene Sonderabgabe wurde auch Kirchen und Klöstern auferlegt. Von der Zaghaftigkeit der Stadt bei diesem Vorgehen gegen die geistlichen Standesprivilegien legt eine Entschuldigungsäußerung an das Kloster Unterlinden Zeugnis ab[38]. Doch diese Nachricht steht relativ singulär da. Gravierend wird diese Problematik erst in den 30er Jahren des 15. Jahrhunderts[38a]. Bereits gegen Ende des 14. Jahrhunderts hatte sich die Stadt mit einem mit der geistlichen Steuerfreiheit zusammenhängenden Problem zu befassen, nämlich der Übereignung von Grund und Boden an Kirchen, Klöster und einzelne Geistliche, an die Tote Hand. Waren die Güter in geistliches Eigentum übergegangen, so unterlagen sie nicht mehr der städtischen Besteuerung. Angesichts der Akkumulation von Grundbesitz in der Toten Hand und dem daraus resultierenden finanziellen Verlust sind in den spätmittelalterlichen Städten vielfältige Versuche zu verzeichnen, die Besteuerung auch nach der Übereignung an die Kirche fortzusetzen, den Gütererwerb der Kirche einzuschränken, wenn nicht gar ganz zu unterbinden, oder aber die Rückveräußerung an Laien innerhalb einer bestimmten Frist zu erzwingen. Die Stadt Colmar wehrte sich gegen den Steuerentzug durch Übergang an die Tote Hand im Jahre 1392, indem sie anordnete, daß alle Steuerpflichtigen, die sich

---

[37] AMC: GG 24/6; GG 25/4, fol. 16ʳ-22ᵛ.

[38] Annales Colmarienses maiores, MGH SS XVII, S. 212. *Finsterwalder* (wie Anm. 15) Nr. 42.

[38a] Als die städtische Führung 1424 neue indirekte Abgaben einführen und diese auch von der Geistlichkeit erheben wollte, stieß sie bei deren großer Mehrheit auf Ablehnung. Widerstand kam jedoch vor allem aus Kreisen der Bürgerschaft, so daß man diesen Streit nicht primär als Konflikt um die Steuerfreiheit der Geistlichkeit zu würdigen hat. Vgl. *X. Mossmann*: Mémoire présenté au grand bailli d'Alsace sur une insurrection survenue à Colmar en 1424. Colmar 1882.

selbst und ihr Eigentum einem Kloster übergaben, Abzugsgeld in Höhe der fünffachen Gewerfsumme an die Stadt zu entrichten hatten[38b]. Damit war das Problem jedoch nicht grundsätzlich gelöst und überhaupt wird man diese Forderung noch als recht maßvoll bezeichnen müssen.

Wegen der beklagenswerten Verschuldung verordnete die Stadt 1431 eine Sondersteuer von einem Pfennig wöchentlich, den alle Colmarer Männer und Frauen, die über 14 Jahre alt und wirtschaftlich dazu in der Lage waren, 5 Jahre lang entrichten sollten. Von dieser Steuer sollten auch die Geistlichen, besonders diejenigen des Stifts St. Martin, möglichst nicht ausgenommen werden. Daher wandte sich die Stadt an die Prälaten und Kanoniker sowie an die Kapläne mit der Bitte, die Sondersteuer oder sonst eine finanzielle Unterstützung der Stadt aufzubringen. Nach interner Beratung teilte das Stift der Stadt seinen Beschluß mit, daß jeder Stiftsherr und Kaplan in den nächsten 5 Jahren jährlich 4 Schillinge dem Stadtsäckel zukommen lassen werde, also 48 Pfennige und damit nahezu den von weltlichen Personen aufzubringenden Betrag. Das Abrücken von der sonst allgemein zu entrichtenden Taxe wird man als bewußte Distanzierung von irgendeiner Besteuerung durch die Stadt zu verstehen haben. Der Rat bestätigte dann auch ausdrücklich, daß diese finanziellen Leistungen auf Bitten der Stadt und aus Freundschaft der Geistlichen aufgebracht würden, also nicht auf Grund eines Rechtsanspruchs, und daß sich daraus für die Folgezeit keine Beeinträchtigung der geistlichen Freiheiten ergeben werde[39].

Die finanziellen Verhältnisse der Stadt waren jedoch nicht so schnell zu sanieren und – durch das Entgegenkommen von 1431 ermuntert – zog die Stadt 1434 die gesamte Geistlichkeit auf dem Verordnungswege zu Abgaben heran. Von jedem Viertel Weizen oder anderem Getreide, das ein Geistlicher für das häusliche Brot mahlen ließ, sollte er 4 Colmarer Pfennige Mahlgeld bezahlen. Den Müllern und Torwächtern wurde eingeschärft, auf die Einhaltung dieser Bestimmungen zu achten. Man muß wissen, daß eine Besteuerung des zum Eigenverbrauch bestimmten Mehls der Geistlichen eine sehr schwerwiegende Maßnahme war. Abgabenfreiheit für Mehl und Wein zum privaten Konsum gehörte zum Minimum geistlicher Vorrechte, das im allgemeinen überall gewahrt blieb, auch dort, wo geistliche Standesprivilegien nur schwach behauptet werden konnten.

So ist es nicht verwunderlich, daß die Colmarer Geistlichkeit geschlossen und entschlossen Klage führte beim Basler Konzil und auf ihr Recht der Befreiung

---

[38b] *Finsterwalder* (wie Anm. 15) S. 322 (Altes Rotbuch). Ausgenommen waren Personen, die vom Abzugsgeld befreit waren, und Adelige.

[39] ADHR (Archives Départementales du Haut-Rhin): 4 G 24/2/2. In diesem Zusammenhang ist auch der Colmarer Entwurf für ein Privileg Kaiser Sigmunds zu verstehen, wonach alle Einwohner der Stadt ohne Ausnahme zu den städtischen Verteidigungslasten herangezogen werden sollten: *Finsterwalder* (wie Anm. 15) Nr. 179. Die finanziellen Schwierigkeiten der Stadt waren offenbar bedrängend.

von weltlichen Steuern pochte[40]. Die Stadt sei darauf aus, den Geistlichen noch weitere, schwerere Lasten aufzuerlegen. Auf die Klage der Colmarer Geistlichkeit hin ging zunächst als vom Konzil beauftragter iudex et commissarius der Bischof von Genf mit dem Instrumentarium kirchlicher Bestrafung gegen die Stadt vor und verlangte unter Androhung der Exkommunikation Respektierung der libertas ecclesiastica, also Rücknahme der Abgabenforderung und Unterwerfung unter das Konzil[41].

In der Entscheidung des Konzils vom 2. April 1435[42] wurde Bezug genommen auf die Gesetzgebung Friedrichs II. und Karls IV., die Beeinträchtigungen der libertas ecclesiastica mit reichsrechtlichen Strafen bedrohte. Es ist bezeichnend, daß gegenüber der Reichsstadt Colmar von seiten des Konzils gerade der reichsrechtliche Schutz für die geistlichen Standesprivilegien so stark in den Vordergrund gestellt wurde. Das Konzil beauftragte die Pröpste von St. Peter in Basel und Jung St. Peter in Straßburg sowie den Offizial von Konstanz, so lange mit Exkommunikation und Bann gegen diejenigen, die mit Abgaben und Besteuerung sowie durch Beschlagnahme und Inbesitznahme von Gütern Vorrechte und Rechte der Geistlichen mißachteten, vorzugehen, bis sie die eingetriebenen Abgaben sowie die beschlagnahmten Güter zurückerstattet und den Konzilsbeauftragten geschworen hätten, sich in Zukunft dergleichen nicht zuschulden kommen zu lassen noch dem Beihilfe zu leisten. Rechtsmittel wurden ausgeschlossen gegen diesen Entscheid und gegebenenfalls die Einschaltung des weltlichen Arms in Aussicht gestellt. Damit nicht genug, ließ sich das Stift St. Martin 1454 von Papst Nikolaus V. alle ihm von den Päpsten verliehenen Freiheiten und in Sonderheit die von Königen und Fürsten erteilten Befreiungen von weltlichen Steuern bestätigen[43].

Auch das Zisterzienserkloster Pairis in den Vogesen wurde 1435 der städtischen Abgabenordnung unterworfen. Von dem im Stadthof des Klosters verbrauchten und in Colmar gemahlenen Korn sollte es das gleiche Mahlgeld entrichten wie andere geistliche Personen in der Stadt. Das in das Kloster und seinen Bereich ausgeführte und zum dortigen Verzehr bestimmte Korn, Gemüse und andere Lebensmittel waren abgabenfrei. Was hingegen auf seine anderen Höfe und anderswohin ausgeführt wurde, sollte mit Mahlgeld belastet werden[44]. Das Zisterzienserkloster hat sich damit offenbar abgefunden. Das von der Stadt 1302 vertraglich zugesicherte Recht der freien Ausfuhr von Lebensmitteln und Getränken in das Kloster[45] blieb zwar unangetastet, die freie Ausfuhr zu anderen

---

[40] Das Basler Konzil ließ sich – ganz auf der Linie des Konziliarismus – den Schutz der geistlichen Standesprivilegien, namentlich des privilegium immunitatis, angelegen sein. Vgl. *E. Mack*: Die kirchliche Steuerfreiheit in Deutschland seit der Dekretalengesetzgebung. Stuttgart 1916. S. 103 f. (Kirchenrechtliche Abhandlungen, Heft 88).

[41] ADHR: 4 G 24/2/4–5.

[42] ADHR: 4 G 1/15.

[43] AMC: GG 26/18.

[44] AMC: BB 44. p. 379, 384.

[45] AMC: BB 44. p. 381. Pairis war durch königliches Privileg 1230 in Colmar von Zoll

Höfen, die ihnen damals ebenfalls eingeräumt worden war, wurde jedoch durch die Auferlegung eines Mahlgeldes eingeschränkt. Allerdings ist zu beachten, daß in der Übereinkunft von 1302 Pairis bezüglich der Ausfuhrabgaben Gleichstellung mit den anderen Colmarer Bürgern zugestanden wurde, die damals ebenfalls kein Ungeld bei der Lebensmittelausfuhr zu bezahlen hatten. Auf derselben Basis der rechtlichen Gleichstellung *als ander vnnser burger* erfolgte 1435 die Neuregelung. In diesem Zusammenhang ist zu berücksichtigen, daß das Kloster 1422 von der Stadt ein Darlehen genommen hatte und ihr gegenüber daher verpflichtet war. Wegen der Armut und Not des Klosters hatte Colmar ihm 300 Goldgulden für 25 Jahre geliehen und dafür einen Klosterhof mit all seinen Wirtschaftsgebäuden und Einkünften als Pfand erhalten[46]. Allerdings verbesserte sich die wirtschaftliche Lage des Klosters nicht, so daß sich die Stadt Colmar 1450 in einem Schreiben an das Generalkapitel des Zisterzienserordens in Cîteaux für die Erhaltung des Klosters Pairis einsetzen mußte[47]. Die Beziehungen zwischen Pairis und Colmar waren eng und reichten zurück bis in die frühe Verfassungsgeschichte der Stadt. Die erste überlieferte Urkunde der Colmarer Bürger als juristischer Person wurde im Jahre 1214 für das Zisterzienserkloster Pairis ausgestellt. Man wird möglicherweise diese Beurkundung eines Grundstücksverkaufs an Pairis durch die Bürgerschaft als eine Förderung der Ausbildung einer verfaßten Bürgerschaft in Colmar durch die benachbarte Zisterze zu verstehen haben[48].

In vielen Städten stellte der steuerfreie Weinschank der Geistlichen ein schweres Problem dar, das zu heftigsten Auseinandersetzungen führte, wenn versucht wurde, der Geistlichkeit Weinungeld abzuverlangen. Nicht selten wurde daraufhin das Interdikt verhängt und erst wieder aufgehoben, wenn die Stadt kapitulierte. Nicht so in Colmar. Dort verlief alles in recht geregelten Bahnen. Den Colmarer Geistlichen wurde vom Rat gestattet, eine eigene Trinkstube in der Stadt zu unterhalten. Als 1421 der Rat und die Zunftmeister entschieden, daß die Stube »Zum Loche« zu schließen sei und zukünftig nur noch die normalen Zunftstuben sowie die Stuben »Zur Krone« und »Zum Waagkeller« unterhalten werden sollten, wurde der Geistlichkeit das Recht auf eine eigene Stube bestätigt mit der Maßgabe, daß diese nicht in den Räumlichkeiten der aufgehobenen Stube »Zum Loche« eingerichtet werden sollte. Ausdrücklich wurde angeordnet, daß Laien jedweden Standes kein Stubenrecht mit ihnen haben sollten[49]. Dadurch wurde der Weinverkauf der Geistlichen an Laien zwar nicht unterbunden, aber

sowie Abgaben von Kauf und Verkauf befreit worden. König Konrad IV. untersagte 1242 der Stadt, das Kloster mit Abgaben und Ungeld zu behelligen, besonders weil es einen jährlichen Beitrag an Steinen bereitwillig und auf eigene Kosten zur Stadtbefestigung leistete. *Finsterwalder* (wie Anm. 15) Nr. 26 und 28.

[46] AMC: BB 45 (Ratsprotokolle) 1429–1459. p. 295 f.
[47] AMC: BB 52 (1449–1452) p. 269.
[48] *Finsterwalder* (wie Anm. 15) Nr. 19.
[49] Ebd. S. 325 (Altes Rotbuch).

doch jedenfalls der Ausschank steuerfreien Weins der Geistlichen an Laien in geistlichen Schankstuben ausgeschlossen und die indirekte Teilhabe von Laien an der geistlichen Steuerfreiheit mit der damit verbundenen steuerlichen Einbuße für die Stadt eingeschränkt. Die Mißhelligkeiten, die der Schließung der Stube »Zum Loche« – im Ratsbeschluß als *aberstube* bezeichnet – vorangingen, sind im einzelnen nicht zu rekonstruieren. Offenkundig hatte jedoch diese von der Geistlichkeit betriebene Stube regen Zulauf von Laien. Die Neuregelung erfolgte im Rahmen einer umfassenden Neuordnung des Stubenrechts.

Es wurde bereits eingangs auf die Tendenz zur Ausdehnung des Geltungsbereichs geistlicher Standesprivilegien hingewiesen. Bedenklich war besonders, daß die geistlichen Standesprivilegien nicht nur Geistlichen und kirchlichen Institutionen zugute kamen, sondern auch Laien, die als Diener und Pfründner von Kirchen und Klöstern angenommen wurden, in deren Genuß kamen und die Einbußen im Steueraufkommen der Städte noch vergrößerten. Auch in Colmar entwickelte sich die Ausdehnung der Gültigkeit geistlicher Standesprivilegien auf Laien zu einem schwerwiegenden Problem. Laien kauften Pfründen von Klöstern und weigerten sich dann, den Bürgereid zu leisten, bürgerliche Dienste zu übernehmen und Steuer zu zahlen. Hand in Hand damit ging die Akkumulation von Gütern und Ewigzinsen durch diese Klöster, also in geistlicher Hand, die Colmar nicht abzulösen vermochte. Angesichts der Folgen für den Stadtsäckel beschwerte sich die Stadt bei Kaiser Maximilian I., der auch sonst geneigt war, Klagen von Städten gegen übertriebene kirchliche Rechtspositionen wohlwollend zu prüfen. In Colmar schuf der Kaiser – nicht zuletzt, um die Ablieferung der Reichssteuer zu sichern – Ende 1516 durch ein Privileg Abhilfe. Es wurde bestimmt, daß alle Laien, die von den beklagten Klöstern als Pfründner aufgenommen waren oder sonst zu ihnen in einem entsprechenden Vertragsverhältnis standen und weltlichen Standes blieben, wie andere Bürger den Bürgereid zu leisten hatten und alle bürgerlichen Lasten übernehmen mußten. Bezüglich der liegenden Güter und Ewigzinsen wurde Ablösung mit der ursprünglichen Kaufsumme eingeräumt. Für die Fälle, in denen der urkundliche Beleg über den Kaufvertrag nicht beigebracht werden konnte, wurden für die Stadt zufriedenstellende Regelungen vorgesehen nach »gemeinem Landesbrauch und Herkommen«[50].

Grundsätzlich lösbar war die ganze Problematik der geistlichen Standesprivilegien durch Aufnahme der Geistlichkeit in das Bürgerrecht mit allen Konsequenzen, was die Übernahme bürgerlicher Lasten anbelangt[51]. Grundlegend für eine mögliche Einbeziehung der Colmarer Geistlichkeit in die Bürgergemeinde war ein Privileg Rudolfs von Habsburg von 1281, der das Kapitel von St. Martin, das innerhalb der Colmarer Geistlichkeit tonangebend war, in seinen und des

---

[50] Ebd. Nr. 197.
[51] Vgl. dazu *B. Moeller*: Kleriker als Bürger. In: Festschrift für Hermann Heimpel zum 70. Geburtstag am 19. September 1971. Bd. II. Göttingen 1972. S. 195–224. (Veröffentlichungen des Max-Planck-Instituts für Geschichte 36/II).

Reiches Schutz nahm und ihm dieselben Rechte zusprach, die die Colmarer Bürger besaßen: *Volentes, quod ipsi omnibus honoribus, commodis et utilitatibus gaudeant, quibus gaudent cives nostri de Columbaria seu hactenus sunt gavisi*[52]. Dieses im Vergleich mit anderen Städten keineswegs selbstverständliche Privileg wurde von König Albrecht I. 1300[53] und Friedrich dem Schönen 1315[54] in seiner Dispositio wörtlich bestätigt. Heinrich VII. sprach 1309 den Nonnen des Dominikanerinnenklosters Unterlinden die Nutzung aller Rechte und Gewohnheiten (*iura et consuetudines*) der Colmarer Bürger zu[55]. Im Jahre 1310 stellte er Abt und Konvent des Klosters Pairis den Bürgern von Colmar im Genuß der städtischen Rechte und Freiheiten gleich: *ius, consuetudo, privilegia, gratiae, libertates imperiales*. Abt und Konvent wurden der Bürgerschaft ausdrücklich als Mitbürger anbefohlen. Eine Besteuerung wurde aber untersagt[56]. Dieselbe Rechtsstellung kam dem Kloster in Schlettstadt, Breisach, Kaysersberg und Münster im Gregoriental zu. Er trug dem Landvogt im Elsaß und der Stadt Colmar den Schutz der Rechte und Güter von Pairis auf[57]. Andere elsässische Städte hatten das Kloster Pairis bereits vorher ins Bürgerrecht aufgenommen, so daß der Schritt des Colmarer Rates insoweit nichts Besonderes darstellte.

Die erste Aufnahme eines einzelnen Priesters in das Colmarer Bürgerrecht ist aus dem Jahre 1381 überliefert. Es handelt sich um Walter Küssepfennig. Ihm folgten 1384 Johan Bartmay, Kanoniker von St. Martin, und 1410 der Priester Clavelin von Meywihr[58]. Das sind ganze drei Einbürgerungen von Geistlichen aus der langen Zeit von 1361 bis 1494. Im Colmarer Bürgerbuch von 1512 – 1609 finden sich keine Personen aus dem Ordens- oder Weltklerus[59].

Waren Geistliche Bürger, so wurde ihnen von seiten der Stadtgemeinde auch der volle bürgerliche Schutz zuteil. Dem Bernhard von Bebelnheim entzog die Stadt 1389 das Bürgerrecht wegen verschiedener Vergehen, unter denen als erstes die Gefangennahme des Geistlichen Johans Kôchlin genannt wird. Nicht die Verletzung geistlicher Standesprivilegien wird hier ins Feld geführt, sondern das Bürgerrecht des gefangenen Geistlichen[60]. Colmarer Bürgersöhne behielten grundsätzlich das Bürgerrecht, wenn sie Geistliche wurden, konnten es aber

---

[52] *Finsterwalder* (wie Anm. 15) Nr. 36.

[53] Ebd. Nr. 51.

[54] Ebd. Nr. 59.

[55] Ebd. Nr. 54.

[56] Ebd. Nr. 56.

[57] Ebd. Nr. 55.

[58] *L. Sittler*: Les listes d'admission à la bourgeoisie de Colmar 1361-1494. Colmar 1958. Nr. 837, 972 a und 1625. (Publications des Archives de la Ville de Colmar, tome I). – Meywihr(Minrwilr), Wüstung im Bann von Ammerschwihr. Freundlicher Hinweis von Herrn Francis Lichtlé, Stadtarchivar von Kaysersberg.

[59] *R. Wertz*: Le livre des bourgeois de Colmar 1512-1609. Colmar 1961. S. XIV. (Publications des Archives de la Ville de Colmar, tome II).

[60] *Finsterwalder* (wie Anm. 15) Nr. 147.

auch wie andere Bürger verlieren, wenn sie gegen den Rat arbeiteten. Aufschluß- reich dafür ist eine Auseinandersetzung zwischen dem Kanoniker Arnold Erlin und der Stadt Colmar im Jahre 1438. Angesichts der allgemeinen Notlage erließ die städtische Führung eine Verordnung zur Einschränkung des Aufwandes bei Taufen, der Opfer und Schenkungen bei Hochzeit und Begräbnis[61], worüber die Geistlichkeit aufgebracht war wegen der damit verbundenen Ausfälle an Zuwen- dungen. Arnold Erlin, der auch sonst gegen den Rat gewirkt hatte, machte sich zu ihrem Sprecher[62]. Er entstammte einer Colmarer Familie, besaß also von Hause aus das Bürgerrecht und behielt es auch nach seinem Eintritt in den geistlichen Stand. Wegen seiner permanenten Attacken gegen den Rat, wegen Vorladung Colmarer Bürger vor auswärtige Gerichte entzog ihm der Rat den Schutz, der verfassungsgemäß nur solchen Geistlichen zukomme, die dem Rat gehorsam seien. In aller Form entließ er ihn, den Colmarer Bürgersohn, aus dem Bürgerrecht[63].

Eine definitive und förmliche Aufnahme der Geistlichkeit ins Bürgerrecht er- folgte während des Spätmittelalters nicht, obwohl dazu gute und tragfähige An- sätze bestanden. Diese Frage bleibt in Colmar eigenartig in der Schwebe, wie man ja überhaupt sagen muß, daß die politische Führung der Stadt mit der Geistlichkeit und ihrem besonderen Recht verhältnismäßig zurückhaltend um- gegangen ist.

Zusammenfassend muß festgestellt werden, daß sich die Konflikte um die geistlichen Standesprivilegien, namentlich das privilegium immunitatis, in Col- mar sehr in Grenzen gehalten haben. Der Stadt ist es offenbar gelungen, ihren Haushalt auch ohne Besteuerung der Geistlichkeit einigermaßen zu bestreiten, so daß Konflikte eher die Ausnahme bilden. Hartnäckiger waren in Colmar die Auseinandersetzungen um das privilegium fori, die sich allerdings erst unmittel- bar vor der Vorreformation zuspitzten. Zu scharfer Konfrontation zwischen Stadt und Geistlichkeit um die geistlichen Standesprivilegien kam es hier erst während der Vorreformation. Was sich in anderen Städten während des 15. Jahrhunderts zutrug, das konzentrierte sich hier während der ersten Jahrzehnte des 16. Jahrhunderts: v e r s p ä t e t e s S p ä t m i t t e l a l t e r.

Zur Verdeutlichung der Entwicklung in Colmar sollen nun noch die beiden elsässischen Reichsstädte Schlettstadt und Straßburg zum Vergleich herangezo- gen werden. Im benachbarten Schlettstadt, das zur Diözese Straßburg gehör- te, wurde 1416 das Interdikt verhängt, weil die Stadt einen Priester wegen eines strafwürdigen Delikts gefangengenommen hatte. Dies wurde vom Offizial als Angriff auf die geistlichen Standesprivilegien bestraft, die Stadt konnte sich je- doch beim Bischof loskaufen. In demselben Jahr untersagte der Rat den Bür- gern, vor dem geistlichen Gericht des Offizials in Straßburg zu erscheinen. Dar-

---

[61] AMC: BB 44. p. 365 f.
[62] Ebd. p. 367 f.
[63] Ebd. p. 369 f.

aufhin wurde er vom Konzil zu Konstanz mit der Exkommunikation bestraft und gab dann nach. Es ist nicht klar, ob der Ratsbeschluß sich besonders gegen Prozesse zwischen Geistlichen und Bürgern vor dem geistlichen Gericht wandte, aber solche waren natürlich eingeschlossen. Grundsätzliche Konflikte um das privilegium fori sind aus der Folgezeit nicht überliefert. Um 1473 verwendete sich die Stadt für einen Bürger, der auf Betreiben des Pflegers der Münsterfabrik in Straßburg exkommuniziert worden war, ebenso 1520 für einen einzelnen Mitbürger, der als Schuldner des Stifts Jung St. Peter in Straßburg auf Initiative des Kirchenpflegers exkommuniziert worden war. In beiden Fällen ging es um Auseinandersetzungen mit auswärtigen Kirchen. Eine größere Gruppe von Menschen war betroffen, als im Hungerjahr 1493 die Armen nicht in der Lage waren, die geschuldeten Abgaben an die Propstei St. Fides zu entrichten und daher vor das geistliche Gericht zitiert wurden. Die Stadt bemühte sich um eine Fristverlängerung[64]. Zwar ist Anfang des 16. Jh. in der Bevölkerung Schlettstadts eine Unzufriedenheit mit den zahlreichen Ladungen vor das geistliche Gericht und der Ausdehnung seiner jurisdiktionellen Zuständigkeit zu konstatieren. Von einem dramatischen Konflikt um das privilegium fori kann dabei jedoch nicht die Rede sein[65].

Um das privilegium immunitatis gab es 1425 mit den Johannitern *misshelle und spenne* wegen Zollabgaben von Wein und Getreide, die vom Unterlandvogt in Hagenau, also nicht von einer kirchlichen Instanz, dahin gehend geschlichtet wurden, daß persönlicher Bedarf und Naturalleistungen von Abgabenpflichtigen zollfrei sein sollten, die Johanniter sich aber zu einer jährlichen finanziellen Leistung an die Stadt verpflichten mußten[65a]. Zusammenfassend ist also zu konstatieren, daß Konflikte um die geistlichen Standesprivilegien in Schlettstadt – ähnlich wie in Colmar – relativ selten waren, wobei das privilegium immunitatis im Vordergrund stand. Ihren Höhepunkt hatten die Konflikte – im Gegensatz zu Colmar – im zweiten und dritten Jahrzehnt des 15. Jahrhunderts.

In Straßburg spielte im Verhältnis von Stadt und Kirche das privilegium immunitatis eine wesentlich größere Rolle als in Colmar. Bereits um 1280 sind erste Versuche zu registrieren, die Schenkungen und Vermächtnisse an die Tote Hand, und zwar an die Bettelorden, einzuschränken, wenn nicht zu unterbinden. Der sich einige Jahre hinziehende Konflikt wurde mit der Waffe des Interdikts zugunsten der Klöster entschieden[66]. Immer wieder unternahm der Rat Vorstöße, um dem Erwerb von Gütern durch die Tote Hand Grenzen zu setzen.

---

[64] *P. Adam*: Histoire religieuse de Sélestat. Tome premier: Des origines à 1615. Sélestat 1967. S. 149 f.

[65] Ebd. S. 179.

[65a] Ebd. S. 241

[66] *F. Rapp*: Réformes et Réformation à Strasbourg. Eglise et Société dans le diocèse de Strasbourg (1450–1525). Paris 1974. S. 110 (Collection de l'Institut des Hautes Etudes Alsaciennes, tome XXIII).

Der Umfang von Schenkungen und Vermächtnissen wurde 1300 beschränkt: Bürger durften in articulo mortis nur noch 1/100 ihres Besitzes der Geistlichkeit vermachen[67]. Die Stadt verlangte 1383 – wohl ohne Erfolg – den Verkauf von Vermächtnissen an die natürlichen Erben zum halben Preis[68].

Grundsätzlich unterband der Rat 1471 das Erbrecht der Nonnen, ließ nur noch den lebenslänglichen Nießbrauch zu und verlangte die Besteuerung der Hinterlassenschaft. Nach dem Tode der Nonne durften die von der Stadt bestimmten Treuhänder lediglich 100 Pfund des Erbes dem Kloster schenken[69]. Etwa ab 1480 stellte sich der Stadt das freie Testierrecht der Geistlichen auf Grund des indultum testandi, das ihnen letztwillige Verfügung über den gesamten Privatbesitz zugunsten der Kirche einräumte, als gravierendes Problem, ohne daß sie dagegen erfolgreich etwas zu unternehmen vermochte. Streitigkeiten, ausgelöst durch einzelne Testamente, sind aus der Folgezeit überliefert. Zum großen Grundsatzkonflikt kam es nicht[70]. Eine vergleichsweise geringe Bereicherungsmöglichkeit der Toten Hand limitierte der Rat 1453, als er das »ultimum vale« auf 30 Pfennig begrenzte, eine Abgabe, die dem Pfarrer zu entrichten war, wenn ein Toter nicht auf dem Friedhof seiner Pfarrei, sondern auf dem eines Klosters bestattet wurde. Zusätzlich wurde durch Begrenzung der Teilnehmerzahl bei Beerdigungen das Kollektenaufkommen eingeschränkt. Nach anfänglichem Widerstand der Weltgeistlichen konnte die Stadt sich bald durchsetzen[71].

Etwas später als die indirekten Maßnahmen gegen das privilegium immunitatis, gegen die Verminderung der Besteuerungsgrundlage durch die Akkumulation von Gütern und Geld in der Hand der Kirche, setzen die Versuche zur unmittelbaren Überwindung dieses Vorrechts ein. Nachdem der Rat 1322 dazu übergegangen war, die Wirtschaftsverwaltung der Klöster durch Pfleger zu kontrollieren und also Einblick in deren Reichtum bekam, gelang es ihm, wenngleich nicht ohne den nötigen Nachdruck, Kirchen und Klöster auf dem Verhandlungswege in bescheidenem Umfang der städtischen Steuerhoheit zu unterwerfen, indem sie nun Abgaben von Flößholz und für den Verkauf von Getreide sowie das Mahlgeld entrichteten[72].

Kritisch gestalteten sich die Verhältnisse in Straßburg gegen Ende des 14. Jahrhunderts unter Bischof Friedrich von Blankenheim. Die geistlichen Standesprivilegien wurden vom Rat mißachtet, namentlich das privilegium immunitatis. Die geistliche Gerichtsbarkeit wurde zurückgedrängt. Gleichzeitig ermutigte die Stadt die Geistlichkeit, die mit ihrem Bischof im Streit lag, gegen dessen finan-

---

[67] Ebd. S. 111, 413.
[68] Ebd. S. 111.
[69] Ebd. S. 413.
[70] Ebd. S. 414 f.
[71] Ebd. S. 415 f.
[72] Ebd. S. 111.

zielle Forderungen. Ein offener Konflikt zwischen Stadt und Geistlichkeit brach angesichts gemeinsamer Opposition gegen den Bischof nicht aus[73]. Nachdem unter Bischof Wilhelm von Diest die Streitigkeiten zwischen Geistlichkeit und Bischof sich zugespitzt hatten, der Bischof gefangengesetzt worden war, wurde in der Speyerer Rachtung von 1422 eine umfassende Regelung angebahnt, die das privilegium immunitatis bekräftigte und die geistliche Gerichtsbarkeit garantierte. Immerhin wurde für Rechtsstreitigkeiten mit den natürlichen Erben eines Geistlichen die Zuständigkeit des weltlichen Gerichts akzeptiert[74].

Während der Armagnakennot der Jahre 1439 bis 1444 steuerte die Geistlichkeit bereitwillig zu den städtischen Finanzen bei, sperrte sich danach jedoch gegen eine Abgabe zur Bewältigung der Verschuldung Straßburgs. In den Jahren 1461/2 und 1464 konnte die Stadt dann unter Verzicht auf jede sonstige direkte Besteuerung mit der Stiftsgeistlichkeit eine jährliche feste Abgabe vereinbaren, ein Abkommen, das bis 1524 hielt. Erneute Vorstöße des Rates, direkte Abgaben von der Geistlichkeit als Beitrag zur Stadtverteidigung zu erheben, scheiterten 1475 und während des 1. Viertels des 16. Jahrhunderts[75].

Das privilegium fori wurde erstmals tangiert, als 1314 der Stadt die Befugnis eingeräumt wurde, straffällig gewordene Geistliche festnehmen zu lassen und sie dann dem Offizialatsgericht zu überstellen. Im Jahre 1355 erließ der Rat dann eine Verordnung, wonach Geistliche Klagen in bürgerlichen Angelegenheiten nur noch vor das städtische Gericht bringen durften. Sieben Jahre später konnte die Stadt eine weitere Bresche schlagen, indem sie Streitigkeiten um gestiftete Pfründen, um Seelenmessen und allgemein um letztwillige Verfügungen vor städtische Instanzen zog[76].

Streitigkeiten wegen Nichtbeachtung des privilegium fori und Mißachtung der geistlichen Gerichtsbarkeit in den 60er und 70er Jahren des 14. Jahrhunderts konnten dann durch beiderseitiges Entgegenkommen zwischen Bischof und Stadt beigelegt werden[77]. Nachdem die bereits erwähnte Speyerer Rachtung von 1422 Konflikte im gerichtlichen Bereich geregelt hatte, kam es zwischen 1481 und 1490 zu schweren Auseinandersetzungen um die Zuständigkeit des geistlichen Gerichts, die die Stadt in rein weltlichen Angelegenheiten, Besitz von Grundstücken, Häusern und Renten in geistlicher Hand, bestritt. Durch Entscheidung Maximilians I. wurde die Vollstreckung diesbezüglicher Urteile geistlicher Gerichte von der Zustimmung der Stadt abhängig gemacht[78].

Insgesamt ergibt sich für Straßburg ein wesentlich anderes Bild als für Colmar. Zwar ist Anfang des 16. Jahrhunderts eine tiefe Bitterkeit bei Führung und

---

[73] Ebd. S. 121.
[74] Ebd. S. 125 f.
[75] Ebd. S. 410–412.
[76] Ebd. S 109.
[77] Ebd. S. 113.
[78] Ebd. S. 418.

Volk angesichts des Reichtums und der Raffgier der Geistlichkeit unverkennbar, zumal Versuche, von der Toten Hand den Rückkauf der auf Häusern lastenden Renten zu erreichen, im Sande verliefen[79]. Dennoch wird man sagen müssen, daß Konflikte um die geistlichen Standesprivilegien und damit zusammenhängende Probleme in Straßburg während des ganzen Spätmittelalters immer wieder das Verhältnis von Stadt und Kirche belasteten und nicht erst am Vorabend der Reformation sich zuspitzten.

Fragt man sich, warum die Konflikte zwischen Stadt und Geistlichkeit in Colmar so spät kamen und auch dann nicht zum Bruch mit der alten Kirche führten, so wird man ganz allgemein davon ausgehen müssen, daß das Bistum Basel im Spätmittelalter von seinen Bischöfen geistlich wohl versorgt wurde oder doch zumindest der gute Wille dazu bewiesen wurde. Das gilt auch von Bischof Christoph von Utenheim. Schon bald nach seiner Wahl berief er eine Synode nach Basel ein. Das Einladungsschreiben vom 27.9.1503 an den Diözesanklerus zeigt, wie sehr ihm der Lebenswandel der Geistlichen am Herzen lag. Dieses Anliegen erhellt auch aus der Eröffnungsrede am 24.10.1503, in der er auf den verbreiteten und sich steigernden Antiklerikalismus hinwies[80]. Mit den anläßlich der Synode verkündeten und noch 1503 gedruckten Statuten, die unter Verwendung der älteren Synodalstatuten des Bistums Basel wesentlich von seinem Freund Wimpfeling gestaltet wurden[81], proklamierte Christoph von Utenheim ein rigoroses Reformprogramm, mit dem er jedoch am Widerstand seiner Geistlichkeit, namentlich des Domkapitels, scheiterte, wobei nicht auszumachen ist, ob er selbst genügend Energie zur Durchsetzung der Reform aufbrachte[82]. Sein Verhalten während der Streitigkeiten zwischen Stadt und Geistlichkeit in Colmar läßt dies zweifelhaft erscheinen. Dennoch ist das Anliegen pastoraler Fürsorge und Reform des Bischofs in der Diözese kaum verborgen geblieben. Seinen Pfarrern befahl er allsonntägliche Predigten, und zwar über den jeweiligen Evangelientext *secundum litteram*[83] und im Schlußkapitel der Statuten wird ihnen eine Reihe von Büchern empfohlen, darunter das »Manuale curatorum« des Johann Ulrich Surgant, fünf Wochen nach dessen Tod und zehn Wochen nach Er-

---

[79] Ebd. S. 418 f.

[80] Statuta synodalia episcopatus Basiliensis. Basel 1503, fol. XXI^r-XXII^r Vgl. *L. Vautrey*: Histoire des Evêques de Bâle, tome II. Einsiedeln, New York, Cincinatti und St. Louis 1884. S. 60–62.

[81] *J. J. Herzog*: Christoph von Utenheim, Bischof von Basel zur Zeit der Reformation. In: Beiträge zur Geschichte Basels. Herausgegeben von der Historischen Gesellschaft zu Basel. Basel 1839. S. 39 f. Zu den Statuten vgl. *P. J. Higgins*: The career of Christoph von Utenheim, Bishop of Basel, 1502-1527. Phil. Diss. Ohio State University 1974 (Microfilm) S. 100–139, der im wesentlichen eine umfassende Inhaltsangabe bietet.

[82] *Herzog* (wie Anm. 81) S. 74–77. Vgl. auch *J. Hürbin*: Reformversuche im Bistum Basel in den Jahren 1471-1503. In: Katholische Schweizer-Blätter N. F. 17 (1901) S. 292–295.

[83] Alter Druck: fol. VI^r. *J. Hartzheim*: Concilia Germaniae. Bd. VI. Köln 1765, S. 8.

scheinen seines Buches[84]. Dabei handelt es sich fraglos um ein wichtiges Werk über Predigt und Liturgie, das bis 1520 mindestens neunmal aufgelegt wurde. Surgant verfaßte es in der Überzeugung, daß die Predigt zu den grundlegenden Aufgaben der Seelsorge gehöre und als wirksames Mittel der Kirchenreform anzusehen sei[85]. Die Predigt als instructio fidei et morum ist nach seiner Auffassung vor allem auf die Heilige Schrift zu gründen, die die ganze Wahrheit enthält, wohingegen in anderen kirchlichen Schriften Irrtümer nicht auszuschließen sind. Dem entspricht die Forderung einer Predigt *secundum litteram* in den Synodalstatuten. So nimmt es nicht wunder, daß Christoph von Utenheim anfangs große Sympathie für Luther hegte und mit Anteilnahme außer den Thesen eine Reihe seiner Schriften las. Es ist nicht sicher auszumachen, wann er sich von Luther abwandte. In einem auf den 8. 10. 1520 datierten Inventar von Büchern, die aus Basel nach Pruntrut, in die jurassische Residenz der Basler Bischöfe, gebracht worden sind, finden sich mehrere Lutherschriften, die der aufgeschlossene Bischof wohl auch dort nicht entbehren wollte[86]. Deutlich zu fassen ist seine Abkehr von der Reformation und ihren Konsequenzen im Jahre 1522 anläßlich eines Konflikts um einen Bruch der Fasten, als am Palmsonntag eine Gruppe von Humanisten ein Spanferkelessen veranstaltete, wobei die meisten Teilnehmer Priester waren[87].

Die Reformpolitik Christophs von Utenheim scheiterte. Man wird jedoch davon auszugehen haben, daß sowohl seine Statuten als auch das darin empfohlene Manuale curatorum Surgants in der Diözese Basel und eben auch in Colmar bekannt waren und Widerstand gegen einen so reformfreudigen Bischof mäßigten. Ein Bischof, der ein solches Gespür für die sich wandelnden religiösen Bedürfnisse des Volkes hatte und dem in aller Form Rechnung trug, stand offenbar nicht so sehr in der Gefahr, wegen eines Konflikts um die geistlichen Standesprivilegien, um den er sich trotz der reformatorischen Zeitläufe nicht so kümmerte, wie es erforderlich war, in Colmar den Gehorsam aufgekündigt zu bekommen.

---

[84] Alter Druck: fol. XX^v. Hartzheim VI (1765) S. 29. Vgl. *J. Konzili*: Studien über Johann Ulrich Surgant (ca. 1450–1503). In: Zeitschrift für Schweizerische Kirchengeschichte 69 (1975) S. 265. Zum Manuale curatorum: *D. Roth*: Die mittelalterliche Predigttheorie und das Manuale Curatorum des Johann Ulrich Surgant. Phil. I. Diss. Basel 1956. S. 149–186.

[85] *J. Konzili*: Studien über Johann Ulrich Surgant (ca. 1450–1503). In: Zeitschrift für Schweizerische Kirchengeschichte 70 (1976) S. 115–120. Zur Predigt: Ebd. S. 145–154.

[86] AAEB: A 9 Bibliotheca.

[87] *Herzog* (wie Anm. 81) S. 78–93.

Rolf Kießling

Stadt und Kloster

Zum Geflecht herrschaftlicher und wirtschaftlicher Beziehungen im Raum Memmingen im 15. und in der 1. Hälfte des 16. Jahrhunderts

Im Herbst des Jahres 1460 besetzte der Augsburger Bischof Kardinal Peter von Schaumberg das Kloster Ottobeuren, womit der Streit um die Herrschaft über die Benediktinerabtei einen gewissen Höhepunkt erreichte[1], in dem der Bischof – wie auch gegenüber der Reichsstadt Augsburg und dem Fürststift Kempten[2] – seinen Machtbereich ausdehnen wollte und anschließend Ottobeuren eine Zeitlang »wie sein Eigenthum« behandelte[3]. In diesem Zusammenhang notierte der Memminger Chronist Wintergerst mit dem Selbstbewußtsein des Reichsstädters, nachdem eine Verhandlung zwischen dem Kardinal und dem abgesetzten Abt ergebnislos verlaufen war: *wer er burger zuo Memmingen bliben wie seine vorfahrende, er were ohne zweifel vertragen worden*[4]. Das bedeutende, zwar in seiner Rechtsposition nie ganz gesicherte Kloster mit seinem gerade im Spätmittelalter zunehmend organisierten und recht geschlossenen Territorium[5] im

Abkürzungen: HStAMü = Hauptstaatsarchiv München, HStAStgt = Hauptstaatsarchiv Stuttgart, StAMem = Stadtarchiv Memmingen, StANeu = Staatsarchiv Neuburg/Donau; KL = Klosterliteralien, KU = Klosterurkunden, RL = Reichsstadtliteralien, RU = Reichsstadturkunden; RP = Ratsprotokolle; MGBll = Memminger Geschichtsblätter.

[1] Zum Vorgang vgl. *M. Feyerabend*: Des ehemaligen Reichsstifts Ottobeuren Benediktinerordens in Schwaben sämmtliche Jahrbücher. Bd. 2. Ottobeuren 1814. S. 673 ff.; zum Problem vgl. *P. Blickle*: Der Kampf Ottobeurens um die Erhaltung seiner Reichsunmittelbarkeit im 17. und 18. Jhdt. In: Studien u. Mitt. z. Gesch. d. Benediktiner-Ordens 73 (1962) S. 96–118, hier S. 104.

[2] Vgl. *A. Uhl*: Peter von Schaumberg 1424–1469, Kardinal und Bischof von Augsburg. Ein Beitrag zur Geschichte des Reiches, Schwabens und Augsburgs im 15. Jahrhundert. Diss. München 1940. Augsburg 1940.

[3] *F. J. Baumann*: Geschichte des Allgäus. 3 Bände. Kempten 1883–95. Hier Bd. 2 S. 390.

[4] Chroniken von Memmingen, Stadtbibl. Memmingen Cod. 2° 2,19. S. 98.

[5] Vgl. *P. Blickle*: Memmingen. München 1967. S. 61 ff. (Hist. Atlas von Bayern, Teil Schwaben. Heft 4); *J. Heider*: Grundherrschaft und Landeshoheit der Abtei Ottobeuren; Nachwirkungen im 19. und 20. Jhdt. In: Stud. u. Mitt. (wie Anm. 1) S. 63–95.

Schutz der etwa 10 km entfernten Reichsstadt Memmingen – dies wirft ein Schlaglicht darauf, wie interessiert die Bürgerschaft daran war, die Fäden über die eigenen Mauern hinaus auf das umliegende Land zu spannen. Das Verhältnis einer Stadt zu den in ihr und in ihrem Umkreis liegenden Klöstern eröffnet verschiedene Dimensionen für eine historische Analyse allgemeiner wie landschaftlicher Art. Zum einen das spätmittelalterlich- reformationsgeschichtliche Verhältnis zwischen Stadt und kirchlichen Institutionen[6], das mit der vorherrschenden Rolle der Stadt als Ort der Reformation[7] zusammenhängt, bildungsgeschichtlich-kulturelle Beziehungen zum anderen sowie die herrschaftliche und wirtschaftliche Verknüpfung der Stadt als zentralem Ort[8] mit dem sie umgebenden Land, die aus der herrschaftlichen Gliederung resultiert, lassen sich sowohl räumlich als auch funktional an diesem Beziehungsgeflecht ausschnittweise klären.

Die Einbindung einer Stadt in den sie umgebenden Raum, die schon 1916 R. Gradmann zu der Feststellung veranlaßte,»Hauptberuf der städtischen Siedlung ist es . . . ein Mittelpunkt ihrer ländlichen Umgebung zu sein«[9], muß freilich für historische Epochen zunächst erst einmal verifiziert werden, räumliche Grenzen müssen abgesteckt, Entwicklungstendenzen herauspräpariert werden, um zu sehen, inwieweit dieser Satz auch für frühere Epochen zutrifft[10]. In diesem räumlich-funktionalen Sinne soll im folgenden am Beispiel Memmingens versucht werden, das Verhältnis von Stadt und Kloster zu analysieren, und zwar in einer zweifachen Richtung: einmal die herrschaftlichen Verknüpfungen, die auf die-

---

[6] Vgl. etwa für die innerstädtische Struktur die Arbeiten von *K. Trüdinger*: Stadt und Kirche im spätmittelalterlichen Würzburg. Stuttgart 1978. S. 76 ff. (Spätmittelalter und Frühe Neuzeit. Tübinger Beiträge z. Geschichtsforschung. Hg. v. *J. Engel* und *E. W. Zeeden*. Bd. 1); *R. Kießling*: Bürgerliche Gesellschaft und Kirche in Augsburg im Spätmittelalter. Augsburg 1971. S. 131 ff. (Abhandlungen z. Gesch. d. Stadt Augsburg. Bd. 19); u. a. m.

[7] Vgl. *B. Moeller*: Reichsstadt und Reformation. Gütersloh 1962. (Schriftenreihe d. Vereins f. Reformationsgeschichte. Bd. 180) u. a.

[8] Zu dieser geographischen Theorie und der Diskussion ihrer Rezeption in der Geschichtswissenschaft vgl. *R. Kießling*: Stadt-Land-Beziehungen im Spätmittelalter. Überlegungen zur Problemstellung und Methode anhand neuerer Arbeiten vorwiegend zu süddeutschen Beispielen. In: Zeitschrift f. Bayer. Landesgesch. 40 (1977) S. 829–67.

[9] *R. Gradmann*: Schwäbische Städte. In: Zeitschrift d. Ges. f. Erdkunde zu Berlin 1916. S. 427, zit. nach *G. Kluczka*: Die Entwicklung der zentralörtlichen Forschung in Deutschland. In: Berichte z. dt. Landeskunde 38 (1967) S. 275–304, hier S. 276.

[10] In diesem Sinne wird man einer vorschnellen Übertragung moderner Vorstellungen auf das Mittelalter mit Vorsicht begegnen müssen, da die Ausbildung des zentralörtlichen, auf die Stadt bezogenen Systems sich wohl erst im Spätmittelalter vollzieht; vgl. demnächst *R. Kießling*: Herrschaft – Markt – Landbesitz. Aspekte der Zentralität und der Stadt-Land-Beziehungen spätmittelalterlicher Städte an ostschwäbischen Beispielen. In: Zentralität als Problem der mittelalterlichen Stadtgeschichtsforschung. Hg. v. *E. Meynen*. (Städteforschung, Reihe A, Bd. 8).

sem Wege auf das umgebende Land wirken und in den größeren Zusammenhang der territorialpolitischen Durchdringung gehören, sowie die wirtschaftlichen Faktoren, die die Klöster in den städtischen Marktbereich einfügen.

I

Der Problemkreis herrschaftlicher Verbindungen von Stadt und Land orientierte sich in der Forschung meist an der Frage nach der Bildung städtischer Territorien und hier wurde er meist wieder auf die Reichsstädte eingeengt[11]. Der Weg zum städtischen Territorium konnte dabei recht unterschiedlich sein; die Übertragung alter räumlicher Verwaltungsfunktionen an die Stadt oder der spätere Erwerb von Besitz- und Herrschaftsrechten wurden als Grundtypen herausgestellt[12]. Das Ergebnis mußte von vielen Faktoren abhängig erscheinen. P. Blickle hat am Beispiel Memmingens und Kemptens unterschiedliche Verlaufsformen herausgearbeitet, wobei er wesentliche Unterscheidungsmerkmale aus der herrschaftlichen Struktur des die Stadt umgebenden Raumes ableitete[13]. Er hat dabei dem Bürgerbesitz und, in zeitlicher Folge anschließend, insbesondere dem Spital mit Recht eine Schlüsselrolle zugesprochen. Die Frage stellt sich freilich, inwieweit gerade dieser Ansatz in einen größeren Zusammenhang zu stellen wäre, ob neben der Entwicklung des Spitalbesitzes und der städtischen Verfügungsgewalt darüber noch weitere Komponenten zu fassen sind, auch neben und unterhalb der Ebene formeller Hoheitsrechte auf der politischen Karte.

Der bei weitem mächtigste Grundherr unter den Memminger Klöstern war seit dem 14. Jahrhundert zweifellos das Kreuzherrenkloster mit seinem Hl.-Geist-Spital[14]. Die Kommunalisierung der Spitäler, die ja schon relativ früh einsetzte und konsequent ausgebaut wurde[15], kam in Memmingen um und nach der

[11] Aus der reichen Literatur zu diesem Problem vgl. die typologischen Studien von *K. Reimann*: Das Territorium der deutschen Reichs- und Freistädte. Diss. Breslau 1935; *E. Raiser*: Städtische Territorialpolitik im Mittelalter. Lübeck/Hamburg 1969. (Hist. Studien 406); *W. Leiser*: Territorien süddeutscher Reichsstädte. Ein Strukturvergleich. In: Zeitschrift f. Bayer. Landesgesch. 38 (1975) S. 967–81.

[12] So *K. Reimann* (wie Anm. 11).

[13] *P. Blickle*: Zur Territorialpolitik der oberschwäbischen Reichsstädte. In: Stadt und Umland. Protokoll der X. Arbeitstagung f. südwestdt. Stadtgeschichtsforschung Calw 1971. Hg. v. E. Maschke/J. Sydow. Stuttgart 1974. S. 54–71. (Veröff. d. Kommission. f. gesch. Landeskunde in Baden-Wttbg. Reihe B, Bd. 82).

[14] Vgl. den Überblick bei *N. Backmund*: Die Chorherrenorden und ihre Stifte in Bayern. Passau 1966. S. 220–23; *P. Blickle*: Memmingen (wie Anm. 5) S. 52 f., 186 ff.; *F. J. Baumann*: Allgäu (wie Anm. 3) S. 423 ff. (zum Teil bereits überholt); als Spezialarbeit *H. Gürsching*: Evangelische Hospitäler. Studien zur Rechtsgeschichte der »Vereinigten Wohltätigkeitsstiftungen« Memmingen. Memmingen 1930. S. 11 ff.

[15] Ich verweise hier nur auf das grundlegende Werk von *S. Reicke*: Das deutsche Spital und sein Recht im Mittelalter. 2 Bde. Stuttgart 1932. Hg. v. *U. Stutz*. (Kirchenrechtl. Abhandlungen, Heft 111/12); *J. Sydow*: Spital und Stadt in Kanonistik und Verfassungs-

Jahrhundertmitte zum Tragen: seit 1353 bestand eine Mitverwaltung bürgerlicher Pfleger, 1365 begann mit einer ungewöhnlichen Trennung von Klosterkonvent und Krankenpflegekomplex das für Memmingen charakteristische Neben-(eigentlich Über-)einander von »Oberhospital« und »Unterhospital« und damit die städtische Verfügungsgewalt über den umfangreichen Besitz des letzteren. Im Teilungsvertrag von 1365, bestätigt durch die Ordensleitung 1367[16], motiviert durch den drohenden finanziellen Ruin, verknüpfte die Stadt mit der finanziellen Sanierung die städtische Herrschaft. Die Kreuzherren überließen gegen die Zusage der Respektierung ihrer Ordensrechte und unter Beibehaltung der klostereigenen Pfarreien, der Ausübung der gottesdienstlichen Handlungen und der Nutzung der oberen Gebäudeteile samt einigem Zubehör und Versorgungsrechten sowie dem Immunitätsrecht im Spitalhof dem städtischen Rat und den von ihm eingesetzten Pflegern die Verfügungsgewalt über den Anteil der *Dürftigen*, und das waren die Wirtschaftsgebäude, die meisten Güter auf dem Lande und die damit verbundenen Herrschaftsrechte. Die Beteiligung an der jährlichen Rechnungslegung vor dem Rat, die Wahl der städtischen Pfleger und die gegenseitige Zusicherung, den Teilungsvertrag einzuhalten[17], verbürgte zwar weiterhin noch eine gewisse Mitwirkung der Kreuzherren, doch faktisch wurde das Unterhospital nun mehr und mehr zur städtischen Institution – wie sie in anderen Städten nicht immer so markant faßbar wird, zumindest nicht in Bischofsstädten wie Augsburg, wo der Domdekan als dritter Pfleger noch eine schwer exakt beschreibbare Kontrollfunktion behielt[18]. Spätestens Anfang des 16. Jahrhunderts gerät jedenfalls das Unterhospital in Memmingen unter die Kontrolle der städtischen Kanzlei, die die Urkunden ausfertigte[19], während die Ratsbeschlüsse die Güterpolitik steuerten[20]. Die im Teilungsvertrag von 1365 zusätzlich festgelegte Aufnahme des Klosters ins Bürgerrecht und damit den bürgerlichen

---

geschichte. In: Der deutsche Territorialstaat im 14. Jahrhundert. Hg. v. *H. Patze*. Bd. 1. Sigmaringen 1971. S. 175–95. (Vorträge und Forschungen Bd. XIII).

[16] HStAMü KU Memmingen Oberhospital: 1365 April 24, 1367 Sept. 10; weitere Ausfertigung StAMem 371/1.

[17] Diese Zeremonie wurde jährlich zu Beginn der Ratsperiode abgehalten, z. B. StAMem RP 1511 Juni 6.

[18] Vgl. *R. Kießling*: Augsburg (wie Anm. 6) S. 159 ff.; ähnlich gestaltete sich das Verhältnis in Regensburg, vgl. *P. Schmid*: Regensburg. München 1976. S. 177 ff. (Hist. Atlas von Bayern, Teil Altbayern. Heft 41); *ders.*: Regensburg – Bürgertum und Stadtregion im späten Mittelalter. In: Verh. d. Hist. Vereins f. Oberpfalz u. Regensburg 117 (1977) S. 259–78, hier S. 271 f.

[19] StAMem RP 1511 Febr. 19: Ratsbeschluß.

[20] StAMem RP 1511 Dez. 15: die Pfleger des Spitals erhalten vom Rat Gewalt, Güter zu kaufen bzw. über Lehen zu verhandeln; *W. Schlenck*: Die Reichsstadt Memmingen und die Reformation. In: MGBll (1968) S. 27 f., unterschätzt diese Eingriffsmöglichkeit ganz erheblich, wenn er wegen der »kirchlichen Einheit« die »juristische Person« Spital hervorhebt und deshalb eine »echte Teilung« ablehnt.

Schutz gegen eine jährlich zu haltende Totenmesse verpflichtete in gewisser Weise auch deren Besitz dem Gesamtkörper der bürgerlichen Stadt[21]. Dies war vor allem für den vom Oberhospital 1444 gekauften Weiler Oberholzgünz samt Herrschaftsrechten nicht ganz unwichtig. Das Unterhospital aber entwickelte im 14./15. Jahrhundert einen nahezu geschlossenen, auf der Ortsherrschaft aufbauenden Herrschaftsbezirk zwischen Memmingen und der Iller im Südwesten der Stadt, dann in Steinheim im Norden um die Mitte des 15. Jahrhunderts, zu dem Anfang des 16. Jahrhunderts noch weitere Komplexe kamen, und der eine der Säulen für das sich ausbildende Territorium der Stadt ausmachte[22]. Der umfangreiche sonstige Streubesitz des Spitals im Umkreis von etwa 10 – 15 km um die Stadt stellte darüber hinaus eine wichtige wirtschaftliche Basis für Memmingen dar.

Parallel dazu konnte der städtische Rat, wie nahezu überall im späten Mittelalter, eine Verfügungsgewalt auch über das Vermögen geistlicher Stiftungen durchsetzen[23], so daß der zugestiftete oder später angekaufte Besitz auch hier einer indirekten Einflußnahme der Stadt offenstand. Recht deutlich wird das in Memmingen etwa in der Stiftung der Dreikönigskapelle vor der Stadt durch den Bürger Nikolaus Tagbrecht 1399; Zentrum des Güterbestandes war der Besitz des Dorfes Lauben[24], das Tagbrecht 1383 gekauft hatte einschließlich Niedergericht, Zwing und Bännen, also der Dorfherrschaft. Die vom Rat eingesetzten Pfleger übten diese Rechte aus und fungierten als Lehenträger gegenüber dem Fürststift Kempten[25].

Relativ locker blieb das Verhältnis der Stadt zu dem wohl unter Welf VI. gegründeten Antoniterhaus[26], Sitz einer Generalpräzeptorei für einen sehr wei-

---

[21] Vgl. dazu den Vertrag von 1500 zwischen Oberhospital und Kloster Buxheim über Zehntrechte, in dem auf seiten des Oberhospitals neben dem Spitalmeister als Pfleger Endres Funck d.Ä. und Werner Heßlin genannt sind *in weltlichen Sachen*, mit deren *Rat, gunst, wissen und willen* der Vertrag geschlossen wurde; StANeu KL Memmingen Hl. Geist 1, fol. 293 ff.

[22] *P. Blickle*: Memmingen (wie Anm. 5) S. 187 ff.

[23] Es sei hier verwiesen auf die frühen Arbeiten von *A. Schulze*: Stadtgemeinde und Kiche im Mittelalter. In: Festgabe für R. Sohm. 1914. S. 105–42; *K. Frölich*: Kirche und städtisches Verfassungsleben im Mittelalter. In: ZRG KA 22 (1933) S. 188–287; vgl. auch die in Anm. 6 genannten speziellen Untersuchungen u. a. m.

[24] *P. Blickle*: Memmingen (wie Anm. 5) S. 219 f.

[25] Einzelnachweise sind in den RP enthalten seit 1508, etwa 1509 Okt. 24 (Holzrechte, Müller, Überfahren der Felder), u. a. m.

[26] Vgl. *A. Mischlewski*: Der Antoniterorden in Deutschland. In: Archiv f. mittelrhein. Kirchengesch. 10 (1958) S. 40 ff.; *ders.* in: *N. Backmund*: Chorherrenorden (wie Anm. 14) S. 236 ff.; *ders.*: Grundzüge der Geschichte des Antoniterordens bis zum Ausgang des 15. Jahrhunderts. Köln/Wien 1976. S. 198 ff., 310 ff. (Bonner Beiträge z. Kirchengesch. Bd. 8); auf das Bürgerrechtsverhältnis wird dabei jedoch nicht eingegangen. Erwähnt wird es demgegenüber bei *F. J. Baumann*: Allgäu (wie Anm. 3) S. 428 f.; *J. Miedel*: Führer durch Memmingen und Umgebung. 3. neubearb. Aufl. Memmingen 1929. S. 73.

ten Terminierbezirk. Es trat Anfang des 15. Jahrhunderts insgesamt ins Memminger Bürgerrecht ein[27]; 1445 mußte der Präzeptor Petrus Mitte de Caprariis die Steuerpflicht für ein angekauftes Haus in der Stadt akzeptieren, wobei die Höhe davon abhängig gemacht wurde, ob der jeweilige Präzeptor Bürger in Memmingen war oder nicht[28]; 1450 und 1501 ist ebenfalls die Aufnahme der Präzeptorei in das volle Bürgerrecht gegen eine Zahlung von 10 fl. jährlich überliefert[29], doch über den damit verbundenen Schutz ging die Einflußnahme des Rates offensichtlich nicht hinaus. Eigenartigerweise lehnte er sogar 1509 die Benennung von zwei Ratsherren als Schirmern über die vom Präzeptor gesetzten Verwalter ab[30].

Das Instrument der Pflegschaft[31] griff demgegenüber recht bald auch auf die übrigen Klöster der Stadt über. Beim Schottenkloster St. Nikolaus[32] wird sie im Sinne einer Vermögensverwaltung greifbar. Für das vor der Stadt gelegene Kloster, das wegen mangelndem Nachwuchs wie viele andere schon vor der Mitte des 14. Jahrhunderts zu verfallen begann, so daß schließlich 1388 ein Teil der Klostergebäude abgerissen und die verbleibende Seelsorgestelle von Weltgeistlichen besetzt wurde, schloß 1400 das Würzburger Schottenkloster mit der Stadt und ihren beiden Pflegern einen Vertrag, der einen Schlußstrich unter den Abbruch und die damit verbundenen Probleme zog[33]. Die Stadt war es auch, die um 1500 die Inkorporation dessen, was von dem im 15. Jahrhundert weitgehend von Ottobeuren als »Propstei« verwalteten Kloster übriggeblieben war[34], in das Augustinereremitenkloster betrieb, wobei sie sich 1502 die Vermögensverwaltung durch die Augustiner bestätigen ließ – und mit dem Abbruch des Restklosters 1512 und der Kirche 1529 auch das Ende vollzog. Der Besitz dieses Klosters war freilich recht bescheiden – 8 Jauchert Acker, ein Holz, der 1332 an die Stadt als Bleiche verkaufte Brühl, der Weiler Eichholz bei Dietmannsried[35] –, eine bedeutsame Rolle konnte er für die Stadt keineswegs spielen.

---

[27] *J. Miedel*: Führer (wie Anm. 26) S. 73 gibt als Datum 1414 an; vgl. auch *W. Schlenck*: Reformation (wie Anm. 20) S. 28, jedoch ohne Nachweis.

[28] HStAMü KU Memmingen Antoniter 1445 Sept. 24.

[29] StAMem Steuerbuch 1450, Bezirk *brimo statt: hochmaister prozeptter 10 fl.*; HStAMü KU Memmingen Antoniter 1501 Mai 25.

[30] StAMem RP 1509 Juli 9.

[31] Einen Teilaspekt, nämlich die Trägerschaft im Zusammenhang mit der Vergabe von Lehen an die Klöster (und Spitäler) behandelt *C. Schott*: Der »Träger« als Treuhandform. Köln/Wien 1975. S. 111 ff. (Forschungen z. dt. Rechtsgesch. Bd. 10).

[32] Vgl. *A. Mischlewski*: Die Abtei Ottobeuren und das Memminger Schottenkloster St. Nikolaus. In: MGBll (1963) S. 24–42, hier S. 27 f.

[33] *F. J. Baumann*: Allgäu (wie Anm. 3) S. 421 f.; der Vertrag von 1400 März 30 StAMem 368/1.

[34] *F. J. Baumann*: Allgäu (wie Anm 3) S. 423; *A. Mischlewski*: St. Nikolaus (wie Anm. 23) S. 37.

[35] *A. Mischlewski*: St. Nikolaus (wie Anm. 32) S. 28.

Für das im 13. Jahrhundert entstandene Bettelordenskloster der Augustinereremiten sind städtische Pfleger seit 1448 nachzuweisen, als sie im Rahmen des Kirchenbaus tätig wurden[36]. Die Vermögensverwaltung wird 1496 noch deutlicher greifbar, als der Ratsbürger Heinrich Löhlin als *Weingültpfleger* einen Zins von 2 fl. in Krumbach anlegte[37]. Die enge Verbindung zur Bürgerschaft zeigte sich schließlich auch darin, daß der Rat jährlich in der Augustinerkirche die städtischen Statuten beschwören ließ[38]. Wie in anderen Städten auch[39] griff der Rat mehrmals seit der Mitte des 15. Jahrhunderts in die Fragen der Klosterzucht ein, um eine Reform zu erzielen[40]. Innere Auseinandersetzungen unter dem Prior Rosner seit Beginn des 16. Jahrhunderts motivierten den Rat zu weiterer Einflußnahme, so daß schon in der ersten Phase der Reformation die Pflegschaft zu einer nahezu vollkommenen Beherrschung des Klosters gesteigert werden sollte[41]: 1521 wurden die den Mönchen aufoktroyierten beiden Pfleger beauftragt, *das sie Ir hab Inuentieren vnd beschließen vnd dem ain pfleger ain schlüssell darzu geben*[42]; sie stießen freilich zunächst auf den Widerstand der Mönche, so daß die Vorstellung der Stadt in dieser Phase nicht durchgeschlagen zu haben scheint. Größere geschlossene Güterkomplexe auf dem Land, die für die Stadt von Bedeutung sein konnten, waren freilich auch hier nicht vorhanden.

Eher der Fall war dies bei den Augustinerinnen von St. Elsbeth, den sogenannten Schwarzen Schwestern, die als Konvent im 13. Jahrhundert entstanden waren und später die Augustinerregel übernommen hatten[43]. Hier werden ebenso

---

[36] *J. Hemmerle*: Die Klöster der Augustiner-Eremiten in Bayern. München-Pasing 1958. S. 40–44. (Bayerische Heimatforschung. Heft 12), behandelt zwar den Ratseinfluß, nicht aber die Pflegschaft als Instrument des Rates. Demgegenüber nennt *F. J. Baumann*: Allgäu (wie Anm. 3) S. 429, die Pfleger 1448.

[37] HStAMü KU Memmingen Augustiner 1496 Mai 6 (Kopie).

[38] HStAMü RU Memmingen 1491 Mai 10: Unbedenklichkeitserklärung des apostolischen Nuntius in dieser Sache.

[39] Vgl. zu dem Verhältnis Augsburgs zu den Bettelorden *R. Kießling*: Augsburg (wie Anm. 6) S. 132 ff.; für Nördlingen *S. Wittmer*: Die Nördlinger Barfüßer. Diss. Erlangen 1956. S. 62 ff.

[40] Chronik Wintergerst (wie Anm. 4) S. 140 ff. zum Jahr 1473; *F. J. Baumann*: Allgäu (wie Anm. 3) S. 429 f. zum Jahr 1500; *J. Hemmerle*: Augustiner-Eremiten (wie Anm. 36) S. 40 f.

[41] Inwieweit aufgrund der Übertragung des Schutzes an die Klöster Ottobeuren, Rot und Roggenburg zur Aufrechterhaltung der Ordensprivilegien im Jahre 1494 (HStAMü KU Memmingen Augustiner 1494 Febr. 17) eine Unterbrechung der städtischen Pflegschaft erfolgte, ist nicht ersichtlich; wenn das geschah, dann sicher nur kurzfristig, wie der Beleg von 1496 (s. Anm. 37) zeigt. Auch 1511 werden Pfleger im Streit zwischen den Augustinern und den Pfarrern genannt (StAMem RP 1511 Mai 7).

[42] StAMem RP 1521 Aug. 2, u. a.; *W. Schlenck*: Reformation (wie Anm. 20) sieht diesen Ansatz nicht.

[43] *J. Hemmerle*: Augustiner Eremiten (wie Anm. 36) S. 44–47; *F. J. Baumann*: Allgäu (wie Anm. 3) S. 436; eine sehr detaillierte Arbeit, die auch für das Verhältnis zum Rat der Stadt vieles beiträgt: *M. Hausner*: Die Visitation des Aegidius von Viterbo im Kloster der Augustinereremitinnen zu Memmingen. In: MGBll (1972) S. 5–92.

beide bisher festgestellten Elemente der Pflegschaft im 15. Jahrhundert sichtbar. 1453 und 1468 veranlaßte der Rat eine Reformierung des Klosters durch den Memminger Augustinerprior. Bei der Visitation von 1516 zur weiteren Verschärfung der Klosterzucht, die den Protest der Klosterfrauen heraufbeschwor[44], ergriff der Rat jedoch Partei für die Nonnen, postulierte sogar dabei eine vorherige Informations- und Konsultationspflicht und trug damit zu einer Steigerung des Konfliktes zu einer grundsätzlichen und langwierigen Auseinandersetzung bei.

Wichtiger für unsere Fragestellung ist, daß auch hier der Besitz des Klosters in die städtische Verfügungsgewalt eingepaßt wurde: 1432 schlossen die Schwestern auf Rat ihres Pflegers und Empfehlung des Rats mit dem Spital einen Vertrag, wonach ihre Armenleute zu Bronnen wie Spitaluntertanen betreut werden sollten[45], womit sich erstmals eine gemeinsame, vom Rat überwachte Güterverwaltung und Herrschaftsausübung andeutete. Die Pfleger vertraten das Kloster auch in grundherrschaftlichen Streitigkeiten und anderen Fragen der Temporalien, so z.B. 1506, als ein Vertrag zwischen Kloster und der Konventfrau Amalya von Eisenburg über die Abfindung einer Erbschaft geschlossen wurde[46]. Daß die Verwaltung letztlich vom Rat gesteuert wurde, dokumentiert eine Notiz in den Ratsprotokollen von 1520, wonach der Rat den Pfleger Hans Tochtermann aufforderte, im Streit des Klosters um Holzrechte zu Bronnen mit Jörg Besserer zur gütlichen Einigung zu kommen, ansonsten er die Frage vor sich zu ziehen beabsichtigte[47].

Die Kontrolle über das Vermögen wird besonders deutlich beim Franziskanerinnenkloster Maria Garten[48], das seit seiner Gründung 1444 städtischen Pflegern unterstand: 1448 wird Jörg Wagelin als solcher beim Kauf eines Hauses in der Stadt genannt[49], 1485 erhalten der Straßburger Provinzial und die beiden Pfleger Heinrich Löhlin und Thomas Ott von der Stadt die Erlaubnis zum Bau eines direkten Ganges vom Kloster zur Pfarrkirche Unser Frauen[50]. Um und nach 1500 bis in die 20er Jahre erwarb das Kloster, in der Regel durch seinen Pfleger Heinrich Löhlin, eine stattliche Reihe von insgesamt 21 Ewig-

---

[44] *M. Hausner*: Visitation (wie Anm. 43) S. 11 ff.

[45] HStAMü KU Memmingen Augustinerinnen 1432 Juli 28.

[46] Ebd. 1506 März 13.

[47] StAMem RP 1520 Jan. 11.

[48] Neben *F. J. Baumann*: Allgäu (wie Anm. 3) S. 437, vor allem *P. B. Lins*: Geschichte des ehemaligen Frauenklosters Maria Garten in Memmingen. In: Franziskanische Studien 34 (1952) S. 265–289, 407–424; *ders.*: Das Terzianerinnenkloster Maria Garten in Memmingen. In: Bavaria Franciscana Antiqua. Bd. 2. München 1958. S. 407–13, bietet lediglich eine Zusammenstellung chronikalischer Notizen, die offensichtlich auf der Hs. StANeu Kl. Akten Memmingen Maria Garten Nr. 4 (1447–1572) beruht. Die Pflegschaft ist in beiden Arbeiten nicht berücksichtigt.

[49] HStAMü KU Memmingen Franziskanerinnen 1448 März 24 (Insert in 1533 Juli 16).

[50] Ebd. 1485 April 30.

zinsen in kleineren Beträgen mit einem Gesamtwert von ca. 60 fl. – also einem Kapitalwert von ca. 1200 fl. – vor allem im ländlichen Umkreis im Südosten der Stadt[51]. Der gleiche Pfleger tritt auch 1518 gegenüber Ottobeuren als Lehenträger für den 1511 von Georg Zwicker übertragenen Hof zu Lachen auf, 1530 Ludwig Löhlin in gleicher Eigenschaft gegenüber dem Abt von Kempten für Gülten zu Dietmannsried[52] – dem einzigen Grundbesitz, den das Kloster außerhalb der Stadt besaß[53].

Die in diesen Formen faßbare Herrschaftsausübung über Unterspital, Stiftungen und Klöster nahm schließlich spätestens seit etwa 1500 Züge der Territoriumsbildung an, denn in der faktischen Verwaltung wurde zwischen der jeweiligen institutionellen Zugehörigkeit und dem zeitweiligen unmittelbaren Herrschaftsbesitz der Stadt kein wesentlicher Unterschied gemacht. Vielmehr scheint der raum- und finanzpolitische Aspekt den Ausschlag gegeben zu haben für die Entscheidung, ob die Stadt selbst den Besitztitel erwarb oder nicht. Der Ankauf des Dorfes Egelsee 1495 etwa und seine Abrundung in den folgenden Jahren muß im Zusammenhang mit dem wichtigen Illerübergang gesehen werden[54]. Für den Erwerb von Woringen[55] 1516 dürfte das mit dem Fürststift Kempten geteilte Hochgericht eine Rolle gespielt, für den Kauf von Frickenhausen 1520[56] ebenfalls die von den Vöhlin als Vorbesitzern erst 1517 erwirkte und nicht unumstrittene Hochgerichtsbarkeit[57] den Ausschlag gegeben haben, denn die wirtschaftliche Verwaltung wurde zumindest zeitweise dem Spital angegliedert[58]. Die Transaktion ans Spital 1547 erfolgte aber aus akutem Geldmangel der Stadt wegen der Kontributionen nach dem verlorenen Schmalkaldischen Krieg[59].

[51] Ebd. 1500 bis 1523, alle inseriert in 1533 Juli 16.

[52] Ebd. 1518 März 22; 1530 Mai 16; beide ebenfalls inseriert in 1533 Juli 16.

[53] Zu entnehmen aus der Inventarisierung der Klostergüter von 1531 bzw. 1533, die durch die Räumung des Klosters von seiten der Schwestern im Zusammenhang mit den Reformationsereignissen erfolgte (s. dazu unten); da keine anderen Nennungen in diesem Libell vorhanden sind, dürfte das Kloster auch keine anderen Güter auf dem Land besessen haben, woraus sich zudem die Tendenz zum Kapitalzins deutlich ablesen läßt.

[54] *P. Blickle*: Memmingen (wie Anm. 5) S. 242 f.; doch scheint mir neben den Einnahmen die Kontrolle der Brücke für den Marktverkehr als Motiv für den Erwerb entscheidend! Vgl. auch *R. Rauh*: Der Illerzoll der Herrschaft Marstetten zwischen Kempten und Kellmünz. In: Ulm und Oberschwaben 37 (1964) S. 47–84.

[55] *P. Blickle*: Memmingen (wie Anm. 5) S. 195 ff.; *R. Stepp*: Die Herrschaft Woringen im Mittelalter. In: MGBll (1952/53) S. 10–14, (1954) S. 1–4, (1959) S. 12–17. – Die Verhandlungen über den Aufkauf können sehr schön in den Ratsprotokollen verfolgt werden: 1513 Okt. 21, 1515 Sept. 12 usw. bis 1516 Sept. 12.

[56] *P. Blickle*: Memmingen (wie Anm. 5) S. 189.

[57] *P. Blickle*: Territorialpolitik (wie Anm 13) S. 63.

[58] StAMem RP 1520 Nov. 3: die Spitalpfleger sollen für dieses Jahr die Zinsen und Gülten einnehmen und verwalten; 1527 Mai 29, Juni 7: Nutzung für 4 Jahre ans Spital.

[59] *J. F. Unold*: Geschichte der Stadt Memmingen vom Anfang der Stadt bis zum Tode Maximilians Josephs I. Königs von Bayern. Memmingen 1826. S. 156 f; die Urkunden

Sowohl Spital- wie Stiftungspfleger und die Pfleger der der Stadt unmittelbar unterstellten Herrschaften verwalteten ihre Gebiete aufgrund von Ratsbeschlüssen; dessen Weisungen richteten sich an die Amtleute *in allen Dörfern die vns vnd den vnsern gehören*[60], wenn dabei überhaupt unterschieden und nicht von den Dörfern bzw. den Untertanen auf dem Land schlechthin gesprochen wurde[61]. Und als 1524 ein Landammann bestellt wurde, sollte dieser Bürgermeistern, Rat und *allen Iren dorffern verordneten pflegern* sowie dem Spitalhofmeister gehorsam sein[62].

Zusammen mit dem herrschaftlichen Besitz der einzelnen Bürger der Stadt, der im 15. Jahrhundert den Höhepunkt erreichte und bis zur Mitte des 16. Jahrhunderts weiterhin ganz erheblich blieb, ergab sich so ein relativ geschlossener, von Grundbesitz und Niedergericht, Gebots- und Verbotsgewalt bestimmter Herrschaftsraum des Stadtkörpers insgesamt[63], der um 1500 vor allem im Norden und Nordosten der Stadt etwa 12–20 km erreichte, im Süden und Südosten bei 10 km seine Grenze fand, um östlich von Ottobeuren noch einen weiteren Schwerpunkt um Rettenbach und Gottenau herauszubilden. Seine konkreten Erscheinungen sind im Bereich der Landfriedenswahrung schon Anfang des 15. Jahrhunderts faßbar[64], sie intensivieren sich in der Gebots- und Verbotsgewalt sowie seit etwa 1510 in der sich verstärkt durchsetzenden Rechtsprechung für die städtischen, stiftischen und bürgerlichen Dorfgerichte vor dem Memminger Stadtgericht[65], was 1521 durch ein Privileg für einen formellen Appellationszug abgesichert werden sollte[66].

HStAMü RU Memmingen 686, 687, 691: 1547 Sept. 14 Verkäufe von Woringen und der Hälfte von Frickenhausen, bzw. Lehenbrief des Stiftes Kempten von 1548 Okt. 8.

[60] StAMem RP 1512 Aug. 18; hier geht es darum, Achtung auf gefährliche Leute zu haben.

[61] StAMem RP z. B. 1512 Dez 6, Dez. 13, u. a. m.; vgl. auch die Zuchtordnung von 1520: HStAMü RL Memmingen 17.

[62] HStAMü RL Memmingen 12/1, fol. 26 b, dto. 13, fol. 39: Ordnung des Landammanns; StAMem RP 1524 Nov. 18: Ratsbeschluß.

[63] Diese Zusammengehörigkeit betont auch *P. Blickle*: Memmingen (wie Anm. 5) S. 265 ff., und *ders.*: Territorialpolitik (wie Anm. 13) S. 62 u. a.

[64] StAMem 266/2, fol. 88: Ordnung für die Hauptleute von 1424/27, dabei werden auch solche für die Dörfer genannt, nämlich für (Nieder-)Rieden, Boos, Heimertingen, Pleß und Fellheim. Im 16. Jahrhundert werden diese Einungen immer wieder in den Ratsprotokollen greifbar, z. B. 1509 Juli 9: die Einung soll geschworen werden in Rettenbach, Lauben, Ungerhausen; u. a. m.

[65] StAMem RP 1509 Juli 9: für Lauben; 1523 Febr. 27: für Steinheim (spitalisch); 1534 Okt. 12: dto. für Steinheim; 1522 März 26: für Rettenbach. 1513 Mai 23 und 1515 Nov. 21 waren noch Ratschläge für das Gericht Holzgünz erlassen worden, 1518 April 28 wird ein Handel vor das Stadtgericht gezogen, weil das dortige Gericht funktionsunfähig war.

[66] StAMem RP 1521 Jan. 9: *vnd das die an den aussern vnnsern vnnd der vnnsern gerichten nicht on alles mittel an Kay. M., sonnder zuuor an Ire gerichtsherren appellieren sollen herein In die Statt.*

Die hochgerichtliche Abrundung traf freilich auf erhebliche Schwierigkeiten[67], konnte aber im 16. Jahrhundert nach und nach vollzogen werden. Die Auseinandersetzungen mit der 1486 habsburgisch gewordenen Landvogtei wurden auch hier erfolgreich abgeschlossen: 1548 kam ein Vergleich zwischen Stadt und Landvogtei zustande, der die hohe Obrigkeit für die städtischen und spitalischen bzw. bürgerlichen Dörfer innerhalb des von der Landvogtei angesprochenen Gebietes vor allem zwischen Iller und Memmingen zugestand[68] – einschließlich des Besitzes des inzwischen aufgehobenen St. Elsbeth in Bronnen.

II

Die raumwirkende Komponente der Pflegschaft über städtische Klöster findet nun ihre Ergänzung durch die herrschaftlichen Beziehungen, die zwischen der Stadt und den in der Umgebung liegenden Klöstern bestanden, wobei sich auch hier ein sehr differenziertes Spektrum ergibt.

Die Form der Pflegschaft wird beim Franziskanerinnenkonvent Klosterbeuren, ca. 15 km nordöstlich der Stadt Memmingen gelegen[69], angewandt. Für das wohl um 1400 voll entwickelte Kloster, das 1456 immerhin Schwestern zur Gründung des Mindelheimer Konventes abgeben konnte, sind im 15. Jahrhundert Memminger Bürger als Pfleger nachweisbar: In einem Streit zwischen dem Kloster und den Brüdern Albrecht und Burkhard von Aichelberg um eine zum Klosterhof gehörige Holzmark, der vom Memminger Bürger Jos Stüdlin geschlichtet wird, treten auf seiten des Klosters Hans Klammer und Jacob Schütz als *der selben frawen pfleger von haissens vnd empfelhens wegen des Ersamen wysen Burgermaisters vnd Rates der Stadt Memmingen* auf[70]; weitere Belege der folgenden Zeit[71] weisen die Pfleger als Güterverwalter des Klosters aus, und als 1499 das Kloster das gleichnamige Dorf samt Gericht, Zwing und Bännen aufkaufte, fungierte der Pfleger Konrad Vöhlin als Lehenträger gegenüber dem Stift

[67] Dazu ausführlich *P. Blickle*: Memmingen (wie Anm. 5) S. 254 ff.; *ders.*: Territorialpolitik (wie Anm. 13) S. 63.

[68] Genannt werden hier die Dörfer Steinheim, Memmingerberg, Volkratshofen, Dickenreishausen, Hitzenhofen, Hart, Brunnen, Buxach, Boos, von denen lediglich Boos in bürgerlichem Besitz war (Hans-Besserer-Erben); Brunnen war zu diesem Zeitpunkt bereits ans Spital übergegangen, die übrigen Dörfer waren bereits seit längerer Zeit in Spitalbesitz.

[69] Zur Geschichte des Klosters vgl. *P. B. Lins*: Die Terziarinnen von Klosterbeuren zum hl. Blut. In: Bavaria Franziscana Antiqua. Bd. 1. München 1958. S. 586–609, der allerdings auch hier nichts für unsere Fragestellung enthält.

[70] HStAMü KU Klosterbeuren 1431 Juni 17.

[71] HStAMü RU Memmingen 284, 290: 1438 Juli 28 und Okt. 29; Revers für eine Stiftung eines Jahrtages durch einen Bürger von Memmingen; Revers eines Bauern gegenüber dem Kloster wegen eines Darlehens; beide Male werden als Pfleger genannt Ulrich Kumpost und Jacob Retz, Memminger Bürger.

Kempten[72]. Dieses und das etwas entferntere Dorf Ebershausen, das um diese Zeit ebenfalls bereits im Besitz des Klosters war[73], sowie erheblicher Besitz im benachbarten Engishausen[74] lagen somit zumindest in einer relativ engen Verbindung und damit im Einflußbereich der Stadt[75].

Das Kartäuserkloster Buxheim[76] stand seit seiner Umwandlung aus einem Kollegiatstift 1402/3 unter dem förmlichen Schutz Memmingens. Im Gründungsvorgang selbst[77] wird bereits eine erhebliche Mitwirkung der Stadt sichtbar: Nicht nur das Ansehen des Ordens beim Bürgertum beeinflußte den Motivationsrahmen, die Schutzurkunde vom 19. Januar 1403[78] benannte eine Zustimmung der Stadt zur Umwandlung und begründete die Übernahme des Schirmes durch sie vor allem auch mit dem Bürgerrecht des Gründers Heinrich von Ellerbach, Domherrn von Augsburg und ehemaligen Propsts von Buxheim. Die Schirmfunktion sollte dabei keine Belastung des Klosters mit sich bringen, *weder lützel noch vil, weder an steuren, diensten, raisen noch andern sachen, wie man die benennen mag, wann sy vns in kainerlay weise verbunden, pflichtig noch schuldig sind in kain weyse*, ausgenommen für die Kosten der vom Rat gestellten Botschaften, die im Zusammenhang mit dem Schutz ausgerichtet wurden[79]. Dieser Rechtsschutz für die Buxheimer Güter – sie lagen im wesentlichen im Raum zwischen Iller und Mindel, zwischen Memmingen-Mindelheim und Ulm-Burgau

---

[72] HStAMü KU Klosterbeuren 1499 Juni 22: Kauf von Ott Wespach.

[73] *P. B. Lins*: Klosterbeuren (wie Anm. 69) S. 594; er schwankt bei der Datierung des Erwerbs des Dorfs von Hildegard Dietenheimer laut Überlieferung zwischen 1437 und 1497. Da die Dietenheimer aber nach 1441 nicht mehr in Memmingen als Geschlechter auftauchen, dürfte es sich um das Jahr 1437 handeln; vgl. *R. Eirich*: Memmingens Wirtschaft und Patriziat von 1347 bis 1551. Weißenhorn 1971. S. 24; im hochstiftischen Lehenbuch von 1424 wird noch Wilhelm Dietenheimer als Mitbesitzer genannt: *F. Hilble*: Landkreis Krumbach. München 1956. (Historisches Ortsnamenbuch von Bayern, Regierungsbezirk Schwaben Bd. 2). Nr. 39.

[74] Dieser ist allerdings erst später überliefert: StANeu KL Klosterbeuren 1 (Urbar von 1661) und 2 (Gültbuch von 1664–1701).

[75] Die Tradition dieser Beziehungen könnte auch eine Rolle gespielt haben, als das Kloster 1570 aus seinem Waldbesitz einen Schlag Buchenholz im Wert von ca. 5000 fl. auf 20 Jahre zur Abholzung anbot und verkaufte und dann jährlich 300 Klafter durch seine Bauern in die Stadt lieferte; StAMem 41/5: Schriftverkehr der Jahre 1570–89. Zu dieser Zeit war das Kloster allerdings eindeutig dem Bischof von Augsburg unterworfen; vgl. unten.

[76] Vgl. dazu neben *P. Blickle*: Memmingen (wie Anm. 5) S. 317 ff., jetzt vor allem die umfassende Arbeit von *F. Stöhlker*: Die Kartause Buxheim 1402–1803. Bisher 3 Folgen. Buxheim 1974–76, die die Geschichte des Klosters bis 1554 darstellen.

[77] *F. Stöhlker*: Buxheim (wie Anm. 76) S. 69 ff.

[78] Ebd. S. 81 f; zur Datierung ebd. Anm. 1.

[79] Zit. nach dem Abdruck bei *Stöhlker*: ebd. S. 535 ff.; das Original ist verschollen; Kopien neben dem Buxheimer Archiv in Ottobeuren auch StAMem 28/1 sowie eine Abschrift in StAMem 266/2, fol. 62.

und wurden vermehrt durch Zustiftungen nicht nur Memminger, sondern auch Ulmer, Augsburger, Ravensburger und Konstanzer Patrizier[80] – gestaltete das Verhältnis zwischen Kloster und Stadt im Laufe der Zeit immer intensiver. Ratsbotschaften und Schreiben in Streitigkeiten mit benachbarten Grundherren wie Ochsenhausen[81], Wilhelm von Rechberg[82], Anton Fugger[83], in Erbschaftsfragen, als es um die Anfechtung einer Stiftung der Radegunde Gossenbrot von Augsburg ging[84], um nur einige Beispiele zu nennen, lagen zunächst im Bereich des eingegangenen Schutzverhältnisses. Dabei blieb auch das Verhältnis zur Stadt – verständlich bei der räumlichen Nähe – nicht ganz spannungsfrei, vor allem die Bauten an und in der Iller wurden zu einer Quelle des Konfliktes, wobei der von der Stadt bestellte, vom Kloster gewählte Pfleger auch in einen Interessenkonflikt geraten konnte[85].

Eine Intensivierung des Verhältnisses lag vor allem dort im Interesse der Stadt, wo es um die Einflußnahme auf niedergerichtlicher Ebene im benachbarten grundherrschaftlich verdichteten Komplex Buxheim-Westerhart ging[86]. Schon die Dorfgerichtsordnung von Buxheim von 1481[87] bestimmte neben Prior, Prokurator und Konvent des Klosters für den Pfleger Mitwirkungsrechte bei Zusammensetzung, Berufung und Verlauf des Dorfgerichts. Im 16. Jahrhundert läßt sich die Praxis besser verfolgen, die die dominierende Stellung der Stadt zum Vorschein bringt[88]. Einige Male leistete die Stadt Beihilfe bei der Gefangennahme und dem Verhör von Kartäuser Bauern[89]; 1511 holt das Dorfgericht Buxheim ein Urteil beim Rat ein[90], 1522 wird ein weiteres Urteil geliefert mit dem

---

[80] Eine Zusammenstellung bei *Stöhlker*: ebd. S. 426 ff.

[81] Z. B. *Stöhlker*: ebd. S. 94: 1420 wegen eines Grenzverlaufs in den Illerauen; StAMem RP 1508 Sept. 18: dto.

[82] StAMem RP 1511 Nov. 21: wegen eines Bauern zu Beglingen, der in Neuburg a. d. Kammel vor Gericht gestellt wurde.

[83] StAMem 32/7: 1544 wegen einer Gültforderung.

[84] StAMem 42/13; *F. Stöhlker*: Buxheim (wie Anm. 76) S. 114.

[85] Der 1512 erstmals gewählte Pfleger Jörg Besserer (StAMem RP 1512 Febr. 20) wird 1518 (ebd. 1518 April 19; vgl. Mai 19, 21, 26) von einem Teil des Rates angegriffen, weil er sich zu sehr für die Kartause einsetzte und nach dessen Urteil dabei vergaß, daß er zunächst einmal Bürger der Stadt Memmingen sei. – Dieser Pfleger fehlt übrigens in der Liste bei *Stöhlker*: ebd. S. 619 ff.

[86] Vgl. *P. Blickle*: Die Dorfgerichtsordnung von Buxheim vom Jahr 1553. In: MGBll (1965) S. 15–89, hier S. 20; *ders.*: Memmingen (wie Anm. 5) S. 321 f.

[87] Sie wird von *F. Stöhlker*: Buxheim (wie Anm. 76) S. 493 ff. erstmals behandelt.

[88] Diese Praxis wird von *Stöhlker*: ebd. S. 493, in seiner Kritik an Blickle zu wenig berücksichtigt, während *Blickle* diesen Aspekt vielleicht aus der Verteidigungsposition der Stadt aufgrund ihrer Eingriffe von 1546 überpointiert; vgl. unten.

[89] Z. B. StAMem RP 1524 Sept. 7: Der Kartäuser Bauer soll vor dem Rat *vmb seiner freuenlichen Reden verhert vnd daruf ferer gehandelt werden was sich gepurt*; StAMem 32/2: 1544 Bitte des Vikars von Buxheim, einen Bauern zu fangen und in den Turm zu legen.

[90] StAMem RP 1511 März 19: unter der Formel *Wa der hanndel vor aim Ersamen Rat ergangen war wie vor amann vnd gericht zu buchßhain. . . .*

Zusatz, der Pfleger – Ulrich Zwicker – solle *darneben den vättern sagen, das sie hinfürter Iren pfleger oder ain layen die frävel lassen berechten vnd nit ain prie-ster*[91]; 1542–46 sind fünf weitere Fälle faßbar, in denen der Rat Urteile spricht, auch selbständig Zeugenverhöre dabei vornimmt und dem Dorfgericht übersen-det[92].

So nimmt es nicht wunder, wenn der Buxheimer Ammann im Zusammenhang mit einem Frevel mit Todesfolge gegenüber der Landvogtei, die den Fall an sich ziehen will, feststellt, Kloster und Dorf seien der Stadt Memmingen *mit aller Oberkait* unterworfen, welche auch alle *malefiz vnnd buoswirdig sachen, so sich daselbs zu Buxheim begeben, etlich vnnd 100 Jar one menigclichs Rechtlicher Irrung vnnd verhinderung gestrafft vnnd gebuest haben*[93]. Gleichfalls überrasch-te es nicht, wenn aus dieser Position heraus der Rat von den Untertanen des Klosters Steuer und Reisgeld forderte wie von den eigenen städtischen bzw. klösterlich-spitalischen Untertanen[94].

Die Herrschaftsbeziehungen Memmingens zu Buxheim hatten also durch das Schutzverhältnis eine kontinuierliche Intensivierung erfahren. Sie hatten den Herrschaftsbereich der Stadt faktisch auch auf dessen grundherrschaftlichen Komplex, vor allem Buxheim-Westerhart im Westen der Stadt ausgedehnt und damit eine wichtige geographische Lücke geschlossen. Dabei darf bei einer Ein-schätzung der Aktivitäten der Stadt, die sich in diesem letzten Jahrzehnt verdich-teten, nicht übersehen werden, daß der zeitweise drohende Verfall der Kartause ein Vakuum entstehen ließ, in das man keine fremde Herrschaft, vor allem nicht die Landvogtei eindringen lassen wollte.

Pflegschaft und Schirmherrschaft erscheinen somit als Instrumente der Stadt, um auf dem Weg über die Klöster in und in der Nähe der Stadt herrschaftlichen Einfluß auf das städtische Umfeld auzuüben. Denn während man den Adel aufgrund der gesellschaftlich-wirtschaftlichen Entwicklung des 15. Jahrhunderts auskaufen konnte, war dies bei den Klöstern ungleich schwieriger, ja nahezu unmöglich. So bot sich als Ersatz die politische Einflußnahme an.

Freilich ist die Intensität dieser herrschaftlichen Instrumente in einer Abstu-fung zu sehen: zwischen der Spitalherrschaft und der Pflegschaft über Kloster-

---

[91] Ebd. 1522 Okt. 13.

[92] StAMem 32/2 und 32/3.

[93] StAMem 28/1 undat. Schriftstücke 1. Hälfte 16. Jh.; zit. wird aus der Appellation und Protestation des Jörg Mautner, Ammanns von Buxheim, ans Reichskammergericht gegen das Vorgehen des Landvogtes; ebd. Schreiben der Stadt an den Abt von Kempten als kaiserlichen Kommissar in der gleichen Sache. Daß die Stadt hierin jedoch unsicher war, zeigt die Instruktion für Balthasar Funck gegenüber Dr. Peutinger, Augsburg, der als Rechtsgutachter häufig für die Stadt tätig war, in der zum Ausdruck kommt: *Vnd daz wir der Thodschleg halben seicht begründt*, trotz mehrmals ausgeübter Praxis.

[94] StAMem RP 1519 Nov. 28, Dez. 30; vgl. *F. Stöhlker*: Buxheim (wie Anm. 76) S. 491, der die Steuerhoheit ausschließlich dem Kloster zuspricht, sich dabei aber auf eine Vertei-digungsschrift des Klosters aus dem 18. Jahrhundert bezieht!

beuren bzw. der Schirmausübung über Buxheim ist zweifellos ein gradueller Unterschied festzuhalten. Am Ende dieses Spektrums stehen schließlich noch die Bürgerrechtsverhältnisse der großen Klöster der Umgebung.

Ottobeuren trat 1399 ins Bürgerrecht der Stadt Memmingen ein und behielt das bis zur Mitte des 15. Jahrhunderts bei[95]. Aus der Sicht der Bürgerschaft lag der Vorteil für das Kloster durchaus auf der Hand: *was dem Gottshaus wol erschossen, es hett sie auch wol bey Inen gelieten*[96]. Für den Konvent selbst dürfte ein Motiv darin gelegen haben, gegenüber der vom Bischof von Augsburg seit 1356 innegehabten Vogtei[97], die er nur allzu gerne zur Demonstration seiner Macht benützte, ein Gegengewicht in die Waagschale werfen zu können; das gleiche gilt für die Abwehr des umliegenden Adels, der einen erheblichen Druck auf das Kloster ausübte, wogegen die Stadt Memmingen Hilfe leisten konnte[98].

Das Prämonstratenserkloster Rot a.d. Rot ging um die Mitte des 15. Jahrhunderts ebenfalls ein derartiges Bürgerrechtsverhältnis gegenüber Memmingen ein[99]; wenn schließlich sogar der Kemptener Abt kurzzeitig um 1460 als Bürger von Memmingen auftritt[100], so dokumentiert sich darin wohl ebenso ein Schutzbedürfnis, um die Unsicherheit, die um die Mitte des Jahrhunderts im zweiten Städtekrieg und im Reichskrieg gegen Herzog Ludwig von Bayern gipfelte, hinter den städtischen Mauern und auf dem Land einigermaßen zu überstehen. Ottobeuren und Rot brachten jedenfalls 1449/50 und 1462 ihre Schätze nach Memmingen zur Aufbewahrung[101]. Doch als nach der Jahrhundertmitte die größeren Territorien an Macht gewannen und schließlich 1488 mit dem Schwäbischen Bund eine Ebene des politischen Ausgleichs geschaffen wurde, verloren auch diese Bürgerrechtsverhältnisse an Gewicht[102].

[95] HStAMü RU Memmingen 118: 1399 Sept. 17, für 5 Jahre; ebd. 176: 1415 Aug. 12, Erneuerung. – Vgl. die folgenden Nachweise: Stadtarchiv Augsburg RP II, fol. 129: 1446 wird der Abt von Ottobeuren in einer Geleitsache als Bürger von Memmingen bezeichnet; StAMem Steuerbuch 1450, fol. 73: *Her von Utaburun* 40 Pfd. (hlr.); Chronik Wintergerst (wie Anm. 4) S. 71 zu 1454: der Abt und seine Vorfahren waren alle Bürger zu Memmingen; sowie oben Anm. 4 zu 1460.

[96] Chronik Wintergerst (wie Anm. 4) S. 95.

[97] Vgl. *J. Heider*: Grundherrschaft (wie Anm. 5) S. 76 ff,; *P. Blickle*: Reichsunmittelbarkeit (wie Anm. 1) S. 104 f.; beide erwähnen jedoch das Bürgerrechtsverhältnis nicht.

[98] *F. J. Baumann*: Allgäu (wie Anm. 3) S. 386.; *M. Feyerabend*: Jahrbücher (wie Anm. 1) S. 665 f.

[99] StAMem Steuerbuch 1450, fol. 73: *Her von Rot* 20 Pfd. (hlr.); vgl. Chronik Wintergerst (wie Anm. 4) S. 58 zum Jahr 1450.

[100] Allerdings nur Chronik Wintergerst (wie Anm. 4) S. 92, gegen eine jährliche Steuer von 10fl.

[101] Chronik Wintergerst (wie Anm. 4) S. 51 f., S. 58 für 1449/50, S. 111 für 1462; Ottobeuren auch 1471: laut Urkunde vom 1471 Mai 4 (HStAMü KU Ottobeuren 327a) lagen die Kleinodien in Memmingen; damals war allerdings wegen des Streites um die Klosterreform kein Mönch im Kloster; vgl. Chronik Wintergerst (wie Anm. 4) S. 132 f.

[102] Zur politischen Lage in Schwaben im 15. Jahrhundert allgemein *A. Layer*: Ostschwa-

Selbst wenn man die Wirkung der Bürgerrechtsverträge also nicht überschätzen darf, sie vertieften doch ein gutnachbarliches, auf Ausgleich zielendes Verhältnis bis hin zu diplomatischer und rechtlicher Unterstützung im Falle von schiedsgerichtlichen Auseinandersetzungen.

Für Kloster Rot läßt sich dieses relativ enge, wenn auch nicht abhängige Verhältnis einigermaßen deutlich verfolgen[103]. Als Karl IV. 1376 einige oberschwäbische Städte mit der Schirmung einer Reihe von Klöstern beauftragte[104], dürfte wohl Rot wegen seiner Nähe zu Memmingen von dieser Stadt am meisten zu erhoffen gehabt haben. Zwar wurde 1407 Heinrich Truchsäß von Waldburg von König Rupprecht mit dem Schutz beauftragt[105], doch wurde die von dort ausgehende Gefahr durch das Gegengewicht Memmingen in der Folgezeit einigermaßen kompensiert. 1407 und 1422 sind Urteilsbriefe des Stadtgerichts für Güterstreitigkeiten überliefert[106]. Anfang des 15. Jahrhunderts wird gar in einem Rechtsstreit zwischen dem Kloster und einem Bürger von Waldsee um ausstehende Gülten und die anschließende Verpfändung von Gütern der Memminger Bürger Hans Rupp d. J. vom Abt von Rot ausgesprochen als *sin vogt* eingeführt[107]. Und wenn schließlich gegen Ende des 15. Jahrhunderts mehrmals die

---

ben in der Reichsgeschichte seit dem Interregnum. In: Handbuch der Bayerischen Geschichte. Hg. v. *M. Spindler*. Bd. III/2. München 1971. S. 907 ff; vgl. auch die Einschätzung von *M. Feyerabend*: Jahrbücher (wie Anm. 1) S. 665 f.

[103] Zu Kloster Rot vgl. allgemein *B. Stadelhofer*: Historia imperialis et exempti Collegii Rothensis in Suevia. 2 Bde. Augsburg 1787; *H. Tüchle*: Rot im Auf und Ab der Geschichte. In: *H. Tüchle/A. Schahl*: 850 Jahre Rot an der Rot. Geschichte und Gestalt. Sigmaringen 1976. S. 9–42, hier S. 15 ff.; *W. Nuber*: Studien zur Besitz- und Rechtsgeschichte des Klosters Rot von seinen Anfängen bis 1618. Diss. Tübingen 1960 (masch.). – Das Verhältnis zur Stadt Memmingen wird jedoch in keiner dieser Arbeiten entsprechend behandelt.

[104] HStAStgt Kl. Rot Akten 4 (not. Kopie); *B. Stadelhofer*: Historia (wie Anm. 103) Bd. I. S. 98; *W. Nuber*: Studien (wie Anm. 103) S. 24.

[105] HStAStgt Kl. Rot Akten 21 (Kopie); vgl. *W. Nuber*: Studien (wie Anm. 103) S. 24 ff.; *H. Tüchle*: Rot (wie Anm. 103) S. 16.

[106] HStAStgt KU Rot 67: 1407 Juli 29, um eine Mühle; ebd. KU 788: 1422 Aug. 20, um einen Zehnt u. a.; vgl. ebd. KU 83 vom gl. Tag: Bürgermeister und Rat erwirken einen Vergleich in dieser Sache. Es geht jeweils um Besitzrechte in Zell bei Rot. – Freilich wird daneben auch die Stadt Ravensburg in ähnlicher Weise für Rot tätig, z. B. ebd. KU 67: 1407, ebenfalls um die obige Mühle in Zell; KU 88: 1426, dto.

[107] Ebd. KU 70: 1410; *B. Stadelhofer*: Historia (wie Anm. 103) Bd. I. S. 114 ff.; H. Rupp gehört wohl zu den »adelige(n) Freunde(n)«, die nach *H. Tüchle*: Rot (wie Anm. 103) S. 15, um diese Zeit den Schutz des Klosters übernahmen, wohl unter Bezug auf *B. Stadelhofer*: Historia. Bd. I. S. 110 zum Jahr 1403 ff., der »Administratores« für das Kloster anführt; die anderen waren Heinrich von Eisenburg und Eitel von Erolzheim, beides übrigens Adelsgeschlechter, von denen Mitglieder im 15. Jahrhundert in Memminger Diensten stehen: StAMem 266/2, fol. 212: 1431 Heinrich von Eisenburg mit 6 Pferden, fol. 156: 1435 Heinrich von Eisenburg mit 4 Pferden; fol. 85: 1417 Hans von Erolzheim. – *W. Nuber*: Studien (wie Anm. 103) S. 171 ff., erwähnt bei der sonst sehr gründlichen Analyse der Vogteiverhältnisse diesen bürgerlichen Vogt nicht!

gleichen Memminger Bürger als Siegler bei Güterverkäufen an Kloster Rot auftreten, dann ist auch hier in der Tendenz an eine, wenn auch wesentlich schwächere Ausformung der Pflegschaft zu denken[108].

Memmingen ist in dieser Beziehung natürlich kein Sonderfall innerhalb der schwäbischen Reichsstädte: Das enge Verhältnis Augsburgs zur Abtei St. Ulrich und Afra, die Beziehungen zum Zisterzienserinnenkloster Oberschönenfeld westlich der Stadt, ja die kurzfristige Einbürgerung der Deutschordenskommende Donauwörth für einen Teil ihres Besitzes um die Mitte des 15. Jahrhunderts[109] wäre hier ebenso zu nennen, wie das Schutzverhältnis Ulms über Ochsenhausen, Oberelchingen, Roggenburg, Ursberg, Wettenhausen und Maria Medingen[110], das Verhältnis von Kaufbeuren zu Irsee und Steingaden[111] – um nur einige Beispiele aus der näheren Umgebung Memmingens zu nennen. Die Städte ziehen somit im 15. Jahrhundert früher ausschließlich vom Adel ausgeübte Herrschaftsfunktionen über das Land an sich, können sie allerdings nicht immer auf Dauer in der Hand halten.

Somit erweist sich, daß die Stadt Memmingen über die verschiedenen Formen rechtlicher Beziehungen zu den innerstädtischen und umliegenden Klöstern sich einen mehr oder weniger starken, insgesamt aber doch räumlich geschlossenen Einflußbereich aufbauen konnte. Seine zonale Gliederung deckte sich dabei in etwa mit der abgestuften Intensität des herrschaftlichen Verhältnisses: Um das Zentrum städtischer bzw. stiftischer und spitalischer Dörfer sowie Buxheim legte sich als weiterer Ring die lockere Beziehung zu den auswärtigen Klöstern Klosterbeuren, Ottobeuren und Rot. Gerade bei letzteren konnten die Beziehungen nur zeitweilig rechtlich verankert werden, wobei sie insgesamt im Rahmen der gesamtpolitischen Entwicklung eher zurückgingen, während sich der innere Kreis zu einem städtischen Territorium verdichtete.

---

[108] HStAStgt KU Rot 232: 1483 Jan. 31; 1492 März 19; 259: 1501 März 8, jeweils Heinrich Besserer und Heinrich Löhlin. Es geht dabei um Güterbewegungen, an denen keine Memminger Bürger beteiligt sind.

[109] Vgl. *R. Kießling*: Augsburg (wie Anm. 6) S. 151 ff.; *ders.*: Zentralität (wie Anm. 10).

[110] Vgl. *H. E. Specker*: Ulm. Stadtgeschichte. Ulm 1977. S. 97 f.; zu Ochsenhausen *F. Quarthal* (Hg.): Die Benediktinerklöster in Baden-Württemberg. Augsburg 1975. S. 458 ff. (Germania Benedictina. Bd. V); zu den übrigen Klöstern und ihrem Verhältnis zu Ulm vgl. *A. Layer*: Die territorialstaatliche Entwicklung [Schwabens] bis um 1800. In: Handbuch der Bayerischen Geschichte. Hg. v. *M. Spindler*. Bd. III/2. München 1971. S. 973 ff.; speziell zu Maria Medingen *F. Zoepfl*: Maria Medingen. Die Geschichte einer Kulturstätte im schwäbischen Donautal. In: Jahrb. d. Hist. Vereins f. Dillingen 59/60 (1957/58). S. 7-77, hier S. 17 ff.

[111] Vgl. *A. Steichele/A. Schröder/F. Zoepfl*: Das Bisthum Augsburg, historisch und statistisch beschrieben. Bd. 2-10. Augsburg 1862-1940, hier Bd. 6. S. 198 und 619.

III

Aufbau und Entwicklung von mehr oder weniger engen Rechtsbeziehungen zwischen der Stadt und den Klöstern in und um die Stadt müssen – will man ihre Funktion für die Stadt bestimmen – sicher mit wirtschaftlichen Momenten verknüpft und zusammengesehen werden: der Versorgung der Stadt mit Lebensmitteln und Rohstoffen bzw. aus der Sicht der Klöster der Versorgung mit Waren des Nah- und Fernhandels.

Diese wirtschaftliche Verflechtung spiegelt sich zunächst in der Entwicklung der Klosterhöfe in der Stadt[112], während der sonstige wirtschaftliche Austausch zwischen Klöstern und Stadt nur schwer faßbar wird; die günstige Quellenlage, die H. Ammann für eine Reihe von schweizerischen Klöstern vorfand[113], ist für Memmingen nur in einzelnen Fällen gegeben.

Im 13. Jahrhundert sind in Memmingen die Höfe folgender Klöster nachweisbar[114]: Ottobeuren, Rot, Weingarten, Ochsenhausen sowie der Zisterzienser von Baindt und Salem. Bis zum 15. Jahrhundert verändert sich das Bild offenbar aufgrund von Besitzarrondierungen soweit, daß praktisch nur noch die in der näheren Umgebung der Stadt liegenden Klöster weiter dort präsent bleiben; die von Weingarten geht sehr stark zurück[115], Salem und Baindt sind nicht mehr weiter zu verfolgen.

Selbstverständlich erscheint, daß Buxheim seit 1406 einen Hof in Memmingen, bei St. Martin gelegen, erwirbt und bis 1804 beibehält[116]. Auch für Ottobeuren ist weiterhin ein dauernder Stützpunkt in Memmingen vorhanden: 1300 ist ein *wirt* bezeugt, 1443 wird das Anwesen erweitert und 1563/66 sogar mit einer eigenen Wasserleitung ausgestattet[117]. Die Benediktiner von Ochsenhausen – zu-

---

[112] Vgl. dazu jüngst die ausführliche Analyse von *W. Schich*: Die Stadthöfe der fränkischen Zisterzienser in Würzburg – Von den Anfängen bis zum 14. Jahrhundert. In: Zisterzienser-Studien III. Berlin 1976. S. 45–94; er stellt gegenüber der älteren Ansicht, daß es sich vorwiegend um Absteigequartiere gehandelt habe, diesen wirtschaftlichen Aspekt deutlich heraus.

[113] *H. Ammann*: Klöster in der städtischen Wirtschaft des ausgehenden Mittelalters. In: Argovia. Jahresschrift d. Hist. Ges. d. Kantons Aargau 72. Aarau 1960. S. 102–33. (Festgabe O. Mittler).

[114] *P. Blickle*: Memmingen (wie Anm. 5) S. 50, mit Nachweisen.

[115] StAMem 266/2, fol. 64: 1447, ist noch von in der Stadt gelegenen Gütern die Rede, doch von einem Klosterhof mit wirtschaftlichen Funktionen ist nichts mehr überliefert.

[116] StAMem 28/2 (Kopie); vgl. *J. Miedel*: Führer (wie Anm. 26) S. 73.

[117] HStAMü KU Memmingen Oberhospital 1300 Dez. 13; ebd. KU Ottobeuren 201: 1443 Sept. 18, Erwerb eines Hauses mit Garten neben dem Haus des Klosters; *J. Miedel*: Führer (wie Anm 26) S. 59, spricht ungenau vom Kauf des Ottobeurer Hauses. – StAMem 38/1 und HStAMü KU Ottobeuren 1618/1: Vertrag von 1563 zwischen Kloster und Stadt; die Leitung wird als Gegenleistung für die Ableitung einer Quelle auf Klostergrund östlich der Stadt installiert und 1566 in einem Ergänzungsvertrag vergrößert. – Vgl. auch HStAMü KL Ottobeuren 202: Inventar der Güter zu Memmingen vom Anfang des 16. Jahrhunderts; es nennt neben Haus, Hofstatt und Gärtlein einen Brühl und einen Garten vor dem Tor sowie diverse Ackerparzellen.

nächst nur Priorat unter St. Blasien, seit 1391 selbständige Abtei – hatten bereits 1270 aufgrund einer Stiftung eines Memminger Bürgers ein Haus mit Hofstatt in der Stadt erhalten[118], 1351 erwarben sie ein zweites Haus und *gesäzz* an der Westergasse, das 1493 durch Zukauf einer kleineren Hofstatt noch erweitert wurde[119]. Auch das Prämonstratenserkloster Rot kaufte 1485 ein neues Haus mit Hofstatt in der Stadt für insgesamt 320 fl. auf[120]. Kommt damit indirekt schon zum Vorschein, daß Memmingen in seiner Bedeutung als Zentralort für diese Klöster eher im Wachsen begriffen war, so läßt sich der zunehmende Einzugs-bereich durch weitere neueingerichtete Klosterhöfe belegen: 1449 erwarben die Prämonstratenser von Roggenburg eine Niederlassung[121], 1514 folgten die Prä-monstratenser von Ursberg[122], und 1516 erwarb gar der Augsburger Bischof einen Hof[123].

Die wirtschaftliche Funktion dieser »Klosterhöfe« läßt sich teilweise recht gut verfolgen. Am wichtigsten waren sie als Sammelplätze von Getreide aus Gülten und Zehnten des Klosterbesitzes. Aus den Klosterurkunden Ottobeurens des 14. und 15. Jahrhunderts läßt sich entnehmen, daß nahezu der gesamte engere Besitz – im Umkreis dessen, was sich in der herrschaftlichen Durchdringung in Rich-tung auf den späteren »Klosterstaat« entwickelte – nach Memminger Maß gül-tete[124], und das bedeutet, daß es auch zum großen Teil, soweit es nicht in der eigenen Klosterwirtschaft für die Pfisterei, für die Saat und als Futtergetreide gebraucht wurde, auf dem Memminger Getreidemarkt abgesetzt wurde. Einzel-ne Bestandsurkunden enthalten auch den besonderen Hinweis, daß die Abgaben wahlweise im Ottobeurer oder im Memminger Kasten abzuliefern seien[125].

In einem Übereinkommen von 1461 – offensichtlich nach der Aufgabe des Bürgerrechts durch Ottobeuren – werden zwischen Kloster und Stadt die ge-

---

[118] StAMem 36/1.

[119] StAMem 36/2: 1351,Verkaufsurkunde und Regelung der Steuerbarkeit des Hauses; ebd. 1493, Erwerb eines Hauses, einer Hofstatt und Hofraite mit Zubehör neben dem Klosterhaus an der Westergasse.

[120] StAMem 35/2 (koll. Kopie); der auf dem Haus liegende Zins wird im Jahr darauf abgelöst mit einem Kapital von 120 fl. (ebd. Quittung der Stadt, stellvertretend für St. Mar-tin).

[121] *J. Miedel*: Führer (wie Anm. 26) S. 113; eine Urkunde war bisher nicht zu finden.

[122] HStAMü KU Ursberg 156: 1514 Mai 15, Verkauf des Hauses und Hofes; ebd. 157: 1514 Juni 8, Vertrag mit der Stadt über die Benützung etc.; ebd. RU Memmingen 556: 1514 Juni 8, Revers des Klosters.

[123] StAMem 27/3 und HStAMü RU Memmingen 561: Vertrag von 1516 Aug. 17; *J. Miedel*: Führer (wie Anm. 26) S. 122 f.; das Haus ging später in den Besitz der Dillinger Jesuiten über.

[124] HStAMü KU Ottobeuren, Repertorium: 47 Belege aus der Zeit von 1325–1510; die Anteile, die nach Kaufbeurer und Kemptener Maß gülten, sind vergleichsweise sehr gering.

[125] Z. B. HStAMü KU Ottobeuren 373: 1479 Juli 3, Gült von einem Gut in Hawangen; ebd. 414: 1483 Sept. 1, Gült vom Maierhof in Egg a. d. Günz.

naueren Konditionen für den Klosterhof ausgehandelt und damit dessen entsprechende wirtschaftliche Aufgabe angerissen[126]: Wein, Korn, Salz und dergleichen, *was der abt hier vnd vssen der statt Memmingen zefurend, zekoffen zuuerkoffen zetun vnd zehandeln hat*, also Handelsware, solle zoll- und mautfrei sein, ausgenommen die Abgaben an Salzknechte, Weinlader, für die Eiche und die Kornmesser. Wird von seiten des Klosters Korn in Memmingen zum Verkauf gelagert, soll es bei Bedarf *für mengklich* zum Marktpreis an die Stadt abgegeben werden. Der Aufenthalt des Abtes samt eigenem Koch wird ebenso gewährt wie der Schutz für hereingebrachtes Klostergut. Bei Eigenbewirtschaftung des Hauses war allerdings die Pflicht zur Entrichtung des Ungelds und des Roßzolls, also der Verkehrssteuer an den Stadttoren, festgelegt. Die jährliche Pauschalabgabe von 12 fl., dazu für die Haussteuer etc. 2 bzw. 4 fl. je nach Steuersatz, galt die Vorteile des städtischen Schutzes ab.

Die Größenordnung dessen, was an Getreide vom Kloster vermarktet wurde, läßt sich aus den erhaltenen Rechnungsbüchern des 16. Jahrhunderts in etwa ablesen bzw. einschätzen[127]. 1525 wurden vom Kloster – bei einer Gesamtgülteinnahme von ca. 1 500 Malter[128] – gut 350 Malter verkauft, davon etwa die Hälfte Roggen[129]. Zumindest für einen Großteil der Einzelverkaufsaktionen ist die Veräußerung auf dem Memminger Markt belegbar, meist geschah sie durch eine bestimmte, namentlich genannte Person, wohl den Verwalter des Ottobeurer Hofes in der Stadt[130]. Die Schwankungen sind in den folgenden Jahren nicht

---

[126] StAMem 37/1 b.

[127] StANeu KL Ottobeuren 163, 164: Kornregister von 1525 bzw. 1549/52; ebd. 237: Kornkastenschuldregister ca. 1540; ebd. 541: Generalregister 1527 ff.

[128] Diese Zahl bezieht sich auf das Jahr 1536 (KL Ottobeuren 541): genau sind es 1454 Malter 6 Viertel 1 1/2 Metzen. – Inwieweit sie generalisiert werden kann für längere Zeiträume, erscheint freilich unklar, wenn man das Verhältnis zum Jahr 1745 berücksichtigt: damals werden die Gesamterträge mit 189 Malter Eigenbau, 2098 Malter an Gült und 1896 Malter an Zehnt angegeben; vgl. *F. K. Weber*: Wirtschaftsquellen und Wirtschaftsaufbau des Reichsstiftes Ottobeuren im beginnenden 18. Jahrhundert. In: Studien u. Mitt. d. Benediktiner-Ordens 57 (1939) S. 171–208 und 58 (1940) S. 107–137, hier 57 (1939) S. 193.

[129] Berechnet aus dem Kornregister von 1525 (wie Anm. 127); die genauen Zahlen: Kern 36 Malter 2 Viertel 2 Metzen, Roggen 173 Malter 1 Viertel, Haber 136 Malter 14 Viertel 3 Metzen, Gerste 5 Viertel 2 Metzen. – Die Umrechnung erfolgte nach dem Maßverhältnis 1 Malter = 8 Viertel = 32 Metzen bei Roggen, Gerste, Kern bzw. 1 Malter = 17 Viertel = 68 Metzen bei Fesen, Haber; vgl. *F. K. Weber*: Wirtschaftsquellen (wie Anm. 128) 58. S. 135; bzw. *H. Fischer*: Schwäbisches Wörterbuch. Bd. IV. Tübingen 1914. Sp. 1428 f. – Die Rechnung für das Jahr 1527 (KL 541) kommt mit ca. 350 Malter auf die gleiche Größenordnung: Kern 40 Malter 5 Viertel 1 Metze, Roggen 36 Malter 1 1/2 Metzen, Haber 79 Malter 2 Viertel 2 1/2 Metzen, Gerste 8 Malter 4 Viertel 2 Metzen, Fesen 97 Malter 2 Metzen, *gemain korn* 98 Malter 11 Viertel 1 Metze.

[130] Die Verkäufe wurden nach den verschiedenen Preisen und Terminen registriert; dabei steht häufig der Zusatz *zu memmingen, plager zu memmingen* oder nur *plager* bzw. *per plager*.

174

unbeträchtlich, doch dürfte – nicht zuletzt wegen des Bauernkrieges – mit der genannten Größe eher die untere Grenze zu fassen sein, während die Verkaufsquote von 1528 mit ca. 740 Malter eher als Obergrenze zu werten sein wird[131].

Für Buxheim ist der Hof in Memmingen ebenfalls als Getreidespeicher und Aufenthaltsort für den Konvent in unruhigen Zeiten zu sehen, und noch 1552 werden diese Funktionen von der Stadt aus bestätigt[132]. Der relativ verstreute Besitz mit seinen Gesamtgülten und Zehnteinnahmen von ca. 770 Malter Getreide im Rechnungsjahr 1499/1500[133], wovon aus dem engeren Raum Buxheim/Memmingen etwa die Hälfte kam, brachte sicher ebenfalls einen gewissen Teil des Überschusses auf den Memminger Markt.

Bei Ochsenhausen sind die Marktbeziehungen nach Memmingen nicht so eindeutig und umfassend anzusetzen. Ein Teil seines Besitzes wird wirtschaftlich auch nach Biberach und Ulm orientiert gewesen sein, vor allem das 1529 abgrenzbare Amt Ochsenhausen selbst, das Besitz im Umkreis von Biberach bis zur Linie Dietenheim-Reinstetten-Steinhausen umfaßte. Das östlich gelegene Amt Tannheim[134] mit dem Besitz im Raum Berkheim, Tannheim, Winterrieden sowie den östlich von Memmingen gelegenen Gütern in Rummeltshausen und bei Rettenbach dürften jedoch ziemlich eindeutig zum Memminger Marktbereich gehört haben[135].

Rechnungen sind für Ochsenhausen erst seit den 70er Jahren des 16. Jahrhunderts erhalten[136]. Die Getreideverkäufe des Granarius von 1575 weisen bei

---

[131] StANeu KL Ottobeuren 541; die genauen Zahlen: Kern 57 Malter 7 Viertel 1 Metze, Roggen 117 Malter 2 Viertel 2 1/2 Metzen 1 Viertele (= viertel Metze), Haber 376 Malter 13 Viertel 2 1/2 Metzen 1 Viertele, Gerste 8 Malter 1 Viertel 1/2 Metze, Fesen 175 Malter 9 Viertel 2 Metzen.

[132] StAMem 28/2 (Kopie); HStAMü RU Memmingen 707; vgl. zum Buxheimer Hof auch *F. Stöhlker*: Buxheim (wie Anm 76) S. 512.

[133] Die Besitzzusammenstellung bei *F. Stöhlker*: Buxheim (wie Anm. 76) S. 501 ff.; die Rechnung ebd. S. 526 f.

[134] HStAStgt H 230/170 + 171 und 220: Urbar und Rodel von 1529 für die beiden Ämter; die übrigen Ämter sind spätere Zukäufe: der Besitz in Markdorf b. Überlingen u. a. kommt für unsere Fragestellung wegen der räumlichen Entfernung nicht in Frage.

[135] Dies ergibt sich auch aus einer Quelle anderer Herkunft: dem Verzeichnis der Leute, die den Hand- und Fahrlohn für die Fähre, später Brücke von Egelsee zu leisten haben. Es handelt sich hier um eine alte Abgabe, die sicher auch den nordwestlichen Einzugsbereich des Memminger Marktes abgrenzt; sie war mehrmals Gegenstand der Verhandlungen zwischen den beteiligten Grundherren mit den Inhabern der Fähre/Brücke; vgl. *P. Blickle*: Memmingen (wie Anm. 5) S. 242 f.; *R. Rauh*: Illerzoll (wie Anm. 54), der allerdings Egelsee von seiner Quellenbasis aus etwas vernachlässigt. Die in den Verzeichnissen des sog. Bruckkorns 1536 ff. (StAMem 76/1,2) aufgeführten Orte der Grundherrschaften Ochsenhausen, Rot und Erolzheim, insgesamt etwa 450 Personen aus 19 Orten, decken sich räumlich mit der Unterteilung der Ämter Ochsenhausen und Tannheim.

[136] HStAStgt Kl. Ochsenhausen Bände 83: Hauptrechnungen 1573–1603; die ersten Folien sind jedoch teilweise unleserlich.

lediglich ca. 163 Malter einen Anteil von knapp der Hälfte nach Memmingen auf
– freilich sind nur drei namentliche Aufkäufer neben den Marktorten Biberach
und Ochsenhausen selbst genannt, nämlich ein Bürger aus Memmingen, einer
aus Kempten und das Nachbarkloster Gutenzell[137]. Das Amt Tannheim dagegen
verkaufte im gleichen Rechnungsjahr aus seinen Gesamtgülten und Zehnteinnahmen von etwa 950 Malter Getreide 370 Malter[138], 1576 von 1 250 Malter
715[139]. Die räumliche Nähe zu Memmingen, das Haus mit Getreidespeicher in
der Stadt, lassen den Schluß zu, daß auch hier ein Großteil auf den Memminger
Getreidemarkt geworfen wurde.

Für das Kloster Rot sind leider keine Rechnungen für unsere Zeit erhalten,
doch dürfte auch hier ähnliches festzuhalten sein; denn nahezu der gesamte
Urbarbesitz des Klosters von 1518[140] lag innerhalb der 2-Meilen-Zone um die
Stadt Memmingen – einem Bereich, der aufgrund mehrerer Indizien als engerer
Markteinzugsbereich der Stadt angesprochen werden kann[141]. Wenn die Gesamt-
zahl der Höfe, Güter und Sölden mit ca. 235 die des Ochsenhausener Amtes
Tannheim mit etwa 200 noch übertrifft, so muß zumindest mit der gleichen
Vermarktungsmenge an Getreide gerechnet werden.

Die beiden erst später in Memmingen auftretenden Prämonstratenserklöster
Ursberg und Roggenburg lagen eindeutig an der Peripherie des nach Memmingen orientierten Gebietes. Roggenburg, politisch sehr viel stärker an Ulm ange-
lehnt, das auch zeitweise seit 1412 die Vogtei ausübte[142], hatte trotzdem auch bei
der Vermarktung seiner Getreideüberschüsse in Memmingen seinen Platz. Während des Streitfalles von 1486/88, einer Auseinandersetzung zwischen Abt Georg
und seinem Konvent, in dem Ludwig von Hasberg, Pfleger Herzog Georgs des
Reichen von Bayern-Landshut in Weißenhorn, den bayerischen Anspruch auf

---

[137] Ebd. fol 10.

[138] Ebd. fol 11 ff.; die genaue Aufstellung: Roggen 123 Malter 7 Viertel 1/2 Metze,
Haber 230 Malter, Fesen 9 Malter 1 Viertel, Gerste 7 Malter 5 Viertel, Kern 4 Viertel,
ergibt insgesamt ca. 371 Malter im Gesamtwert von 3589 Pfd. 23 Schilling.

[139] Ebd. fol 17 ff.; die genaue Aufstellung: Roggen 397 Malter 3 Viertel 3 Metzen,
Haber 301 Malter 1 Viertel 1 Metze, Fesen 2 Viertel, Gerste 17 Malter 3 Viertel; Gesamtwert 4153 Pfd. 35 Schilling 12 Hlr.

[140] HStAStgt H 232/40: Urbar von 1518. Zur Besitzgeschichte sehr ausführlich *W.
Nuber*: Studien (wie Anm. 103) S. 39 ff., eine Auswertung des Urbars von 1518 ebd.
S. 224 ff.

[141] Dieser ergibt sich aus der Kartierung der Getreidemaße (vgl. oben zu Anm. 124,
unter Beiziehung der Urkunden von Stift Kempten u. a. Herrschaften), aus den genannten
Bruckkornabgaben (vgl. oben Anm. 135), sowie aus einer Reihe von Einzelnachrichten der
Ratsprotokolle u. a. über das Verhältnis Memmingens zu den benachbarten Adeligen,
schließlich aus den Marktordnungen gegen den Fürkauf. Eine Auswertung ist für einen
späteren Zeitpunkt vorgesehen.

[142] Vgl. *N. Backmund*: Chorherrenorden (wie Anm. 14) S. 181-85; *E. Groll*: Das Prä-
monstratenserstift Roggenburg im Beginn der Neuzeit (1450-1600). Diss. München 1939.
Augsburg 1944.

die Eingliederung des Klosters in den Besitz der Herrschaft Weißenhorn vertrat[143], wollten beide Seiten von der Stadt Memmingen die Verfügungsgewalt über die dort im Klosterhof lagernden Getreidebestände und sonstigen Güter erwirken[144]. Memmingen suchte sich in diesem Streit eine vermittelnde Position zu erhalten, auch als Kaiser Maximilian zugunsten des Abtes mehrere Mandate erließ und der Abt eine päpstliche Bulle erwirkte.

Die Intensität, mit der der Streit geführt wurde, läßt darauf schließen, daß die Getreidelager in Memmingen – wie das in Ulm, um das der Streit auch ging – recht beträchtlich gewesen sein müssen. Eine genauere Aussage über Einzugsbereich und Quantitäten ist wegen mangelnder Quellen nicht möglich. Doch zog der Memminger Markt mit seinem gerade seit dem beginnenden 16. Jahrhundert zunehmenden Export über Lindau in die Nordschweiz[145] offensichtlich auch dieses etwa 30 km nördlich der Stadt inmitten seines sehr geschlossenen Besitzes gelegene Kloster an[146]. Wie wichtig vor allem in Krisenzeiten diese Zufuhr aus einem erweiterten Marktgebiet im beginnenden 16. Jahrhundert war, zeigen auch Aufforderungen der Stadt an Roggenburg und ebenso an Ursberg sowie den Bischof von Augsburg, die Gülten ihrer Untertanen nach Memmingen führen zu lassen[147]. Gerade in den Zeiten der Getreidehöchstpreise, die ja gleichzeitig Krisenjahre des Ertrags dokumentieren, konnten sie den Markt noch einigermaßen füllen, der wiederum durch die zwar langsame, aber doch insgesamt steigende Tendenz der Bevölkerungsziffer[148] eher zu einer Ausdehnung gezwungen war.

[143] Vgl. *E. Groll*: Roggenburg (wie Anm. 142) S. 12 ff.; die Aktivitäten von bayerischer Seite sind bereits seit 1477 zu verfolgen und stehen im Zusammenhang mit dem gezielten Vordringen Bayerns in den schwäbischen Bereich; vgl. *A. Layer*: Ostschwaben (wie Anm. 102) S. 908 f.

[144] StAMem 41/6: diverse Schreiben von 1486–88 zwischen Abt Georg von Roggenburg und Memmingen, ebenso zwischen Memmingen und Hasperg bzw. Ulm in dieser Sache. – Memmingen wird schließlich auch 1488 zu dem Vermittlungsversuch des kaiserlichen Kommissars Wilhelm Besserer, Bürgermeister von Ulm, um eine Ratsbotschaft gebeten (ebd.). – Vgl. auch Chronik Wintergerst (wie Anm. 4) S. 176 f.

[145] Dies läßt sich entnehmen aus den Versuchen der Stadt Memmingen, den Aufkauf von Lindauer Getreidehändlern einzuschränken, so etwa StAMem RP 1519 April 9, 1526 Dez. 26; StAMem 299/2: Schreiben der Stadt Lindau an Memmingen von 1526. – Vgl. auch die Einträge in die Kornrechnungen von Ottobeuren 1527 ff. (StANeu KL Ottobeuren 541), die von Getreide *an see geschickt* berichten, gegen die Rückfracht Wein.

[146] Zur Besitzgeschichte vgl. *E. Groll*: Roggenburg (wie Anm. 142) S. 37 ff.; der Besitz überschritt die Linie Illertissen-Krumbach nach Süden nur wenig.

[147] StAMem RP 1531 April 5: an Roggenburg; ebd. 1541 Nov. 16: an Roggenburg, Ursberg und den Vogt des Bischofs von Augsburg.

[148] Vgl. *E. Keyser/H. Stoob* (Hg.): Bayerisches Städtebuch Teil 2. Stuttgart/Berlin/Köln/Mainz 1974. S. 364. (Deutsches Städtebuch Bd. V). *W. Braun* gibt hier folgende Einwohnerzahlen als Schätzungen an (wohl nach den Steuerbüchern): 1452 ca. 4300–4700, 1520 ca. 5000, 1620 ca. 6000 E.; *A. Westermann*: Die Bevölkerungsverhältnisse Memmingens im ausgehenden Mittelalter. In: MGBll (1913) S. 5 ff., errechnet für 1450 ca 4700 E., entscheidet sich aber für einen Spielraum von 4000–5000 E. (S. 23). –

Damit sind auch die beiden letzten kirchlichen Institutionen genannt, die sich in Memmingen seit Anfang des 16. Jahrhunderts niedergelassen hatten. Für das Ursberger Haus läßt sich die wirtschaftliche Funktion bereits im Vertrag mit der Stadt beim Kauf des Hauses 1514 belegen[149]; er enthielt die Bestimmung, daß das Kloster das Korn, das es in seinem Haus oder im städtischen Kornhaus verkaufen wollte, nur von städtischen Kornmessern messen lassen sollte und auch den üblichen Zuberlohn – eine Abgabe für das Messen – zu entrichten hatte. Größenordnung und Umkreis der Lieferungen sind freilich hier ebenso nicht zu erschließen; lediglich die gelegentlich auftauchende Bestimmung in einem Bestandsbrief von 1569 beinhaltet die Lieferungspflicht der Reichnisse aus einem Hof von Mindelzell östlich Krumbach in den Klosterkasten nach Memmingen[150], so daß auch hier die Annahme nicht unberechtigt erscheint, daß ein erheblicher Teil des für den freien Verkauf bestimmten Getreides aus dem doch insgesamt relativ geschlossenen Stammbesitz um das Kloster[151] dorthin gelangte.

So nimmt es nicht wunder, wenn sich diesem zunehmenden Sog auf den Memminger Markt auch die Organisation des Hochstifts nicht entziehen kann und will. Noch 1507 hatte Bischof Heinrich von Augsburg von Kaiser Maximilian in einem Privileg für das aus der Pfandschaft gelöste (Ober-)Schönegg einen Wochenmarkt und zwei Jahrmärkte erwirkt[152] – zusammen mit der Wiederbelebung des Hochgerichts, die beide somit auf den Ausbau zum zentralen Ort hindeuten. Freilich florierte der Markt offensichtlich nicht, so daß der Bischof 1516 das Haus in Memmingen erwarb[153]. Auch hier werden in einem Vertrag mit der Stadt die gleichen Bestimmungen eingebracht wie bei den anderen Klosterhöfen: die Entrichtung des Zuberlohns sowie die Meßpflicht durch die Kornmesser für das Getreide, das sie in ihrem Haus oder im städtischen Kornhaus verkaufen

---

Vgl. demgegenüber den rapiden Bevölkerungsanstieg Augsburgs um 1500; *J. Jahn*: Augsburgs Einwohnerzahl im 16. Jahrhundert – Ein statistischer Versuch. In: Zeitschrift f. Bayer. Landesgesch. 39 (1976) S. 379-96, der einen Anstieg von 18000 E. auf 35000 E. vom letzten Drittel des 15. zu den 30er Jahren des 16. Jahrhunderts ansetzt; deshalb waren auch dort wesentlich einschneidendere Maßnahmen von seiten der Stadt zur Versorgung nötig, vgl. *R. Kießling*: Zentralität (wie Anm. 10).

[149] Vgl. oben Anm. 122; dies geht auch aus den Ratsbeschlüssen von 1514 Febr. 15 und März 31 hervor.

[150] HStAMü KU Ursberg 234: 1569 April 27.

[151] Vgl. HStAMü KL Ursberg 2: Gültverzeichnis von 1384 mit Nachträgen; ebd. 4: Kopialbuch über den Besitz; vgl. *A. Schröder*: Das Traditionsbuch und das älteste Einkünfteverzeichnis des Klosters Ursberg. In: Jahrb. d. Hist. Vereins f. Dillingen 7 (1894) S. 1-39; *N. Backmund*: Chorherrenorden (wie Anm. 14) S. 203-8.

[152] HStAMü Hochstift Augsburg Neuburger Abgabe Akten 2762 (Kopie); im Ortsartikel bei *K. Bosl* (Hg.): Bayern. Stuttgart 1961. S. 521 f. (Handbuch der Historischen Stätten Deutschlands Bd. VII), wird dies ebensowenig erwähnt wie bei *M. Spindler/G. Diepolder*: Bayerischer Geschichtsatlas. München 1969. Karte 22/23 a berücksichtigt.

[153] S. oben Anm. 123.

wollten, und die Zusage der Unterwerfung unter die städtischen Verwaltungsvorschriften. Die Verhandlungen zwischen Bischof und Melchior Billung, dem hochstiftischen Vogt zu Schönegg, um die Bestellung eines geeigneten Verwalters[154] machen zudem deutlich, daß dessen Aufgaben vor allem in der Überwachung und Verrechnung des eingehenden Getreides lagen; der Einzugsbereich wird dabei ganz konkret mit dem Pflegamt Schönegg umschrieben[155], einem Besitzstreifen von Oberroth bis Dietershofen und Egg an der Günz[156], der etwa 1580 immerhin über 200 Anwesen umfaßte und eine Getreidemenge von gut 200 Malter aus den besetzten Gülten erbrachte[157] – eine nicht unwichtige Bereicherung des Memminger Getreidemarktes.

Somit ergeben sich – bei aller Unsicherheit und vorsichtiger Schätzung nach den jeweiligen Einzelangaben – in der Größenordnung insgesamt nicht unter 1500 – 2000 Malter Getreide, die jährlich über diese Klosterhöfe vermarktet werden konnten. Setzt man davon etwa die Hälfte für Futtergetreide an, so bleibt immerhin noch so viel übrig, daß nach vergleichbaren Berechnungen für Nürnberg bzw. Köln[158] etwa 1200 Personen, also ca. ein Viertel der städtischen Bevölkerung versorgt werden konnten – soweit Bedarf bestand und nicht der Fernhandel davon profitierte.

Die Bedeutung der Klosterhöfe für die städtische Wirtschaft läßt es verständlich erscheinen, daß die Stadt wiederum besonderen Wert darauf legte, die Bedingungen ihrer Niederlassung sorgfältig rechtlich abzusichern. Hatte schon das Stadtrecht von 1396[159] die Versteuerungspflicht aller Klosterbesitzungen in der Stadt festgelegt und Anfang des 15. Jahrhunderts gegenüber den Kartäusern die

[154] HStAMü Hochstift Augsburg Neuburger Abgabe Akt 449: Schriftwechsel zwischen Billung und Bischof Heinrich; ebd. die Bewerbung des Adam Koch um die Stelle.

[155] Ebd. Akt 450: Schriftwechsel von 1553 zwischen dem bischöflichen Statthalter in Dillingen und dem Vertreter des Pflegers von Schönegg über die Zollerhebung in Memmingen: *den die im Ampt Scheneck geben sollten* bzw. *von ewern amptsverwanten.*

[156] Ebd. Akt 2770: Beschreibung des Pflegamtes Schönegg (ca. Mitte des 17. Jahrhunderts), dabei die Feststellung, daß man in das Haus in Memmingen *die gülten thuet.*

[157] Ebd. Literalien 771: Salbuch des Amtes Schönegg von 1580.

[158] Vgl. *F. Irsigler:* Getreidepreise, Getreidehandel und städtische Versorgungspolitik in Köln vornehmlich im 15. und 16. Jahrhundert. In: Die Stadt in der europäischen Geschichte. Festschrift E. Ennen. Bonn 1972. S. 570–610; er stützt sich bei der Bestimmung des Bedarfs für eine Person = 2 Kölner Malter (à 150 Liter) auf Angaben von Nürnberg von 1560 mit ca. 1 Sümmer = 318 Liter. Nach *H. Fischer:* Schwäbisches Wörterbuch (wie Anm. 129) Sp. 1428, entsprach der Malter im Oberamt Leutkirch 4,11 Hektoliter; die Umrechnung ergibt somit 3596 Hektoliter bzw. bei einem Bedarf von ca. 300 Liter/Jahr ziemlich genau die Menge für 1200 Personen (berechnet auf der Basis des Mittelwertes der geschätzten Vermarktungsquote).

[159] *M. Frhr. v. Freyberg:* Rechtsbuch der Stadt Memmingen Anno 1396. In: *ders.*: Sammlung historischer Schriften und Urkunden, geschöpft aus Handschriften. Bd. 5. Stuttgart/Tübingen 1836. S. 239–324, hier S. 302: *Vmb Klosterguot*; ebd. S. 323 zum Jahr 1404; vgl. HStAMü RL Memmingen 8, fol. 60 zum Jahr 1424.

Ausgabe von Leibgedingen, Zinsen und ähnlichem aus Grundstücken in der Stadt verboten, so lag die Zielrichtung dabei vor allem im Zugriff des städtischen Rates auf den Besitz der sog. »Toten Hand«, der ja im Laufe des 14. und 15. Jahrhunderts gegenüber einer Entfremdung städtischen Grundbesitzes in allen Städten mehr oder weniger durchgesetzt wurde[160]. In diesem Rahmen wurde die Steuerbarkeit des jeweiligen Hofes im 15. Jahrhundert praktisch fast ausnahmslos realisiert: Ochsenhausen hatte sie 1351 akzeptiert, Ottobeuren 1461 ebenfalls, Ursberg 1514 und der Bischof von Augsburg 1516[161]. Lediglich die Kartause Buxheim hatte 1406 ein steuerfreies Haus erwerben können[162]. In den Steuerbüchern von 1450, 1451 und 1521 sind somit die diversen Klosterhöfe mit entsprechenden Beträgen verzeichnet[163]. Die jeweilige Versicherung, das Haus beim Verkauf nur in Bürgershand übergeben zu wollen, geht in die gleiche Richtung[164].

Interessanter ist die Bestimmung, die in den jüngeren Verträgen allgemein festgelegt wurde, daß nur ein Memminger Bürger bzw. Untertan aus dem Bereich der städtischen Obrigkeit als Verwalter akzeptiert werden sollte, sowie die Versicherung, keine geistlichen Privilegien dafür in Anspruch nehmen oder eine Freiung erlangen zu wollen[165]. 1528 stellte der Rat den Kastner im Bischofshof denn auch vor die Alternative der Ausweisung, wenn er das Bürgerrecht nicht anzunehmen gewillt sei[166]. Die Stadt war in keiner Weise bereit, mit den Klosterhöfen rechtliche Fremdkörper in ihren Mauern zu dulden.

Denn neben ihrer Funktion als Getreidespeicher und Unterkünfte für Klostermitglieder entwickelten diese Höfe zunehmend auch ein wirtschaftliches Eigenleben, wogegen sich die Stadt samt ihrer Bürgerschaft wehrte. 1514 wollten die Wirte, da ihre Gasthäuser nicht gut gingen, den Äbten das Ausschenken in

---

[160] Vgl. etwa *R. Kießling*: Augsburg (wie Anm 6) S. 73 ff.; *K. Trüdinger*: Würzburg (wie Anm. 6) S. 49 ff.; allg. die in Anm. 23 genannten Arbeiten von *K. Frölich* und *A. Schultze*, u. a. m.

[161] Vgl. die Nachweise oben Anm. 119 (Ochsenhausen), 126 (Ottobeuren), 122 (Ursberg), 123 (Bischofshof).

[162] Vgl. oben Anm 116.

[163] StAMem Foliobände 427–429; 1450: unter den einzelnen Steuerbezirken: *Kartuser huß* (ohne Betrag!), *Ochsenhusser huß* 1 Pfd. 6 Schilling; unter den Ausbürgern *Her von Utaburun* 40 Pfd. (Hlr.), *Her von Rot* 20 Pfd. (er ist übrigens innerhalb der Steuerbezirke gestrichen). – 1451: *Kartusser huß* (gestrichen), *Ochsenhusser huß* (ohne Betrag). – 1521: *Abt von Ottobeuren* Haus 3 Pfd. 10 Schillg., *Abt Haus von Roggenburg* 7 Pfd., *Bischofs Haus* 5 Pfd., *Abtshaus von Aursperg* 3 Pfd. 10 Schillg., *Abtshaus von Rot* 5 Pfd. 5 Schillg., *Ochsenhauser Haus* 2 Pfd. 2 Schillg.

[164] So bei Ursberg 1514 und beim Bischofshof 1516 (s. Anm. 122 f.).

[165] Ebd.; laut StAMem RP 1509 Jan. 3 galt das für alle geistlichen Häuser; ebd. Jan. 12 wird Ottobeuren und Buxheim noch eine kurze Frist in dieser Hinsicht zugestanden; StAMem 41/7: 1537 Dez. 13, Abt von Roggenburg an Memmingen; er stellt das Bürgerrecht für seinen Hausverwalter fest.

[166] StAMem 27/3: Schreiben des Bischofs von Augsburg an Memmingen.

ihren Höfen verbieten, was der Rat freilich wegen des freien Handels mit Wein[167] nicht gewähren konnte[168]; speziell für das Roggenburger Haus wiederholte sich diese restriktive Tendenz in den 30er Jahren des 16. Jahrhunderts, nun von seiten des Rates ausgeübt, wogegen der Abt mit Hinweis auf die lange Tradition seit etwa 100 Jahren erfolgreich protestierte[169]. Berücksichtigt man, daß derartige Gasthäuser sowohl für das gesellige Zusammensein als auch zu mancherlei Geschäften gut waren – nicht umsonst waren zahlreiche Verbote auf Bitten der Handwerker und Zünfte immer wieder gegen das Einlagern und Handeln von Waren Auswärtiger in Gasthäusern gerichtet[170] –, so läßt sich die lebhafte innerstädtische Kommunikationsfunktion der Klosterhöfe erahnen.

IV

Relativ wenig ist demgegenüber über die Klosterhöfe als Orte des Aufkaufs für die Klosterwirtschaft festzustellen. Die im Vertrag mit Ottobeuren von 1461[171] einbezogene Bestimmung über Wein- und Salzkäufe deutet darauf hin, daß die Versorgung des Klosters zum Teil über Memmingen lief, andererseits läßt sich aus den Rechnungen eindeutig entnehmen, daß das Kloster auch selbständig in Landsberg Salz einkaufte, ebenso wie es Wein vom Bodensee brachte und selbständig Getreide dorthin lieferte[172]. Memmingen als Verteilermarkt für Salz[173] und Wein[174] in die weitere Umgebung liegt in der langen Handelstradition der

---

[167] Dieser wurde in Memmingen spätestens seit dem 15. Jahrhundert neben dem Handel mit Salz, Textilien sowie Eisen als freier Handel gehandhabt, der neben dem Handwerk betrieben werden durfte, also nicht an die Geschlechter- oder Zunftzugehörigkeit gebunden war; vgl. HStAMü RL Memmingen 10, fol. 29 f. (dat. nach 1488), Chronik Löhlin (wie Anm. 4) S. 198 zum Jahr 1489, ebd. Chronik Wintergerst. S. 81, schon zum Jahr 1457 der Versuch der Geschlechter und Kramer, das Monopol darauf zu erlangen, was aber abgeschlagen wird. – Vgl. auch *R. Eirich*: Wirtschaft (wie Anm. 73) S. 39.

[168] StAMem RP 1514 Juni 16.

[169] StAMem 41/7: 1532 und 1537, Abt von Roggenburg an Memmingen.

[170] Z. B. StAMem RP 1526 Febr. 24: Ratsbeschluß, wonach fremde Kramer in Zukunft nichts mehr in Wirtshäusern verkaufen dürfen; ebd. 1518 Juli 12: der Wannenmacher klagt, ein Konkurrent von Eggelsee streife hier in allen Wirthäusern umher, zu seinem Schaden; er soll nur auf dem Markt feilhalten dürfen; u. a. m.

[171] S. oben Anm. 126.

[172] StANeu Kl Ottobeuren 541: z. B. 1527 Einnahmen des Cellerarius u. a. *an see geschickt* = Getreideverkäufe dorthin; ebd. KL 163 Kornregister von 1525: dabei ein Posten aufgeführt *Saltz zu landsberg kafft.*

[173] Vgl. *A. Westermann*: Memminger Handel und Handelsgesellschaften um die Wende vom Mittelalter zur Neuzeit. In: MGBll (1920) S. 9–13, 17–22; *A. Eichheim*: Das Zollwesen der Reichsstadt Memmingen. In: MGBll (1925) S. 25–40, und (1926) S. 1–10. – Die ersten Bestimmungen zum Salzhandel im Stadtrecht von 1396 bei *Freyberg*: Rechtsbuch (wie Anm. 159) S. 322 f.

[174] Vgl. *A. Westermann*: Memminger Weinhandel und Weinausschank im 15. und 16. Jahrhundert. In: MGBll (1913) S. 51–55, 57–61.

Stadt und ihrem Stapelrecht. Daß bei dem freien Handel, dem diese Produkte unterworfen waren, auch Klöster aktiv eingriffen, ergibt sich aus dem ablehnenden Bescheid des Rates von 1512 auf den Antrag der Schwarzen Schwestern um zollfreie Salzausfuhr, *die weyl sie das saltz kauffen auff gewyn*[175]. 1586 mahnte der Rat ernstlich das Kloster Rot, den bei seinem Wirt in Berkheim schon seit längerem praktizierten Salzhandel, der gegen die Memminger Niederlage verstoße, abzuschaffen[176]. Der Bezug weiterer Produkte für die Versorgung der Klöster ist da und dort festzustellen[177]. Daß im übrigen Memminger Handwerker für die Klöster arbeiteten[178], liegt ebenfalls auf der Hand und soll hier nicht weiter im einzelnen verfolgt werden. Die Umkehrung des anfangs abgegrenzten Markteinzugsbereiches zur Versorgung der Stadt in Richtung auf das Land stellte das notwendige Pendant des wirtschaftlichen Austausches dar.

Gelang es der Stadt, ihre Umgebung einigermaßen frei von gefreiten Märkten zu halten, so konnte sie auch diesen Austausch weiter in erheblichem Maße an die Stadt binden, auch wenn im späten 15. und 16. Jahrhundert die wirtschaftliche Struktur sich verschob, das Land sich stärker verselbständigte[179]. Neben dem schon im 15. Jahrhundert wieder zum Markt abgesunkenen, aber als solchem funktionsfähig gebliebenen ehemaligen Kleinstädtchen Babenhausen[180] hatte auch das seit Ende des 14. Jahrhunderts als Markt bezeugte hochstiftische Pfaffenhausen/Mindel eine, wenn auch begrenzte lokale Bedeutung[181], doch war es offensichtlich nicht stark genug, auf die hochstiftischen Besitzungen um Schönegg auszustrahlen, denn hier dominierte, wie schon angedeutet, Memmingen und verurteilte die vom Bischof ins Werk gesetzte Markterhebung von 1507 zur Erfolglosigkeit. Doch auch andere geistliche Gründungsversuche blieben wirkungslos. Ein bezeichnendes Beispiel ist Ottobeuren selbst: Hier wollte der Abt mit Hilfe eines Privilegs von 1498 eine Neubelebung des stauferzeitlichen städtischen Marktes erreichen[182]. Doch auch dieser Neuansatz florierte nicht, so daß

[175] StAMem RP 1512 Okt. 25.

[176] HStAStgt Kl. Rot Akten 149: 1586 Nov. 28, Memmingen an den Abt von Rot.

[177] So will z. B. Kloster Ochsenhausen 1570 etliche Zentner Unschlitt in Memmingen kaufen, wie seit etlichen Jahren geschehen (StAMem 36/13), u. a. m.

[178] Sie wurden übrigens zum Teil mit Getreide entlohnt, z. B. für Ottobeuren 1527 (StANeu KL Ottobeuren 541): ein Sattler, ein Hafner etc.

[179] Vgl. allgemein dazu *W. Abel*: Landwirtschaft 1500–1648. In: Handbuch der deutschen Wirtschafts- und Sozialgeschichte. Hg. v. *H. Aubin* und *W. Zorn*. Bd. 1. Stuttgart 1971. S. 386–413; *H. Kellenbenz*: Gewerbe und Handel 1500–1648, ebd. S. 414–464.

[180] *K. Bosl*: Bayern (wie Anm. 152) S. 51; vgl. StAMem 45/15: eine Kopie der Marktordnung für Babenhausen von 1561 Nov. 17.; sie beinhaltet vor allem Bestimmungen für den Garnhandel und Lebensmittelmarkt.

[181] *R. Vogel*: Mindelheim. München 1970. S. 144 ff. (Histor. Atlas von Bayern. Teil Schwaben Heft 7)

[182] HStAMü KU Ottobeuren; StAMem 40/1 (Kopie); vgl. *A. Layer*: Kurzlebige mittelalterliche Stadtgründungen im östlichen Schwaben. In: Zeitschrift d. Hist. Vereins f. Schwaben 69 (1975) S. 7–17, hier S. 14 f.

der Markt schon Anfang des 16. Jahrhunderts wieder eingegangen sein muß; gegen den erneuten Anlauf um 1600 aber erfolgte ein entschiedener Protest von seiten Memmingens[183]. Ein heftiger Streit entwickelte sich auch zwischen Memmingen und dem Fürststift Kempten um die Einrichtung des Marktes Dietmannsried in den 70er Jahren des 16. Jahrhunderts. Die Abtei, die im 15. und 16. Jahrhundert wohl systematisch die Reichsstadt Kempten mit einem Kranz von subzentralen Orten mit Markt- und Herrschaftsfunktionen einschnürte[184], wollte 1577 dort durch Supplikation an den Kaiser einen Wochen- und zwei Jahrmärkte etablieren. Zusammen mit den ebenfalls tangierten Reichsstädten Kempten und Leutkirch gelang es Memmingen zwar, die Marktplanung eine Zeitlang zu verhindern, doch mußte es sich schließlich 1585/86 geschlagen geben[185]. In diesem Kampf gegen die Beschneidung und Durchlöcherung des städtischen Markteinzugsbereiches spiegelt sich somit auch das Nachlassen der Sogwirkung der alten Städte gegenüber dem Erstarken der ländlichen Sphäre im 16. Jahrhundert.

Einen nicht uninteressanten ergänzenden Aspekt bieten einige Nachrichten vom Kapitalmarkt. Abgesehen von bürgerlichen Einzelstiftungen zur Anlage kleiner Zinsen, die, wie oben schon angedeutet, weitgehend vom städtischen Grundbesitz auf das umgebende Land abgeleitet wurden, um so die Stadt selbst von geistlichem Besitz möglichst frei zu halten[186], gibt es einige erhebliche Geldanlagen zwischen städtischen und umliegenden Klöstern einerseits und Memmingen andererseits. Daß die Pflegschaft vor allem über das Spital und die Frauenklöster die Einbeziehung von deren Kapitalien in die städtische Finanzplanung nach sich zog, wurde schon angesprochen; als z.B. 1522 eine größere Kapitalrente des Hans Zwicker bei der Stadt abgelöst werden sollte, mußte das Geld vom Spital und den Franziskanerinnen herhalten[187]. Aufgrund des Kapitalbe-

---

[183] *M. Feyerabend*: Jahrbücher (wie Anm. 1) Bd. 3. S. 297. Das Privileg Rudolfs von 1601 brachte die Erneuerung des Marktrechtes von 1498. Vgl. *Ä. Kolb*: Ottobeuren. In: Bayerisches Städtebuch 2 (wie Anm. 148) S. 517. – *K. Schnieringer*: Ottobeuren. Geschichte des Marktes I. Teil. Kempten 1940. S. 54 f. (Allgäuer Heimatbücher 33), doch mit sehr unkritischer Annahme einer Kontinuität des Marktes seit 746 (!) und S. 56 ff. einer sprachlich geglätteten Wiedergabe der Urkunde von 1601; im übrigen eine sehr zeitgemäße Schrift!

[184] Vgl. *P. Blickle*: Kempten. München 1968. (Histor. Atlas von Bayern. Teil Schwaben Heft 6) S. 118 ff., der diesen Sachverhalt von herrschaftlicher Seite her beleuchtet.

[185] StAMem 33/8: Schriftwechsel Memmingens mit der Stadt Kempten, dem Landvogt Jörg Ilsung, Ernst von Rechberg als kaiserlichem Kommisar, Leutkirch, mit Abschriften der kaiserlichen Mandate in dieser Sache, von 1577–1587.

[186] Vgl. oben zu Anm. 159, 160, sowie die Anlage der Zinsen für die Franziskanerinnen von 1500–1523 durch städtischen den Pfleger, s. Anm. 51.

[187] StAMem RP 1522 Mai 9; vgl. dazu die Anlage von 2200 fl. bei der Stadt für 88 fl. Ewigzins durch den Pfleger der Franziskanerinnen, HStAMü KU Memmingen Franziskanerinnen 1522 Juli 28.

darfs der Stadt beim Kauf der Herrschaft Frickenhausen 1520/21 hatte der Rat neben der Geldaufnahme bei Bürgern – der Adel trat eher als Schuldner der Stadt auf[188] – auch eine Anleihe von 800–1000 fl. bei Klosterbeuren ins Auge gefaßt[189]. 1540 schließlich gewährten die Kartäuser von Buxheim 2750 fl. Darlehen an die Stadt[190]. Weniger deutlich treten in diesem Zusammenhang die übrigen bisher betrachteten Klöster in Erscheinung. Erst nach der Mitte des 16. Jahrhunderts lassen sich hier Beziehungen nachweisen: Das Stift Kempten nimmt 1558 und 1585 und 1586/7 größere Darlehen bei Memmingen auf[191], 1566 bittet Ottobeuren um 800 fl.[192], 1567 erhält Ochsenhausen einen Betrag[193]. 1576 löst der Rat andererseits eine Anlage Klosterbeurens von 2000 fl. zu 5% ab, weil er eine günstigere Geldbeschaffung zu 4% in Aussicht hatte[194], während Kloster Rot eher bei Biberach und den Klöstern Marchtal und Mehrerau Geld aufnahm[195].

Diese Kapitalverflechtung belegt somit in gewisser Weise die beiden verschiedenen Zonen herrschaftlicher Verknüpfung zwischen der Stadt Memmingen und den Klöstern – abgesehen davon, daß hier eine räumlich wesentlich weiter wirkende Dimension zu berücksichtigen wäre, da auf diesem Feld auch benachbarte und weiter entfernte Städte einbezogen sind[196]. Die Stadt unterhält als Finanzzentrum vor allem zu den Klöstern intensivere Beziehungen, die sie auch enger herrschaftlich binden kann, während die großen Klöster der Nachbarschaft, bei denen sich nur zeitweise über das Bürgerrecht Fäden anknüpfen lassen, nur sporadisch und spät in Erscheinung treten.

[188] So etwa die Rechberg: StAMem 48/1: 1514, diverse Mahnungen der Stadt, eine Schuld von 100 fl. zu bezahlen; vgl. StAMem RP 1514 Dez. 17; Frundsberg 1511 (RP 1511 Jan. 27), 1512 (RP 1512 Okt. 11): je 300 fl.; andererseits aber StAMem 49/6: 1529, die Gebrüder Rechberg wollen das bei der Stadt deponierte Geld wieder abheben; 1548 (RP 1548 Sept. 26): Wolf von Rechberg bietet der Stadt 10000 fl. zu 4% an.

[189] StAMem RP 1521 Juli 29; daneben kaufte Alexis Funck für 1200 fl. Kapital 100 fl. Leibgeding.

[190] StAMem RP 1540 Febr. 25: die Stadt will 2500 fl. (!) zu 4% annehmen; vgl. *Stöhlker, F.*: Buxheim (wie Anm. 76) S. 512: ein Zinsbrief von 1540 April 26 über 2750 fl. Kapital und 110 fl. Zins.

[191] StAMem 33/7: 1561, Bitte um Verlängerung des seit 3 Jahren laufenden Darlehens über 2000 fl.; 1585, Dank für ein Darlehen von 1500 fl. auf 1 Jahr; 1586 Bitte um ein kurzfristiges Darlehen von 2000 fl.

[192] StAMem 40/1: Ottobeuren braucht es zur Begleichung einer Restschuld an Ochsenhausen.

[193] StAMem 36/13: Dank von Ochsenhausens Coadjutor.

[194] StAMem 41/5: Schriftwechsel Memmingens mit Klosterbeuren.

[195] HStAStgt KU Rot (Repertorium).

[196] Vgl. StAMem 266/2, fol. 2 f., Leibdingverzeichnis 1397 ff.: es nennt neben Augsburg, Kaufbeuren, Kempten vor allem Ulmer Bürger; StAMem Folioband 459, Ausgaben 1462: unter den Zinsen *hie im land* Ulm, Ravensburg, Augsburg, Kempten, München, unter den Leibgedingen Blindheim, München, Innsbruck, Gmünd, Augsburg sowie der Abt von Ottobeuren und der Pfarrer von Osterberg.

V

Die Tendenzen herrschaftlicher Verflechtung zwischen Memmingen und den in und um die Stadt liegenden Klöstern deuten zumindest teilweise auf eine Intensivierung hin, andererseits wird aus den wirtschaftlichen Beziehungen ersichtlich, wie wichtig gerade für Memmingen die umliegenden Klosterherrschaften als Überschußgebiete waren.

In der Zeit der Reformation wurde nun dieses durchaus dynamische Verhältnis Stadt – Kloster mit einer Reihe von Motivationen konfrontiert, die die Perspektiven ausweiteten. Memmingens Reformationsgeschichte[197] bot in ihrem Verlauf an zwei Stellen konkrete Ansatzpunkte für Veränderungen und Abrundungen dieses Verhältnisses. Nachdem nach der ersten als »Volksbewegung« charakterisierten Phase der frühen 20er Jahre mit starkem genossenschaftlichem Akzent die Reformation in eine obrigkeitlich gelenkte, herrschaftlich von der Ratsoligarchie bestimmte Phase überging[198], wurden die städtischen Klöster in die Ausbildung der städtischen Kirchenherrschaft einbezogen. Sicher ist dabei als primäres Motiv die Herstellung der reformatorischen Einheit der Stadt festzuhalten, doch ging damit Hand in Hand auch eine territoriale Abrundung herrschaftlicher und wirtschaftlicher Art.

1528 begann der Rat mit der Eingliederung[199]: Im Mai 1528 war die Reformation des Unterhospitals durchgeführt und in einem neuen, nun durchgesetzten Anlauf das Augustinerkloster ganz unter die städtische Regie genommen worden; die Rechnungslegung vor dem Rat wurde etabliert und überwacht[200], und als im gleichen Jahr das gemeinsame mönchische Leben erlosch, wurde das Besitztum beansprucht[201]. Anfang 1529 ließen sich die letzten Schwestern von St. Elsbeth abfinden, das Vermögen des Klosters verleibte der Rat dem Spital ein[202]. 1531 verstärkte er seinen Druck auf das Oberhospital und schlug 1540 dessen Güter zu denen des Unterhospitals[203]. Das Antoniterkloster wurde ebenfalls 1531 dem Rat unterstellt und unter Berufung auf das Schutz- und Schirmrecht verwaltet, nachdem der Präzeptor Kaspar von Leutzenbrunn schon 1527 die Stadt verlassen hatte. Die Franziskanerinnen von Maria Garten aber, die sich

---

[197] Vgl. *F. J. Baumann*: Allgäu (wie Anm. 3) Bd. 3. S. 352 ff.; *F. Dobel*: Memmingen im Reformationszeitalter. 5 Teile. Augsburg 1877–78 (1. Teil in 2. Aufl.); *W. Schlenck*: Reformation (wie Anm. 20).

[198] *W. Schlenck*: Reformation (wie Anm. 20) S. 58 f., 112 f.

[199] Zum folgenden vgl. vor allem *W. Schlenck*: Reformation (wie Anm. 20). S. 61 ff., 94 ff.; *F. Dobel*: Reformationszeitalter (wie Anm. 197) Teil V. S. 35 ff.

[200] StAMem RP 1528 Dez. 2, Dez. 16, u. a.; 1536 April 5: die Pfleger der Mönche haben Rechnung gelegt; April 7: Ratsverhör von 2 Mönchen, wegen Nichteinbeziehung einer Geldeinnahme von Mindelheim in die Rechnung.

[201] *J. Hemmerle*: Augustiner-Eremiten (wie Anm 36) S. 42.

[202] Ebd. S. 46.

[203] *J. F. Unold*: Memmingen (wie Anm. 59) S. 153.

gegen die Reformation sträubten und nach auswärts auswichen[204], mußten sich dem Rat gegenüber 1533 und 1537 verpflichten[205], innerhalb einer 2-Meilen-Zone zu bleiben – dem Bereich, der als engere städtische Einflußzone immer wieder in Erscheinung trat – und auf die Aufnahme von Novizen zu verzichten.

So weitgehend erfolgreich für den Rat dieser herrschaftliche Eingriff in die Klöster der Stadt war – ihm folgte in den 30er Jahren die zeitweise und mehr oder weniger dauerhafte Etablierung der Reformation auf dem Land in den städtischen-spitalischen und, zum Teil in Auseinandersetzung mit den altgläubig bleibenden Inhabern, auch den bürgerlichen Dörfern[206] –, der zweite Versuch galt auch den außerhalb der Stadt liegenden Klöstern, insbesondere Buxheim.

1538 unternahm der Rat den ersten Anlauf, die Schirmherrschaft zu einer stärkeren Einflußnahme auf das Kloster auszudehnen[207]. Reformatorische Tendenzen hatten das Kloster bereits von innen her in seinem Bestand gefährdet, Streitigkeiten und der Verfall der Klosterzucht motivierten die Überlegung des Rates, inwieweit eine Auflösung die städtischen Interessen tangieren könnte. Die Hauptsorge bestand darin, die aus Württemberg neu ins Kloster gekommenen Mönche könnten insbesondere über die alten Memminger Professen die Oberhand gewinnen und einen neuen Schutzherrn suchen, wobei der habsburgische Landvogt oder Burkhard von Ellerbach, als lebender Nachfahre des Stifters, am nächsten zu liegen schienen. Aus der damit verbundenen Stärkung der Altgläubigen könnten *groß nachtayl vnnd schaden* für die Stadt entstehen, weil bisher *Ire vnnderthanenn Ime* (dem Pfleger) *vnnd Inen* (den Räten) *geschworn vnnd alle Ir furnemste sachen vnnd hanndlungen mit vnnserm vnnd Irem von vns verordnettenn pfleger Rath gunst wissen vnnd willen gehanndelt* worden sei. Besetzung des Gerichts, Verwaltung der Klosterobliegenheiten, Einbeziehung der Untertanen in den städtisch organisierten Landfriedensverband werden als faktische Abhängigkeit gewertet, bzw. die Feststellung, daß *Ire vnnderthanen bottmessig, raisbar, steurbar, globen vnd geschworen geweßen*[208] seien, wird als Formel für die Memminger Oberhoheit ausgewiesen.

[204] Die Schwestern waren zunächst nach Kaufbeuren, dann auf Schloß Falken ausgewichen; *P. Lins*: Maria Garten (wie Anm. 48) S. 411 f.

[205] HStAMü RU Memmingen 1537 Sept. 28; darin ein Verweis auf den Vertrag von 1533.

[206] *W. Schlenck*: Reformation (wie Anm. 20) S. 97 f., freilich nur sehr summarisch. Ausführlich dazu vor allem *M. Sontheimer*: Die Geistlichkeit des Kapitels Ottobeuren. 5 Bde. Memmingen 1912–20. – Eine sehr ergiebige Quelle für diese Frage sind die Memminger Ratsprotokolle.

[207] Vgl. zu Buxheim in der Reformation vor allem *F. Stöhlker*: Buxheim (wie Anm. 76) S. 118 ff. und 193 ff.; *Schlenck* und *Dobel* reichen leider nur bis in die beginnenden 30er Jahre. – Zur Quellengrundlage *Stöhlkers* vgl. auch HStAMü RL Memmingen 32: Index generalis über Buxheimische Akten, mit den gleichen Datierungen wie StAMem 28/1, die von *Stöhlker* zum Teil mit Recht korrigiert werden. Für den »1. Bericht« (*Stöhlker*, S. 294 f.) würde ich jedoch die Datierung 1538 vorziehen, die sich aus den inhaltlichen Angaben der Quelle ergibt.

[208] StAMem 28/1: Instruktion für Bürgermeister Hans Keller und Bartholomäus Funck, Altbürgermeister, vom 2. Dez. 1538; von *Stöhlker*, S. 296, als »3. Bericht« behandelt.

Die Überlegung der beiden Gesandten Memmingens vor dem Schmalkaldischen Bund – dem Memmingen zusammen mit anderen oberdeutschen Städten Anfang 1531 beigetreten war[209] –, ging dahin, ob eine Visitation und ein städtischer Vogt diese Herrschaft festigen könnten, um für den Landvogt die Einflußnahme über die Ausübung der Hochgerichtsbarkeit zu verhindern; es wird zwar anerkannt, daß Buxheim nicht im Gebiet der freien Pirsch und damit nicht eindeutig außerhalb des Landvogteibezirkes liege[210], doch festgehalten, die Stadt habe praktisch in Abwesenheit des Landvogts die *malifiz hoche oberkhait* ausgeübt.

Diese Rechtsbasis war freilich eher Ziel als Ausgangspunkt der Memminger Politik; denn in einem weiteren Schreiben, in dem befreundete Städte um Rat gefragt wurden[211], wird nach Schilderung der aktuellen Sachlage – die Mönche, die noch verblieben waren, seien nicht bereit, sich den Wünschen des Rats zu unterwerfen – die schmale rechtliche Basis des Schirmbriefs erwogen und der langgeübten Praxis der Ausübung der Hoheitsrechte gegenübergestellt und daraus erneut die Sorge abgeleitet, ein gewaltsamer Eingriff in Richtung Reformation könnte die Abwendung der Kartause zu anderen Schutzherren, zumindest aber langwierige Prozesse auslösen. Das wiederum mußte aufgrund der Nähe der Kartause zur Stadt, dem Besitz an Leuten, Gütern und Holz, dem regen Verkehr der Untertanen in die Stadt als schädlicher Einbruch bewertet werden. Die Antworten darauf[212] sind auch entsprechend vorsichtig und raten eher ab, die Reformation gewaltsam durchzuführen, weil die Rechtsbasis dafür nicht ausreiche, die Gefahr des Verlustes des bisherigen Einflusses daher zu groß sei. Als die Gefahr der Auflösung sich bis 1543 noch weiter gesteigert hatte[213], suchte man durch eine Ratsbotschaft erneut einzugreifen, doch die prompte Hinwendung des Klosters zu Burkhart von Ellerbach signalisierte, daß die Gefahreneinschätzung durchaus real war. Die Erwägung, trotzdem zur Vorsorge einen *erliche(n) tapfere(n) mann mitt ettlichen personen hinein zusetzten*, provozierte die Anfrage nach der Absicherung bei gelehrten Juristen[214].

---

[209] *W. Schlenck*: Reformation (wie Anm 20) S. 90 ff.

[210] Diese Abgrenzung ist durchgängig in der Politik Memmingens zu beobachten als Abwehr gegenüber der Landvogtei und deren Kompetenzbereich; vgl. *P. Blickle*: Memmingen (wie Anm. 5) S. 254 ff. mit ausführlicher Diskussion dieses sehr diffizilen Problems.

[211] StAMem 28/1; *Stöhlker*: (wie Anm. 76) S. 295, datiert ihn mit Recht auf kurz nach 1538 Nov. 13; doch entgegen seiner Einschätzung ergibt sich dieser Adressatenkreis unter anderem aus der Anrede (vgl. ebd. S. 295 Anm. 241).

[212] StAMem 28/1: Ratschlag von Ulm, Heilbronn, Lindau, Ravensburg.

[213] StAMem 28/1: Instruktion, undatiert; *Stöhlker*, S. 243, behandelt ihn als »4. Bericht« und datiert ihn zurecht auf 1543.

[214] Vgl. StAMem 28/1: 1543 April 23, Bericht an den Stadtschreiber Jörg Maurer, z.Zt. in Nürnberg.

Aus diesem Hin und Her wird erneut deutlich, wie sehr die Kartause als ein entscheidender Stein im Gebäude der städtischen Politik erscheint. Konsequenter Höhepunkt, aber auch Wendepunkt im Verhältnis zu Buxheim und den anderen benachbarten Klöstern war – wie in anderen Städten, Ulm und Augsburg etwa, die sich dem Schmalkaldischen Bund ebenfalls angeschlossen hatten[215] – der Schmalkaldische Krieg, mit dem auch die Reformation in Memmingen eine weitere kritische Schwelle erreichte[216]. Während Ochsenhausen, Roggenburg und Ursberg aufgrund der wesentlich engeren Bindungen an Ulm von dort aus schon relativ früh besetzt worden waren[217], mußte sich Memmingen auf sein engeres Einflußgebiet beschränken. Neben der völligen Eingliederung des Gesamtspitals in den städtischen Haushalt[218] sah man bei Kloster Buxheim und vielleicht auch bei Rot die Chance für eine Ausweitung des städtischen Machtbereiches gekommen.

Das zeitweise militärische Übergewicht der Bundesmitglieder führte Ende Juli 1546 zur formellen Besetzung der Kartause[219], zumal sie inzwischen unter dem neuen Prior Dietrich Loher nach einer grundlegenden Reform zu einem Mittelpunkt der katholischen Partei geworden war[220]. Die Besetzung, Einführung der Reformation, Unterstellung des Klosters samt Untertanen unter die provisorische Verwaltung eines städtischen Vogtes waren jedoch nicht von langer Dauer, die Wende des Krieges hob die im August erst eingeleiteten Maßnahmen schon Anfang des folgenden Jahres wieder auf. Zwar sahen beide Seiten während der Rückgabeverhandlungen im Februar noch die Fortsetzung des Schirmes[221] vor, doch bald darauf erfolgte die Verzichtserklärung der Stadt auf die Schirmherrschaft zugunsten des Kaisers und damit des Hauses Habsburg; die intensiven Bemühungen der Stadt zusammen mit dem Prior um die Beibehaltung wurden auf dem Augsburger Reichstag von den Interessen des Kaisers her unterlaufen.

---

[215] Zu Ulm vgl. *F. Rommel*: Die Reichsstadt Ulm in der Katastrophe des Schmalkaldischen Bundes. Stuttgart 1922; zu Augsburg *F. Roth*: Augsburgs Reformationsgeschichte. Bd. 3. Augsburg 1908. S. 398 ff.

[216] *J. F. Unold*: Memmingen (wie Anm. 59) S. 156 f., gibt lediglich eine kurze Notiz. Im übrigen zum allgemeinen Verlauf des Schmalkaldischen Krieges in Ostschwaben *A. Layer*: Ostschwaben (wie Anm. 102) S. 924 ff.

[217] Neben *F. Rommel*: Ulm (wie Anm. 215) S. 25 ff.; *H. E. Specker*: Ulm (wie Anm. 110) S. 130 ff.; speziell zu Roggenburg *E. Groll*: Roggenburg (wie Anm. 142) S. 14 f.

[218] Stadtbibl. Memmingen Cod. 2° 2,20. fol. 221 ff.: Chronikalische Aufzeichnungen über Ereignisse zur Zeit des Spitalmeisters Alexander Mayr.

[219] *F. Stöhlker*: Buxheim (wie Anm. 76) S. 130 ff., sehr ausführlich; Dokumente dazu S. 552 ff.; ich beschränke mich daher auf ein kurzes Resümee.

[220] Ebd. S. 123 f.

[221] StAMem 28/1: diverse Schriftstücke vom Febr. 1547 in dieser Sache, u. a. Mitteilung über einen Vertragsentwurf an den Bischof von Augsburg, zwischen dem Schaffner und der Stadt Memmingen vereinbart, vom 18. Febr. 1547 (Konzept); vgl. *Stöhlker*, S. 141 f.

Die Schmalkaldener besetzten im gleichen Zug auch die Klöster Rot und Ottobeuren. Ersterem wurden zunächst 5000 fl. Schatzung auferlegt, von denen allerdings nur ein Teil entrichtet werden konnte, immerhin erhielt Memmingen 1290 fl. ausbezahlt[222]. Von Ottobeuren hob Memmingen 4000 fl. ein[223]. Bei den Restitutionsverhandlungen versuchte die Stadt die Verantwortlichkeit gegenüber Ottobeuren[224] und Rot für die eingehobenen Gelder abzuwälzen, mußte sich zumindest aber vom Abt von Rot den Vorwurf gefallen lassen, die Herrschaft über das Kloster angestrebt zu haben[225].

Was den innerstädtischen Bereich anbelangt, so mußten nach dem Krieg zunächst das Oberhospital[226] und das Augustinereremitenkloster[227] wieder in ihre Rechte eingesetzt werden, während die Verhandlungen über eine Wiederbelebung der Antoniterpräzeptorei und der damit verbundenen Versorgung der St. Martinspfarrei sich schließlich 1562 vertraglich zugunsten der Stadt lösen ließen[228]. Von pflegschaftlicher Verknüpfung von Stadt und Klöstern konnte bei der konfessionellen Orientierung der Stadt selbstverständlich nicht mehr die Rede sein.

Die Reformation hatte das Verhältnis von Stadt und Kloster auf eine andere Ebene gehoben, deren reichspolitische Entscheidung die Stadt damit auch um wichtige räumliche Bindungselemente brachte. Die verbleibenden Beziehungen zu Buxheim waren fortan wieder wesentlicher schwächerer Natur, wenn sie auch in Einzelfällen weiter zu beobachten sind[229]. Das gleiche gilt für Klosterbeuren, wo die bischöfliche Position sich endgültig durchsetzte, so daß der Kon-

---

[222] *B. Stadelhofer*: Historia (wie Anm. 103) Bd. 2. S. 129 ff.; *H. Tüchle*: Rot (wie Anm. 103) S. 19.

[223] StAMem 40/1: Schriftwechsel betr. die Rückzahlung dieser Summe; vgl. *M. Feyerabend*: Jahrbücher (wie Anm. 1) Bd. 3. S. 156 ff.

[224] StAMem 40/1 (s. Anm. 223).

[225] HStAStgt Kl. Rot Akten 146: 1547 Nov. 3, Abt von Rot an Memmingen; Nov. 15, Antwort Memmingens in 2 Kopien, davon eine mit Randnotizen der Klosterkanzlei, die die Memminger Argumentation zu entkräften suchen, u. a. *Ist Inen wider entgegen vnnd mißfallig gewesen, das sy das Gotzhuß nit haben mögen bekhomen.* Selbst wenn man die einseitige Perspektive dieser Äußerungen berücksichtigt, so ergibt sich daraus doch wohl eine richtige Tendenz der Beurteilung des Geschehens, zumal in Parallele zur Ulmer und Augsburger Politik.

[226] StANeu KL Memmingen Hl. Geist 1 (Kopialbuch), fol. 193 ff.: Vertragsentwurf und Vertrag zwischen Stadt und Oberhospital von 1547 bzw. 1549.

[227] *J. Hemmerle*: Augustiner-Eremiten (wie Anm. 36) S. 42; wegen St. Elsbeth wurde der Bischof mit 8000 fl. abgefunden (ebd. S. 46).

[228] Vgl. *A. Mischlewski*: Die Gegenreformation in der Reichsstadt Memmingen. Kräfte und Gegenkräfte. In: Zeitschrift f. Bayer. Landesgesch. 40 (1977) S. 61.

[229] Z. B. StAMem 32/4: 1563, Urteil des Gerichts Buxheim, vom Memminger Rat gesprochen und übergeben; ebd. 32/8: 1568 Aug. 18, Buxheim bittet um einen Gerichtsschreiber für einen Rechtstag in einem Grundherrschaftsstreit vor dem Landvogt von Burgau.

vent eindeutig als dessen hoher Obrigkeit unterworfen anzusprechen war[230]. Im übrigen normalisierte sich das Verhältnis zu den benachbarten Klöstern sehr bald wieder und pendelte sich auf der Ebene gutnachbarlicher Beziehungen ein[231], wozu die wirtschaftlichen Elemente alltäglicher Marktorientierung[232], die durch diese Kriegsereignisse in ihrer Struktur kaum beeinträchtigt worden waren, sicher entscheidend beitrugen.

[230] Vgl. HStAMü Hochstift Augsburg Neuburger Abgabe Akt 2770: Beschreibung des Pflegamtes Schönegg, um die Mitte des 17. Jahrhunderts.

[231] Vgl. etwa 1552 Dez. 23: Ottobeuren schickt Memmingen Wildbret und Fische; schon 1540 (StAMem 35/11): Einladung von Memmingen an den Abt von Rot (zusammen mit benachbarten Adeligen) zu einem Rehessen.

[232] Vgl. die obigen Ausführungen zum Markteinzugsgebiet und zum Kapitalverkehr.

Hans-Christoph Rublack

Reformatorische Bewegung und städtische Kirchenpolitik in Esslingen[1]

I

Die Sache aber ordentlich zu fassen – so belehrt der Esslinger Senior Ludwig Carl Ditzinger[2] auf *obrigkeitliche Verordnung* seine Gemeinde am 31. Oktober 1717 – *haben wir sowohl auß der Universal- als Partikular-Kirchen Historie, und glaubwürdigsten Documentis, uns zu desto besserm Begriff der Sache, folgender Umständen und Processes, oder Stuffen der Göttlichen Gnaden Führung zu erinnern: Und zwar zuforderst*
Der grund gefährlichen Verführung
Darauf
Göttlicher Auß- und Zurechtführung
So denn
unserer Gebühr freudigen Abführung.
 Die Anfänge der Esslinger Reformationsgeschichte sind einer heilsgeschichtlichen Perspektive verpflichtet: Reformation ist Exodus – Ausführung aus der Verführung. Das Motto der Reformationsfeier 1717 war 2.Mose 13,3: *Da sprach Mose zum Volk: Gedenket an diesen Tag, aus dem ihr aus Ägypten . . . gegangen . . .*[3]. Die mittelalterliche Geschichte der Esslinger Kirche liegt daher

[1] Vortrag 1977 vor dem Geschichts- und Altertumsverein Esslingen am Neckar zum Esslinger Jubiläumsjahr 777–1977. Herrn Prof. Dr. Otto Borst sei hier gedankt für großzügige Gewährung des Zugangs zu den bisher für die Reformationsgeschichte nur unvollkommen genutzten Akten und Urkunden des Stadtarchivs Esslingen. Eine Edition ausgewählter Quellentexte zur Esslinger Reformation wird vom Verfasser vorbereitet.
 [2] *Ludwig Carl Ditzinger*: Eßlingisches Denck = und Danck = Mahl Der Preißwürdigen Wunder = und überschwenglichen Wohltaten welche Der Grundgütige Gott, In dem Höchst = nöthigen und Heilsamen Reformations = Werck Durch den theuren Werck = Zeug Doctor Martin Luther vor 200. Jahren angefangen und erwiesen An der Evangelischen Kirchen Zweyten Jubilaes Auf obrigkeitliche Verordnung dem 31. Octobr. 1717, Dom. 23. Trin. Auß Exod. XIII,3 aufgerichtet. . .Ulm bey Wolfgang Schumacher. 1718. Das Zitat S. (H)57. – Vgl. *ders.*: Eßlingisches Jubel = Gebett . . . wegen des Anno 1531 von der Heil. Röm. Reich = Stadt Eßlingen zu der Augspurgischen Confession geschehenen Beytritts Anno 1731, den 11. 12. 13. Novembris angestellten Jubel = Fests . . . und die handschriftliche *Reformations = Historie sonderlich der Reichsstadt Eßlingen* (am 11. 11. 1713 statt der Kinderpredigt abgelesen) – alle in Esslingen Stadtarchiv (EStA) F(aszikel) 221.
 [3] Vgl. Anm. 2.

191

ganz im Schatten ägyptischer Finsternis: *Uns ist es jetztund mehr darum zu thun, den greulichen Verfall in der Religion und Glaubens-Sache zu zeigen, daher nichts anders, als ungöttliches, ärgerliches und lasterhafftes Leben hat erfolgen können; um darauß die Nothwendigkeit der von so vielen offters verlangten, von manchen theuren Seelen offters, aber vergeblich tentirten Reformation zu erweisen.*[4] So sicher das Licht über die Finsternis siegt, so gewiß war der Sieg des *Höchst-nöthigen und Heilsamen Reformations Werck(es),* dessen Erinnerung man sich ein Jubelmahl zu 243 Gulden 59 Pfund Heller kosten ließ[5]. Einer anderen, menschlicheren Erklärung bedurfte diese metahistorische Heilsgeschichte nicht: Reformation war das Werk Gottes.

Noch Theodor Keim, Archidiakon in Esslingen[6], danach Professor der Theologie in Zürich, in den *Reformationsblätter(n) der Reichsstadt Eßlingen,* in denen er 1860 die Esslinger Reformationsgeschichte auf eine wissenschaftlich belegte Basis stellte, signiert die mittelalterliche Kirche im Sinne der altprotestantischen Verfallstheorie[7]. Im Sinne der liberalen Deutung der Reformation bereitete der »freiere Geist« in der Stadt ebenso wie die Mißstände der Reformation den Weg[8]. Die heilsgeschichtliche Schau des 18. Jahrhunderts verblaßt bei Keim zum »Sieg des Evangeliums«[9], in Esslingen ein vom evangelischen Volk gegen die »tyrannische Minorität« durchgesetzter. Die Vokabel vom Sieg enthüllt die grundsätzlich gleiche Konzeption: Das Evangelium mußte sich ja durchsetzen, die altgläubigen Gegner boten keine echte Alternative. Noch die nächste größere Publikation zur Esslinger Reformationsgeschichte, die »Beiträge zur Geschichte der Esslinger Reformation« von Schnaufer und Haffner[10], vertreten die gleiche

---

[4] *Ditzinger*: Eßlingisches Denck = und Danckmahl (wie Anm. 2) S. 81.

[5] EStA F 221.

[6] Titelblatt *Theodor Keim*: Reformationsblätter der Reichsstadt Eßlingen. Aus den Quellen. Eßlingen 1860.

[7] *Keim* (wie Anm. 6) S. 4: »Der reichliche Werkdienst der alten Kirche hatte freilich von Anfang die innere Disposition zu einer leeren und heuchlerischen Werkheiligkeit«. Kennzeichen dieser Verkehrtheit sind für Keim die Fastnacht, die zur Franziskaner = Messe gehenden Prostituierten sowie das Leben der Geistlichen, ein »bald verborgener, bald offener ... Tummelplatz jeder unreinen Lust ... die Früchte der Werkheiligkeit, welche neben der inneren Unwahrhaftigkeit der ganzen Kirchenlehre Fäulniß und Fall der mittelalterlichen Kirche beschleunigten«. – Zur Verfallstheorie: *E. W. Zeeden*: Martin Luther und die Reformation im Urteil des deutschen Luthertums 1. Freiburg 1950. S. 48 (Sleidan); *H. Scheible* (Hg.): Die Anfänge der reformatorischen Geschichtsschreibung. Gütersloh 1966. (Texte zur Kirchen- und Theologiegeschichte 2) S. 49 (Flacius).

[8] *Keim* (wie Anm. 6) S. 4 und S. 10. Ebd. S. 6: »So war auch hier mancher Nothstand gezeigt, manches Bedürfniß geweckt, um dem aufstehenden Martin Luther ... die Herzen der Menschen entgegenzubringen«.

[9] *Keim* (wie Anm. 6) S. 18.

[10] *Chr. Schnaufer; Dr. Haffner*: Beiträge zur Geschichte der Eßlinger Reformation. Eine Erinnerungsschrift zum vierhundertjährigen Reformationsjubiläum der Stadt Esslingen a.N. 1532–1932. Esslingen o. J. (1932).

Konzeption. Trotz einiger Aufhellungen werden die Mißstände wieder gegenüber Keim akzentuiert, die mittelalterliche Frömmigkeit als nicht tiefgehend bezeichnet und dem Verfall ein Sehnen nach Erneuerung gegenübergestellt, das die
evangelische Botschaft vorbereitete. Auch für die Autoren des Jubiläums von
1932 setzte sich die reformatorische Bewegung vom Volk aus durch, gegen Hemmungen, »bis der Sieg erstritten war«[11]. Das letzte Werk der Ära protestantischer Reformationsgeschichtsschreibung in Esslingen ist die Kirchengeschichte
Schusters von 1946[12]. Seiner wenn auch differenzierteren Beschreibung liegt die
gleiche Konzeption zugrunde[13]. Als neuen Zug fügt er die zunehmende Laisie-
rung kirchlicher Institutionen im Spätmittelalter hinzu[14]. Er erkennt auch, daß
der Humanismus nicht eo ipso auf die Reformation hinsteuerte. Dennoch stehen
auch für ihn die zwanziger Jahre in Esslingen unter dem Zeichen des »noch
nicht«. Die Hemmungen, die verhinderten, daß die Volksbewegung sich durchsetzte, kamen von außen, aus politischem Kalkül, dessen Vertreter der über-
mächtige Hans Holdermann[15] war. Aber wie schon bei Keim, so brachte der
Nexus zwischen Evangelium und Volk die Reformation schließlich zustande.
Der Rat wich, als die politischen Stützen brachen, dem Druck des Volkes. Reformation war Volksreformation, nicht Ratsreformation.

II

Die neuere Forschung hat gegenüber dem Stand der Erkenntnisse, wie sie noch
in Schusters Kirchengeschichte repräsentiert sind, erheblichen Gewinn gebracht.
Sie hat einmal die besondere Bedeutung der Vorgänge in den Städten, die mit
dem Begriff »Reformation« verbunden sind, hervorgehoben: »The German reformation was an urban event« (A.G. Dickens)[16]. Den städtischen Reformationen komme eine Schrittmacherrolle für die Reformation zu. Daß Esslingen zu
diesen Schrittmachern nicht gehörte, überhaupt, wie Borst treffend bemerkt[17],
die Esslinger Reformationsgeschichte keine Heldengeschichte sei, notieren wir
im Vorübergehen. Gerade unter den von der neueren Forschung aufgeworfenen
Fragestellungen gewinnt der Abstand zwischen Eindringen und Einführen der

[11] *Schnaufer-Haffner* (wie Anm. 10) S. 7–12; S. 19: »Trotzdem währte es noch lang
und mußte noch mancher saure Schritt gemacht werden, bis der Sieg erstritten war«.

[12] *O. Schuster*: Kirchengeschichte von Stadt und Bezirk Eßlingen. Stuttgart 1946.

[13] Ebd. S. 74, S. 81, S. 101, S. 104: die Kirche ein *dummes Salz*.

[14] Ebd. S. 108.

[15] Ebd. S. 135: Holdermanns auf den Kaiser orientierte Reichspolitik wird diskreditiert
durch den Zusatz: *der vom Kaiser sich hatte gewinnen lassen*.

[16] *A. G. Dickens*: The German Nation and Martin Luther. London 1974. S. 182. Hier-
zu und zum folgenden Abschnitt *Verf.*: Forschungsbericht Stadt und Reformation. In: *B.
Moeller* (Hg.): Stadt und Kirche im 16. Jahrhundert. 1978. (Schriften des Vereins für
Reformationsgeschichte (= SVRG) 190).

[17] *O. Borst*: Geschichte der Stadt Esslingen. Esslingen 1977. S. 238.

Reformation in Esslingen besonderes Interesse. Ich versuche, die Fragestellungen, die eine intensive wissenschaftliche Beschäftigung mit den städtischen Reformationen hervorgerufen hat, knapp zu resümieren.

Verkürzt gesagt lautet die Frage: Wie weit bedingte, förderte oder bestimmte das Alte das Neue? Wie wurde das spätmittelalterliche Erbe in die Reformation eingebracht? Das heißt zunächst einmal im Gegensatz zu den älteren Arbeiten, daß das Spätmittelalter nicht mehr nur als dunkle Folie des Mißstands erscheint, sondern als eine wesentliche Bedingung der Reformation. Bei der Detaillierung dieser globalen Anschauung treten wir in ein noch weitgehend kontroverses Feld. Ich versuche, die wichtigsten entgegengesetzten Meinungen unter drei Stichworten zusammenzufassen: Emanzipation – Partizipation – Frustration.

1. Die These von der Emanzipation als wesentlicher Bedingung der Reformation hat die Sachverhalte im Blick, die zeigen, wie im späten Mittelalter der städtische Magistrat in die Verwaltung kirchlicher Institutionen eindringt und so Laien kirchliche Funktionen übernehmen. Reformation wird als die Fortsetzung dieses »Befreiungs«vorganges gesehen: eine, wenn man so will, Kommunalisierung der bislang in der Stadt residierenden, aber der Stadt nicht verfügbaren, fremden Institutionen[18]. Das Interesse des städtischen Magistrats wäre demnach gewesen, die Stadt von außerstädtischen Einflüßen zu befreien. Implizit erscheint dann Reformation als »Ratsreformation«.

2. Die These von der Partizipation sieht die Reformation wesentlich als Volksbewegung. Die reformatorischen Ideen verbinden sich zuerst mit einer bestimmten Trägerschicht, deren Interesse es war, eine erhöhte Teilnahme am städtischen Regiment zu erreichen. Reformation dient dieser Partizipationsbewegung als Ideologie. Im erweiterten Sinne treffen wir diese These in der marxistischen Theorie von der »Frühbürgerlichen Revolution« wieder[19]. Das dieser Theorie unterliegende Klassenkampfschema läßt sich in eine Theorie des sozialen Konflikts umsetzen. Nicht also Herrschaft des städtischen Regiments, sondern gerade Opposition gegen das Stadtregiment oder die es tragende Oligarchie werden hier als wesentlicher Grundzug der Stadtreformation erkannt. Eberhard Naujoks[20] hat diesen Grundzug auch für Esslingen herausgearbeitet. Gegenüber Versuchen, Reformation nur als die soziale Bewegung legitimierende Ideologie aufzufassen, betont Bernd Moeller[21] die Kongruenz der reformatorischen Ideen mit der spätmittelalterlichen Genossenschaftsidee. Die Partizipation verwirklicht sich da-

---

[18] So die Konzeption von *A. Schultze*: Stadt und Reformation. Leipzig 1918; vgl. *Verf.* (wie Anm. 16).

[19] *R. Wohlfeil* (Hg.): Reformation oder frühbürgerliche Revolution. München 1972. (Nymphenburger Texte zur Wissenschaft Modelluniversität 5).

[20] *E. Naujoks*: Obrigkeitsgedanke, Zunftverfassung und Reformation. Studien zur Verfassungsgeschichte von Ulm, Esslingen und Schwäbisch Gmünd. Stuttgart 1958. (Veröffentlichungen der Kommission für geschichtliche Landeskunde in Baden-Württemberg, Reihe B, 3).

[21] *B. Moeller*: Reichsstadt und Reformation. Gütersloh 1962. (SVRG 180).

bei nicht im Konflikt, sondern in der Revitalisierung der städtischen Eidgenossenschaft, durch die die Reformation die Stadtgemeinde – jedenfalls für eine kurze Zeit – einer neuen Harmonie zuführt.

3. Die Frustrationsthese wird im wesentlichen von dem amerikanischen Historiker Steven Ozment[22] vertreten. Er behauptet, knapp gesagt, daß die reformatorischen Ideen für die städtische Bevölkerung interessant gewesen seien, da sie die Bürger entlastet hätten von der Frustration des komplizierten spätmittelalterlichen kirchlichen Systems der Heilssicherung. Reformation ist also nicht wie bei Moeller Heiligung der Stadt, sondern Entheiligung, Desakralisierung, Säkularisierung[23]. Das vielfältige, pluralistische, kirchliche und geistliche System des Spätmittelalters wird in der Reformation reduziert auf erträgliche, eben auch psychologisch erträgliche, Formen der Heilssicherung in Wort und Sakrament, konkret Predigt und Abendmahl. Die Fülle der Sonderinstitutionen – Klöster, Bruderschaften, verschiedene hierarchische Ebenen der Kirche – wird abgeworfen und dies bringt zugleich auch finanzielle Entlastung, da die Leistungen eingeschränkt werden.

Gegenüber den Versuchen, die städtische Reformation durch einen einheitlichen Grundzug zu verstehen, sind weiterhin Bemühungen notwendig, den Prozeß des Eindringens und der Etablierung der reformatorischen Ideen und der Veränderungen, die sie nach sich zogen, in einem Entwicklungsprozeß zu sehen, dessen Phasen[24] einen verschiedenen Charakter haben und in denen verschiedene Faktoren wirksam waren. Das bedeutet zunächst, daß reformatorische Schriften und Predigt nicht geradewegs auf die Etablierung einer städtischen Kirche protestantischer Konfession zulaufen mußten, gegebenenfalls lediglich gehemmt. Die Aufnahme reformatorischer Ideen ist nicht so sehr bloßes, sich selbst herstellendes Ergebnis der »inneren Kraft des Evangeliums«[25], sondern die protestantische Botschaft wird den Bedingungen städtischer Politik und Gesellschaft unterworfen, sie ist auch Produkt eines Konflikts von Interessen, dessen Ausgang nicht von vornherein – metahistorisch wie bei Ditzinger, oder universalhistorisch wie bei Keim – vorherbestimmt war. Zwischen dem Eindringen der reformatorischen Ideen in Schriften und Predigt und der Verwirklichung in der Institutionalisierung der städtischen protestantischen Kirche schiebt sich eine Zwischenphase ein, die nicht mehr unter dem Aspekt des noch nicht Verwirklichten steht, sondern in dem sich die Fronten gleichsam die Waage halten, so daß der Konflikt reale Alternativen bietet. Für diese Zwischenphase, die ich einmal Intervall[26] nennen möchte, ist nun Esslingen ein besonders interessanter Fall.

---

[22] *St. E. Ozment*: The Reformation in the Cities. The Appeal of Protestantism to Sixteenth-Century Germany and Switzerland. New Haven/London 1975.

[23] Ebd. S. 165.

[24] Dazu *Verf.* (wie Anm. 16).

[25] *Schnaufer-Haffner* (wie Anm. 10) S. 17.

[26] Zum Begriff des Intervalls vgl. *R. Nürnberger*: Revolutionstheorie und geschichtliche Wirklichkeit. Das Problem des Intervalls in der bolschewistischen Revolution. In: Zeit-

Wir kehren daher mit der Absicht einer Fallstudie in die Reichsstadt Esslingen und ihre Reformationsgeschichte zurück, weil auch für uns, um nochmals aus den Werken von Otto Borst zu schöpfen, das Lokale nicht unanständig ist[27].

III

Die ersten faßbaren Nachrichten darüber, daß die Luthersache in Esslingen bekannt war, besitzen wir aus dem Jahre 1521. Der Esslinger Vertreter auf dem Reichstag zu Worms 1521, der bekannte Altbürgermeister Hans Holdermann, schrieb am 8. März 1521 an den Rat, daß das ursprünglich vorgesehene Mandat gegen Luther dem Kaiser abgebeten sei und daß Luther Geleit nach Worms erhalten habe[28]. Holdermann fügt dem kenntnisreichen Bericht eine Mutmaßung an: Er glaube nämlich nicht, daß Luther auf dem Reichstag erscheinen werde. Vielmehr werde er mit den Gelehrten der Universitäten disputieren. Und er schließt mit dem eher besorgt klingenden Satz: *was aber vß des Munchs hanndlungen werden welle, acht Ich, Es sey noch nit yedem wyssen, dann Ich acht Es hebe ain ander verstand, der nit yederman offenpar seye*[29]. – Holdermann wurde

wende, Die Neue Furche 26 (1955) S. 367–375. Der Begriff soll hier auf die Zeit zwischen Inkubation reformatorischer Ideen und Institutionalisierung der Reformation angewandt werden, um diese Spanne nicht von vorneherein zur noch nicht voll durchgedrungenen »Reformation« zu rechnen, um so die widerstreitenden Motive der Politik, der Interessen und theologischen Konzeptionen deutlich zu machen, gewiß eine »verschüttete« Geschichte, die jedoch die Möglichkeit bietet, die Reformation von ihren tragenden Motiven her zu analysieren und die Auseinandersetzung als Antagonismus, nicht als Scheinkonflikt zu verstehen. Die Untersuchung besonders des »Intervalls« ist ein Ziel des Forschungsvorhabens »Typische Verlaufsformen der Reformation in Städten Süddeutschlands«, in dessen Rahmen die eingehendere Untersuchung der Reformation in Esslingen vorgenommen wurde.

[27] *O. Borst*: Buch und Presse in Esslingen am Neckar. Studien zur städtischen Geistes- und Sozialgeschichte von der Frührenaissance bis zur Gegenwart. Esslingen 1975. (Esslinger Studien 4) S. 7 f.: sinngemäß nach dem Zitat von Hans Magnus Enzensberger.

[28] Das Schreiben Holdermanns vom 8. 3. 1521 liegt irrigerweise in EStA F 452 Schwäbischer Bund und ist daher in den RTA nicht ausgewertet.

[29] Ebd.: *ferer des Luters halb ist vyll hanndlungen bescheen mit allen stenden vnd hat kl Mt ain mandatt begriffen gehapt die wydern luttern vnd die So Im beystand thon mechten oder wurden. Aber Es ist kl Mt abgebetten. vnd Im glaytt zugelaußen Zu kumen vnd der gestalt beschloßen das seine bücher zu tayll ain offenbare müttwillig ketzery seye deßhalb Im die selben bücher vnd ander artyckel So wyder Cristlichen ordnung dienen fur halten ob Er die bekenn gemacht vnd gemacht haben wyll wyder In seinen gegeben glaytt sich thon an sein geworsamen. wa aber Er die nit bekenn gemacht haben vnd die furgehalten artyckel wyder Rieff So ist die sach abgelaynt doch die bucher verbrennen. Ich acht aber Er werde der gestalt nit Erschynen Sunder Er mitt hochglerttern den vneuersitteten der haylgen geschrifft bewyßen sich darnach seinen Erbietten nach weyssen laußen werde.* Zu beachten, daß für Holdermann die causa Lutheri, deren politischen Aspekt er vielleicht im letzten im Text zitierten Satz andeutet, noch *des Munchs hanndlungen* waren. Zur Lutherfrage auf

im Mai 1521 vom Verschwinden Luthers informiert. Diesem bekannten Brief kann man entnehmen, daß sich der Schreiber, Dr. Caspar Mart, mit dem Adressaten Holdermann in Übereinstimmung wußte, daß man in dieser Sache »mit Maß«, d.h. taktisch klug, gegen die Gewalt der Pfaffen, die diese Luthersache betrieben, vorgehen müsse[30]. Holdermanns Haltung 1521 wie auch auf den späteren Reichstagen bis 1524[31] läßt sich so beschreiben: Er berichtet distanziert, jedoch interessiert, beobachtet die Auswirkungen der Luthersache, auch auf die politischen Anliegen. Sein Interesse muß also nicht einem Interesse des Rates entsprechen. Die Instruktionen des Esslinger Rates zu den Reichstagen sowie zu den Reichsstädtetagen berühren die Luthersache überhaupt nicht[32]. Esslingen war in der Reichspolitik in der Religionsfrage nicht engagiert, nicht einmal auf dem Reichsstädtetag nach dem Reichstag 1524[33], als andere Städte Gutachten in Auftrag gaben, wie die Religionsfrage zu lösen sei.

Immerhin setzt das Schreiben Holdermanns vom 8. März 1521 voraus, daß die Ratsherren mit der Luthersache vertraut waren. Die reformatorische Bewegung nahm in Esslingen wie andernorts einen ganz normalen Anfang: Luthers Schriften wurden gelesen und es wurde reformatorisch gepredigt. Daß Luthers Lehre bekannt war, geht zur Genüge aus den Esslinger Flugschriften des Augustinermönchs Michael Stifel[34] hervor, der, wenn er auch nicht in eine spezi-

dem Wormser Reichstag 1521 *R. Wohlfeil* in *F. Reuter* (Hg.): Der Reichstag zu Worms 1521. Reichspolitik und Luthersache. Worms 1971. S. 89 ff., zur Situation Anfang März 1521: S. 107.

[30] Dieses Schreiben Caspar Marts, des Reichskammergerichtsfiskals, später in Esslingen, ist schon bekannt seit *Johann Christoph Schmid; Johann Christian Pfister*: Denkwürdigkeiten der Württembergischen und Schwäbischen Reformationsgeschichte als Beitrag zur dritten Jubelfeier der Reformation. Tübingen 1817. S. 130; vgl. RTA JR II, Nr. 245.

[31] RTA JR III, Nr. 201 (10. 12. 1522); Nr. 255 (6. 2. 1523).

[32] RTA JR III, Nr. 45.

[33] EStA F 433, f. 83ʳ und RTA JR IV. S. 232. Vgl. zu diesem Städtetag jetzt auch *Verf.*: Politische Situation und reformatorische Politik in der Frühphase der Reformation in Konstanz. In: *J. Nolte* u. a. (Hg.): Kontinuität und Umbruch . . . Stuttgart 1978. (Spätmittelalter und Frühe Neuzeit 2) S. 316–334.

[34] *O. Borst* (wie Anm. 27) S. 166–169 (Lit.). Stifel hat 1522 Esslingen verlassen (*Keim* (wie Anm. 6) S. 11); *Schnaufer-Haffner* (wie Anm. 10) S. 16; *Schuster* (wie Anm. 12) S. 137 f. – Weihbischof der Diözese Konstanz war nicht Dr. Johann Fabri, worauf schon *A. Willburger*: Die Konstanzer Bischöfe Hugo von Landenberg, Balthasar Merklin, Johann von Lupfen (1496–1537) und die Glaubensspaltung. Münster/W. 1917. (RST 34/35) S. 106 Anm. 4. hinwies, der im übrigen erst im Spätherbst 1522 aus Rom zurückkehrte. (*Verf.*: Die Einführung der Reformation in Konstanz von den Anfängen bis zum Abschluß 1531. Gütersloh/Karlsruhe 1971. (QFRG 40, Veröffentlichungen des Vereins für Kirchengeschichte in der evangelischen Landeskirche in Baden 27) S. 212 Anm. 44, sondern Melchior Fattlin (ebd. S. 217, Anm. 4), der sich jedoch im Mai 1522 (20. 5.) in Konstanz aufhielt (*M. Krebs*: Die Protokolle des Konstanzer Domkapitels. 6. Lieferung, Beiheft zur ZGO 106 (N. F. 67) 1958 S. 226, Nr. 7135). Nach *Willburger* reiste er am 25. Mai 1522 nach Stuttgart. – Fabri war nachweislich im Frühsommer in Esslingen, um die Einhaltung

fisch Esslinger Kontroverssituation hinein argumentiert, doch gelegentlich Beweismaterial und illustrative Argumente aus der Esslinger Situation aufnimmt[35]. Eine vorsichtige Analyse der Schriften Stifels ergibt, daß er klar die Lehre Luthers vertritt, insbesondere die Lehre vom Priestertum aller Gläubigen, sowie das sola-fide-Prinzip gegen die Werkgerechtigkeit und dies auf Grund eines ausgeprägten Schriftprinzips[36]. Akzentuiert wird die Kritik an der Kirche, die nachzuweisen versucht, daß der christliche, d.h. paulinisch-neutestamentliche Kirchenbegriff von der hierarchischen Kirche pervertiert worden sei[37]. Hier knüpft er an spätmittelalterliche antiklerikale Äußerungen an. Diese Kritik am Klerus und der Kirche konnte auch beim Esslinger Magistrat Widerhall finden, insofern sie den Geistlichen Gewinnsucht und Prachtentfaltung vorwarf[38]. Für die Esslinger Situation ergibt sich aus der Schrift Stifels gegen Murner, daß hier bereits eine Kanzelkontroverse ausgetragen wurde. Stifel hebt zwar nur auf die Marienverehrung ab, die der Pfarrer der Stadtkirche, Dr. Balthasar Sattler, verteidigte. Obwohl sich Stifel an die Laien wandte, enthielt er sich der Appelle zur Veränderung, auch soziale Appelle finden sich nicht. Er kündigte lediglich persönliche Konsequenzen an: Er werde die Kutte ablegen und das Messelesen einstellen.

Gewiß vertrat er die reformatorische Position auch in seinen Predigten, ebenso wie der bekannte Martin Fuchs[39], der im übrigen von Holdermann protegiert

des Reichsregimentsmandats vom 6. 3. 1523 bei den Geistlichen einzuschärfen (*Krebs* Nr. 7722) (30. 7. 1523).

[35] (Michael Stifel) *wider Doctor Murnars // falsch erdycht Lyed: von // dem vndergang Christlichs // glaubens // Bruoder Michael Styfels // von Esszlingen vßleg vnnd // Christliche gloß // daruber.//* (E III): Danach bot Dr. Sattler eine Disputation über die Marien- und Heiligenverehrung an.

[36] Luthers Lehre fließt unmittelbar aus dem Evangelium des Paulus, er ist der Engel nach Offenbarung 9, *der hatt das heelge Evangelium* (Stifels *Von der Christförmigen... leer... Luthers* 1522); Luther, so die Schrift gegen Murner (wie oben Anm. 35), *durch welchen alle menschen Christlichs glaubens genennet werden priester*; der Glaube kommt aus der Gnade Gottes (wider Doctor Murnars...); Schriftprinzip: ebd. *Die heylig gschrifft ist ye ein regel vñ richtscheit vnsers glaubens vñ lebēs. Darūb alles was sich nit vergleichet diser schnūr vñ diesem meß das müssz abgehobelt werden.*

[37] wider... Murnars: *das in der warheit alle ding der gschrifft sein vmbgekert vnd zů vnnutz ja zů schaden gewendet.* Der Papst ist *verkerer aller warheit gottes*, die babylonische Hure.

[38] Die von Murner verteidigte *Christenheit* sei die für die *übungen* der Andächtigen Geld zu sammeln, die Kirche wolle die Krone tragen, Pracht und Hoffahrt entfalten, so vermerkt Stifel zustimmend, daß *munch vnd pfaffen müssend furbaß auch zoll vnd vngelt geben*, wie das aktuell in Esslingen geschah (wider... Murnars...).

[39] *Keim* (wie Anm. 6) S. 13, S. 16; *Schuster* (wie Anm. 12) S. 134, S. 139, danach flüchtete Fuchs 1524, doch der Rat hatte ihn 1523 gegen eine persönliche Vorladung vor das Konstanzer Offizialatsgericht erfolgreich geschützt (EStA Missivbücher 19, f. 55[r], 19. 5. 1523, Konzept F 414, 26. 5. 1523), forderte ihn noch am 9. 11. 1525 zur Residenz auf (ebd., f. 169[r]), er habe vor Jahresfrist, also 1524, ein Kapital von 20 lb aus dem Pfründ-

worden war[40], und auch der vom Markgrafen von Baden angestellte Franz Irenicus[41], der 1524 ebenfalls im Augustinerkloster predigte. Nicht nur bei den Augustinern, dem Zentrum reformatorischer Predigt, auch in anderen Konventen wird der Einbruch der reformatorischen Lehre deutlich: Ende 1525 befanden sich sowohl das Franziskanerkloster als auch das St. Clara-Kloster in Auflösung. Die Petition der St. Clara-Nonnen und der Familien, die im August 1525 eingereicht wurde[42], behandelte der Rat hinhaltend. Er gab zunächst den Bescheid[43], die Nonnen seien noch unter sich uneins, daher könne keine Stellungnahme erfolgen. Als die Nonnen im Oktober 1525 eine weitere Petition[44] einreichten, in der sie darauf hinwiesen, daß bis auf drei adelige Nonnen, deren Verwandte angedroht hatten, sie bei Austritt einzusperren, alle anderen Konventualen bereit seien, die nicht schriftgemäßen Gelübde aufzugeben, gegebenenfalls auszutreten und zu heiraten, vermerkte der Ratsschreiber, der Rat halte es für gut, die Sache zur Zeit noch *ruwen Zelassen bis Zu annderer Zytt vnd so ainen f[ursichtigen] Rat werd glegen sin, wyter In der sach Zuhanndeln, werd man Inen daz nit verhallten, dann Ir pit sy ainen Rat wol yngedenkh*[45]. Es ist wichtig festzuhalten, daß der Rat nicht gegen reformatorische Überzeugung, wie sie in der Bittschrift der St. Clara-Nonnen ausgesprochen war, Stellung nahm. Dies, obwohl der Rat sowohl das Wormser Edikt als auch das Reichsmandat von 1523 publiziert hatte[46]. Er ging auch Ende 1525 nicht aktiv gegen die reformatorische

gut abgelöst, das noch nicht wiederangelegt sei. 1526 resignierte Fuchs seine Pfründe und tauschte sie gegen eine in der Markgrafschaft Baden (ebd., f. 114[r]). Sein Revers in EStA F 204, 31i. Er erhielt die St. Jörgs-Kaplanei in der Frauenkirche (EStA Missivenbücher 17, f. 60[v]), (11. 4. 1519), bis Martini 1520 ließ der Rat Absenz zu (ebd., f. 89[r]).

[40] *Keim* (wie Anm. 6) S. 14.

[41] *G. Kattermann*: Markgraf Philipp I. von Baden als kaiserlicher Statthalter am Reichsregiment zu Eßlingen und Speyer 1524-1528. In: ZGO 91, N. F. 52 (1939) S. 360-423, Irenicus: S. 374. *L. Reimer*: Reichsregierung und Reformation in Esslingen. In: Jahrbuch für Geschichte der oberdeutschen Reichsstädte 11 (1965) S. 226-240, Irenicus: S. 230-233. Die Aktion des Speyrer Domkapitels, das den Hörerkreis auf den markgräflichen Hof beschränken und erreichen wollte, daß er wenigstens nicht gleichzeitig mit dem Stadtpfarrer predige, jetzt bei *M. Krebs*: Die Protokolle des Speyrer Domkapitels 2 (1518-1531). Stuttgart 1969. (Veröffentlichungen der Kommission für geschichtliche Landeskunde in Baden-Württemberg Reihe A, 21) Nr. 6359.

[42] EStA F 204, 499.

[43] EStA F 204, 49d: ... *vnder anderm zů antwert geben lassen die weyl wir vnder ainander nit ain hellig etc so wel vch nit geburen ichtzit mit vnß vff vnsser bit vnd begeren fur zů nemen etc.* Der Rat verhielt sich in dieser Sache keineswegs entschieden zugunsten der kirchlichen Ordnung, sondern agierte hinhaltend.

[44] EStA F 204, 49d.

[45] Dorsualvermerk EStA F 204, 49d.

[46] Das Wormser Edikt war am 15. August 1521 von Bundeshauptmann Ulrich Artzt übersandt worden (RTA JR II. S. 659 Anm. 1). Auf die Tatsache, daß der Rat dem *kay Mt vnd der stende mandat vnd Edict* gehorsam gewesen sei, weist Esslingen in seinem unten genauer zu besprechenden Antwortschreiben an den Schwäbischen Bund von 1527 hin

Predigt vor, so daß das Verschwinden Michael Stifels als auch des Martin Fuchs[47] wohl nicht Folge einer Intiative der städtischen Obrigkeit war.

Die reformatorische Bewegung in Esslingen und den umliegenden Orten schritt nach 1523 weiter fort. Das Sendschreiben Luthers an Esslingen 1523[48] referiert die Stellungnahme des Stadtpfarrers Balthasar Sattler. Danach muß es in Esslingen sowohl zu Fastenbrüchen gekommen sein; auch die Gewohnheit, in der Fastenzeit zu beichten, wurde mißachtet. Die reformatorische Bewegung stand an der Schwelle zum Bruch kirchlicher Gebote. Anfang 1524 handelte es sich nicht mehr nur um individuelle Akte, sondern um eine Gruppe, die eine Bittschrift[49] an den Rat formulierte. Die Bittsteller ersuchten den Rat, die Einschränkung des Predigtgottesdienstes sowie die Abberufung des Augustinerpredigers durch seinen Ordensoberen in Verhandlungen rückgängig zu machen. Obwohl sich die Supplikation eindeutiger reformatorischer Forderungen enthielt – es wurden lediglich die Verkündigung des Wortes Gottes und andere Gottesdienste, wie *von alter her kommen* ist[50], gefordert – geht aus ihr hervor, daß die hinter ihr stehende Gruppe für reformatorisch gehalten wurde. Denn sie wehrte sich gegen die Auffassung, die sie als aufrührerisch gegen Menschen und Pfaffen und besonders gegen die Obrigkeit bezeichnete und ihnen unterstellte, Zinsen und Gülten nicht mehr geben zu wollen. Die Bittsteller wiesen den Vorwurf, mit der weltlichen oder der geistlichen Obrigkeit zu brechen, zurück[51]. Bezeichnend ist dagegen, daß sie sich an den Rat wandten. Die reformatorische Bewegung hoffte, mit dem Rat zu kooperieren. Über die personelle Zusammensetzung der Gruppe läßt sich nur ausmachen, daß die Sprecher z.T. dieselben waren, die im gleichen Jahr im Juni vor den Rat gerufen wurden[52]. Wir kommen sofort darauf zurück. Die Unterschriften des Martin Deibler und des Lutz zu Rüdern sind

(EStA F 204, 51b, f 414, 11), (27. Mai 1527). – Die Publikation des Reichsmandats vom 6. 3. 1523 ist nach dem unten Anm. 49 zitierten Text der Bittschrift vom 14. 1. 1524 wahrscheinlich, ein Text der Ordnung ist nicht überliefert.

[47] Vgl. oben Anm. 39. Für Stifel ist eine Beteiligung des Rates zumindest nicht nachweisbar.

[48] WA 12 (1891) S. 151–159.

[49] EStA F 204, 44.

[50] Ebd.: Die Supplikanten bitten den Rat *als vnnser frumb ordentlich oberkait ...Sie wölle Inn Chrafft Irer oberkait bey gemelten vier Örden günnstiglich hanndeln damit sie Iers vermainten Newen vertrags vnnd pacts wie oblaut absteen vnd das wort gottes Laut E.w. Jungst gegebnen beschaids vnd annderenn gotz diennst wie von Altter herkommen ist verkünden halten vnd verbringen.*

[51] Ebd.: *Ferer So kempt vnns glöplich für, wie das etlich vsser vnns vnnd vnnsern mitüerwantten gegen E. E. W. verünglimpfft vnnd der massen dargeben sein Alss solten oder wellten wir gernn Auffrur wider Mensch vnnd Pfaffen vnnd sonderlich wider ain Oberkait etc dhain viertail Zeinß noch gült mer geben. Sollichs wirt vnns mit aller vnwarheit durch vnnser mißgüner Zů gemessen können vnnd wissen Sunst nichtz erdenncken damit sie E. E. W. Inn hasß vnd onngunst gegen vnns künnden bewegen. ...*

[52] Vgl. unten Anm. 56.

jedoch gestrichen und daher schwer lesbar und ersetzt durch den Zusatz *alhie Zugegen Sampt Iren vnnsern mituerwanten.* Der Dorsualvermerk enthält nichts über eine Stellungnahme des Rates. Ende April 1524 dementierte der Esslinger Geheime Rat gegenüber dem Geheimen Rate von Schwäbisch Gmünd, daß es in der Stadt zu einem lutherischen Aufruhr gekommen sei, wie man in Gmünd sage[53]. Man habe nur zwei Mitbürger, die aufrührerisch geredet hätten, gefangen gesetzt. Es sind jedoch Zweifel berechtigt, ob der Esslinger Rat damit den vollen Umfang des Sachverhalts wiedergegeben hat. Denn das Konzept enthält einen gestrichenen Passus, in dem von einer lutherischen Handlung *zwischen uns und unserer Gemeinde* und einem Aufruhr die Rede ist. Dies kann jedoch auch eine Formulierung aus dem Gmünder Schreiben gewesen sein[54]. Die Wahrscheinlichkeit, daß die Unruhen doch beträchtlicher gewesen waren als der Rat zugab, erhärtet sich durch die Vorgänge, die ein Protokoll aus dem Juni des gleichen Jahres wiedergibt[55]. Der Rat forderte am 14. Juni die Kirchenpfleger von Möttingen, Sulzgries, Riedern und St. Bernhard vor, um den Erlaß des Rates, wahrscheinlich den vom Vorjahr, der den Reichstagsabschied 1523, die lutherische Lehre betreffend, verbreitete[56], einzuschärfen: Sie sollten nicht zulassen, daß bei ihnen Prädikanten predigten, weder in der Kirche noch in den Gärten. Die Sprecher der Gemeinden verweigerten jedoch den Gehorsam, weil sie eingestandenermaßen unter dem Druck der Bevölkerung standen: Sie trauten sich mit diesem Bescheid des Rates nicht nach Hause, sie würden sonst totgeschlagen[57]. Der Rat setzte drei der Sprecher gefangen. Erst nach mehrfachen Fürbitten der Familien entließ er sie am 21.6. und legte ihnen eine Strafe von zehn Pfund Heller auf[58]. Die Höhe des Strafmaßes erstaunt nicht, wenn man weiß, wie empfindlich die städtischen Magistrate gegen Ungehorsam und Aufruhr waren. Rechtlich war dies ein Bruch des Bürgereids, der absoluten Gehorsam gegenüber den Anordnungen des Rates beinhaltete. Opposition war unzulässig. Die Bestrafung richtete sich also nicht gegen reformatorische Gesinnung; was der Rat

[53] EStA Missivenbücher 19, f. 109ᵛ: Bürgermeister und geheime Räte Esslingen an Bürgermeister und geheime Räte Gmünd, 29. 4. 1524: *der luterischen vffrur halp so (alls E W angelangt) kurzlich by vns entstanden sin soll … E W daruff zeerkennen das noch bißhieher (got hab lob) von solher handlung wegen kain vffrur by vns geweßt noch entstanden ist, wol haben Iren Zwen vnser mitburger sich ettlichen vffrüerigen Reden vor ettlichen verruckten tagen vernemen laßen die haben wir aber Zu straff darumb fengklich angenomen vnnd Inn thurmen glegt. …*

[54] Ebd., gestrichen ist: *wie E.W. angelangt das sich kurtzlich von der luterischen handlung wegen alhie In vnser Stat zwischen vnser vnd vnnser gemaind ain vffrur derhalb (?) entstanden sein soll. …*

[55] EStA F 204, 46.

[56] Vgl. oben Anm. 50. Der Rat lasse es bei *gegeben bscheid vnd beuelh plyben.* Die Forderung ging also von den Vororten aus, nicht von der Stadt!

[57] EStA F 204, 46; 14. 6. 1524.

[58] Ebd.: 21. oder nach 21. 6.

eindämmen wollte, war unkontrollierte reformatorische Predigt. Das wird verständlicher, wenn man bedenkt, daß sich im gleichen Monat der Statthalter des Kaisers, Erzherzog Ferdinand, zum Landtag in Württemberg aufhielt[59]. Ferner war auf dem Reichstag 1524 beschlossen worden, das Reichsregiment nach Esslingen zu verlegen[60]. Die Wahl des Ortes hatte der kurfürstliche Gesandte, Hans von der Planitz, so kommentiert: Wie er höre, wolle Erzherzog Ferdinand, der seine Hofhaltung nach Stuttgart verlegen werde, nahe beim Reichsregiment sein, *zum andern, das die von Eßlyngh nicht gutt Lutherisch sein, und ob sie es werden wollten, konde er innen das bas dan anderen mechtigen stetten weren, nochdem sie in seinem lande legen*[61]. Anfang Juni faßte Hans von der Planitz, der sich vorübergehend am Reichsregiment in Esslingen aufhielt, seine Eindrücke, wenngleich sehr pauschal, so zusammen: *Der gemein mann ist hie auch gutt ewangelisch; aber es darf sich nimancz ruren; welcher sich des ein wenig horen lest, der wirt hart gestrafft*[62]. Die reformatorische Bewegung war nur insoweit unterdrückt, als der Rat gegen ihre öffentlichen Äußerungen vorging, ebenso wie er Ende Januar 1525 – nota bene zwei Wochen nach dem Verhör des Reutlinger Prädikanten Matthäus Alber vor dem Reichsregiment in Esslingen – gegen das öffentliche Singen von Schmachliedern gegen Geistliche vorging[63].

Wir fassen das Ergebnis der ersten Phase der reformatorischen Bewegung in Esslingen von 1521 bis 1525 so zusammen: Der neue Glaube war eingedrungen und bis zur Schwelle öffentlicher Aktionen fortgeschritten. Dagegen reagierte der Rat mit einer hinhaltenden, dann aber energischen Aufrechterhaltung der hergebrachten öffentlichen Ordnung auf der Basis der Reichsgesetze.Der reformatorischen Bewegung wurde Einhalt geboten. Der Rat hemmte sie, förderte sie nicht. Diese Förderung wurde jedoch von ihm erwartet. Dagegen ging der Rat selbstverständlich davon aus, daß die altgläubige Kirchlichkeit weiter ausgeübt wurde. Dabei verlieh er innerhalb seines Patronatsmonopols Kaplaneien und Pfründen, mit der Auflage, Messe zu lesen[64]. Er gebot Prozessionen 1522[65] und

---

[59] Der Junilandtag 1524 (*W. Grube*: Der Stuttgarter Landtag. 1457-1957. Stuttgart 1957. S. 135 f.) billigte die strafrechtliche Verfolgung der Lutheranhänger.

[60] Dazu *Reimer* (wie Anm. 41) und *Virck*: Planitzberichte. S. 614-616, Nr. 74, Nürnberg, 9. 4. 1524.

[61] Ebd.

[62] Ebd., S. 634, Nr. 12*. Esslingen, 5. 7. 1524.

[63] EStA Missivenbücher 19, f. 150ʳ.

[64] *K. Müller*: Die Eßlinger Pfarrkirche im Mittelalter. Beitrag zur Geschichte der Organisation der Pfarrkirchen. In: Württembergische Vierteljahreshefte für Landesgeschichte, N. F. 16 (1907) S. 237-326, hier: S. 272 zum Patronatsmonopol. – Am 8. Juni 1524 resignierte Caspar Reyter, *organist*, seine Esslinger Pfründe (EStA Missivenbücher 19, f. 122ʳ), der Rat belehnt Bernhard Mor, *der Mörin son*, mit der Pfründe und schickt ihn zur Ausbildung zu einem Organisten. Obwohl die Pfründeinkünfte zur Ausbildung verwendet werden, ergeht die Auflage, *daz er mitler Zyt sins abweßens die messen lut der dotation versehen lasß*. – Am 21. Mai 1523 bestätigt der Rat die Steuerfreiheit derjenigen Pfründeinkünfte, die bislang unbelastet gewesen waren; von bisher der Steuer unterwor-

ebenso 1524[66], kurz nach dem Vorfall Mitte Juni sogar eine Prozession, da der Schwäbische Bund verlängert worden sei[67].

IV

Daß es dem Rat hierbei mehr um Sicherung des öffentlichen Friedens und der Einigkeit in der Stadt ging als um Kirchentreue, wird klar, wenn man die Kirchenpolitik des Rates in den zwanziger Jahren verfolgt. Bis zum Sommer 1531 hielt der Rat die 1524 begonnene Linie durch: er stützte die altgläubige Kirchlichkeit sogar durch Ordnungen. Daß er die Anhänger des Täufertums aus Stadt und Territorium auszuweisen drohte, verwundert nicht, wenn auch die Be-

fenen, in die tote Hand verkauften Häusern und Gütern sollen Geistliche Steuer entrichten (EStA F 10, p. 29).

[65] EStA Missivenbücher 17, f. 198ʳ (27. 4. 1522): *Damit got der allmechtig gemainen pünd dester mer gnad vnnd glick Ouch die fruchten vff dem feld Zu vffenthalltung vnnser lypsnerung gnediglich beschutzt vnd beschirmt vnd dardurch sein almechtigkait dester furderlicher glopt vnnd geert werd So hat ain Ersamer Rat ainen Loblichen Creutzgang vff dornnstag nestkunfftig Zu vnnser lieben frowen Zuthund furgenomen. alda ain loblich ampt mit ettlichen gesprochen mess Zuhallten darumb so wolle sich ain Jeder mit Innigkait vnnd andacht darzu schicken damit sein gepet zu got dester gnediglicher erhört vnnd gmainen pund vnnd vns sein gotlich gnad hilff vnnd barmherzigkeit mitgetailt werde. actum vff Sontag quasimodogeniti aᵒ [15]22.*

[66] EStA F 10, p. 45, 11. 1. 1524: *Liebenn freund Ir sehennd herenndt vnnd leßenndt d[a]z durch Schickung des allmechtigen Inn Etlichenn Lanndenn vnd Stetten mer mer [!] dann an ainem ortt ettlich Zeither durch waßers nott grosse ferlichkait Ennstanden ist vnnd alls Zubesorgenn wa wir vnnser leben nit bessern kunfftigclich noch mer Entsten mag vff das so habenn die fursichtigen Ersamenn vnnd weyßen Burgermaister vnnd Rat diser Stat gott dem allmechtigen Zu lob furgenomenn vff montag Nechstkunfftig ainen gemainen Creutzganng Zu vnnser lieben frowen Zuthundt vnnd Inn alda durch die göttlichen ämpter vnnd vnser gebet fleyssigclich anruffen vnnd Zupittenn ob wir vnns Inn ainichen weg gegenn In verschuldt hettenn dardurch Er Zu Zorn vnnd Straff vber vnns bewegt wer das Er vß seiner grundloßen barmhertzigkait sein göttlichen Zorn gnedigclich ablaßen vnnd vnnsere Sundt Zu Rechter Erkantnus vnnd besserung vnsers lebenns gnedigclich vertzeihenn vnnd vor obberurtter Straff ferlichkait vnnd allem schaden leibs vnnd der Sel zeittlich vnnd Owig [!] gnedigclich behütten wöll Darumb wiß Sich ain yedes mensch mit Innigkaitt vnnd andacht dartzu Zugeschickenn dattum* [gestr.] *uff montag nach den haylligen drey kunig tag Anno [15]XXIIIj.* Der folgende Eintrag datiert 1. 1. 1524 und empfiehlt Vorratshaltung und *so wollet Gott den allmechtigen fleyssigclich anruffen vnnd pitten das er durch den verdienst Seins leide vnns gnedig vnnd barmhertzig Sein vnnd vor solicher waßer vnnd hungers nott vnnd allem schaden leibs vnnd der sel gnedigclich behuten woll....*

[67] EStA F 10, p. 46 f.; *damit dann gott der almechtig gemainen pundsstenden vnnd verwantten dester mer gnad Sig vnnd glick verleyhe.* Die Prozession zur Frauenkirche mit gelesenen Messen soll erfolgen zur Ehre der heiligen Dreifaltigkeit, der Jungfrau Maria und St. Georgs, auch wegen des sündigen elenden Lebens zur Anrufung der Barmherzigkeit Gottes, mit geistlichem Tenor wie oben Anm. 66.

gründung, daß die Wiedertaufe der göttlichen und evangelischen Schrift zuwider sei, auffällt[68]. Zur gleichen Zeit schärfte er jedoch die Feiertagsordnung der alten Kirche ein[69]. Nach diesen von der Kanzel verlesenen städtischen Satzungen des Novembers 1527 erließ der Rat am 1. November 1528[70] eine Ordnung mit scharfen weltlichen Sanktionen, um die kirchliche Ordnung aufrechtzuerhalten: Wer ohne zu beichten und ohne das Sakrament erhalten zu haben sterbe und sich ohne Priester begraben lasse, der solle nicht nur auf ungeweihtem Boden begraben, sondern auf den Schindanger geführt werden. Ernste Strafe drohte der Rat auch denjenigen an, die andere zu diesem Verhalten anstifteten. Der Rat, der sich ausdrücklich als weltliche Obrigkeit bezeichnete, wollte die ohne kirchlichen Segen Gestorbenen nachträglich der bürgerlichen Ehre entkleiden. Die volle Bedeutung dieser Maßnahme wird deutlich, wenn man berücksichtigt, welch hohen Wert die Menschen des 16. Jahrhunderts, die in ganz anderer Weise vom Tod bedroht waren als wir heute, der Heilssicherung im Todesfalle beimaßen.

Zugleich bedeutet das Verhalten, gegen das der Rat hier vorgeht, daß die reformatorisch Gesinnten, die ihre Überzeugung nicht öffentlich werden lassen durften, wenigstens durch Vermeiden von Anteilnahme an altgläubigen Zeremonien dem neuen Glauben treu sein wollten. Dieser Erosion kirchlichen Verhaltens trat der Rat entgegen.

Dieser Prozess hatte schon früher eingesetzt bei den Leistungen, die an die Kirche zu entrichten waren. 1523 und 1525 klagte der Esslinger Pfarrer beim Speyrer Domkapitel darüber, daß die Opfer und der Kleinzehnt zurückgingen[71]. Als das Domkapitel bei Hans Holdermann vorstellig wurde, sagte letzterer zwar zu, den Pfarrer gegen Zehntverweigerer zu unterstützen, zu Opfern könnten die Bürger allerdings nicht gezwungen werden[72]. 1528 beklagte sich das Domkapitel

[68] EStA F 10, p. 68, 10. 11. 1527. – Zum Täufertum in Esslingen *V. Salzmann; Haffner*: Geschichte der Esslinger Wiedertäufer. In: *Schnaufer-Haffner* (wie Anm. 10) S. 59–92; *J. M. Stayer*: Eine fanatische Täuferbewegung in Esslingen und Reutlingen? In: Blätter für württembergische Kirchengeschichte 68/69 (1968/69). S. 53–59.

[69] EStA F 10, p. 68. Geboten wird Arbeitsruhe an St. Martin, St. Andreas (30. 11.), St. Thomas (21. 12.), St. Katharina (25. 11.), dagegen kann man, wo nötig, an St. Othmar (16. 11.), St. Konrad (26. 11.) und St. Nikolaus arbeiten. Der Erlaß bezieht sich nur auf die Zeit bis Weihnachten.

[70] EStA F 10, p. 74–77, 1. 11. 1528 mit Text der Ratsverkündung vom 8. 11. 1528. Die Begründung stellt fest, daß der Rat als weltliche Obrigkeit Verletzung *vnsern hailligen glauben vnnd cristenlicher ordnung* nicht zulassen könne. – Zu denken ist bei der bedrohten Gruppe natürlich an die Täufer, jedoch werden sie in den Texten nicht irgendwie spezifisch angesprochen.

[71] *Krebs* (wie Anm. 41), Speyrer Domkapitelsprotokolle 2, Nr. 5958, 3. 3. 1523; Nr. 6448, 14. 2. 1525: Der Pfarrer zu Esslingen soll bis Johannis noch 100 fl erhalten und mit dem Rat über die Einstellung der Mahlzeiten verhandeln, da er Einbuße an Opfern und anderem hat.

[72] Ebd. Nr. 6577, 7. 12. 1525. Der Beauftragte des Speyrer Domkapitels zeigte sich mit diesem Ergebnis nicht zufrieden, er wies darauf hin, daß *neuwerung und ongehorte beschwerde onverholen am tag* liege.

erneut und schriftlich beim Rat, daß aus der reichen Weinernte des Jahres der Zehnt nur zum geringsten Teil geliefert worden sei[73]. Das Domkapitel machte dafür auch den Rat verantwortlich, der – nachweisbar seit 1518 – den kirchlichen Zehnten widerrechtlich belaste[74]. Obwohl noch einmal Verhandlungen angeboten wurden, hatte sich das Domkapitel beim Kaiser einen Auftrag zur Einsetzung einer Verhandlungskommission für ein schiedsrichterliches Verfahren besorgt[75]. Die Antwort des Rates[76] auf diese Schreiben vom 6. Dezember 1528 war bemerkenswert schroff: er sei befremdet, denn er handle nicht widerrechtlich, er wisse sein Verhalten zu verantworten. Auch die Tatsache, daß diese Antwort nur mündlich gegeben wurde, das Schreiben also überhaupt nicht beantwortet, bewirkte die Verhärtung der Positionen, die im nächsten Jahr tatsächlich dazu führte, daß die Schiedskommission tätig wurde[77]. Dieses Verfahren gegen die altgläubige Stadt blieb nicht das einzige von kirchlicher Seite. Im Januar 1527 sah sich nämlich der Rat einer Klage des Bischofs von Konstanz als des zuständigen Diözesanbischofs gegenüber. Der Bischof klagte die Reichsstadt auf der Tagung des Schwäbischen Bundes in Ulm an[78]. Das altgläubige Esslingen sah sich ebenso wie das lutherische Reutlingen und die Städte Isny und Biberach beklagt, die geistliche Jurisdiktion und die Privilegien der Geistlichen beeinträchtigt zu haben. Der Schwäbische Bund setzte eine Vermittlungskommission ein, die Anfang 1528 einen Ausgleich zu finden suchte[79].

[73] EStA F 416, Domkapitel Speyer an Esslingen, 6. 12. 1528, präsentiert 15. 12. 1528. – Ebd. eine Aufzeichnung, datiert laut Dorsualvermerk 1526, über Zehntverweigerer. Daraus geht hervor, daß die Zehntverweigerung motiviert war in antiklerikalen Haltungen, die reichen von groben Gewaltandrohungen gegenüber dem Zehntknecht bis zu Äußerungen radikal-reformatorischer Art (*du bist des Endtchrist diener, wo ist die latern do mit du vns zindest*), einer hörte von *fromen luten*, er sei nichts schuldig.

[74] *Krebs* (wie Anm. 41), Nr. 5006, 19. 1. 1518: dort lehnt das Domkapitel die Forderung des Rates Esslingen, einen Reiswagen zu stellen und Frondienste zu leisten, ab; Nr. 5302, 26. 7. 1519: danach wurde die Forderung weiterhin aufrechterhalten. EStA F 416, Domkapitel Speyer an Esslingen, 19. 6. 1520: Der Rat hatte Frondienste der Zehnthofgespanne gefordert. In den zwanziger Jahren weisen die Domkapitelsprotokolle dauernde Verhandlungen aus: *Krebs* Register s.v. Esslingen.

[75] *Krebs* (wie Anm. 41), Speyrer Domkapitelsprotokolle 2, Nrr. 7289, 7425, 7431.

[76] Wie oben Anm. 73.

[77] *Krebs* (wie Anm. 41), Speyrer Domkapitelsprotokolle 2, Nrr. 7659, 7660, 7664, 7692 (Esslingen weigert sich, vor der Kommission zu erscheinen). 1529 wollte das Domkapitel den Zehnt in Esslingen durch Verkauf loswerden, der Kauf erfolgte endgültig durch Esslingen als Leihe auf Dauer 1547. EStA 416, Urkunde vom 29. 9. 1547.

[78] EStA 414, Nr. 12, Schwäbischer Bund an Esslingen, Ulm, 28. 1. 1527; vgl. auch RTA JR VII. 1 S. 97. Die Akten Esslinger Provenienz in EStA 414.

[79] EStA 414, (3. Büschel), Nr. 24, Schwäbischer Bund an Esslingen, Donauwörth, 11. 12. 1527. Vermittler waren Georg Truchsess von Waldburg, Heinrich Burkhard Marschall zu Pappenheim und Heinrich Besserer, Bürgermeister von Ravensburg. Das Ergebnis der Ausgleichsverhandlungen der Kommission bildet das bemerkenswerte Dokument, das im Text referiert ist: EStA 414 (3. Büschel), Nr. 18, das Esslingen am 14. 2. 1528

Danach sollte Esslingen die Geistlichen, die es während des Bauernkrieges 1525 in das Bürgerrecht aufgenommen hatte[80], wieder aus diesem entlassen. Sie sollten nur dem geistlichen Ordinarius verpflichtet sein. Auch an dem Investiturrecht des Bischofs hielten die Artikel des Ausschusses fest, und die bischöflichen Einkünfte sollten wie bisher gewahrt werden. Zugeständnisse sahen diese Artikel vor bei der Gerichtsbarkeit, die auch die Laien tangierte. Außer rein geistlichen Sachen und der Hochgerichtsbarkeit über den Klerus sollte für alle Rechtsstreitigkeiten, die zwischen Geistlichen und Laien anhängig waren, das Stadtgericht zuständig sein. Dies war ein beträchtlicher Einbruch in das »privilegium fori«. Auch die Steuerfreiheit des Klerus wurde, wenn auch nicht grundsätzlich aufgehoben, so doch in einem Punkt durchbrochen: die Geistlichen sollten Wachtgelder an die Stadt entrichten[81]. Das bedeutete, daß die Einkünfte des niederen Klerus angetastet wurden, während die Einkünfte des Bischofs erhalten blieben. Esslingen lehnte jedoch die Vermittlungsartikel ab[82]. Der Vorgang wurde dann von Bundestagung zu Bundestagung verschoben[83]. Er-

zugestellt wurde (ebd. Nr. 19), von Esslingen aber abgelehnt wurde (EStA 414 in Nr. 19 Konzept Esslingen an Jörg Truchsess, 16. 2. [15]28 *vnnd befinden vns Inn denselbigen* [scil. den Kompromißvorschlägen] *dermassen beschwert das vnns die vß vil treffenlichen vrsachen nit anzunemen*, was Esslingen mit der Priesterschaft getan habe, sei nicht widerrechtlich, *Sonnder das so der erberkeit vnnd pillicheit gemeß ist vß treffenlichen Redlichen vnnd beweglichen vrsachen Inen vnnd den vnsern zu gut auch vß nodurfft gmainer Statt pillich furgenomen vnd ghanndellt. ...*

[80] Wie in Städten verschiedensten Rechtsstatus, z. B. Konstanz (*Verf.* (1971),(wie Anm. 34) S. 42 f.; Bamberg (*Verf.*: Gescheiterte Reformation. Stuttgart 1978. S. 78). Nach Darstellung des Rates (EStA F 414, Nr. 9) sei *vrsprüngklich die peurisch vffrur den gaistlichen Zuwider, daran sie mit Irem lanngherprachten thun vnd lassen nit die geringste vrsach sind, entstannden. ...* Da der Bischof den Geistlichen keinen Schutz bieten konnte, hätten *ettlich priester* [sich] *veraint fur Rath komen vnd gepetten nach gestall vnd glegenheit der löff sie Ir leib vnd gut Zu burger In schutz vnnd schirm antzunemen mit erpiettung alles das Zuthund das annder burger thuen,* hat ain Erber Rath betrachtet den grossen *widerwillen vnd die vnruw des gemainen mans wider die gaistlichen vnd damit sie an Iren leib vnd gut nit In grossem nachtail komen vnd der gemain man wider sie dester furderlicher Zu ruw vnd friden gestellt wurd,* habe der Rat sie zu Bürgern angenommen.

[81] EStA 414 (3. Büschel), Nr. 18, datiert 11. 2. 1528. Bemerkenswert ist der Text deshalb, weil die Kommission davon ausging, daß Auseinandersetzungen zwischen geistlicher Hierarchie und ihren Rechten einerseits und andererseits Laienobrigkeit mit deren Ansprüchen auf Expansion im Kirchenwesen sich in der Weise der Abgrenzung der Rechte lösen ließen, ohne daß religiöse Überzeugungen eine Rolle spielten. – Wachtgelder sollten zwar entrichtet werden *als annder burger*, nicht aber Zoll, Ungeld, Reis, Steuer, Fron.

[82] Vgl. oben Anm. 79.

[83] Bundestag (BT) Augsburg März 1528: RTA JR VII. S. 244. S. 249, S. 1030, vgl. auch EStA 414 (3. Büschel), Nr. 20 Ulrich Neithart an Esslingen, 16. 3. 1528; BT Juli 1528: EStA F 414 (3. Büschel), Nr. 22; BT Ulm November 1528: RTA JR VII. S. 429; BT Augsburg Dezember 1528: EStA 414 (3. Büschel), Nr. 23; BT Ulm Februar 1529: RTA JR VII. S. 485 verweist zurück an die auf dem Reichstag Speyer tagende Vermittlungskommission.

reicht hat der Bischof nichts[84]. Esslingen mußte sich aber bewußt werden, daß es nur durch die Hilfe der evangelischen Stände des Schwäbischen Bundes so glimpflich davongekommen war[85].

Aus den relativ gut erhaltenen Quellen über diesen Vorgang sind für die innere Geschichte Esslingens zwei Schriften besonders interessant. Das eine beleuchtet die Haltung des Rates. Es ist einer der Entwürfe des Schreibens, das das ursprüngliche Anschreiben des Schwäbischen Bundes beantwortete[86]. Der Esslinger Rat zeigte sich darin höchst entrüstet darüber, daß er vom geistlichen Ordinarius angeklagt werde, obwohl doch bisher gegen die Gemeinde der altgläubige Gottesdienst in Kirchen und Klöstern voll aufrechterhalten worden sei. Maßnahmen, wie die vom Bischof beim Schwäbischen Bund anhängig gemachten, führten nur dazu, daß die Gemeinde, die ohnehin gegen die Geistlichkeit aufgebracht sei, wie man schon im Bauernkrieg gesehen habe, eine Veränderung im Sinne der Reformation fordern werde. Der Esslinger Rat stellt sich also hier als Hüter des alten Glaubens dar.

In einem anderen Licht erscheinen Rat und Gemeinde in einem Schreiben des Esslinger Pfarrers an den Bischof von Konstanz von 3. Mai 1527[87]. Der Bischof hatte offensichtlich von Sattler Informationen angefordert. Sattler betont zunächst, daß der Rat während des Bauernkrieges, abweichend von der Darstellung des Rates an den Schwäbischen Bund, die Geistlichkeit aufgefordert habe, das Bürgerrecht anzunehmen. Sein Ziel sei es, die geistliche Jurisdiktion an sich

---

[84] Esslingen, bzw. sein Vertreter Holdermann hatte 1529 sowohl in der Affaire des Memminger Hans Keller, der als Bundesrat zurückgewiesen wurde, als auch durch Annahme des Reichsabschieds 1529 eindeutig auf Seiten der alten Kirche Position bezogen. Keller: RTA JR VII. S. 475; Reichstag 1529 ebd. S. 674, S. 679, S. 706.

[85] Die Städte Nürnberg, Ulm und Augsburg lehnten die Zuständigkeit des Schwäbischen Bundes in Sachen geistlicher Jurisdiktion ab (RTA JR VII, 1. bes. S. 144–146) und setzten diesen Standpunkt auf dem Bundesstädtetag 10./11. November 1527 durch (RTA JR VII, 1. S. 150f.)

[86] EStA F 204, Nr. 516: Reinkonzept des laut Dorsualvermerk nicht ausgefertigten Schreibens. Esslingen stellt fest: *...das wir vnd vnnsere gemain vns bißher der Cristenlicher ordnung mit gotzdiennsten vnd sonst dem alten loblichen pruch nach wol vnnd Cristlich vnd kay. Mt. vnd der stende mandat vnd Edict gehallten die newe seckt lere oder newem gepruch wie man das nennen solle by vns wie In andern herschafften vnd stetten geschehen nit lassen einwurtzeln sonnder souil vns muglichen gewesen vnd noch ist verkomen wie dann die gottes diennst in allen kirchen vnd klostern noch vnZerruth ongemindert sein findet gemeret werden. achten aber das vnnser gnediger her von Costentz gern vrsach durch sollich Ir F g vnpillichs verclagen vnnserer gemaind geben wollt das sie sich gegen vns emporeten damit wir Inen gestatten musten wie andere gemainden gethon haben Newe prediger vnd lerer vffzustellen vnd den gots dienst dem allten Cristenlichen gepruch nach fallen Zulassen vnd die anndern newe lere anzunemen....*

[87] Abschrift in Zürich Zentralbibliothek Simlersche Sammlung 18, 3. Mai 1527; die bei *Willburger* (wie Anm. 34) S. 133 Anm. 1 genannte Ausfertigung (?) ist mit den bischöflich-konstanzer Akten vom Stadtarchiv Zürich an Karlsruhe GLA ausgeliefert.

zu ziehen. Der Rat vernachlässige tatsächlich die Präsentation der Priester, die er aufgrund seines Patronatsmonopols einstelle. Er verhindere auch die Ausführung der Urteile des geistlichen Gerichts. Die geistliche Gerichtsbarkeit werde vom gemeinen Volk verachtet, überhaupt gelte die Ordnung der heiligen Kirche als Fastnachtspiel. Fasten, Feiern, Singen usw. gebe es auch weiterhin in Esslingen, aber das gemeine Volk verachte dieses und halte es nicht mehr ein. Man esse Fleisch und Eier an Festtagen. Klage man die Betreffenden an, so sei niemand schuldig. Implizit beklagt sich Sattler also über mangelnde Unterstützung durch die weltliche Obrigkeit. Die strittigen objektiven Tatbestände sind nicht mehr zu erheben. Wir haben auf der einen Seite eine Apologie des Rates, auf der anderen Seite eine Darstellung des Pfarrers, der sich selbst in der Frontstellung gegenüber der Gemeinde sah und der sein Schreiben mit der Bitte schließt, keineswegs verlauten zu lassen, daß er mit der ganzen Sache befaßt worden sei, da ihm das schaden könne. Zwei vorsichtige Schlüsse wird man nicht abweisen können:

1. Der Rat hatte mit der Aufnahme des Klerus ins Bürgerrecht einen entscheidenden Schritt auf die Integration des Klerus in die Bürgergemeinde gemacht und gedachte nicht, diesen erheblichen Terraingewinn wieder aufzugeben. Im Gegenteil, er wollte weitere Schritte auf das Kirchenregiment hin tun: schon 1522 hatte er in Konstanz sondiert, ob er das Recht zur Investitur erhalten könne[88]. Nun versuchte er offenbar, dasselbe Ziel dadurch zu erreichen, daß er die Präsentation zur Investitur beim zuständigen Bischof einfach unterließ, in der Hoffnung, ein Gewohnheitsrecht zu schaffen. Man muß hervorheben, daß dies vom Rat selbst nicht als vorbereitender Schritt zur Einführung der Reformation geplant war, wie die Äußerungen im oben erläuterten Antwortschreiben deutlich zeigen. Es handelt sich um die Fortsetzung der im Spätmittelalter angesetzten Kirchenpolitik des Rates.

2. Trotz der Beteuerung des Rates, wie sehr er sich für den Fortbestand des alten Glaubens und der Gottesdienste einsetze, belegt der Brief Sattlers, daß der Vorgang der Erosion weiterging und daß der Rat diese Erscheinung teilweise duldete. Dies Ergebnis stimmt genau mit dem überein, was wir vorher über den Vermeidungscharakter der reformatorischen Bewegung gesagt haben.

Es ist möglich, daß der Rat 1529 auf einem noch unbekannten Wege von dem Verhalten Sattlers in der Auseinandersetzung der Stadt mit dem Bischof erfahren hat. Denn er kündigte dem Speyrer Domkapitel an, ohne den Anlaß konkret zu nennen, daß er den bisherigen Stadtpfarrer nicht mehr als solchen anerkennen werde[89]. Er berief sich dabei, auch dies ist bezeichnend, auf das Recht,

---

[88] EStA F 204, 40c: Dr. Johann Brendlin an Esslingen, Konstanz, 12. 2. 1522. Johann Brendlin war Insigler der Konstanzer Kurie (*Krebs* (wie Anm. 34) Register).

[89] Vgl. *Krebs* (wie Anm. 41) Domkapitelsprotokolle Speyer 2, Nr. 7739; EStA F 416, 2. April 1529, Kopie, Esslingen an (Domkapitel Speyer): . . . *Alß Ewer Erwirdigen vnnd wirdigen vnnser Stat ain Zeutlang vnnd biß herr mit ainem Pfarrherrn versehen den wir also mit gedult vnnderhaltenn haben, So aber wir den selbigen lenger vnnd furro Zů geduldenn nit vermainen vss vilfeltigenn beschwerden vnnss daruss erwachssenn . . .* (Esslin-

bei der Einsetzung und bei der Absetzung des Geistlichen, die de jure dem Domkapitel zustand, ein Mitwirkungsrecht zu haben. De facto lassen sich vor 1529 Mitwirkungen des Rates bei der Berufung von Geistlichen nachweisen, nicht jedoch ein Recht der Einsetzung und Absetzung[90]. Daß auch dieser Schritt nicht als Vorbereitung zur Reformation Esslingens gedeutet werden darf, geht aus dem Schreiben Esslingens an das Domkapitel zu Speyer hervor: der Rat fordert nämlich statt des »abgesetzten« Sattlers einen Nachfolger, der nicht lutherisch oder zänkisch sei[91]. Offenbar beanstandete er bei Sattler einen übermäßigen Hang zur Polemik, wenn diese Äußerungen nicht gar darauf abheben, daß Sattler durch sein Verhalten im Streit mit dem Bischof den städtischen Frieden gestört habe. Weder für das Domkapitel in Speyer noch für den Konstanzer Bischof war die Haltung des Esslinger Rates in irgendeiner Weise akzeptabel. Beachtet man das Atmosphärische, so ist im Verlauf der zwanziger Jahre deutlich eine Versteifung der Fronten festzustellen.

Die zweite Phase, das Intervall, ist in Esslingen dadurch gekennzeichnet, daß der Rat der reformatorischen Bewegung in ihren öffentlichen Äußerungen Einhalt gebietet, wenn er auch gegen individuelle Aktionen nur vorgeht, wenn sie die öffentliche Ordnung bedrohen. Er bleibt altgläubig und setzt trotzdem die Linie der Erweiterung des Kirchenregiments des Rates fort. Er gerät dabei in Konflikte sowohl mit der geistlichen Behörde, die die Stadtpfarrei besetzt, als auch mit dem zuständigen Ordinarius in Konstanz. Beide Instanzen beharren auf ihren Rechten, Esslingen zeigt sich unnachgiebig. Die versteifte Haltung des Esslinger Rates wurde politisch abgestützt durch die evangelischen Stände des Schwäbischen Bundes, der einzigen Instanz im übrigen, die in Süddeutschland wirklich gefährlich werden konnte. Daß der Schwäbische Bund die Klage des Bischofs nicht positiv beschied, war unter anderem eine Konsequenz der Haltung Hessens, das drohte, den Schwäbischen Bund zu verlassen[92].

---

gen bittet) . . .*Ir werdennt vnß mit ainem thauglichen Erbern vnnd gelertten nit Luttherischen Zenckischenn oder wider werttigen Man versehenn Nemlich mit ainem vss ainer Reych Stat.* . . .

[90] EStA F 416, 23. April 1529, Esslingen an das Domkapitel Speyer, Konzept, (Antwort auf das Antwortschreiben des Domkapitels vom 11. 4. 1529. EStA F 204, 561): . . .*dieweyl ain Erber Rath zu Esselingen von allter bis vff disen tag In herbrachter vbung vnd gepruch geweßt wann ain erbern Rath fur gut vnd notwendig angesehen ain pfarrer Zu obern vnd Zu vrloben oder ains andern Zubegern das er das selbig alweg gethun hat dem ist auch daruff Jeder Zytt follg vnd Statt geben.* . ., Begründungen werden abgelehnt und das Ersuchen wiederholt. Der Rat ließ die Angelegenheit am 5. Juli 1529 den Zünften verkünden (EStA F 204, 56[2]) und gebot zugleich, *dieweyl sich dann bj dem gmainen man allerlaj Zwyspalltung Im globen halltet d[a]z Je ainer den anndern gern vnderstund vff sein maynung Zubewegen dardurch dann leychtlich vffrur zwjtracht vnnd anndere vnrath entstan vnd erwachsßen mocht.* . ., daß jeder den anderen, geistlich oder weltlich, unangefochten lasse.

[91] Vgl. oben in Anm. 89.

[92] RTA JR VII, 1. S. 152 f.

Trotz des massiven Vorgehens der kirchlichen Instanzen geriet die Linie des Esslinger Rates in der Religionsfrage im Reich nicht ins Wanken: Er schloß sich der Protestation der evangelischen Stände in Speyer 1529 ebensowenig an[93] wie er auf dem Reichstag des folgenden Jahres die Confessio Augustana nicht annahm[94]. Es billigte damit den Reichsabschied, der die Durchsetzung des Wormser Edikts von 1521 gebot. Wir greifen aus den beschwörenden Schreiben des Esslinger Vertreters auf dem Reichstag 1530, Hans Holdermann, eines heraus, um es genauer darzustellen.

Hans Holdermann berichtet[95] unter dem Eindruck der am 24. September vor dem Reichstag abgegebenen Erklärung Karls V., die klarstellte, daß er am Glauben der alten Kirche festhalten wollte: ein Konzil sollte einberufen werden, die Güter der Klöster und der Kirche seien zu restituieren[96]. Der Kaiser sei fest entschlossen, so schließt Holdermann seinen Bericht, seinen Willen durchzusetzen, es drohe Krieg[97]. Aus dieser Alternative: Krieg bei Nichtannahme des kaiserlichen Abschieds, Frieden bei Kaisertreue, entwickelt Holdermann die Konsequenzen. Er erinnert zunächst an die Fürsorgepflicht des Rates für die Stadt: Esslingen sei arm[98]. Schon ein Zögern oder gar die Nichtannahme des Abschieds werde der Stadt zum Verderben gereichen. Bei Nichtannahme drohe Reichsacht, die sicher Nachbarn, die nicht genannt sind, die aber jeder Esslinger Ratsherr im habsburgischen Württemberg[99] suchte, sofort exekutierten. Auch von Ulm, dem nächstliegenden mächtigeren Vorort des Schwäbischen Bundes, sei keine Hilfe zu erwarten[100], so deutete es Holdermann wenigstens an. Andere Nachbarstädte

[93] RTA JR VII, 1. S. 706.

[94] EStA Reichstagsakten 1525–1532, Bürgermeister und Rat Weil (der Stadt) an Esslingen, 29. 9. 1530: *syen demnach Inmassen E W der mainung, haben auch vns des berattenlich endtschlossen was durch kay Mt vnnd den mererthail der Stennde des hailligen Rychs vff disen Rychstag beschliessen In aller vnderthenigkait antzunemen.*

[95] EStA F 204, 60[7] Hans Holdermann an Esslingen (Augsburg), 25. 9. 1530, praesentatum 28. 9. [15]30.

[96] Ebd.: der Kaiser habe den Ständen *Zugesagt vß tuschland nit zu kumen Er habe dan durch ain Consylij die Zwispaltung des gloubes georthertt vnd den angelegten Malstat furderlich Inhalt des abschid vßschriben ouch das den klöstern vnd gaystlichen byßher Ingezogen wyderumb zu Iren handen stellen... daran well Ir Mt sein lejb alle seine kunigklich landen vnd Leutt setzen den Cristenlichen globen zu handthaben.*

[97] Ebd.: der Kaiser gebe den Protestierenden Bedenkzeit: *wa nit So ist die sach also Ernstlich beschlossen vnd der kayser darab So gryme das gantze tusche Nacion In gantz verderbliche nachtayll der krieg fallen werden. . . .*

[98] Ebd.: *vnß als ainer arme stat. . . .* Die Aussage, da nach innen argumentierend, nicht wie vielfach apologetisch zur Abwehr finanzieller Ansprüche (Reichssteuer), gewinnt an Gewicht.

[99] Ebd.: *vnd trag nit klayn sorgen vff vnsere nachpurn dan So die acht als man anZegt strenglich darufffollgen wurdt, megen Ir woll gedencken wie Es den stetten gen werde. . . .*

[100] Ebd.: *. . .auch wyll bedüncken vlm schmeckt den bratten. . .Sie wellendt den angel nit mer jmen sehen vff Sie. . . .*

– Heilbronn, Reutlingen, Schwäbisch Hall – seien umgarnt und dienten nur den Interessen anderer: gemeint sind wohl die protestierenden Stände, also Sachsen, Hessen[101]. Gefahr drohe bei einer Reichsacht insbesondere den außerhalb des Esslinger Territoriums gelegenen Besitzungen des Klosters Sirnau und des Spitals. Den letzteren Punkt betont Holdermann, weil vom Spital die Armenfürsorge abhing[102]. Die Minderung der Einkünfte des Spitals bedeutete danach, so ist zu schließen, zugleich die Einstellung der Armenfürsorge und implizit Unruhen innerhalb der Stadt. Demgegenüber gebe es nur eine Alternative: dem natürlichen Herren, dem Kaiser, der mit den Reichsständen – jedenfalls der Mehrheit – verbündet sei, strikt gehorsam zu sein[103]. Die Hoffnung der protestierenden und evangelischen Stände, der Kaiser werde mit sich handeln lassen, habe völlig getrogen[104].

Holdermann plädiert ausführlich für die Annahme des Reichsabschieds. Dies zeigt seine Besorgnis, im Rat könne sich eine Mehrheit gegen den Reichsabschied bilden: er spricht von einigen Individuen, die Esslingen dazu verführen könnten[105]. Eine reformatorische Gruppe hatte demnach bereits 1530 gewichtigen Einfluß im Rat. Ihr gegenüber will Holdermann die traditionelle kaisertreue Politik fortsetzen. Er argumentiert jedoch nicht mit religiöser Überzeugung, sondern mit politischen Gründen. Aus ihnen wird deutlich, welche Rücksichten Esslingen zu nehmen hatte. Zunächst wird die Finanzlage der Stadt als ungünstig dargestellt, zudem schien Holdermann die Stadt von innen bedroht, wenn die Armenfürsorge eingestellt werden müsse. Zweitens sieht er die Bedrohung von außen: Württemberg umgab das Esslinger Gebiet und suche nur Gelegenheit, sich der Stadt zu bemächtigen, wenn der Kaiser die Reichsacht ausspreche. Hilfe von anderen Städten sei nicht zu erwarten. Überdies solle man nicht fremden Interessen dienen.

Man hat in der Esslinger reformationsgeschichtlichen Literatur[106] die Haltung Holdermanns auf dem Reichstag 1530 als nicht aufrichtig bezeichnet. Dem-

---

[101] Ebd.: *Etlich haben die gutten armen stett als vnser nachpurn hajlprun Reuttlingen hall In das Spjll gpracht vnd ziehen Sie Sich ytz darvon laußen sie Ir sach vertretten also hetten vnß Etlich vnsere gutten nachpurn auch gern hyn In gehetz....*

[102] Ebd.: *Sunder der Ernstlich beschluß dyses Rejchstags wurde dem armen Spittal alles EnZiehen das Er hette darZu gmaine statt Ingantzen verderben stellen....*

[103] Ebd.: *Sonder In vnsern klaynen vermegen gehorsamlich Zu ErZeigen... vnd nit der gestalt als ob Es wjder vnser hertz Sj....*

[104] Ebd.: *das Ir verhoffen gestanden der kayser werde nit hervß kümen auch So hartt nit ob der sach gehalten....*

[105] Ebd.: die Ratsherren seien gewarnt, *laußen uch Sunder persenen Sie seyen wer sie wellen nit vß vwerm weßen furen anderst wie byßher gehalten vnd dem k Edic vnd abschyden gemeß Zu hanndeln....*

[106] *Schnaufer-Haffner* (wie Anm. 10) S. 17: »wie er später auf dem Augsburger Reichstag (1530) die Heimatstadt verraten hat«. Ebd. 22 f.: »Erst später erkannten die Eßlinger, wie sie hinters Licht geführt worden waren«. Vgl. auch *Keim* (wie Anm. 6) S. 35: »Schmählicher ist kaum irgend eine Reichsstadt vertreten und misleitet worden, als Eßlingen anno 1530 durch Holdermann«. *Schuster* (wie Anm. 12) S. 146.

gegenüber ist hervorzuheben, daß sich auch bei anderen Kriegsfurcht zeigte, so schreibt z.B. Luther an Justus Jonas am 20.9. in Bezug auf die Lage auf dem Reichstag zu Augsburg: *Wird ein Krieg draus, so werde er draus*[107]. Auch Konstanz befürchtete schon im August, daß ein Krieg drohe[108]. Holdermann stand also mit seiner Annahme, daß Ablehnung des Reichsabschiedes vom Kaiser scharf geahndet werde, keineswegs allein. Seine Besorgnis, das habsburgische Württemberg werde die Reichsacht unverzüglich auch um eigener Interessen willen durchführen, kann kaum als unrealistisch gelten. Die Haltung Ulms war tatsächlich schwankend. Daß es schließlich den Reichsabschied nicht annahm, war Ende September noch nicht abzusehen[109]. Im Ganzen war die Analyse Holdermanns realistisch, wenn auch die daraus gezogenen Konsequenzen durchaus einem politischen Kalkül entsprangen. Holdermann setzte sich 1530 noch einmal mit seiner Linie durch: Esslingen nahm den Reichsabschied an[110].

V

Die Einführung der Reformation in Esslingen schon ein knappes Jahr später – beginnend mit dem Predigtmandat im August 1531 und schon nach sechs Monaten im Januar 1532 mit dem Bildersturm und der Zuchtordnung beendet – wirkt wie die Anwendung eines bewährten Musters. Die Reformation wird also in doppeltem Sinne eingeführt: der Rat nahm die Veränderungen des Kirchenwesens im reformatorischen Sinne vor, und: sie wird gleichsam importiert. Das Predigtmandat[111] ist das angepaßte Straßburger Mandat vom 1. Dezember 1523, im übrigen folgt man mehr dem Ulmer Muster[112]. Die Widerstände auch der altgläubigen Geistlichen waren gering. Der jetzt schnell vom Speyrer Domkapitel eingesetzte Pfarrer, Dr. Johannes Burchardi[113], vermochte wohl noch ein-

[107] WA B 5 (1934) S. 628–630: Luther an Justus Jonas, Veste Koburg, 20. 9. 1530, vgl. besonders S. 629, 40 f. und hier: S. 629, 51 f.
[108] Konstanz STA Reformationsakten 9, 69 f. Konrad Zwick an Konstanz, 14. August 1530; ebd. 115 f. Joachim Maler an Jörg Vögeli, 14. 11. 1530.
[109] Ulm führte im November 1530 eine Abstimmung durch, die sich gegen den Reichsabschied aussprach: *J. Endriß*: Das Ulmer Reformationsjahr 1531 in seinen entscheidenden Vorgängen. 2. Auflage. Ulm o. J. S. 11 f.
[110] Vgl. oben Anm. 94.
[111] EStA F 10, p. 89f. Den Text des Straßburger Mandats jetzt *B. Moeller*: L'édit strasbourgeois sur la prédication du 1. 12. 1523 dans son contexte historique. In: *G. Livet; F. Rapp*: Strasbourg au coeur religieux du XVIᵉ siècle. Strasbourg 1977. S. 51–56, Text: 57 f.
[112] Blarer kam ja von Ulm. Von der Ulmer Reformation unterschied sich Esslingen freilich dadurch, daß der Beitritt zum Schmalkaldischen Bund vor der Abstimmung erfolgte. Zu Ulm außer *Naujoks* (wie Anm. 20) *B. Moeller*: Zwinglis Disputationen. In: Zeitschrift der Savigny-Stiftung für Rechtsgeschichte, kan. Abt. 60 (1974), hier: S. 325.
[113] Das Speyrer Domkapitel wollte Dr. Oßwalt aus Geißlingen gewinnen, der ablehnte (*Krebs* (wie Anm. 41) Speyrer Domkapitelsprotokolle 2, Nrr. 9000, 9019); auch ein weiterer Kandidat, Licentiat Albrecht Krawß, Pfarrer in Wurzach, lehnte ab, da er eine hoff-

mal eine große Zuhörerschaft anzuziehen[114], er gewann sie nicht mehr für sich. Als er am 4. Oktober 1531 vor dem Rat gerufen wurde, aufgefordert, über seine Lehre Rechenschaft abzulegen, zog er sich unter Protest zurück[115] und suchte sich bald eine neue sicherere kirchliche Position[116]. Auch das Verhör der Geistlichen im November 1531[117], die »Disputation«[118], erwies, daß die altgläubige

nungslose Position nicht annehmen wollte (ebd., Nrr. 9013, 9020 [irrig 9029]), obwohl ihm günstige finanzielle Bedingungen eingeräumt wurden, die sonst im Gehalt veranschlagten Opfer und Stolgebühren bei Begräbnissen sollten unberücksichtigt bleiben. Der Rat hatte laut Nr. 9019 dem Domkapitel eine Frist von vierzehn Tagen für die Neubesetzung gesetzt. Burchardi wurde im Eilverfahren eingesetzt vgl. ebd., Nr. 9047: 25. 8. 1531 Beschluß zu verhandeln, Nr. 9059: 30. 8. 1531: er erklärt sich bereit, Nr. 9069: Abreise nach Esslingen 6. 9., er war Dominikaner, er erhielt Dispens (ebd. Nr. 9054), über ihn *E. Zsindely*: Aus der Arbeit an der Bullinger-Edition. Zum Abendmahlsstreit zwischen Heinrich Bullinger und Johannes Burchard, 1525/26. In: Zwingliana 13 (1969–1973) S. 473–480. *L. Jäger OP*: Art. Burchard, Johann. In: NDB 3 (1957) S. 31.

[114] Nach Burchardis Angaben (*Krebs* (wie Anm. 41) Speyrer Domkapitelsprotokolle 2, Nr. 9085, 19. 9. 1531) hatte er anfänglich zweieinhalbtausend (!) Hörer, der Prädikant – Leonhard Werner – wiegele aber die Gemeinde gegen die Priester auf, eine Vorsprache beim Rat sei erfolglos gewesen.

[115] Burchardi wurde am 4. Oktober 1531 mit den Helfern beschickt, dazu sein Druck EStA F 205, Nr. 8b.

[116] Bereits am 19. 9. 1531 hatte er dem Domkapitel mitgeteilt, der Kaiser habe ihm eine Propstei in Aussicht gestellt, das Domkapitel solle sich nach einem Nachfolger umsehen (*Krebs* (wie Anm. 41) Speyrer Domkapitelsprotokolle 2, Nr. 9085).

[117] *B. Moeller* (wie Anm. 112) S. 330 f.; die Akten in EStA F 205, und Ratsprotokolle 1531, f. 133ᵛ-134ᵛ. Der Ablauf läßt sich wie folgt rekonstruieren: Am 20. November (nicht wie ein späterer Archivvermerk auf F 205, 11b: 13. November, da *Montag nach Otmarj anno xxxj alle gaistliche beschickt*), forderte der Rat die Esslinger Geistlichen auf, Schriftbeweise für Messe und Bilder vorzubringen. Mit verschiedenen Begründungen traten die Geistlichen auf diese Anforderung nicht ein, die Messe war laut F 205, 11b schon zuvor suspendiert worden. Der Rat gab den Geistlichen vier Wochen Frist, *sich mit gelerten leuten Zubewerben*, was einige auf eigene Kosten zu tun angeboten hatten. Die Kleriker wandten sich an den Bischof von Konstanz und das Speyrer Domkapitel, beide Instanzen verboten die Disputation (EStA F 205, 13a, b und *Krebs* (wie Anm. 41) Speyrer Domkapitelsprotokolle 2, Nr. 9200, 7. 12. 1531). Am 12. Dezember folgte die Auseinandersetzung zwischen Ambrosius Blarer und Dr. Rennhart Gaißlin, Pfarrer von (Mark)Gröningen, zugleich Inhaber der St. Leonhards-Kaplanei in der Frauenkirche (EStA Spitalarchiv 46), vor dem Rat (Ratsprotokolle 1531, f. 133ᵛ-134ᵛ und F 205, 11b), der mindestens zwei Monate Vorbereitungszeit zu einer Disputation verlangte und die Kompetenz des Rates bestritt – darum ging die Auseinandersetzung in der Sache. Kurz danach, auf 19. 12., sind die Akten zu datieren (F 205, 13e, sowie wahrscheinlich ebenfalls zu diesem Zeitpunkt 13d), in denen sich die Priesterschaft schriftlich an den Rat wandte: Sie lieferte in 13d ausführliche Gründe aus Schrift und Tradition, in 13e versuchte sie nachzuweisen, daß die Lehre, die der Rat annehme, in punkto Abendmahl von der Luthers abweiche, Luther Zwietracht selbst in der neugläubigen Lehre gebracht habe und Esslingen es sich gut überlegen solle, ob es sich gegen Kaiser und den größten Teil der Christenheit setzen wolle. Daß

Esslinger Geistlichkeit die Auseinandersetzung zunächst nicht annahm. Zum Teil theologisch nicht genügend vorgebildet, um pari zu bieten, zum Teil der traditionellen Mentalität verfallen, die in kirchlichen Positionen nicht die seelsorgerische Funktion, sondern nur die Sicherheit des Lebensunterhalts sah, waren die altgläubigen Geistlichen überdies zu diesem Zeitpunkt behindert durch ein kirchliches Verbot, an Disputationen auf lokaler Ebene teilzunehmen[119]. Sobald das Reichsrecht nicht mehr auf das Lokale durchgriff – darum war die Auseinandersetzung um das ius reformandi so wichtig – unterliefen die Disputationen das kirchliche System. So überlagerten sich zwei Ebenen der Entscheidung: die vom Rat geschaffenen Kontroverspunkte waren Abschaffung der Messe und Entfernung der Bilder[120], Akzente, die mit der Berufung Ambrosius Blarers den oberdeutschen Charakter der Esslinger Reformation ausmachten, und die dazu führten, daß Esslingen hinfort politisch als zwinglische Stadt galt[121]. Darüber lagert sich die Frage der Kaisertreue und des Gehorsams gegenüber der Kirche[122]. Die Einführung der Reformation trug also – wie auch anders – politischen Charakter. Es ist daher legitim, nach den politischen Gründen für den plötzlichen Umschwung im Sommer 1531 zu fragen.

Auch ein nur flüchtiger Blick auf die Ratslisten[123] macht offenbar, was sich zwischen 1530 und 1532 ereignete: schon 1531 beendeten 6 von 31 Ratsherren ihre Karriere[124], im Juli 1532 mehr als zweimal so viele, nämlich 14[125], 1533

---

der Rat auf diese Stellungnahme einging, ist nicht überliefert, de facto blieb die Messe aufgehoben. Das Verbot der Messe erfolgte nicht am 3. Dezember, sondern nach EStA F 10, 92 ein Verbot, in umliegende Orte zu Messe und altgläubigen Gottesdiensten auszulaufen, vom Schreiber mißverständlich *Furgenomene ordnung der meßen* überschrieben.

[118] Zum Gesamtkomplex *B. Moeller* (wie Anm. 112).

[119] Vgl. oben in Anm. 117.

[120] EStA F 205, 11b: *auß anschickung gottes almechtigen mit heiliger schrifft* sei der Rat *dahin gewisen, das vnder der Bepstlichen mess* das Nachtmahl Christi *entvnert vnd also ain grosser greyel* sei, auch *biltnus der heiligen so auch als ergerlich.*

[121] München AStA Nördlingen Reichsstadt Akten 934, f. 22[rv], Jakob Widenmann an Nördlingen, Augsburg, 5. Mai 1533: der Bischof von Augsburg verhandele mit Nürnberg und Ulm als einer Partei *auch mit Eßling, reytling, Biberach vnnd anndern mer Zwinglischen Stetten die dann auch einer sonndern parthey sein.* . . .

[122] EStA F 205, 11b die Antwort des Geistlichen, sowie die Auseinandersetzung Blarers und Gaißlins um das ius reformandi, vgl. dazu auch *Naujoks* (wie Anm. 20) S. 88 f.

[123] Enthalten im Bürgerbuch, 1482–1552 (18. Januar), EStA F 28II.

[124] Zur Verfassung außer *Naujoks* (wie Anm. 20) auch O. *Borst*: Selbstverwaltung – ein unerledigtes Thema. Historische Ausstellung zur 1200Jahrfeier der Stadt Esslingen. . . Esslingen 1977. – 1530 erschienen zum letzten Mal im Rat die Zunftmeister Ada Voltz, Hans Miller, Hans Kieszer (auch Reder), die Richter Ludwig Herkomer und Hans Venhart, der Ratsherr Hans Peurlin.

[125] Darunter Hans und Eberhard Holdermann, Clas Krydwyß, der Amman, der Almosenherr Hans Schöblin, insgesamt zwei Ratsherren, vier Richter, aber auch fünf Zunftmeister!

kamen weitere drei hinzu[126], so daß zwischen 1530 und 1532 insgesamt 23 Ratsherren ihren Sitz verloren. Nicht für jeden dieser Ratsherren läßt sich ohne genauere prosopographische Untersuchungen, die noch ausstehen, die Position in der Auseinandersetzung um die Reformation nachweisen. Eine altgläubige, kaisertreue Gruppe schied aus dem Rat aus[127]. Dafür kamen neue Männer in den Rat, die nachher im städtischen Kirchenwesen Ämter übernahmen, und daher als reformatorisch gesinnt anzusprechen sind[128]. Dazwischen gab es aber eine Gruppe, die die Kontinuität zwischen den zwanziger und den dreißiger Jahren wahrte: Männer also, die während der Jahre der kaisertreuen Politik im Rat gesessen hatten, und die nun in den dreißiger Jahren die reformatorische Politik mittrugen[129]. Der Personenaustausch war nicht so radikal, wie es zunächst scheint, und die Frage ist berechtigt, was diese Männer bewog, im Sommer 1531 eine neue politische Linie einzuleiten.

Die Gleichzeitigkeit des Beginns der Reformation in Esslingen und der Aufnahme der Verhandlungen zum Beitritt in den Schmalkaldischen Bund[130] weist darauf hin, daß man der hohen Politik im Reich einen hohen Einfluß auf das lokale Geschehen einräumen muß. Gegenüber der düsteren Situation, wie sie Holdermann 1530 für Esslingen entworfen hatte, hat sich die Lage 1531 geändert: mit der Gründung des Schmalkaldischen Bundes war eine Alternative geboten, die die Reformation politisch sichern konnte. Wie genau reichspolitische Motive und religiöse Überzeugungen zusammenwirkten, läßt sich nicht mehr ermitteln. Daß der Rat als Obrigkeit beides zu bedenken hatte – den Druck von außen und den Druck von innen – ist deutlich genug. Er gab dem Druck von außen erst nach, als eine Politik ohne übergroßes Risiko im Reich möglich war. Damit hat die Frage nach der Trägerschaft der Reformation in Esslingen eine zufriedenstellende Antwort noch nicht erhalten. Denn die veränderte reichs-

---

[126] Wieweit es sich dabei um ein normales Maß von Wechsel handelte, bleibt noch festzustellen.

[127] Die drei in Anm. 125 zuerst Genannten waren laut Protokoll der Abstimmung (vgl. unten Anm. 136) altgläubig.

[128] So Jorg Schelle, 1531 Ratsherr, 1536 und 1537 Zuchtherr; Jerg Miller, 1533 schon Richter, 1536 und 1537 Zuchtherr, Ada Brentwurst 1532 Zunftmeister, 1536 Zuchtherr.

[129] Der Patrizier Hans Sachs, Bürgermeister 1530 und 1534; Ludwig Stahel, Ratsherr schon 1521, Bürgermeister 1531; Lienhart Datt; Lux Plattenhart, Patrizier, 1530 Richter, 1532 Amman und Oberpfleger; Matthis Ulm (Maler), Richter 1530, Kirchenpfleger 1531; Eberhard Wegner 1530 Ratsherr, 1532 Richter, 1537 Eherichter.

[130] EStA F 455 Ludwig Hierter an Johann Machtolff, 18. August 1531: Hierter informiert über die Vertragsbedingungen des Schmalkaldischen Bundes, am 15. August war Leonhard Werner berufen worden und freie Predigt des Wortes Gottes beschlossen, am 20. 8. wurde das Predigtmandat (vgl. oben Anm. 111) publiziert. Vom 19. Juli datiert bereits ein Formular zur Aufnahme weiterer Städte, darunter auch Esslingen, in den Schmalkaldischen Bund (*E. Fabian*: Die Beschlüsse der oberdeutschen Schmalkaldischen Städtetage 2. Tübingen 1959. (Schriften zur Kirchen- und Rechtsgeschichte 14/15) S. 20 f.

politisch Konstellation wurde doch von den Zunftmeistern sofort genutzt[131], um das Steuer herumzuwerfen. Das ist nur denkbar, wenn sie, wie sich nachher bei der Zunftbefragung herausstellte[132], davon ausgehen konnten, daß die Zünfte mehrheitlich die Einführung der Reformation wünschten. Insofern ist die Esslinger Reformation also eine Reformation von unten. Das Bild der Esslinger Reformation ist jedoch komplexer, als eine Formel wie »Volksreformation« wiedergeben könnte. Denn der gesamte Vorgang der Einführung der Reformation wurde vom Rat gesteuert. Die Alternative Volks- oder Ratsreformation paßt auf die Esslinger Verhältnisse nicht. Wäre die Reformation in Esslingen als Volksreformation zu erklären, so wäre die Stadt schon 1524/25 ins reformatorische Lager übergegangen. Die reformatorische Bewegung verlief jedoch verfassungskonform, sie suchte die Obrigkeit, nahm die Frustration hin, sie kam ohne den Rat nicht voran. Erst als der Rat sie offiziell übernahm, wurde sie durchgesetzt.

Von einer »Ratsreformation« in Esslingen zu sprechen, wäre ebenso verfehlt. Der Rat handelte nicht gegen die Mehrheit der Bürgerschaft, sondern in ihrem Sinne, wie in der Abstimmung im November 1531 offenbar wurde, und der Pairsschub im Juli 1532 war einer der entscheidenden Wendepunkte.

Ein dritter Faktor neben Gemeinde und Rat ist zu nennen. Neben dem zunächst als reformatorischem Prädikanten berufenen Leonhard Werner[133] mußte noch Ambrosius Blarer gewonnen werden. Auch die Persönlichkeit des Reformators spielte eine wichtige Rolle. Es ist nicht einfach, die Rolle des Reformators Blarer im Prozess der Einführung der Reformation zu bestimmen. Blarer war ein in mehreren oberdeutschen Städten erfahrener Reformator[134], der die Auseinandersetzung auf entscheidende Punkte zu konzentrieren wußte. Außer seiner Zielstrebigkeit und seiner theologischen Qualifikation ist zu veranschlagen, daß Blarer in hohem Maße kooperativ gewesen ist: schon sein Zusageschreiben an den Rat vom 13. September 1531[135] enthält die vielsagende Formel, er wolle dem

---

[131] Die Zunftmeister besetzten die Rats- und Richterstellen: *Borst* (wie Anm. 124) S. 13.

[132] EStA F 205, 8b, 9, 10a-b.

[133] *T. Schieß*: Briefwechsel der Brüder Ambrosius und Thomas Blaurer 1509–1548 1. Freiburg i. Br. 1908. Nr. 204, S. 259 mit S. 252 Anm. 2. Werner hatte sich 1528 in Esslingen beworben (EStA F 204, 85 und ebd. Missivenbücher 20, f. 39ʳ.) Vgl. kurz (mit Lit.) *J. Rauscher*: Württembergische Reformationsgeschichte. Stuttgart 1934. (Württembergische Kirchengeschichte 3) S. 52.

[134] *B. Moeller*: Ambrosius Blarer 1492–1564. In: *ders.* (Hg.): Der Konstanzer Reformator Ambrosius Blarer 1492–1564. Gedenkschrift zu seinem 400. Todestag. Konstanz/Stuttgart 1964. S. 11–38. *M. Brecht*: Ambrosius Blarers Wirksamkeit in Schwaben. Ebd. S. 140–171.

[135] *Schieß* (wie Anm. 133) Nr. 215; EStA F 205 b, 4 Ambrosius Blarer an geheime Räte Esslingen, Geislingen, 13. September [15]31: er habe ein Schreiben aus Konstanz erhalten, das ihm gestatte *Ew och dero gemaind in gottes wort Zedienen,* Blarer macht aber doch sein Kommen vom Willen des Rates abhängig: *vnd dem nach von nöten sein würt wa Ew mittler Zeyt etwas anders räthig worden, mich des fürderlich Zuuerstendigen. . . .*

Rat und der Gemeinde mit dem Wort Gottes dienen. Blarer wußte überdies die traditionellen Interessen des Rates mit den Notwendigkeiten der neuen Kirche in Übereinstimmung zu bringen[136].

Damit sind wir bei der Frage der durchlaufenden politischen Motive.

Der Rat gewann sicher mit der Einführung der Reformation das volle Kirchenregiment. Dennoch kann man bei aller Kontinuität nicht übersehen, daß von der Besetzung der Stellen zur Überprüfung der Lehre der Geistlichen ein qualitativer Unterschied bestand. Der Esslinger Rat hatte innerhalb der generell beanspruchten Kompetenz, das Kirchenwesen zu ordnen, den Geistlichen zunächst eine unabhängigere Position einräumen wollen[137]. So sehr er das – wovon sogleich zu sprechen ist – Leben der Gemeinde regulierte, hat er doch die Chance, sich die Entscheidung über die Lehrinhalte dauernd und institutionell vorzubehalten, nicht genutzt. Erst die Lehrauseinandersetzungen des Jahres 1533 zwischen Otter und Fuchs spielten ihm die Entscheidung zu[138]. So gab es in Esslingen nicht zuerst eine Kirchenordnung mit von der Obrigkeit definierter Lehre, sondern die Zuchtordnung ging der Ordnung der Kirche im engeren Sinne[139] voran.

VI

Wir greifen abschließend die eingangs hingeworfenen Stichworte wieder auf und versuchen zugleich, festzustellen, inwieweit die Reformation für die Stadtgeschichte eine Zäsur bedeutet, welche bleibenden Folgen sie hatte. Die stärkste Linie der Kontinuität liegt in der Emanzipation der städtischen Obrigkeit von den kirchlichen Institutionen, die von außen auf das städtische Kirchenwesen eingewirkt hatten. Der Rat hatte dieses Terrain arrondiert, die Esslinger Kirche war hinfort nur noch die Kirche von Esslingen.

[136] Vgl. das unten zu den Zuchtordnungen Ausgeführte.

[137] Blarer hatte einen wöchentlich tagenden Konvent der Geistlichen eingerichtet: *Schieß* (wie Anm. 133) Nr. 329 S. 390. Das Verhältnis der Geistlichen zum Rat wurde trotz der »wesentlichen Merkmale obrigkeitlicher Omnipotenz« vor der Reformation (*Borst* (wie Anm. 124) S. 11), die mit dem Patronatsmonopol auch in die Kirche eingedrungen war, auf eine neue Grundlage gestellt, da die Investitur, die Jurisdiktion und die Lehraufsicht des Bischofs von Konstanz entfielen. Das bedeutete nicht, jedenfalls soweit beobachtbar, in den dreißiger Jahren, daß der Rat im Regelfall anordnete, auch wenn er sich als christliche Obrigkeit verstand. Man kann im Gegensatz zu dem auf Rechtspositionen sich versteifenden Verhältnis in den zwanziger Jahren nach 1531 feststellen, daß auf der Grundlage gegenseitigen Respekts ein Dialog möglich war.

[138] Diese Auseinandersetzung, die vom persönlichen Gegensatz in theologische Differenzen hineinreichte, soll in dem angekündigten Aktenband dokumentiert werden, zum angesprochenen Sachverhalt EStA Ratsprotokolle 1533, f. 10^v-11^r.

[139] Die *Esslinger Kirchenordnung* in *Aemilius Ludwig Richter* (Hg.): Die evangelischen Kirchenordnungen des sechzehnten Jahrhunderts 1. Weimar 1846. S. 247–248 enthalten keine Gesamtordnung, sondern betreffen nur Predigtbesuch und Feiertage, sonst Einzelvorstellungen zur Verbesserung der Zuchtordnung.

Was die Partizipation anlangt, so zögern wir, die Durchführung der Reformation als einen Sieg der Zünfte[140] anzusehen. Es war der Rat als Obrigkeit, der gemäß seiner verfassungsmäßigen Funktion die Reformation durchführte. Er holte sich dabei zwar die Zustimmung der Zünfte und Bürger, das grundlegende Verhältnis von Obrigkeit und Gemeinde hatte sich, wie die Geschichte der Zuchtordnung belegt, nicht verändert. Auf dem Gebiet der Regulierung der Sittlichkeit verbanden sich oberdeutsch-reformatorische Energie und traditionelle und Ratspolitik aufs Engste und stärkten einander. Gegenüber vorreformatorischen Ordnungen gegen Gotteslästerung, unmäßiges Trinken und Sexualvergehen[141], die sich gerade in den zwanziger Jahren des 16. Jahrhunderts häuften, brachte die Zuchtordnung von 1532 doch in drei Hinsichten Neues:

1. Die Sittenpolizei des Rates, zur *Besserung des Lebens*[142], wurde sowohl ohne Abstriche vom reformatorischen Klerus getragen, als auch war es dem Rat möglich, direkt das Mittel der reformatorischen Predigt zu benutzen, um seine sittenpolizeilichen Maßnahmen zu propagieren[143].

2. Die Reformation brachte mit den Zuchtherren eine Institution, die abweichendes Verhalten wirksamer kontrollieren konnte. Bisher war die Einhaltung der sittenpolizeilichen Maßnahmen durch den Appell an den Gehorsam der Bürger gesichert.

3. Das neue Selbstbewußtsein der Obrigkeit, die sich »unmittelbar zu Gott« verstand[144], verstärkte und intensivierte ihr Verantwortungsgefühl für die Sittlichkeit der Einwohner, zumindest wenn man den Präambeln der Ordnungen glaubt[145]. Das bedeutet unter dem Gesichtspunkt der Frustration, daß das belastende spätmittelalterliche System der Beichte mit seiner Kasuistik und

---

[140] *Naujoks* (wie Anm. 20) S. 87; vgl. das oben in Anm. 128 und 129 Skizzierte, dem eingehendere Untersuchungen der Ämterlaufbahnen folgen müßten. Da die Steuerbücher für diese Zeit fehlen, läßt sich die ökonomische Position der Ratsherren nicht bestimmen.

[141] EStA F 10, 8–10; 14 f.; 41; 53; 59. *W. Köhler*: Zürcher Ehegericht und Genfer Konsistorium 2. Leipzig 1942. (Quellen und Abhandlungen zur Schweizerischen Reformationsgeschichte 10) S. 122–141, hier 124, stellt summarisch dar.

[142] Die Zuchtordnung von 1532 nach Druck EStA Inventar Nr. 2155 umschreibt das im Vortrag des Rates vor den Zünften (EStA F 205, 10a) 1531 wie schon früher (vgl. Anm. 66) so bezeichnete Ziel des Handelns der Obrigkeit.

[143] Auch Otter wandte sich mehrfach an den Rat, um Verbesserungen im Sinne von Intensivierung der Zuchtordnung zu erwirken (EStA F 10a).

[144] In der Präambel der Zuchtordnung (wie Anm. 142) rückt die *christliche Obrigkeit* zur *von Gott geordente[n] obrigkait* auf, die Gott eingesetzt habe *vnd jr das Schwerdt Zů rach der bösen in die hendt gegeben hat,* die Ordnung erläßt der Rat *mit vorbehaltung so vns* [d.h. den Rat] *weiter auß anweisung Gottes worts vñ der billicheit etwas Zů bemelten vnserm Christenlichen vorhaben fürstendig sein bekandt würde Das wir alßdann auch das selbig annemen vnnd eüch als vnsern vnnderthonen Zůhalten beuelhen wöllten..*

[145] Ebd.: *Damit...Auch wir die Obrikait vmb vnsers farlessig Zůsehens willen von Gott alß dies selb thetter Zů seinem Zorn angesehen vnnd gestrafft vnnd jren aller blůt von vnnsern henden gefordert werde.*

den geistlichen Strafen[146] nurmehr abgelöst wurde von einer Zuchtordnung, deren Kasuistik schon in der Zuchtordnung von 1532 angelegt war[147].

Der Wirksamkeit der Blarerschen Zuchtordnung war trotz der Institutionalisierung Grenzen gesetzt. Gegen Konkubinen[148] und Täufer, Gruppen der Einwohnerschaft, die ohnedies isoliert waren, scheint sie erfolgreich gewesen zu sein. Ihre Grenze hat sie dort erreicht, wo sie auf das Solidaritätsgefühl entweder der Bürgerschaft oder der Zünfte stieß. Jakob Otter hat wohl erkannt, daß die Pflicht zur Denunziation[149] die gewachsene Gemeinschaft zerstörte, sich also gegen die Genossenschaftsidee wandte: *Item das einer den andern bei den eid rugen und angeben, gibt bose nachpaurschafft derhalben einsehn zu haben das einer so den andern angeben oder ruge das er von denselbigen ungelästert und nit ein verräter geschelt werde.*[150] Aus der civitas esslingensis eine civitas sancta zu machen, gelang auch Blarer nicht. Was blieb, waren immer neue Anläufe zu »puritanischer« Gesetzlichkeit, die sich nur zu oft in Lappalien zu verbeißen drohten, so z.B. als 1534 Jakob Otter vorstellig wurde und anregte: *Zum vierten mit der ordnung der zerhackten kleider halben das man den armel hausen liesse oder drob halten*[151] oder wenn 1532 ein Gerücht verfolgt wurde, daß Martin Fuchs einen Schmelzhafen auf dem Pfarrhof gestohlen habe[152]. Man sollte jedoch diese Erscheinungen nicht einseitig der Reformation zur Last legen, da sich überall in frühneuzeitlichen Territorien und Städten ein verstärkter Zug zu obrigkeitlicher Regulierung findet. Die Grenze zwischen Öffentlichem und Privatem lag ohnedies anders, als heute üblich. Immerhin demonstriert die Zuchtordnung, daß sich die Reformation dort am nachdrücklichsten erwies, wo sie sich mit den in der Stadt angelegten Tendenzen vereinte. Ein Gleiches dürfte, wenn auch die Quellenlage hier für die Frühzeit der Reformation eingehendere Darstellungen nicht zuläßt, für das Schulwesen zutreffen[153].

---

[146] Dazu *Ozment* (wie Anm. 22) S. 22 ff.

[147] Vgl. besonders den in späteren Zuchtordnungen (EStA F 10a) entfalteten Abschnitt über die Sexualvergehen.

[148] EStA F 93 Zuchtamtsprotokolle 1532–16(!)40, f. 1ʳ-1ᵛ (richtig 1540).

[149] Zuchtordnung 1532 (wie Anm. 142) im Abschnitt: wie man die Laster angeben soll.

[150] EStA F 208, Artickel so maister Jacob den Zuchtherren anpracht widertauffer belangend, dort verso.

[151] EStA F 93 (wie oben Anm. 148), 27. 2. 1534.

[152] Ebd., f. 2ʳ, 6. 5. 1532. Auch freche Äußerungen gegen Blarer wurden verfolgt, so *Steffan Saitzen dochter hat angeZaigt Rothanns habe gesagt Es dorffe niemants ichts reden vnd er der Blarer sitz an gots stat Item wan einer den Blarer well anreden leg man Ine Inn thurn* (ebd.).

[153] *O. Mayer*: Geschichte des humanistischen Schulwesens in der freien Reichsstadt Eßlingen 1267–1803. In: Geschichte des humanistischen Schulwesens in Württemberg 2, 1. Stuttgart 1920. S. 204–326, Reformation: 221 ff; *W. Böhringer*: Die deutschen Schulen in der Reichsstadt Esslingen. In: Esslinger Studien 4 (1958) S. 17–23.

Reformation in der Stadt Esslingen bedeutet nicht einfach, daß die Reformation der Stadt ihren Stempel aufprägte. Es erweist sich in ihrem Fall erneut die Komplexität der wechselseitigen Einwirkungen von städtischer Tradition und reformatorischem Neubeginn, von sozial- und verfassungsgeschichtlicher Konstellation und religiösem Impuls. Die Geschichte der Reformation in Esslingen ist keine spektakuläre, gleichsam übermenschliche Heldengeschichte[154], sondern sehr menschliche wirkliche Geschichte.

[154] *O. Borst*: Geschichte der Stadt Esslingen. Esslingen 1977. S. 238.

Rainer Postel

Horenjegers und Kökschen

Zölibat und Priesterehe in der hamburgischen Reformation

Befragt nach Geistlichen, die sich in Hamburg öffentlich *verdechtlich personen* hielten[1], erklärte der Bürger Friedrich Ostra 1530, solche Personen hätten die meisten von ihnen bei sich, die Namen würden ein ganzes Register füllen[2]. Sein Mitbürger Cord Witteneve bekräftigte, *dat se vusth althomale horenjegers synt*; er wisse keinen davon auszunehmen, soweit er nicht zu alt dafür sei, *unde de tuch sudt idt dagelichs vor ogen*[3]. Vielfach sei es nur eine Geldfrage, meinte der Goldschmied Dirick Ostorp[4]. Mehrere Zeugen fanden den Vorwurf berechtigter, als es gut sei[5]; mancher mochte keine Namen nennen, da diese in Hamburg jedermann bekannt seien[6], oder um Unannehmlichkeiten zu vermeiden[7]. Trotzdem wurden viele und prominente Geistliche genannt. Davon später.

Zeitgenossen war klar, daß sich dieser Übelstand – das krasse Mißverhältnis von Keuschheitsgelübde und täglicher Praxis – keineswegs auf Hamburg beschränkte, sondern vielerorts zu beobachten war[8]. An der Vielzahl der schönen Hamburgerinnen, wie sie Johann Freder 1537 wortreich pries[9], kann es also

---

[1] *W. Jensen*: Das Hamburger Domkapitel und die Reformation. Hamburg 1961. (Arbeiten zur Kirchengeschichte Hamburgs Bd. 4. – Künftig zit.: *Jensen*, Domkapitel) S. 215, Art. 21. Eine deutlichere Fassung des Artikels findet sich in: Staatsarchiv Hamburg (künftig zit.: StAH), Senat Cl.I Lit.Ob No. 3 Fasc. 1, fol. 104b, Art. 24: *Item das dieselbigen* [sc. die Geistlichen] *einsteyls unbedacht ohres pristerlichen standes nuhe vil jhar her, haben vordechtliche personen, concubinas seu meretrices* [Buhlerinnen] *offenbar bey sich gehalten, ist am tage, kunth und war.* Vgl. auch StAH, Reichskammergericht (künftig zit.: RKG) Lit. H No. 14 T. I [16] und [20].

[2] *Jensen*: Domkapitel (wie Anm. 1) S. 251 f.

[3] Ebd. S. 262; ähnlich Dirick Ostorp (S. 288), Hans Hoyers (S. 298), Cord Knost (S. 314) und Claus Rodenborg (S. 378).

[4] Ebd. S. 288.

[5] Ebd. S. 269 f., 354, 395.

[6] Der ehemalige Kaplan zu St. Petri Friedrich Hennings, mittlerweile Pfarrer zu St. Nikolai in Lüneburg und lutherisch, mochte sich scheuen, Namen früherer Kollegen preiszugeben; *Jensen*: Domkapitel (wie Anm. 1) S. 232.

[7] Der Bürger Hans Hoyers; *Jensen*: Domkapitel (wie Anm. 1) S. 298.

[8] StAH, Senat Cl.I Lit. Ob No. 3 Fasc. 2, fol. 101b f.

[9] Joh. Frederi, Pomerani, In laudem clarissimae urbis Hamburgae carmen. In: *Jo.*

nicht gelegen haben. Freders Hymnus steht auch in deutlichem Gegensatz zur rechtlichen Unmündigkeit[10] und zu den mehrfach bezeugten harten Lebensbedingungen der Frauen in Hamburg[11]. Überdies wurden hier an den Lebenswandel – zumal den vorehelichen – der Frauen schärfere moralische Anforderungen gestellt als an den der Männer[12]. Ehemänner genossen zwar nur ein eingeschränktes Züchtigungsrecht gegenüber ihren Frauen[13]. Aber Frauen, die einmal in Verruf geraten waren, wurden an den Rand der städtischen Gesellschaft gedrängt und hatten keine Hoffnung auf eine Wiedereingliederung. *Wandelbare gemeine Frauen* – offenbar eine ansehnliche Zahl[13a] – durften nicht in Hauptstraßen wohnen, die Bürger mit ihren Frauen und Töchtern beim Kirchgang durchschritten[14]. Immer wieder wurde ihnen verboten, Schmuck oder kostbare Mäntel zu tragen[15]; selbst wenn sie einen ehrbaren Mann heiraten sollten, dauer-

---

Albertus Fabricius: Memoriae Hamburgenses. [Bd. 1.] Hamburg 1710. S. 1–64, hier V. 1127 ff., V 1129: *...huc pulchrae veniunt multaeque puellae*, V. 1162 f.: *Inter Saxonides nullas juravero Nymphas / Tam forma eximia* ....

[10] Stadtrecht von 1497, D III; K II, vgl. VI, VII, VIIII, XI sowie G VII, J XVIII, XIX in *J. M. Lappenberg* (Hg.): Die ältesten Stadt-, Schiff- und Landrechte Hamburgs. Hamburg 1845. (Hamburgische Rechtsalterthümer. Bd. 1). S. 163–320. Vgl. *E. Finder*: Hamburgisches Bürgertum in der Vergangenheit. Hamburg 1930. S. 68 f. (Künftig zit.: *Finder*). S. auch Rezeß v. 1529, Art. 33 in: StAH, Senat Cl.VII Lit.La. No. 1 Vol. 3a.

[11] *Daß die Weiber und Megt alhie zu Hamburg in sonderlicher mer Dienstbarkeit dan andere Ort, nemlich mit Ziehung an einem Karren die Kauffmansguetter hin und wider und zum Kauffhauß* hätten schaffen müssen, berichtet *H. Reincke*: Hamburg in einer Reisebeschreibung vom Ende des 16. Jahrhunderts. In: Hamburgische Geschichts- und Heimatblätter. Jg. 16. (1956/57). S. 1 f., hier S. 2. – Frauen klopften Steine; *Nicolaus Staphorst*: Hamburgische Kirchengeschichte. T. 1. Bd. 3. Hamburg 1727. S. 868 (1547). Weitere Frauenberufe zur Reformationszeit: *Finder* (wie Anm. 10) S. 32, 68.

[12] *Finder* (wie Anm. 10) S. 69. Insbesondere mußte, wer Handwerksmeister werden wollte, neben ehelicher Geburt auf den Leumund seiner Frau bedacht sein; *O. Rüdiger*: Die ältesten Hamburgischen Zunftrollen und Brüderschaftsstatuten. Gesammelt u. mit Glossar versehen. Hg. v. Bürgermeister Kellinghusen's Stiftung. Hamburg 1874. S. 33. (Böttcher), 44 (Beutelmacher, Zaumschläger u. a.), 123 (Kannen- u. Grapengießer), 245 (Schiffbauer), 304 (Wollenweber).

[13] Stadtrecht von 1497 (wie Anm. 10), J V.; *Finder* (wie Anm. 10) S. 68.

[13a] *J. Bolland*: Hamburgische Burspraken 1346 bis 1594, mit Nachträgen bis 1699. T. 2: Bursprakentexte. Hamburg 1960. S. 91 f. (1460). (Veröffentlichungen aus dem Staatsarchiv der Freien und Hansestadt Hamburg. Bd. 6, T. 2. – Künftig zit.: Burspr. 2).

[14] Burspr. 2 (wie Anm. 13a) S. 153 (1480), 163 (1481). Im Aufstand von 1483 traten auch die Bürger dafür ein; *J. M. Lappenberg* (Hg.): Hamburgische Chroniken in niedersächsischer Sprache. Hamburg 1861. S. 363. (Künftig zit.: Hamb. Chroniken); Rezeß von 1483, Art. 41, nach StAH, Senat, Cl. VIII Lit. La No. 1 Vol. 6c, s.v. Frauen.

[15] Ebenda, Art. 55; Stadtrecht von 1497 (wie Anm. 10), M XVII; Burspr. 2 (wie Anm. 13a) S. 29 (1383), 35 (1429/30), 40 (1435), 91ff (1460), 153 (1480), 155 (1480), 163 (1481), 193f. (1489), 214 (1500), 230 (1504), 278 (1536), 309 (1537), 319 (1539); *Finder* (wie Anm. 10) S. 70. Zeitweilig wurde solchen Frauen zur besseren Kennzeichnung eine besondere Haube vorgeschrieben; Burspr. 2 (wie Anm. 13a) S. 58 (1445).

te dies Verbot fort und war ihnen der Umgang mit ehrbaren Frauen verwehrt[16].
Andererseits wurde im 15. Jahrhundert jeder von der Brauerei – dem wichtigsten
Gewerbe der Stadt – ausgeschlossen, der eine verrufene Frau geheiratet hatte[16a]
oder mit einer Magd in wilder Ehe lebte und Kinder von ihr hatte[16b]. Solche
Eheschließungen scheinen also mehrfach vorgekommen zu sein. Davon abgesehen hatte, wer in flagranti beim Ehebruch ertappt wurde, mit einer empfindli-
chen Geldstrafe (60 Mark) zu rechnen oder wurde an den Pranger gestellt[17]. –
Diese Politik des Rates stimmte mit den Auffassungen in der Bürgerschaft offenbar im wesentlichen überein, wie sich aus der Kritik am Lebenswandel der
Geistlichen entnehmen läßt. Allerdings gab es für Rat und Bürger keine rechtliche Handhabe dagegen. Im übrigen wurde die Haltung zur Prostitution weniger
von moralischer Entrüstung als von sozialen Ordnungsvorstellungen bestimmt;
denn die Prostitution florierte im 15. und 16. Jahrhundert durchaus mit der
Duldung des Rates, der entsprechende Baulichkeiten mit unterhielt, mit deren
Wirten in einem vertragsartigen Verhältnis stand und seine Einnahmen daraus
dem Fiskus zuführte[17a].

Die Problematik des Zölibats ist von der Forschung oft abgehandelt worden[18],
wenngleich fast nur in theologisch-historischer Hinsicht und – bis zuletzt –

[16] Burspr. 2 (wie Anm. 13a) S. 153 (1480), 163 (1481), 214 (1500). Auch die Bürger
forderten dies 1483; Hamb. Chroniken (wie Anm. 14) S. 363; Rezeß von 1483, Art. 56;
Finder (wie Anm. 10) S. 70.

[16a] Burspr. 2 (wie Anm. 13a) S. 40 (1435), 55 (1439), 131 (1469). Weshalb diese Bestimmung später nicht erneuert wurde, ist unklar. Da aber größere Toleranz ausscheidet,
dürfte eher der Anlaß dazu, d.h. entsprechende Heiraten, gefehlt haben.

[16b] Burspr. 2 (wie Anm. 13a) S. 56 (1430).

[17] Stadtrecht von 1497 (wie Anm. 10) M XVIII.

[17a] Vgl. *H. Gernet*: Mittheilungen aus der älteren Medicinalgeschichte Hamburg's.
Kulturhistorische Skizze auf urkundlichem und geschichtlichem Grunde. Hamburg 1869.
S. 89–91; *H. Lippert*: Die Prostitution in Hamburg in ihren eigenthümlichen Verhältnissen. Hamburg 1858 [rectius 1848]. S. 1–47; *W. Möring*: Die Wohlfahrtspolitik des Hamburger Rates im Mittelalter. Berlin, Leipzig 1913. (Abh. z. Mittl. u. Neueren Geschichte.
H. 45) S. 91–98; *G. Schönfeldt*: Beiträge zur Geschichte des Pauperismus und der Prostitution in Hamburg. Weimar 1897. (Sozialgeschichtliche Forschungen. Ergänzungshefte
z. Zs. f. Sozial- u. Wirtschaftsgeschichte. H. 2) S. 79–179. – *Finder* (wie Anm. 10) spart
diesen Bereich ganz aus.

[18] Neuere Arbeiten mit weiterführender Literatur: *A. Franzen*: Zölibat und Priesterehe
in der Auseinandersetzung der Reformationszeit und der katholischen Reform des 16.
Jahrhunderts. Münster 1969. (Katholisches Leben und Kirchenreform im Zeitalter der
Glaubensspaltung. Vereinsschriften der Gesellschaft zur Herausgabe des Corpus Catholicorum 29); *B. Kötting*: Der Zölibat in der alten Kirche. Münster 1968. (Rede anläßlich
der Übernahme des Rektoramtes am 17. November 1967. – Schriften der Gesellschaft zur
Förderung der Westfälischen Wilhelms-Universität zu Münster. H. 61); *E. Schillebeeckx*:
Der Amtszölibat. Eine kritische Besinnung. (A. d. Holländischen Übers. v. Hugo Zulauf).
1. Aufl. Düsseldorf 1967. – (Theologische Perspektiven) Von den älteren Studien s. besonders: *W. Kawerau*: Die Reformation und die Ehe. Ein Beitrag zur Kulturgeschichte
des sechzehnten Jahrhunderts. Halle 1892. (Schriften des Vereins für Reformationsgeschichte. Jg. 10. 2. Stück. Nr. 39)

apologetisch oder polemisch verpflichtet auf den konfessionellen Standort der Autoren. Die aus historischer Sicht naheliegende Untersuchung seiner anthropologischen und sozialpsychologischen Aspekte steht noch aus. So fragmentarisch und methodisch unzulänglich das empirische Material von der Lokal- und Regionalgeschichtschreibung bislang erschlossen ist[19], so deutlich treten daraus die zeitliche Parallelität der Verfallserscheinungen und das oft ähnliche Bewußtsein der Betroffenen hervor. Der Stoßseufzer jenes Berner Geistlichen von 1524, den Vasella mitteilt[20], hätte auch in Hamburg fallen können: *Wann wir je nit engel sind, können ouch nit engelsch leben, wann das fleisch will sin begird nit lassen; wir sind ye menschen als ouch ir.* Solche resignierenden Eingeständnisse gab es etwa zu Beginn des Prozesses von Kapitel und Stadt vor dem Reichskammergericht. So gab der Domherr Dr. Henning Kissenbrügge 1530 zu, *eyne olde kokesche* zu halten – der übliche Euphemismus – , er wisse sich dafür nicht zu rechtfertigen, sondern hoffe auf Gottes Barmherzigkeit[21]. Der Vikar Jakob Kotingk empfand aus dem gleichen Grund *scrupulum conscientiae*, vertraute aber auf Gottes Gnade[22]. Und sein Kollege Mag. Johan Rumehert d.J., der eine »Person« behauste, äußerte die Befürchtung, *dat desuluige nicht erlick geholden wert.* Er hoffte, daß niemand sich darüber ärgere, und befand: *Ock were mynsklick tho sundigen und godtlick afftholaten, und sick tho beteren*[23]. Ganz zweckfrei waren solche Bekenntnisse keineswegs. Ließ sich der Mißbrauch schon nicht verbergen, was offenbar auch kaum versucht wurde, so sollte er mit dem Hinweis auf die höhere Zuständigkeit auch weltlicher Kritik entzogen werden. Das war auch die

[19] Beispiele: *H. Braun*: Der Klerus des Bistums Konstanz im Ausgang des Spätmittelalters. Münster 1938; *J. Hashagen*: Zur Sittengeschichte des westfälischen Klerus im späten Mittelalter. In: Westdeutsche Zs. f. Gesch. u. Kunst. 23 (1904) S. 102–149; *A. Kluckhohn*: Urkundliche Beiträge zur Geschichte der kirchlichen Zustände, insbesondere des sittlichen Lebens der katholischen Geistlichen in der Diocese Konstanz während des 16. Jahrhunderts. In: Zs. f. Kirchengeschichte. Bd. 16 (1896) S. 590–625; *L. Löhr*:Methodischkritische Beiträge zur Geschichte der Sittlichkeit des Klerus, besonders der Erzdiöcese Köln am Ausgange des Mittelalters. Münster 1910; *J. Vincke*: Der Klerus des Bistums Osnabrück im späten Mittelalter. Münster 1928. Für Lübeck: *W. Jannasch*: Reformationsgeschichte Lübecks vom Petersablaß bis zum Augsburger Reichstag. 1515–1530. Lübeck 1958. (Veröff. z. Gesch. d. Hansestadt Lübeck. Bd. 16. Hg. v. Archiv der Hansestadt) S. 230 f. – (Künftig zit.: *Jannasch*). – Zumal die älteren Arbeiten sind vielfach polemisch und von Emotionen belastet. Es handelt sich für sie um eine *widerwärtige Materie* (*Kluckhohn* ebd. S. 591).

[20] *O. Vasella*: Über das Konkubinat des Klerus im Spätmittelalter. In: Mélanges d'histoire et de la littérature offerts à Charles Gilliard à l'occasion den son soixante cinquième anniversaire. Lausanne 1944. (Université de Lausanne. Publications de la Faculté des Lettres). S. 269–283. Zitat S. 274.

[21] *Jensen*: Domkapitel (wie Anm. 1) S. 105. Das Halten solcher Personen in Priesterhaushalten fand Kissenbrügge *mynsklick und war* (S. 109).

[22] *Jensen* ebd. S. 155.

[23] Ebd. S. 138.

Linie des Kapitelsanwalts in Speyer, Dr. Simeon Engelhart. Auf die Stichhaltig-
keit des Klagepunktes ging er mit keiner Silbe ein, sondern erklärte ihn kurzer-
hand für rechtlich unerheblich[24], – formal zu recht und mit Erfolg; im weiteren
Prozeßverlauf spielte er keine besondere Rolle mehr.

Das Gravamen betraf die neue Lehre selbst, soweit es den Zölibat anging.
Noch gravierender scheint der Schaden, den die alte Kirche an ihrem öffentlichen Ansehen nahm. Wenn die Geistlichen bei solchem Lebenswandel weiterhin
die Messe lasen, verstießen sie nicht nur straflos gegen das für Bürger geltende
Recht, sondern begingen – ohne sichtbare Folgen – auch nach kanonischem
Recht eine Todsünde[25]. Hier steckte einer der wichtigsten Gründe für den Haß
und die Verachtung, die seit dem Ende des 15. Jahrhunderts auch aus der hamburgischen Bevölkerung der Geistlichkeit zunehmend entgegenschlugen, – gut
jedem dreißigsten Einwohner der Stadt[26].

An Bemühungen der Kirche, die Moral ihrer Geistlichen zu bessern, hatte es
nicht gefehlt. Diese war spätestens seit der Jahrhundertwende im Gerede. Im
Zusammenhang mit ihren Beschwerden gegen die Praxis des kirchlichen Banns
hatten die Bürger der Stadt im Jahre 1500 nicht nur eine Kleiderordnung durchgesetzt, die bestimmte, *wat welck Fruwe, Jungfruwe, ock lose unde gemenen Fru-
wen dregen schulde*, sondern das Kapitel dazu gebracht, daß sich auch die *Papen-
Mägde* danach zu richten hatten[27], die mutmaßlich der letzten Kategorie zuge-
rechnet wurden. Die Streitigkeiten der Geistlichen mit Rat und Bürgern dauerten
fort, so daß 1503 der Kardinal Raimundus in päpstlichem Auftrag nach Hamburg kam und im Rahmen seiner Schlichtungsbemühungen den Pfaffen bei Strafe des Banns gebot, *daz sie ire beischleferinnen innerhalb einer monatsfrist von
sich tun sollten*[28]. Der hamburgische Domdekan Dr. Albert Krantz hatte etwa
zur gleichen Zeit in seinen Schriften gegen die Sittenlosigkeit zumal des hohen
Klerus gewettert[29]. Zehn Jahre später sah er sich zu einem erneuten und drasti-

[24] StAH, RKG Lit.H No. 14 T. I., [18] u. [22]; Senat Cl. I Lit.Ob No. 3 Fasc. 1.
fol. 140b ff.

[25] *Jensen* ebd. S. 215, Art. 26. Vgl. StAH, Senat Cl. I Lit. Ob No. 3 Fasc. 1, fol. 140b,
Art. 25; RKG Lit. H No. 14 T. I, [21]; *J. Spitzer*: Hamburg im Reformationsstreit mit
dem Domkapitel. Ein Beitrag zur Hamburgischen Staats- und Kirchengeschichte der Jahre 1528–1561. In: Zs. d. Vereins f. Hamb.Gesch. – (Künftig zit.: ZHG) Bd. 11 (1903)
S. 430–591, hier S. 475, 487.

[26] *H. Reincke*: Hamburg am Vorabend der Reformation. A. d. Nachlaß hg., eingel. u.
erg. v. *E. v. Lehe*. Hamburg 1966. (Arbeiten zur Kirchengeschichte Hamburgs Bd. 8)
S. 39, 45–49, 101. – (Künftig zit.: *Reincke*). Vgl. StAH, Senat Cl. I Lit. Ob No. 3
Fasc. 2, fol. 102 a.

[27] *Nicolaus Staphorst*: Hamburgische Kirchen-Geschichte. T. 1 . Bd. 4. Hamburg 1731.
– (Künftig zit.: Staph. 1,4) S. 165.

[28] *J. M. Lappenberg* (Hg.): Tratziger's Chronica der Stadt Hamburg. Hamburg 1865.
S. 250 f., Zitat S. 251; *Reincke* (wie Anm. 26) S. 48.

[29] *H. Reincke*: Albert Krantz als Geschichtsforscher und Geschichtsschreiber. In:
Festschrift der Hamburgischen Universität ihrem Ehrenrektor Herrn Bürgermeister Wer-

schen Erlaß gegen das Konkubinenwesen der Geistlichen veranlaßt, der öffentlich angeschlagen wurde[30]: Einige Kleriker, die längst von ihren schändlichen Beischläferinnen gereinigt gewesen seien, hätten sich jetzt regelrecht verschworen und seien – wie Hunde zu ihrem Erbrochenen – wieder in ihre früheren Laster verfallen. Sie hätten die Verjagten wieder in ihr Haus gerufen oder wenigstens den tagtäglichen Besuch von Personen geduldet, mit denen sie vor aller Welt lange Zeit ihre Geschäfte getrieben hätten. Neue Krankheiten erforderten neue Mittel. Er verlange von jedermann, sich von der alten Schande zu reinigen, die Wiederaufgenommenen hinauszuwerfen und Dirnen ganz auszuschließen. Andernfalls werde er die Schuldigen zu gegebenem Zeitpunkt und Ort nach kanonischem Recht bestrafen.

Krantz' Drohung hatte wenig Erfolg. Schon die angesprochenen Vikare hatte ihm kühl entgegnet, die Domherren sollten selbst mit gutem Beispiel vorangehen[31]. Klagen über die allgemeine Unkeuschheit gehörten auch in Hamburg vor der Reformation zum Alltag[32].

Als ersten evangelischen Prediger in Hamburg nennt Stephan Kempe den Mag. Ordo Stemmel, Pfarrer zu St. Katharinen und zweiter Lektor am Domkapitel; über dessen Predigten ist wenig bekannt. Kempe weist ihn besonders dadurch aus, daß er *dat wilde und vntuchtige levent der papen* gegeißelt habe[33]. Von nun an zählten solche Klagen zum Katalog reformatorischer Gravamina und sind Anstrengungen der alten Kirche zu einer Selbstreinigung in Hamburg

ner von Melle zum 80. Geburtstag am 18. Oktober 1933 dargebracht. Hamburg 1933. S. 111–147, hier S. 127 f.

[30] Den lateinischen Text in: *Nicolaus Staphorst*: Hamburgische Kirchen-Geschichte. T. 1. Bd. 2. Hamburg 1725. S. 325 f. berichtigt *W. Jensen* (Hg.): Die hamburgische Kirche und ihre Geistlichen seit der Reformation. Im Auftrage des Landeskirchenrats. Hamburg 1958. – (Künftig zit.: *Jensen*: Kirche) S. 12: Mandat vom 19. September 1513; vgl. *Reincke* (wie Anm. 26). S. 110. Jensens Text lautet: *Quia nonnulli in hoc clero pridem a sordibus focariarum purgati, nova conspiratione animati, ymmo conjuratione firmati, velut canes ad vomitum et ad pristinas sordes relapsi, revocarunt ejectas in domum aut passi sunt adire quotidie personas, cum quibus, mundo teste, per multa tempora habuere sua commertia. Novis morbis nova sunt adhibenda remedia. Mandat venerabilis dominus decanus omnibus et singulis, ut veteres sordes expurgent, receptas ejitiant et excludant mulierculas. Alioquin penas sacrorum canonum quarum se recognoscet executorem, in noxios distringet suis temporibus et locis.*

[31] *Jensen*: Domkapitel (wie Anm. 1) S. 395.

[32] *J. M. Lappenberg* (Hg.): Eyn nige Gedichte rymelick gesettet. In: ZHG. Bd. 2 (1847) S. 281 f., hier S. 282.

[33] Hamb. Chroniken (wie Anm. 14) S. 479, danach S. 50 f. (»Gyseke«), nach *Lappenberg* (S. XLVIII), möglicherweise ebenfalls von Kempe. Vgl. zu *Stemmel* ebd. S. 572 f. u. *W. Sillem*: Beiträge zu Janssens Geschichte der Hamburgischen Kirche. (Schluß.) Nachtrag zur Zeitschrift für die evangelisch-lutherische Kirche in Hamburg. Bd. 10. Hamburg 1908. S. 31 f. (Künftig zit.: *Sillem*: Beiträge). *Sillem* nimmt ohne Begründung gegen Lappenberg eine umgekehrte Entstehungsfolge der beiden Chronikeintragungen an.

nicht mehr erkennbar. In die Defensive gedrängt, mußten ihre Vertreter, wie berichtet, manchen Mißstand zugeben. Gleichwohl verfochten sie den Grundsatz des Zölibats mit um so größerem Nachdruck.

Der Hamburger Rat verfolgte zunächst die gleiche Linie, als er 1524 in Bugenhagens Ehe einen bequemen Grund fand, diesen von Hamburg fernzuhalten[34]. Das wiederholte sich 1526 noch einmal[35], obgleich inzwischen einige Ratsherren der Hochzeit des evangelischen Geistlichen Johann Meyer beigewohnt hatten[36]. Ohnmächtig hatte die altgläubige Partei zusehen müssen, als 1527 die evangelischen Pfarrer Fritze und Zegenhagen und 1530 auch Kempe heirateten, noch dazu ehemalige Nonnen, die sich damit ebenfalls über das Keuschheitsgelübde hinwegsetzten. Um so schärfer war ihre Kritik[37]. Ähnlich erging es dem früheren Prior des Klosters Kuddewörde und Mönch des St. Johannis-Klosters Dirick Bodeker, der nach seinem Austritt eine Nonne des Kloster Reinbeck geheiratet hatte[38]; als Oberalter des Jakobi-Kirchspiels übernahm er 1528 ein wichtiges evangelisches Laienamt. – Um die lutherischen Geistlichen herabzusetzen, verwiesen die Altgläubigen nicht nur darauf, daß z.B. Zegenhagen ein entlaufener Mönch war[39] wie auch Bugenhagen[40]. Sie warfen Fritze besonders seine uneheliche Geburt vor: Er war ein *papenkint*[41], ein *hoerkint*[42], und damit noch ungünstiger gestellt gewesen als ›normale‹ Uneheliche[43]. Pfaffenkinder wurden für reformatorische Umtriebe in Hamburg mit Vorliebe verantwortlich gemacht[44].

[34] *H. Hering*: Johannes Bugenhagen. Ein Lebensbild aus der Zeit der Reformation. Halle 1888. (Schriften des Vereins für Reformationsgeschichte. Bd. 6) S. 34.

[35] *Nicolaus Staphorst*: Hamburgische Kirchen-Geschichte. T. 2. Bd. 1. Hamburg 1729. S. 99. – (Künftig zit.: *Staph.* 2,1).

[36] *W. Sillem*: Johann Meyer, erster Geistlicher Hamburgs, der verehelicht war. In: Mitteilungen des Vereins f. Hamb.Gesch. (Künftig zit.: MHG) Jg. 28 (1908/1909) S. 106–109, hier S. 107 (1525 oder früher). Ob es wirklich der erste verheiratete Geistliche Hamburgs war, erscheint unsicher; vgl. u. Anm. 50.

[37] Hamb. Chroniken (wie Anm. 14) S. 543, 551.

[38] Ebd. S. 568; vgl. *K. Koppmann*: Dietrich Bodeker. In: MHG. Jg. 5 (1883). S. 141–144.

[39] *Staph.* 2,1 (wie Anm. 35) S. 97.

[40] Hamb. Chroniken (wie Anm. 14) S. 560.

[41] Ebd. S. 543. Vgl. *H. Reincke* in: NDB. Bd. 5. (1961) S. 634. In Lübeck, seiner vorherigen Wirkungsstätte, war Fritze – nach Jannasch zu urteilen – nur wegen seiner Lehre, aber offenbar nicht wegen seiner Abkunft angegriffen worden. Da Fritzes Geburtsort nicht gesichert erscheint (*Jannasch* (wie Anm. 19). S. 106 u. 371), könnte hier ein bisher übersehenes Indiz dafür vorliegen, daß er, wie *Lappenberg*: Hamb. Chroniken (wie Anm. 14) S. 580, vermutet, aus Hamburg stammt.

[42] Hamb. Chroniken (wie Anm. 14) S. 556.

[43] *Finder* (wie Anm. 10) S. 69. Vgl. Burspr. 2 (wie Anm. 13a) S. 40 (1435).

[44] *J. M. Lappenberg*: Niedersächsische Lieder in Bezug auf die Kirchenreformation vom Jahre 1528 und 1529. In: ZHG. Bd. 2 (1847) S. 230–270, hier S. 247. Auch ein Betrüger, der 1521 auf dem Scheiterhaufen endete, wurde als Pfaffensohn gebrandtmarkt; Hamb. Chroniken (wie Anm. 14) S. 46 f.

Daß sie in erster Linie lebendes Zeugnis für Verfallserscheinungen in der alten Kirche waren, kam den Kritikern offenbar gar nicht in den Sinn.

In der großen Disputation vom 28. April 1528 übernahm es der Domprediger Mag. Friedrich Vulgreve, den Zölibat gegen die Lutherischen zu verteidigen[45]: Ein Bischof könne zwar eine Ehefrau haben, dürfe dann aber nicht weiter Bischof sein; Paulus (1.Tim.3) sage nur scheinbar das Gegenteil, denn Frau und Kinder seien bei ihm geistlich – als Kirche und Gemeinde – zu deuten; auch die Apostel hätten Frauen und Kinder nach dem Empfang des Heiligen Geistes verlassen und danach keusch gelebt; und schließlich hätten auch die heiligen Väter ihr Blut um ihrer Keuschheit willen vergossen. Wenn die Obrigkeit weiter zulasse, daß jetzt jeder tue, was er wolle – ein Hieb gegen die Lutherischen – ,so werde daraus noch ein großes Blutvergießen folgen. Das ging an die Adresse des Rates, dessen Verhalten in Sachen der Reformation immer von der Furcht vor Unruhen diktiert worden war, und zwar auch in der Zölibatsfrage[46]. Im übrigen war es schon ein rabulistischer Kraftakt, die bekannte Paulusstelle zuerst umzudeuten, ihren Autor dann, da später als die ersten Apostel, als unzuständig ganz abzuweisen und ihm obendrein die Autorität der (ja noch späteren) Kirchenväter voranzustellen.

Selbst wenn Vulgreve zwei Jahre später erklärte, er könne einfach nicht glauben, daß Propst, Dekan und Kapitel ein unchristlich hurerisches Leben führten[47], – auch Altgläubige konnten den Gegensatz von Keuschheitsanspruch und Wirklichkeit nicht leugnen. Aber sie suchten Unzucht zunächst als Merkmal unsicherer Kantonisten zu brandmarken: Nachdem der Rektor des Heilig- Geist-Spitals, Jodocus Siffridi, 1528 widerrufen hatte, wurde ihm nachgesagt, er habe, um in Hamburg bleiben zu können, *sik ene ewige schande angelecht, he heft sine horrie, dar he inne levede mit einer echtesmans frowen* [einer verheirateten Frau], *mer geachtet wollüsticheit des flesches, wan sine ere und salicheit des geistes*[48].

Das ganze Ausmaß des Sittenverfalls offenbarten 1530 die Zeugenaussagen im Kapitelsprozeß. Das Domkapitel bot 25 Zeugen für seine Klagen auf, 3 Bürger sowie einen ehemaligen und 21 amtierende Geistliche. Der ehemalige (Dr. Jo-

---

[45] Hamb. Chroniken (wie Anm. 14) S. 525, 536, 549; *O. Scheib*: Die Reformationsdiskussionen in der Hansestadt Hamburg 1522-1528. Zur Struktur und Problematik der Religionsgespräche. Münster 1976. S. 136 f., 155 f., 228 f. (Reformationsgeschichtliche Studien und Texte. H. 112). – (Künftig zit.: *Scheib*). Zur Person Vulgreves: Hamb. Chroniken (wie Anm. 14) S. 576 f.; *Scheib* S. 216. Eine wesentliche Schwäche der Scheibschen Studie liegt darin, daß sie die Qualität der Disputationseinlassungen keiner Prüfung unterzieht; vgl. meine Besprechung in: ZHG. Bd. 63 (1977) S. 301–304.

[46] S. u. S. 230.

[47] *Jensen*: Domkapitel (wie Anm. 1) S. 56 u. 196, Art. 23.

[48] Hamb. Chroniken (wie Anm. 14) S. 556 (Johannes Moller). – Scheibs Vermutung (S. 215) es könnte sich um eine Verleumdung handeln, ist bei der Verbreitung des Delikts und der offenbar geringen Publizität der Mollerschen ›Nachrichten‹ wenig wahrscheinlich.

hannes Moller) war verheiratet[49], hing aber weiter der alten Lehre an. Auch der Vikar Mag. Johan Rumehert d.Ä. war verheiratet[50]. Von den übrigen zwanzig Geistlichen gaben zehn unumwunden den Umgang mit Konkubinen zu, teilweise in schöner Offenheit. So erklärte Hinrich Schroder, Domvikar und später Kirchherr in Mölln, er habe *eine lose persone im huse pro concubina*, was ihm auch Gewissensbisse verursache[51]; *an die mag er die werck der liebe uben*, kommentierte der Anwalt des Rats ironisch[52]. Manche der Kleriker hatten auch Kinder[53]. – Ausflüchte machte nur Mag. Jochim Vischbeke, der als Pfarrer zu St. Katharinen zunächst lutherisch gepredigt hatte, dann aber wieder zur alten Lehre zurückgekehrt war[54]: Er habe *eyne olde frouwe im huse, de he fleschlick nicht kennet*[55]. Aber das nahm ihm die Gegenseite nicht ab[56]. Der Rat ließ zu diesem Punkt[57] 22 seiner 24 Zeugen befragen, die seine Klagen einhellig bestätigten; auch unter ihnen war übrigens ein verheirateter Geistlicher[58]. Nach ihren Aussagen hatten mehrere Kleriker[59] und sogar der Propst, Joachim von Klitzing[60], Verhältnisse mit verheirateten Frauen. Der Domherr Nicolaus Huge habe sich eine Dirne gehalten und, nachdem sie ihm mit Geld und Wertsachen davongelaufen sei, eine neue genommen[61]. Neben anderen Geistlichen[62], von Klitzing und Huge wurden fünf weitere Domherren des öffentlichen Konkubinats beschuldigt[63], vor allem Johan Garlestorp[64] und der Scholasticus Hinrich Banskow[65]. Viele von ihnen hatten Kinder[66], die sie z.T. heimlich im eigenen Haus taufen ließen[67]. Die Übereinstimmung der Aussagen und die Angaben mehrerer

[49] *Jensen*: Domkapitel (wie Anm. 1) S. 90.

[50] Ebd. S. 94 u. 202. Die Umstände dieser Verheiratung sind nicht zu ermitteln. Der Sohn, Johan Rumehert d. J., Vikar am Dom, war ebenfalls unter den Kapitelszeugen; vgl. o. S. 224.

[51] *Jensen*: Domkapitel (wie Anm. 1) S. 185; die übrigen: S. 105, 113, 124, 129, 138, 144, 150, 155, 165.

[52] StAH, RKG Lit. H No. 14 T. I, [21].

[53] Ebd. (Haueman, Rumehert d.J.); *Jensen*: Domkapitel (wie Anm. 1) S. 94, 129.

[54] Hamb. Chroniken (wie Anm. 14) S. 578; *Scheib* (wie Anm. 45) S. 216.

[55] *Jensen*: Domkapitel (wie Anm. 1) S. 133.

[56] Ebd. S. 362.

[57] S. o. Anm. 1.

[58] Joachim Moller; *Jensen*: Domkapitel (wie Anm. 1) S. 428.

[59] Ebd. S. 306, 338, 355.

[60] Ebd. S. 323.

[61] Ebd. S. 277, 288.

[62] Dithmari, Mathias Hille, Mag. Joachim Hilmers, Hinrich Vasmar, Johan und Erich van Zeven; *Jensen*: Domkapitel (wie Anm. 1) S. 306, 323, 347, 355, 369.

[63] Cord Lutkens, Marquard Olde, Johann von Oldensen; *Jensen*: Domkapitel (wie Anm. 1) S. 277, 288, 323. Zu Banskow und Garlestorp s. die folgenden Anmerkungen.

[64] *Jensen*: Domkapitel (wie Anm. 1) S. 242, 288, 306, 323, 346 f.

[65] Ebd. S. 242, 277, 288, 323, 347, 354.

[66] Ebd. S. 232, 277, 288, 298, 306, 314, 369.

[67] So der Domherr v. Oldensen; *Jensen*: Domkapitel (wie Anm. 1) S. 277.

Konkubinennamen[68] machen ihre Richtigkeit sehr wahrscheinlich. In jedem Fall spiegeln sie das geringe Ansehen der altgläubigen Geistlichkeit bei den Bürgern der Stadt. Der verehelichte lutherische Vikar Joachim Moller machte es deutlich, als er von den so Beschuldigten sagte, meistens seien es gerade diejenigen, welche die nach Gottes Wort und Befehl in den heiligen Ehestand Getretenen verurteilten[69]. – Im übrigen spricht es für die Distanz des Erzbischofs Christoph zur Stadt Hamburg, daß dessen notorische Unkeuschheit[70] von keinem Zeugen vermerkt wurde.

Hinrich Banskow, *ein fast naiv zu nennender Verächter des Coelibats und ein rühriger und erfolgreicher Ämterjäger*[71], hatte die heftigste Kritik auf sich gezogen. Auch in der Geistlichkeit hatte er sich seit dem Schulstreit und während seines anschließenden Lübecker Aufenthalts wenig Freunde gemacht. Sein Testament aus dem Jahre 1538[72] dokumentiert eindrucksvoll seinen Reichtum und vielfältigen Pfründenbesitz; es beleuchtet auch seine persönlichen Verhältnisse. Er bedachte darin seine *Kokesche vnde Denst Wobbeke van de Heide* aus Soltau im Lüneburgischen, die ihm 24 Jahre gedient habe[73], und deren Kinder *der wor itz im Levende sin by Nahmen Henricus Banßkow, Gerdrut, Anna, Helena*[74]. Er hatte also vier und – wie die Formulierung andeutet – früher möglicherweise noch weitere Kinder[75], die er jedoch aufgrund des Zölibatsgesetzes nicht als die seinen bezeichnen durfte[76]. Als er sich in Rom wegen des Hamburger Schulstreits die päpstliche Unterstützung zu sichern suchte, hatte er damit zwar wenig Erfolg, konnte aber als Trostpflaster die Legitimation seines Sohnes als eines Klerikers erreichen, allerdings mit der bezeichnenden Auflage *si paterne non sit incontinentie imitator*[77]. So erscheint Hinrich Banskow, *des Scholasters*

[68] Die Scharpenbergsche (*Jensen*: Domkapitel (wie Anm. 1) S. 277, 288), Wobbeke [von der Heide] (S. 288), Gheseke Sagers (S. 288), Agnete (S. 288), die Munstersche (S. 323).

[69] *Jensen*: Domkapitel (wie Anm. 1) S. 387.

[70] Vgl. ADB. Bd. 4. (1876) S. 235–239 (Krause), bes. S. 236.

[71] *Jannasch* (wie Anm. 19) S. 100. Zur Person: ADB. Bd. 2. 1875. S. 43 f. (Krause).

[72] *Staph*. 1,4 (wie Anm. 27) S. 464–477.

[73] Ebd. S. 466.

[74] Ebd. S. 467 (Komma zwischen Anne und Helena ergänzt, da zwei Personen).

[75] *C. H. Wilh. Sillem*: Die Einführung der Reformation in Hamburg. Halle 1886. (Schriften des Vereins für Reformationsgeschichte. Bd. 16. – Künftig zit.: *Sillem*: Einführung) S. 30, spricht irrig von drei Kindern.

[76] *Sillem*: Einführung (wie Anm. 75) S. 30. Banskow nannte seinen Sohn darum seinen *Freund, Blutsfreund* oder *Blutsverwandten*; *E. Meyer*: Geschichte des Hamburgischen Schul- und Unterrichtswesens im Mittelalter. Hamburg 1843. S. 156; *Sillem*: Einführung, S. 176.

[77] Legitimatio et Dispensatio Papalis pro Henrico Banskowe Juniore (ohne Datum). In: *Staph*. 2,1 (wie Anm. 35) S. 334. Vgl. *Sillem*: Beiträge (wie Anm. 33) S. 56; *ders.*: Einführung (wie Anm. 75) S. 176 f. – Eine entsprechende Urkunde des Kardinals Antonius für *Henrico Banscow, clerico Bremensi, de presbytero genito* vom 29. August 1537 in: StAH, Threse R 71.

Sohn, auch im geistlichen Schoßbuch von 1537[78]. – Einzelne Beispiele zeigen, daß das Konkubinenwesen in der katholischen Geistlichkeit auch nach der Reformation weiterbestand[79].

Dem Rat war besonders deshalb an Abhilfe gelegen, weil er fürchtete, das Ärgernis, das ständige Gezänk und der ›curtisanische Hader‹, könnten den gemeinen Mann zum Aufruhr reizen[80]. Nachdem Ehesachen mit der Reformation der rechtlichen Zuständigkeit der Kirche entzogen worden waren[81] – die Prediger konnten Ehebrecher und Huren nur noch ermahnen und allenfalls vom Sakrament ausschließen[82] –, war der Rat in diese Rechte eingetreten. Er stellte klar, daß die Obrigkeit die öffentliche Sünde und *ein unerbar leben [...] myt unzuchtigen weibern*, wie es die Geistlichen in Hamburg geführt hätten, nicht dulden könne, wenn sie *auffrur, mordt, todtschlagk und andere beschwernisse, welche aus solichen sachen erfolgen*, vermeiden wolle[83]. Rigoros warf er 1536 den Vikar Johan Hauemann ins Gefängnis, weil er heimlich und regelwidrig das Kind eines Pfaffen und seiner Konkubine in dessen Wohnung getauft hatte[84]. Daß der Rat seine neue Zuständigkeit ernst nahm, bewies er noch 1529 mit einem Mandat gegen Laster und Unzucht, das insbesondere Bigamie mit Strafe bedrohte und in den folgenden Jahren mehrfach erneuert wurde[85], nachdem schon 1531 Unzucht von Geistlichen unter Strafe gestellt worden war[86]. Andererseits stellte er nun auch das Beseitigen und Töten unehelich Geborener ausdrücklich unter Todesstrafe[87]. Er machte Heiraten von seiner Erlaubnis und der des geistlichen Ministeriums (Superintendent und Pastoren) abhängig[88] und führte zugleich das öffentliche Aufgebot von Eheschließungen ein[89]. Allerdings

[78] *Staph.* 2,1 (wie Anm. 35) S. 314.

[79] Der Vikar Mag. Bernhard Witte bedachte in seinem Testament vom 8. Dezember 1561 seine schwangere ›Köksche‹ Margarethe; *Staph.* 1,4 (wie Anm. 27) S. 509 ff., hier S. 510.

[80] StAH, RKG Lit. H No. 15, [8] (1531).

[81] *Johannes Bugenhagen*: Der Ehrbaren Stadt Hamburg Christliche Ordnung 1529. De Ordeninge Pomerani. Unter Mitarbeit von *A. Hübner* hg. u. übers. v. *H. Wenn*. Hamburg 1976. S. 102. (Arbeiten zur Kirchengeschichte Hamburgs. Bd. 13) S. 102. – (Künftig zit.: *Wenn*).

[82] *Wenn* (wie Anm. 81) S. 104 ff.

[83] StAH, Senat Cl. I Lit. Ob No. 3 b 1, fol. 25 b (1533).

[84] *Jensen*: Kirche (wie Anm.) S. 11. Dazu wahrscheinlich: StAH, RKG Lit. H No. 14 T. II, Brief von Bürgermeistern und Rat an den Kammerrichter Johann, Pfalzgraf bei Rhein vom 25. November 1536 (ohne Namensnennung).

[85] StAH, Senat Cl. I Lit. Oc No. 6, [42]; Burspr. 2 (wie Anm. 13a) S. 255 (1529), 271 f. (1536), 309 (1537), 319 f. (1539), 412 (1567); Hamb. Chroniken, (wie Anm. 14) S. 106 f.

[86] *Staph.* 2,1 (wie Anm. 35) S. 266.

[87] Burspr. 2 (wie Anm. 13a) S. 275 (1536).

[88] Aepins Kirchenordnung von 1556. In: *E. Sehling* (Hg.): Die evangelischen Kirchenordnungen des 16. Jahrhunderts. (Bd. 5).Leipzig 1913. S. 543– 556, hier S. 555 (Van dem ehestande).

[89] Burspr. 2 (wie Anm. 13a) S. 394f. (1556).

blieb die Ehegerichtsbarkeit durch die Autorität des Superintendenten praktisch weiter dem geistlichen Gericht vorbehalten[90]. Allem Anschein nach handhabte der Rat die Möglichkeit von Ehescheidungen sehr zurückhaltend[91]. Aus den ersten Jahrzehnten nach der Reformation ist nur ein einziger Fall überliefert, in dem sich der Superintendent für eine Scheidung aussprach, weil ein gewisser Marcus Parseval sich seit elf Jahren bei seiner Konkubine aufhielt und seiner Frau eine neue Heiratsmöglichkeit gewährt werden sollte[92].

Die Träger der Reformation, Geistliche und Laien, hatten nicht nur die öffentliche Sittlichkeit von Anfang an zu bessern gesucht[93], sondern traten auch nachdrücklich für die Priesterehe ein. Sie beriefen sich dabei auf die Heilige Schrift, in der sie auch ihre patriarchalischen Vorstellungen bestätigt fanden[94]. Sie hatten aber auch die Unzucht des Klerus vor Augen, die sie bei aller Kritik in menschlicher Schwäche begründet sahen. Der Vikar Joachim Moller erklärte es 1530 so: Er habe *eyn Eefrowen nach gades worth unde horerye tho vormidende*[95]. Er sprach damit aus, was Melanchthon im gleichen Jahr in der Augsburgischen Konfession für alle Lutherischen formulierte[96]: Etliche Priester seien in den Ehestand getreten, da das Eheverbot gegen alle göttlichen, natürlichen und weltlichen Rechte sei, und um nicht selbst in Unzucht zu verfallen. *Item es ist besser ehelich werden, denn brennen*[97]. Sonst werde nicht nur bald Mangel an Priestern

---

[90] *H. Reincke*: Zur Geschichte der hamburgischen Superintendantur. In: Hamb. Kirchenzeitung. Jg. 8 (1932) S. 35 f., hier S. 35; *E. W. Zeeden*: Katholische Überlieferungen in den lutherischen Kirchenordnungen des 16. Jahrhunderts. Münster 1959. S. 61. (Katholisches Leben und Kämpfen im Zeitalter der Glaubensspaltung. Vereinsschriften der Gesellschaft zur Herausgabe des Corpus Catholicorum. 17).

[91] Nachdem Bugenhagen 1529 dem Rat die Zuständigkeit in Ehestreitsachen angewiesen hatte (s.o. Anm. 81), verfügte dieser erst 1537, daß jeder, der von seinem Ehegatten verlassen worden war und eine neue Ehe eingehen wollte, bei ihm einen entsprechenden Scheidungsantrag vorzubringen habe; Burspr. 2 (wie Anm 13a) S. 296. – Auf dem Lübecker Hansetag 1535 sprach sich die hamburgische Delegation gegen die Scheidung Heinrichs VIII. aus; *Mönckeberg*: Aepin's Reise nach England. In: ZHG. Bd. 3 (1851) S. 179–187, hier S. 185. Vgl. zum Problem der Scheidung Dr. Johann Oldendorps: *Harder*: Dr. Johann Oldendorp. Biographischer Versuch. In: ZHG. Bd. 4 (1858) S. 436–464, hier S. 460.

[92] StAH, Senat Cl. VII Lit. Me No. 10 Vol. 2 b 1 (1548). Über das Ergebnis fehlt jede Nachricht.

[93] *Staph.* 2,1 (wie Anm. 35) S. 113 (Gotteskastenordnung von St. Nikolai, 1527); *Wenn* (wie Anm. 81) S. 222 u. 254.

[94] Hamb. Chroniken (wie Anm. 14) S. 534: Die Kirche ist Christus unterworfen, wie die Frau dem Mann unterworfen sein soll. Vgl. *Finder* (wie Anm. 10). S. 34 f.

[95] *Jensen*: Domkapitel (wie Anm. 1) S. 384.

[96] Confessio Augustana auctore Philippo Melanthone. In: Corpus Reformatorum. Vol. 26. Braunschweig 1858. (Ndr. New York/London/Frankfurt/M. 1963) Sp. 97–768, hier Sp. 294–297 (de conivgio sacerdotvm) bzw. 597–606 (Vom Ehestand der Priester).

[97] Ebd. Sp. 598.

und Geistlichen herrschen, sondern das Keuschheitsgelübde habe überhaupt Ärgernis, Ehebruch, unerhörte Unzucht und greuliche Laster angerichtet. Diesen Standpunkt machten sich auch die Lutherischen in Hamburg zu eigen. Kempe vertrat ihn 1531 so nachdrücklich gegen den Abt von St. Michael zu Lüneburg[98] wie der Superintendent Aepinus in seinem Bekenntnis wider das Interim 1548[99]. Wenn Kleriker mit Keuschheit begabt seien, sei dies recht, – *wolde Godt dat vele de gaue hedden*; aber daß es besser sei, *dat de Clerici brenden vnd in stedtliker vnküscher anreitzinge leueden, alse dat se frieden, vnd dat ydt beter sy, dat se in Ehebrocke vnd Hörerye leuen, alse dat se ehelick werden, vnd ere eigene ehelike wyff hebben, ys nicht war, Wente Hörenjegers vnd Ehebreckers, wat standes vnd wesens de syn, wert Godt richten, vnd se werden Gades Ryke nicht eruen*[100]. Demgemäß erkannte Aepinus insbesondere den Ehebruch als einen Scheidungsgrund an, der aber nur für den unschuldigen Teil eine Wiederverheiratung ermöglichte[101]. Wie ernst es ihm damit war, die Ehe als christliche und sittliche Einrichtung zu fördern, zeigte er, als er noch 1551 den Rat um die Eheerlaubnis für den Zöllner Paulus Zweigkman anging[102]: Man müsse sich um das Gewissen des Zöllners vor Gott sorgen, der nicht aus Mutwillen, *sunder uth mangel syner swackheit und notdrengender vorhindering* zur Unkeuschheit verleitet werden könne. Zweigkman selbst gab zu bedenken, daß, auch wenn seit Menschengedenken keiner seiner Vorgänger verheiratet gewesen sei, doch die lutherische Lehre *alle limitation dieses standes* beseitigt habe als *Jhegen gottes satzung und befelich, auch menschliche und naturliche billichkeit, und gewonheit streben*. – Das Ergebnis ist nicht überliefert.

Das Problem des Eheverbotes betraf also nicht nur den geistlichen Stand und wurde, zumal in der fortdauernden Auseinandersetzung mit den Altgläubigen, von der Reformation nur schrittweise gelöst. Es hatte als sozialer Spannungsfaktor deutlich eine politische Dimension und veranlaßte den Rat wiederholt zu administrativen Maßnahmen. Die lutherische Geistlichkeit aber sah sich genötigt, neben den Geboten der Heiligen Schrift nach den Erfahrungen mit dem Zölibat auch psychologische und sozialpsychologische Erwägungen in Betracht zu ziehen, die ›natürlichen‹ und ›weltlichen‹ Gegebenheiten der Menschen. So trägt die Reformation auch hier jenen pragmatischen Zug, der sie in mancher Hinsicht der alten Kriche überlegen machte.

---

[98] *Staph.* 2,1 (wie Anm. 35) S. 193 f., 198 f. *Vp dat Horerie vnd ander Schande vorblive, is id recht na lude Götlikes Wordes dat de Prediges Ehefruwen hebben* (S. 199).

[99] *Nicolaus Staphorst* (Hg.): Die Bekenntnüß der Kirchen zu Hamburg. Hamburg 1728. S. 78, 132.

[100] Ebd. S. 132.

[101] Ebd. S. 74 f. Der Rat schloß sich dieser Auffassung 1567 an; Burspr. 2 (wie Anm. 13a) S. 412.

[102] StAH, Senat Cl.I Lit.Oc No. 2, Brief Aepins an Bürgermeister und Rat vom 25. Juni 1551 mit anliegendem undatiertem Schreiben Zweigkmans.

Robert W. Scribner

Reformation, Carnival and the World Turned Upside-Down

This article seeks to explore the links between popular culture and the Reformation in Germany. It regards the Reformation as something more than a matter of individual belief, but as a manifestation of collective mentalities. How collectively did men make the transition from the old belief to the new in sixteenth-century Germany? What role did popular culture play in this major religious upheaval? Carnival, or *Fastnacht* as it was called in Germany, presents us with a distillation of many of the central features of early modern popular culture[1]. By examining the role of carnival in the German Reformation we may hope to trace out lines of enquiry along which more detailed study of these questions might be pursued. In what follows I want to describe and analyse some incidents linking carnival and Reformation, and then to consider some suggestions as to how they might be interpreted in terms of the wider questions posed above.

I

To date I have been able to trace 22 incidents in Germany involving carnival and the Reformation[2]. These cover the period 1520 to 1543, although significantly

[1] »Fastnacht« can be used ambiguously to designate either the carnival period of festivity before the commencement of Lent, usually the six days before Ash Wednesday, or more precisely Shrove Tuesday. I shall use it here to mean the latter date. Modern investigations of »Fastnacht« and of carnival in Germany in general is of fairly recent origin. See Fasnacht. Beiträge des Tübinger Arbeitskreises für Fasnachtsforschung. Tübingen 1964; Dörfliche Fasnacht zwischen Neckar und Bodensee. Beiträge des Tübinger Arbeitskreises für Fasnachtsforschung. Tübingen 1966; Masken zwischen Spiel und Ernst. Beiträge des Tübinger Arbeitskreises für Fasnachtsforschung. Tübingen 1967 for an overview of the research in the field. Investigation of the carnival plays (»Fastnachtspiele«) has been different in direction, following up the literary aspects. See *D. Wuttke* (ed.): Fastnachtspiele des 15. und 16. Jahrhunderts. Stuttgart 1973. pp. 365-99 for a detailed bibliography an carnival plays.

[2] Some mention must be made here of difficulties with the sources of our incidents. The most frequent official sources of carnival are council minutes, court records such as lists of fines, interrogation and court minutes, occasionally entries in account books, and more rarely mentions in official correspondences. However some investigators regard these (mostly very sparse) records as misleading, since they record only the exceptional cases, see *H. Berner*: Fastnacht und Historia. In: Fasnacht (as note 1) p. 44. Citing the fallacy of the argument *quod non in actis, non est in mundo*, they favour the »regressive method« discussed by *P. Burke*: Oblique Approaches to the History of Popular Culture. In: *C. W. E.*

seventeen of them occur in the years 1520 to 1525, when the Reformation can most clearly be called a spontaneous and popular movement.

The earliest incident took place in Wittenberg on December 10 1520[3]. That morning, in the presence of university officials, Luther had formally burned the papal bull condemning him and the books of canon law. After lunch about a hundred students staged a carnival procession. They set up a float on which a giant papal bull was erected on a mast like a sail. The float was filled with students, one clad as a charioteer, another as a trumpeter, some as scholars, others as musicians who provided music for the procession. The trumpeter held a papal bull affixed to his sword, and another mock bull was stuck up on a stick. The charioteer caused great amusement as the float was taken merrily through the town, where it was greeted with much laughter. Accompanying students gathered firewood as they went, tossing it into the wagon along with books of Luther's opponents such as Eck, Emser and Ochsenfart. The float returned to the embers of the morning fire, the students rekindled it and threw onto it the bulls and books. A procession was held around the fire, with the students singing a requiem, the »Te deum« and a popular song »O poor Judas«[4]. According to a report to the Bishop of Brandenburg, someone was dressed as the pope, and threw his tiara onto the flames[5].

The second incident also occured in Wittenberg, on Fastnacht, February 12 1521. A figure representing the pope was carried about in the city and was pelted on the market place, presumably with dung. Along with »cardinals, bishops and servants«, the carnival pope was then hunted through the streets in great merriment[6]. Students also seem to have staged a Latin carnival play ridiculing the pope and indulgences[7].

Bigsby (ed.): Approaches to Popular Culture. London 1976. p. 79. Many of the sources for our incidents are chronicles, usually written some time after the events they describe. Where they are not confirmed by evidence contemporary with these events, we face the problem of how much reliability we can attribute to their details. There is a danger that the chronicle reports are myth or propaganda, in themselves important for investigation of popular culture, but posing wholly different questions from those discussed in this article. Where I have been unable to verify incidents in official sources, I have been able to rely on the fact that two or more chronicles confirm each other, without borrowing; or that the chronicle was written by an author with access to official records, mostly within a generation or so of the incident; or that the chronicler was an eyewitness of the event.

[3] The sources for the Wittenberg incident are discussed in *M. Perlbach* and *J. Luther*: Ein neuer Bericht über Luthers Verbrennung der Bannbulle. Sitzungsberichte der königl. preuss. Akademie der Wissenschaften 5 (1902). pp. 95-102. See also *O. Clemen*: Über die Verbrennung der Bannbulle durch Luther. Theolog. Studien und Kritiken 81 (1908) pp. 460-69.

[4] Based on the most extensive contemporary record, the pamphlet *Exustionis Antichristianorum decretalium acta* which appeared in two printed editions, see *M. Luther*: Werke. Weimar edition (abbrev. WA) vol. 7 p. 184 f., and WA Briefwechsel. vol. 2. p. 269 note 19.

[5] *Perlbach* and *Luther* (as note 3) p. 97, WA Briefwechsel. vol. 2. p. 269.

[6] Luther to Spalatin, Feb. 17 1521, in WA Briefwechsel. vol. 2. p. 266.

The following year saw five further instances of anti-Roman carnival activity. In Stralsund on Fastnacht, March 4, four monks pulled a plough through the streets to the accompaniment of satirical verses[8]. There are reports of a carnival play in Danzig on the same day in which Luther confronted the pope, and of a similar play and a procession in Elbing. At another place in Prussia, not named by the chronicler, five pairs of monks pulled a plough, and were followed by nuns with small children. Afterwards a carnival preacher held a mock sermon[9]. In Strasbourg in 1522 the Catholic polemicist Thomas Murner was the butt of a procession before his window with a carnival puppet[10]. In Nuremberg in 1522 the town council prohibited performance of a carnival play in which a pope appeared, and forbade the use of a Hell which might cause offence to the clergy[11]. In the Nuremberg Schembart procession of 1523 one of the runners who accompanied the dancers in this carnival festivity wore a costume made of bulls of indulgence[12].

In Berne in 1523 two anti-Catholic carnival plays were performed, one on *Pfaffenfastnacht* or »Parsons' Carnival«, Sunday February 15, the other on *Alt-* or *Bauernfastnacht*, »Peasants' Carnival«, a week later on February 22. In between, on Ash Wednesday, February 18, a mock procession was held with an indulgence accompanied by satirical singing. The plays were written by Niko-

[7] See the text given in *Clemen*: Verbrennung (as note 3) pp. 466-9.

[8] *G. C. F. Mohnike* and *E. H. Zober*: Johann Berckmanns Stralsundische Chronik. Stralsund 1833. p. 33.

[9] *M. Perlbach; R. Phillippi* and *B. Wagner*: Simon Grunaus Preussische Chronik. 3. vols. Leipzig 1875–89. vol. 2. pp. 646-7, 664, 734-7. Grunau is the most suspect of our sources, largely for his weakness for a fabulous tale and his sustained polemics against the new belief. On the other hand he was a Franciscan monk who lived in Danzig and Elbing for most of his life and knew the local area well. He had a special interest in carnival and included many references to it in his chronicle. His account of the Danzig incident is confirmed by official sources, which at least increases the probability that his other two incidents are reliably reported.

[10] *P. Merker* (ed.): Thomas Murners deutsche Schriften. vol. 9. Strasbourg 1918. p. 313 interprets a passage in Murner's 1522 satire »Von dem grossen Lutherischen Narren«, lines 406–408 to mean that a puppet of Luther was paraded before Murner's window to anger him. So far I have been unable to find any independent confirmation of this incident. The Strassburg town council also forbade a plan to carry around figures of a pope and a cardinal on Innocents' Day 1526, *L. Dacheux* (ed.): Les chroniques Strasbourgeoises de Jacques Trausch et de Jean Wencker. Les Annales de Sébastian Brant. Strassburg 1892. p. 225. no. 3470.

[11] *H. U. Roller*: Der Nürnberger Schembartlauf. Tübingen 1965. p. 140.

[12] See *S. L. Sumberg*: The Nuremberg Schembart Carnival. New York 1941. p. 107 f. The Schembart carnival was basically a morris dance performed by the Butchers' Guild which had grown into a full procession, with the dancers being accompanied by runners who acted as »guards«. There were also grotesque figures, and a float called the »hell«, which was stormed and destroyed on the market square as the climax of the procession.

236

laus Manuel, and the town council gave a subscription to support the performance. The first play, *Die Totenfresser*, or »Devourers of the Dead«, attacked
the exploitation of death by Rome and the Catholic clergy; the second presented
the contrast between Christ and the papacy[13]. In 1524 there was a carnival play
of Luther versus the pope performed in Königsberg in Prussia, in which »the
knavery of the pope, his cardinals and his whole following was clearly revealed«.
Angry monks tried to have the play prohibited and those responsible punished,
but were told that the citizenry could not be denied their customary carnival
festivities[14].

At the end of June 1524 a carnivalesque parody was staged in the small mining
town of Buchholz in Ernestine Saxony. Duke George of Albertine Saxony had a
new German saint created in Rome, the eleventh century bishop Benno of Meissen. In celebration of the canonisation, Benno's relics were disinterred for venera-
tion in Meissen in mid-June. This event was celebrated satirically in Buchholz. A
mock procession was formed, with banners made of rags, and some of the participants wearing sieves and bathing caps in parody of canons' berets. They
carried gaming boards for songbooks and sang aloud from them. There was a
mock bishop dressed in a straw cloak, with a fish basket for a mitre. A filthy
cloth served him as a canopy, an old fish kettle was used for a holy water vessel,
and dung forks for candles. This procession went out to an old mine shaft,
preceded by a fiddler and a lautist. There the relics were raised with an old grain
measure and placed on a dung carrier, where they were covered with old bits of
fur and dung. A horse's head, the jawbone of a cow and two horselegs served as
relics, and were carried back to the marketplace. There the bishop delivered a
mock sermon and proclaimed the relics with the words: »Good worshippers, see
here is the holy arse-bone of that dear canon of Meissen St. Benno« – holding up
the jaw-bone. Much water was poured over the relic to »purify« it, naturally to
no avail. The bishop proclaimed an indulgence, the faithful were admonished to
give their offerings and the antiphon »Dear St. Benno, attend us« was intoned.

[13] See *V. Anshelm*: Die Berner Chronik des Valerius Anshelm. vol. 4. Berne 1893.
pp. 261, 475 for the basic account, but the dating has been corrected from 1522 to 1523 by
F. Vetter: Über die zwei angeblich 1522 aufgeführten Fastnachtspiele Niklaus Manuels.
Beiträge zur Geschichte der deutschen Sprache und Literatur 29 (1904) pp. 80–117. See
also *C. A. Beerli*: Quelques aspects des jeux, fêtes et danses a Berne pendant la première
moitié du xvie. siècle. In: *J. Jacquot* (ed.): Les fêtes de la Renaissance. Paris 1956.
pp. 361–5. The texts of the plays are in *F. Vetter* (ed.): Niklaus Manuels Spiel evangeli-
scher Freiheit. Die Totenfresser. Von Papst und seiner Priesterschaft 1523. Leipzig 1923.

[14] See »Balthasar Gans Chronik« in: *F. A. Meckelburg* (ed.): Die Königsberger Chroniken aus der Zeit des Herzogs Albrecht. Königsberg 1865. p. 164, note 15. Gans was
secretary to the Duke of Prussia and completed his chronicle in 1547. He is considered by
P. Tschackert: Urkundenbuch zur Reformationsgeschichte des Herzogtums Preussen.
vol. 1. Leipzig 1890, to be generally reliable and to have drawn on good sources: see his
introduction p. 83.

Then the figure of the pope was taken up on the dung carrier and tossed into a fountain, along with his bearers. An eyewitness reported that the spectators laughed so much that they could not stand[15].

There were several incidents in 1525. In Ulm a mock eucharistic procession was held on Fastnacht. In Nuremberg a crucifix was carried around derisively during carnival[16]. In Zwickau on the Tuesday and Wednesday of carnival there was a mock hunt of monks and nuns through the streets, these finally being driven into nets »as one was accustomed to do in the hunt«[17]. In Naumburg there was a comic procession of a carnival pope, cardinals and bishops through the streets, while figures dressed as monks and nuns danced merrily in the procession[18].

A less light-hearted incident occurred in 1525 at the small town of Boersch in Lower Alsace. On January 6, the Feast of the Magi and an occasion for carnivalesque festivities, a procession of twelve youths from the town, led by a piper and drummer, went to the nearby foundation of St. Leonhard. Known as the *Pfeifferknaben* or »Piper Boys«, they elected one of their number as their king and went from house to house, as was the custom, begging »a gift for their king«. This year the canons of St. Leonhard were especially unresponsive to their pleas, and when they knocked on the doors of the Dean and steward and were refused a gift their attitude became threatening. They told the Steward that if he did not give them money, food and drink they would take it themselves. The steward wisely gave them something to drink, but they returned home with less to show for their efforts than in previous years. In revenge they strangled the chickens of the foundation and carried them off as booty. They threatened to return and to plunder and destroy the church, one even claiming that he would have the altar of St. Leonhard for his table. The sequel to this affair took place on the Sunday

---

[15] Described in the 1524 pamphlet *Von der rechten Erhebung Bennonis ein Sendbrief*, in: *O. Clemen* (ed.): Flugschriften aus den ersten Jahren der Reformation. vol. 1. Leipzig 1907. pp. 185–209, based on the eyewitness account given by the Lutheran preacher in Buchholz, Friedrich Myconius. Myconius' original letter is reprinted in *J. K. Seidemann*: Schriftstücke zur Reformationsgeschichte. In: Zeitschrift für die hist. Theologie 44 (1874). pp. 136–138.

[16] On Ulm, Stadtarchiv Ulm, Ratsprotokolle 8, f. 125. On Nuremberg see the Nuremberg council edict of Feb. 28 1525: *zu erfaren, wem in diss vassnacht gespötsweiss ein crucifix sei vorgetragen*, in: *G. Pfeiffer* (ed.): Quellen zur Nürnberger Reformationsgeschichte. Nürnberg 1968. Ratsverlaß 361.

[17] Peter Schuhmann's chronicle in *R. Falk*: Zwickauer Chroniken aus dem 16. Jahrhundert. Alt-Zwickau 1923. p. 8. Schuhmann's chronicle is fairly reliable, and written almost contemporaneously with the events. The relevant passages are also mentioned in *P. F. Doelle*: Reformationsgeschichtliches aus Kursachsen. Münster 1933. p. 97.

[18] *M. S. Braun*: Naumburger Annalen vom Jahre 799 bis 1619. Naumburg 1892. p. 193–4. Braun was secretary-syndic of Naumburg in 1578 and mayor in 1592, and drew on official sources in compiling his annals.

after Easter, April 21. After one unsuccessful attempt during Lent, in March, the townsfolk stormed and sacked the foundation. Stores were consumed, images and altars destroyed, church books torn up and burned, and all valuables stripped from the church, before it and its buildings were destroyed. There were carnivalesque features in this incident. Easter eggs were gathered during the sacking of the church, some of those involved defecated on the altar, and church ceremonies were satirised in a *Narrenspiel* or »mummery«[19].

In Basel there was an iconoclastic riot on Fastnacht, February 9 1529. Protestant citizens broke into the armoury on the night of February 8, seized weapons and set up cannon in the streets. In the morning they forced their way into the town hall on the Cornmarket and while discussion was still going on with the town council the cathedral was stormed and its images smashed. These were piled up and burned in a bonfire, and the same followed in other churches of the city. A large crucifix was taken from the cathedral and carried in procession through the streets to the Cornmarket. It had a long rope attached to it and was accompanied by boys aged 8–12 singing »O poor Judas«. The crucifix was mocked with the words »If you are God, defend yourself; if you are man, then bleed!« It was then carried into the armoury and burned. The next day the Council took charge of the remaining images, especially those from the churches in Kleinbasel, and arranged »carnival bonfires« in which these were burned[20].

In Goslar on February 17, 1530 a carnival procession sang satirical songs against the clergy, expressing the sentiments that »the cathedral was a whorehouse«. In a mock palm procession, the Emperor was placed on an ass and the pope on a sow. The mass was formally interred on the marketplace and satirical songs sung against the Emperor[21]. In Munster on Fastnacht 1532 a carnival procession was staged by students, young journeymen and citizens in which clergy, monks and nuns were yoked to a plough which was then pulled through the streets. These figures were costumed journeymen, and as they went some of

[19] *H. G. Wackernagel*: Altes Volkstum der Schweiz. Basel 1956. pp. 250–65: »Die Pfeiferknaben von Boersch im Jahre 1525«, based on official reports of the incidents.

[20] Described in several contemporary chronicles and confirmed by official sources: 1. »Aufzeichnungen eines Basler Karthäusers aus der Reformationszeit.« In: *W. Vischer* and *A. Stern* (eds.): Basler Chroniken. vol. 1. Leipzig 1872. p. 447–8; 2. »Die Chronik des Fridolin Ryff«. In: Basler Chroniken. vol. 1. pp. 57, 88 (Ryff was an official of the weavers' guild in 1529, shortly afterwards its guild master); 3. »Die Chronik Konrad Schnitts 1518–33«. In: Basler Chroniken. vol. 6. p. 116 (Schnitt was master of the painters' guild in 1530 and town councillor 1530–36); 4. *P. Roth* (ed.): Aktensammlung zur Geschichte der Basler Reformation. vol. 4. Basel 1941. p. 70: Zeugenaussagen vor Gericht zum Bildersturm, Aug. 26 1529.

[21] *G. Cordes* (ed.): Die Goslarer Chroniken des Hans Geismar. Goslar 1954. p. 135. Geismar was born in 1522 and lived most of his life in Goslar. His father was an elder of the shoemakers' guild in 1503. *U. Hölscher*: Geschichte der Reformation in Goslar. Hannover 1902. pp. 53–54 misdates this incident as 1528.

them sprayed the street with holy water and carried relics as the cathedral canons were accustomed to do in processions[22].

A similar event occured in Munster in 1534 as the Anabaptists were in the process of taking over the town. Some of the rebels celebrated Fastnacht with anti-Catholic satires. One laid on a bed as if sick, while another dressed as a priest, holding an asperger and a book, with glasses perched on his nose, read out all kinds of nonsense over the sick man. This scene was pulled through the streets on a wagon by six persons dressed as monks, while the driver was dressed as a bishop. A smith dressed as a monk harnessed to a plough was also whipped through the streets. In a village outside the walls of Munster another mock procession with crosses, flags and ringing bells carried around a churchyard a figure lying on a bundle of faggots, »just as the relics of the saints were carried around in their shrine with the highest reverence«.

The last and most elaborate incident occured in Hildesheim in 1543[23]. The Reformation had been introduced there at the end of 1542, and in February the council decided to replace the feast of the Purification of the Virgin Mary on February 2 with a secular holiday. As luck would have it, it was also the day on which carnival celebrations would begin that year, so that the loss of the religious feast could go unnoticed amongst the cutomary festivities. On the vigil of the Purification a feast and a dance were held instead of the customary fast. The next event took place on Sunday February 4, *Pfaffenfastnacht*. An image of Christ as the man of sorrows was taken from the cathedral and carried around to the taverns of each of the guilds and confraternities. Here toasts were drunk to the image and it was challenged to return the favour. At the tailors' guild beer was flung over it when it did not respond.

On Fastnacht, Tuesday February 6, a procession was held in which relics of the Virgin and the foreskin of Christ were carried through the streets in a

---

[22] *C. A. Cornelius*: Berichte der Augenzeugen über das Münsterische Täuferreich. Münster 1853. p. 9: »Meister Heinrich Gresbecks Bericht«. Gresbeck was an eyewitness of the events in Münster during the rule of the Anabaptists, and his report is regarded as generally reliable. *Moser* Städtische Fasnacht. p. 190 mentions this incident as occurring in 1535, but from the position in Gresbeck's report it clearly occurred in 1532. *H. von Kerssenbroick*: Geschichte der Wiedertäufer zu Münster. Münster 1881. p. 467, first published in Latin in 1568, does not mention this incident, but reports the 1534 carnival incident, which is not referred to by Gresbeck. Kerssenbroick studied in Münster until 1533 but left before the Anabaptist rule. Later he taught at the cathedral school there for twenty-five years, but his report is highly partisan and polemical against the Anabaptists, and considered less reliable than Gresbeck's, see *R. Stupperich's* preface to the 1959 facsimile reprint of Cornelius.

[23] *J. Schlecht*: Der Hildesheimer Fasching 1545. Römische Quartalschrift für christliche Altertumskunde X (1896) pp. 170–177, a contemporary account by a Catholic observer, but the dating given by Schlecht must be corrected to 1543, as this was the only year in which carnival began with the feast of the Purification.

monstrance and mocked and abused. Someone dressed as a bishop was led through the streets and expelled from the city with abuse and ridicule. On Ash Wednesday, February 7, a youth aged about seventeen led a procession through the city dressed as the pope in alb and pluvial, with a triple tiara and gold rings on his fingers. He was covered with a canopy and attended by four persons dressed as bishops, and by others dressed as deacons and sub-deacons carrying censers. This carnival pope distributed his blessing to all and sundry »as the pope was accustomed to do«. Others were dressed as monks and nuns, and the festival continued all day with great din and laughter. Some of those dressed as monks and secular clergy were led around by women and then expelled from the city.

On Thursday, instead of the traditional Lenten procession, a figure dressed in rags was carried about, arms outstretched in the manner of a crucifix, with its head covered by a hood. Others followed behind dressed in carnival costumes. Many carried censers and pots or jars, perhaps in parody of reliquaries. Some were dressed as Carthusians or other religious orders, and they carried gaming boards in place of prayer books and sang the Kyrie. Finally the mayor led the entire crowd of revelling men, women and children to the cathedral. They were refused entry to the church itself, but they led a dance through the cloisters and profaned the graves in the churchyard.

II

Precise analysis of the incidents described above is difficult, given the indirect nature of the evidence and the lack of significant detail in many of the reports. The 22 cases used in this discussion represent only the results of a preliminary investigation, and there may be numerous others hidden in archives and source collections which may be uncovered by further research. The following analysis (see the table below) is only tentative therefore. Seventeen of the incidents occurred during carnival or on Fastnacht itself. The events in Boersch occurred at times when carnivalesque festivities were customary, on the feast of the Magi and at Easter. In Goslar, where there was no Fastnacht, the incident probably took place during a local festival linked to the town's mining activities[24]. Only three have no definite links to any feast or festival: the Wittenberg procession and book-burning of 1520, the Bishop Benno parody in Buchholz, another mining town, and the anti-Murner carnival puppet.

In seven cases the incident took the form of a carnival play, while a procession featured in some form in twenty of the cases. Play and procession are linked in

---

[24] I am grateful to the city archivist of Nordheim for this suggestion and for drawing my attention to the Goslar incident. That such incidents could be connected to guild celebrations, for example, is shown by a 1518 report that the shoemakers' apprentices in Strassburg ›had a bishop in their procession‹ on 11 January, *Dacheux* (as note 10) p. 237 no. 3437.

Analysis of Carnival Incidents

Case		Carnival/Festival Time	Form			Participn			Attitude of Authorities*	Themes							
			Play	Procession	Travesty	Youth	Women	Gen. populace		Clergy	Pope	Cardinals, Bishops	Indulgences	Luther	Relics	Images	Parody of religious ceremonies
1. Wittenberg	1520			●	●	●		●	O	●		●					●
2. Wittenberg	1521	●	●	●	●	●		●	O	●	●	●					
3. Stralsund	1522	●		●	●					●							
4. Danzig	1522	●	●	●	●					●	●			●			●
5. Elbing	1522	●	●	●	●			●		●				●	●		
6. Prussia	1522	●		●	●	●			O	●							●
7. Straßburg	1522			●						●					●		
8. Nuremberg	1522	●	●	●	●				−	●	●						
9. Nuremberg	1523	●		●	●				O	●		●					
10. Berne	1523	●	●	●	●			●	+	●	●	●	●				
11. Königsberg	1524	●	●		●				O	●	●	●					
12. Buchholz	1524			●	●	●			−	●	●					●	●
13. Ulm	1525	●		●					−								●
14. Nuremberg	1525	●		●					−							●	
15. Zwickau	1525	●		●	●	●		●	O	●							
16. Naumburg	1525	●		●	●	●		●	O	●	●	●					
17. Boersch	1525	●	●	●		●	●	●									●
18. Basel	1529	●		●	●			●	O							●	●
19. Goslar	1530	●		●	●	●		●	−	●	●						●
20. Munster	1532	●		●	●	●			−	●					●		
21. Munster	1534	●		●	●	●			−	●					●	●	
22. Hildesheim	1543	●		●	●	●	●	●	+	●	●	●			●	●	●
		19	7	20	17	13	2	10		15	10	7	5	3	4	3	10

* Attitude of the authorities: + approval 2, − disapproval 7, O connivance 8.

three instances. (The play and procession mentioned in Nuremberg for 1522 were not linked.) The three incidents which fell on dates without any festival associations were clearly spontaneous enactments of carnival. The Wittenberg students were inspired by Luther's action in burning the papal bull, the Buchholz citizens by the events in Meissen, against which Luther had written in strong terms[25]. It has been claimed that the latter was related to the Feast of the Boy Bishop, but this is not justified by the description we have of the event and must be dismissed as a false parallel[26]. We need to have more information about Murner incident to form any wider judgement, but Murner's popular writings made frequent use of the carnival theme and this may have suggested the satiric attack on him[27].

A special feature of carnival is masking and travesty, the latter involving dressing up in unfamiliar clothes, especially those of the opposite sex. Masking has been inferred by one historian of the Basel and Boersch incidents, but it is not explicitly mentioned in the sources[28]. If one were content to argue by analogy with normal carnival practice in periods later than the sixteenth century, it could also be inferred in several other cases, including the first Wittenberg incident. But there is need for caution here – it is all too easy to confuse it with travesty, dressing up in costume[29]. Our reports mention the latter quite explicitly, but nowhere is there any explicit mention of masking. There is a very broad range of psychological and cultural overtomes associated with masking[30], and it is wiser to accept its use only where we can show clearly that it is involved. The same can be said of the use of effigy and carnival puppets. Often the sources are ambiguous about whether a carnival figure is a puppet or merely a costumed player. Only in the Murner case of 1522 are we clearly told that a puppet is involved. It thus seems wiser to adopt a minimal approach on this point and to accept most of our incidents as involving impersonation. In terms of the actors there is little

---

[25] See the introduction to *Von der rechten Erhebung Bennonis* by *A. Götze*, in: *Clemen*: Flugschriften (as note 15) p. 189.

[26] Ibid. p. 185.

[27] For example in his *Narrenbeschwörung* of 1508. On carnivalesque themes in Murner, see *J. Lefebvre*: Les fols et la folie. Paris 1968. p. 171–212.

[28] *P. Weidkuhn*: Fastnacht – Revolte – Revolution. In: Zeitschrift für Religions- und Geistesgeschichte ii (1969) p. 293. However Weidkuhn can find grounds for his argument in the use of masks in the Swiss area, see *E. Hoffman-Krayer*: Die Fastnachtsgerbäuche in der Schweiz. Kleine Schriften zur Volkskunde. Basel 1946. pp. 57–8; *H. G. Wackernagel*: Maskenkrieger und Knaben im Schwabenkrieg von 1499. Altes Volkstum in der Schweiz. Basel 1956. pp. 247–9.

[29] In listing cases of travesty I have also included actors in the carnival plays al involving the same phenomenon.

[30] See *R. Caillois*: preface to Masques, Musée Guimet Paris. Paris 1965. Esp. pp. 3–5. On masks in general see *A. Lommel*: Masken. Zürich 1970; *L. Schmid*: Masken in Mitteleuropa. Vienna 1955.

difference between impersonation within a play and within a procession, and some plays were performed in processional rather than stationary form[31]. Certainly the account of the Elbing play suggests strongly that it was procession-al[32]. Thus we can say that travesty was involved in 17 instances.

The sources are equally unsatisfactory about the number, age and composition of the participants. In ten cases the accounts make it reasonable to infer that there was a broad general involvement of the resident populace, if only as spectators. In most of these cases this participation seems to be more active than passive. If we take into account the fact that processions involve the spectators somewhat more than a stationary play, we could argue that there was a broad general involvement in all but four instances, Danzig where the play was performed indoors, Königsberg where we do not have sufficient information[33], and the two Munster incidents, where the chroniclers claimed, with what reliability we cannot tell, that only a minority took part in the carnival sartires. Women were mentioned specifically in two cases only. In Hildesheim they led those dressed as monks and clergy through the streets and expelled them from the town[34]. At the storming of St. Leonhard in Boersch women with babes in arms were said to have been present, as well as two women dressed in armour[35]. Other specific groups of the community are mentioned in one or two cases. The play in Danzig in 1522 was staged by the confraternity of St. Reinhart in the *Artushof*, and the guilds took a prominent role during the events in Hildesheim. We can also deduce that carnival societies would have staged the various carnival plays, and the Nuremberg runner who dressed in an indulgence costume would also have belonged to a specific carnival society[36]. Most striking of all is the role of the youth, which appears in 13 of our cases. In Wittenberg it is as students, in Buchholz as a youthful crowd, in Zwickau as »sons of citizens«[37]. In Goslar we are told that satirical songs against the clergy were sung by the pupils of the cathedral school[38]. Youths are mentioned as participating in the procession with

---

[31] For a discussion of this question see *A. M. Nagler*: The Medieval Religious Stage. New Haven 1976. Ch. 4.

[32] This is the implication in Grunau's Preussische Chronik. vol. 2. p. 647: *als / das Spiel / vor das rahtthauss kam . . .*

[33] In Danzig the plays were performed in the Artushof, see *P. Simson*: Der Artushof in Danzig und seine Bruderschaften, die Banken. Danzig 1900.

[34] *Schlecht*: Der Hildesheimer Fasching (as note 23) p. 175.

[35] *Wackernagel*: Pfeiferknaben (as note 19) p. 254.

[36] On Danzig, see *Simson* (as note 33); on Nuremberg, *Sumberg*: Schembart, (as note 12).

[37] On Buchholz, *Clemen*: Flugschriften (as note 15) p. 203 line 3: *iunges pobels*; on Zwickau, see *Doelle* (as note 17) p.597: *etliche Bürger und Bürgersöhne. Schuhmann* added that some went through the streets singing *wie die michelskinder*, a reference to the children's feast on St. Michael's Day (September 29), p. 597 note 138b.

[38] Chronik des Hans Geismar (as note 21) p. 135.

the crucifix in Basel, and in Hildesheim it is a seventeen-year-old who dresses up as the pope. The procession in Munster in 1532 was staged by young journeymen and students. The procession of the *Pfeiferknaben* of Boersch speaks for itself, and in the sack of St. Leonhard's children aged ten, twelve, fourteen and eighteen years were mentioned in the official report as taking part[39]. The Naumburg procession of 1525 was excused by the town council as youthful rowdiness, and the Danzig council spoke of the *Reinhartsbrüder* as young folk engaging in traditional frivolity[40].

The attitude of the authorities to these incidents is another interesting point of comparison. They actively disapproved of the events in seven cases. The Nuremberg council prohibited the planned anti-Roman carnival incidents of 1522, and instituted an investigation in 1525 into who was responsible for the satire on the crucifix[41]. In Ulm the council investigated the incident with the aim of punishing those responsible, and in 1526 prohibited carnival altogether[41a]. In Buchholz the local Saxon official broke up the proceedings after the Lutheran preacher had spoken to him of his fears that the satire would be regarded as a disturbance aroused evangelical preaching[42]. In Goslar the carnival incidents were regarded as a disturbance by the council[43]. The two Munster incidents formed part of the disturbances leading to the Anabaptist rule of the town. In two cases the authorities actively encouraged the events, in Berne and Hildesheim. In eight others it can be argued that they connived at the incidents. In Naumburg and Danzig they offered excuses for them, in both Wittenberg cases they were regarded with good humour, and in Nuremberg it seems highly unlikely that the indulgence runner of 1523 would have been allowed without some tacit approval from the council. In Basel the events certainly formed part of a rebellion against the council's authority, but it could be said that by taking charge of the burning of the images they accepted the events. In Königsberg a complaint by monks was ignored, and in the unnamed Prussian incident the procession reached its climax outside the town hall, indicating some measure of connivance by officialdom.

The themes of the incidents are fairly diverse. They were directed largely against the clergy (in fifteen cases) and the pope (ten cases). Cardinals and bishops were also attacked (seven times) and indulgences (five times). Luther appears only in three instances. Images feature three times, relics four times. In

---

[39] *Wackernagel*: Pfeiferknaben (as note 19) p. 235.

[40] *J. Bolte*: Das Danziger Theater im 16. und 17. Jhdt. Hamburg/Leipzig 1895. p. 2, report of the Polish chancellor, Bishop Matthias von Lesslau, February 5 1523.

[41] See note 16.

[41a] Stadtarchiv Ulm, Ratsprotokolle 8, f. 125^v, 267^r.

[42] See *Clemen*: Flugschriften (as note 15) p. 204 and p. 209 note 14. Here we see a significant difference between the printed account and Myconius' original letter describing the incident. The former surpresses the fact that Myconius reported to the Saxon official, substituting instead the version that it was done by some »who were still weak in faith«.

[43] As note 38.

ten cases there was parody of religious ceremonies. In Wittenberg the 1520 bonfire was said to mock the Easter eve ceremony through the procession around the fire. It may also have been a parody of the condemnation of a heretic to the flames[44]. The Danzig carnival play featured the pope banning Luther with bell, book and candle, while the Prussian incident contained a mock sermon. Buchholz parodied the elevation of the new saint in Meissen, while Basel and Hildesheim both saw parodies of religious processions. Goslar parodied the Palm Sunday procession, where Christ was seated on an ass. Only in Boersch is the nature of the parody left unspecified, although it was doubtless a parody of the mass.

III

Why should expressions of evangelical feeling be so often linked to carnival? To answer this question we must understand the role of carnival in the collective life of the time, a task which will pose more problems than it solves in the scope of this essay. Research on the meaning of carnival is still in an unformed state, and there are serious questions of method and approach as yet unresolved[44a]. In part this is because the lines of investigation cut across the boundaries of any one discipline, involving questions of folklore, social anthropology, social psychology and philosophy. The researcher tied to one discipline, certainly the mere historian, may easily lose his bearings in this unfamiliar territory. In what follows I want to examine six different approaches to carnival to see what light they cast on links with the Reformation.

1. Youthful High Spirits

This is suggested by the prominence of youth in the events we have described, especially by the explanation given by the magistrates of Naumburg and Danzig. We could regard this as an excuse to ward off the displeasure of ecclesiastical authorities; but it is also possible that our examples are no more than instances of youthful exuberance overflowing into one of the prominent issues of the day. The festive calendar had its high points at which allowance was made for the licence of the youth. Adolescents were here permitted that kind of unbridled behaviour which at other times of the year would bring them up on a charge of

---

[44] See WA vol. 7. p. 185 line 34 on the Easter parallel.

[44a] For some of these, see the literature cited in note 1, as well as *M. Bakhtin*: Rabelais and his World. Cambridge/Mass. 1968; *Y.-M. Bercé*: Fête et revolte. Des mentalités populaires du xvie. au xviiie. siècle. Paris 1976; *G. Gaignebet*: Le carnaval. Paris 1974.

breach of the peace. The Feast of Fools is said to exemplify this »safety valve« approach to youth within the framework of church discipline[45]. Carnival, with its »trick or treat« customs presented it Within the secular sphere. within the semi-autonomous world of student groups such behaviour was also regulated into predictable forms such as mock disputations and initiation ceremonies[46]. However students were less socially integrated into a wider community, and there was always a danger that student high spirits would overflow into disorder. There is a strong suspicion that the 1521 Parson Storm of Erfurt, regarded as the first violent outbreak of the Reformation, was such an outburst, involving as it did organised groups using a secret password, a classic sign of a secret youth group[47]. The spontaneity of the student procession in Wittenberg in 1521 exemplifies the same kind of student exuberance, detached as it was from any occasion of communal celebration. One report suggests that the students borrowed some features of their demonstration from initiation ceremonies. It states that the students on the wagon were clad in »that state of indecent undress« which the new students wore for their initiation into the schools[48].

Spontaneity is also a feature of the behaviour of the Piper Boys of Boersch and of the iconoclastic putbreak in Basel in 1529. The latter case is less relevant here. Peter Weidkuhn has asserted that this is an example of youthful spontaneous revolt, similar to the events in Paris in May 1968[49], but there is little evidence for this. We know that youths were involved from the testimony of one witness[50], but not exclusively so. Moreover, except for the date on which it took

---

[45] On the Feast of Fools see *H. Böhmer*: Narrenfeste. In: Realencyclopädie für prot. Theologie und Kirche. vol. 13. Leipzig 1903. pp. 650–653; *E. K. Chambers*: The Medieval Stage. vol. 1. Oxford 1903. chs. 13–15; *J. Lefebvre*: Les fols et la folie. Paris 1968. pp. 43–7; *E. N. Welsford*: The Fool and his History. London 1935. pp. 200–202, *Bercé*: Fête et révolte (as note 44a) pp. 24–36; *Gaignebet*: Le carnaval (as note 44a) p. 42 f. This feast was more prominent in France . For a wider range of French references, see *N. Z. Davis*: The Reasons of Misrule: Youth Groups and Charivaris in Sixteenth Century France . Past and Present 50 (1971) p. 42 note 2.

[46] See *F. Zarncke*: Die deutschen Universitäten im Mittelalter. Leipzig 1857. pp. 4–10 on initiation ceremonies, and pp. 49–154 for examples of mock disputations.

[47] The Erfurt Parson Storm involved the storming of clerical houses on two successive nights, June 11–12 1521 by students, journeymen and countryfolk in town for the weekly market, described in a contemporary ballad by the student Gothard Schmalz in *O. Clemen*: Flugschriften. vol. 1 (as note 15). pp. 369–76. On secret youth groups see *H. G. Wackernagel*: Der Trinkelstierkrieg vom Jahre 1550. In: Altes Volkstum der Schweiz. Basel 1956. pp. 222–43. *E. Hoffmann-Krayer*: Knabenschaften und Volksjustiz in der Schweiz. Kleinere Schriften zur Volkskunde. pp. 124–159.

[48] WA vol. 7. p. 185 line 5–6.

[49] *Weidkuhn*: Fastnacht (as note 28) p. 292 f.

[50] See the testimony of Conrat Ganser in *Roth*: Aktensammlung. vol. 4 (as note 20) p. 70: *Das er an der altenn vasznacht nechstverschinen zu St. Theodor mit anderen knaben daselbs die bilder hinweg zu thun ze sachenn, gangen.*

place, there is little to justify calling the initial attack on the cathedral a »carnivalesque event«. There is absolutely no evidence at all that the iconoclasts were masked, as Weidkuhn assumes, and elements of carnival entered only later. The *Pfeiferknaben* are more interesting here from this point of view, for they show how easily the line between festive spirit and disorder was crossed. Their disappointment at being refused their customary treat quickly moved them to threaten violence, and to take revenge on the canons' poultry. Their action is perhaps not too far removed from the Erfurt Parson Storm, and there may be, therefore, some grounds for accepting the argument that youthful high spirits can explain some of our incidents.

Natalie Davis has shown in her discussion of youth groups that the argument must nonetheless be taken a step further[51]. Youth behaviour does not occur in a vacuum, but is a manifestation of the social and cultural values of the communities in which it is found. Davis refers to the ideas of S. N. Eisenstadt on the nature of »youth culture«, and we could usefully consider one or two of these. First adolescence and youth can be regarded as a period of transition from childhood to full adulthood. It is thus an important phase in which one passes from the restricted social milieu of the child to full involvement in society. In this period of socialisation one is confronted with the full range of established values which are normative for the adult world. The youth tests himself against these values and, in society's terms at least, is expected to assimilate them and to integrate them into his personality. But there is an element of ambiguity here. For if social values are being presented for acceptance, they are also being put to the test, and there is a danger of revolt against them, that the youth will begin to forge his own values against those of society. The other side of the coin is that youth can become a vanguard of established social values, reaffirming them and recalling an adult generation to accept fully and live out values to which they only pay lip service. It has been suggested that this was the social function of charivaris in rural society in regulating the social rules about marriage and remarriage[52].

Van Gennep, who formulated the concept of the »rite of passage« identified such transitional stages as highly dangerous to society[53]. The disaggregation of

---

[51] *Davis*: Youth Groups (as note 45) esp. pp. 54–57.

[52] *S. N. Eisenstadt*: Archetypal Patterns of Youth. In: *E. Erikson* (ed.): Youth: change and challenge. New York 1963. pp. 24–42, esp. p. 27; *S. N. Eisenstadt*: From Generation to Generation. New York 1966. p. 31 f. For similar notions see also *M. Mead*: Culture and Commitment. A Study of the Generation Gap. London 1970. esp. p. 31 f. On charivaris, *Davis*: Youth Groups (as note 45) p. 53 f., *E. P. Thompson*: Rough music: le charivari anglais. Annales ESC 27 (1972) pp. 285–313. A theoretical framework for the study of youth as a subculture using marxian and Gramscian ideas could usefully be applied to the early modern period: *S. Hall* and *T. Jefferson* (eds.): Resistance through Rituals. Youth Subculture in post-war Britain. London 1976.

[53] *A. van Gennep*: Les rites de passage. Etudes systematiques des rites. Paris 1909. For

established values they involved could easily be followed by a dissolution of those values in a destructive sense. For this reason such transitional stages are ritualised and controlled by society, especially in initiation ceremonies. We need to study such phenomena in more detail in the early modern period in order to identify them more closely, although Natalie Davis has pointed to several such manifestations in the form of secret youth societies, carnival societies and journeymen's associations. To these we might add student groups. Both student groups and journeymen's associations are especially significant in view of their autonomous position in society. It was no accident that magistrates were always opposed to the formation of journeymen's associations, or sought to extend their jurisdiction over universities[54]. These were socially dangerous groups precisely because they resisted incorporation into established patterns of ritualised behaviour.

What does this imply in terms of the Reformation? Stephen Ozment has pointed out that the Reformation found adherents primarily amongst the young and the socially mobile[55]. This may seem to underestimate the importance of all those sober respectable burghers who took up evangelical ideas with no less enthusiasm than the young and the displaced. However it indicates the importance of youth in spreading Reformation ideas. The young might be allowed a measure of tolerance for unorthodox views, and the liberty of voicing disquiet with the established religious order. Or they could take liberties, for the volatility of youth was such that it could not always be confined by social strategems. In a community little inclined to the new ideas, it could contradict established religious values. Where the community was already sympathetic, it could serve as a vanguard to hasten along those who might otherwise »tarry for the magistrate«[55a]. It would have been natural to express itself through carnivalesque activity, for carnival was the supreme celebration of youth against age, of the new repudiating the old, epitomised in the contest of carnival and lent. It is not surprising that the young should have fitted the contest of old and new religion into this format so deeply embedded in the collective life of the age.

a retrospective assessment of the concept see *M. Gluckmann*: Essays on the Ritual of Social Relations. Manchester 1962. pp. 1–52.

[54] On journeymen see *G. Strauss*: Manifestations of Discontent in Germany on the Eve of the Reformation. Bloomington 1971. pp. 130–138; also *N. Z. Davis*: A Trade Union in Sixteenth Century France . Economic History Review. 2nd. ser. 19 (1966) pp. 48–68; on the universities, the case of Cologne in *R. W. Scribner*: Why was there no Reformation in Cologne? Bulletin of the Institut of Historical Research 49 (1976) pp. 225–29.

[55] *S. E. Ozment*: The Reformation in the Cities. New Haven 1975. p. 123. As Ozment puts it, »the ideologically and socially mobile«.

[55a] *N. Z. Davis*: Some Tasks and Themes in the Study of Popular Religion. In: *C. Trinkhaus* and *H. A. Oberman* (eds.): The Pursuit of Holiness. Leiden 1974. p. 323 speaks of »the uproarious voice of the community's conscience«. See also *R. C. Trexler*: Ritual in Florence: Adolescence and Salvation in the Renaissance. In: ibid. pp. 200–264.

2. Play and Game

There are two very striking features of the examples of carnival described in the first section of this essay. The first is the festive spirit of most of the incidents. Violence and damage to property are involved only on two occasions, in Basel and in Boersch. The tone is otherwise one of merriment and gaiety. The second feature is the recurrence of parody and satire. One could argue that this suggests a closer link with pre-Reformation carnival spirit than with evangelical enthusiasm. The Reinhartsbrüder in Danzig, for example, had a tradition of performing anti-clerical satires[56], and there are numerous other instances from the period before the Reformation. In Cologne in 1441 an innkeeper prepared a mock shrine, aided by four friends and a servant woman, and carried it through the streets with a puppet and flags[57]. In Frankfurt in 1467 seventeen citizens were punished for parodying a religious procession. Several youths were punished in Augsburg in 1503 for a carnival float in which a mock priest baptised a goat[58]. Satire and parody were, of course, a constituent element of medieval festivals. The classic type is the Feast of Fools, where not only was a Boy Bishop elected, but a parody of the mass was held in church. In another variation, the Feast of the Ass, asinine masses were celebrated, where each part of the mass was responded to by comic braying[59]. That such satire was not without its limits is shown by the growing number of mandates at the end of the fifteenth century directed against parodies of ecclasiastical ceremonies, and against impersonation of monks and nuns[60]. However whether this reflects a growth of anti-ecclesiastical satire or merely a change of attitude on the part of authority is unclear.

We can better understand these traditions of carnival parody and satire if we set them in the broader context of play and game, and its cultural significance. Johann Huizinga in his seminal work »Homo Ludens« stressed three essential elements of play. First, he saw it as creating a world apart from reality. Second, this world was permeated with a fundamental seriousness, as earnest within its

---

[56] *P. Simson*: Der Artushof in Danzig und seine Brüderschaften, die Banken. Danzig 1900. p. 68: the town council issued prohibitions in 1516 and 1522 against carnival plays which outraged laymen and clerics.

[57] *J. Klersch*: Die kölnische Fastnacht von ihren Anfängen bis zur Gegenwart. Cologne 1961. p. 32.

[58] *H. Moser*: Städtische Fastnacht des Mittelalters. In: Masken zwischen Spiel und Ernst. Tübingen 1967. p. 176.

[59] *M. Bakhtin*: Rabelais and his World. Cambridge Mass. 1968. p. 78.

[60] *Moser*: Städtische Fastnacht (as note 58) pp. 163–164.

own context as that of the non-play world. Third, it was agonistic – play was always a matter of contest[61]. This has been criticised as too limited a view. Not only can play be conceived under typologies other than agnostic – for example, as a matter of chance or as mimicry – it can also be regarded as a continuum ranging from controlled to spontaneous play[62]. The notion that play is an activity separated from reality has also been questioned, for play can be seen as another form of reality, none the less real for being set apart from the non-play world[63]. A similar approach has been to see play as a real mode of behaviour embodying a symbolic representation and reenactment of being[64]. Mikhail Bakhtin agrees with this line of argument, seeing carnival as an alternative world to official culture and society, as a »second life to the people«[65]. This latter feature will be discussed later. Important here is the element of autonomy inherent in such a play world.

Gathering up some of these ideas in relation to carnival, we can say that it is an autonomous world in which symbolic actions are performed which have all the compulsion of reality – one might call it an alternative reality. It is similar to youth as a state in opposition to the established structures of society, and for the same reasons the boundaries between it and the non-play, non-carnival world were carefully policed. There are two anecdotes which illustrate contemporaries' sense of the need to preserve these boundaries. One is in the 1526 English collection »A Hundred Mery Tales« and tells of a player who did not remove his devil's costume after the play; he caused a panic on his way home among folk who mistook him for the devil himself[66]. Simon Grunau's »Prussian Chronicle« has a similar tale from Thorn in West Prussia during the 1440s, where one of the carnival pranks was the hunting of old women by devils who carried them off to hell. A carter arriving at the town saw such a carnival devil chasing an old woman outside the walls. He leapt down from his cart at once and smote in the devil's head with an axe. When charged with murder, he claimed to have no knowledge of this carnival custom and believed he had been saving the woman from a demon. (Typical of Grunau's chronicle is the sequel: when attendants went out later to collect the corpse, they found nothing but a pile of empty clothes and an unbearable stench![67])

[61] *J. Huizinga*: Homo Ludens. A Study of the Play Element in Culture. London 1970. pp. 26–30.
[62] *R. Caillois*: Les jeux et les hommes. Paris 1967, gives a fourfold categorisation of play: competition, chance, mimicry and vertigo. *J. Ehrmann*: Homo Ludens revisited. Yale French Studies 41 (1968) p. 31 sees play as a continuum from controlled to spontaneous play.
[63] *Ehrmann*: Homo Ludens revisited (as note 62) p. 33.
[64] *E. Fink*: The Oasis of Happiness: Toward an ontology of play. Yale French Studies 41 (1968) pp. 19–30, esp. p. 24.
[65] *Bakhtin*: Rabelais (as note 59) p. 9.
[66] Cited in *V. A. Kolve*: The Play called Corpus Christi. London 1966. p. 21.
[67] As note 9, vol. 2. p. 137 f. The incident supposedly occurred ca. 1443.

These anecdotes express a fear that the carnival world and the non-play world might merge, and they are highly relevant for our discussion of satire and parody. The latter were permitted in the world of carnival because their implications were set apart from the mundane world. Nonetheless there was a growing fear that the boundary could no longer be so effectively policed. The importance of this boundary can be seen if we consider the enactment of popular justice found in many carnival festivities. Within the context of the play- world popular retribution of those regarded as having escaped their just punishment was merely carnival fun. Enacted in the real world, even in carnival forms, it became rebellion[68]. By the end of the fifteenth century satire of the church and the clergy was no longer confined to the world of carnival. On the other hand, it is difficult to see when and where the line was crossed. As late as 1515 Erasmus was excusing his attacks on scholastic theologians in the »Praise of Folly« in terms of the licence allowed to the fool. Folly had made the criticism, not Erasmus, and no one should feel offended by it[69]. This is a classic invocation of the world of play and non-play. What is surprising is that it should have been thought to have any force in 1515.

It is tempting to argue that our examples of carnival and Reformation are evidence of the abolition of this dividing line, that men were now acting out in the mundane world what was previously permitted only in the world of play. Yet it is significant that in most of our cases evangelical fervour kept within the limits of the play world. One enacted in play the hunting of monks, nuns and the clergy in Zwickau and Hildesheim, one did not hunt them in reality. Here it could be said that carnival fulfilled once again a »safety valve« function and inhibited popular passions. But even where these events were detached from the format of carnival, as in Wittenberg in 1520 or Buchholz, the world of play still seemed to impose its own order. Only in Wittenberg was there any subsequent disturbance, at some distance in time from the carnival events. In Basel and in Boersch at Easter the carnival elements entered later into an existing pattern of violence. In Munster the events seem to represent play within the framework of rebellion, rather than crossing from one to the other. In the case of the *Pfeiferknaben* the violents and threats were not so much an extension of the carnival spirit as a throwing aside of it[69a].

---

[68] See *Davis*: Reasons of Misrule (as note 45) p. 69; *Wackernagel*: Trinkelsteinkrieg (as note 47), *Hoffmann-Krayer*: Knabenschaften (as note 47). For English examples see E. J. Hobsbawm and G. Rude: Captain Swing. London 1973. pp. 39 f, 45 f.

[69] Letter to Martin Dorp, May 1515, in *P. S. Allen* (ed.): Opus epistolarum Des. Erasmi Roterodami. vol. 3. Oxford 1910. pp. 96–97, 104–105.

[69a] For an interesting examination of the links between carnival and rebellion, see *Bercé*: Fête et révolte (as note 44a) chs. 1–2. Carnival can be a dangerous time, especially for those who refuse to join in the laughter, but rarely leads to rebellion; that rebellion often assumes carnival form is a different matter.

3. Containment of discontent

The two features of carnival discussed so far suggest our third theme, that carnival acted as a means of containing discontent. Although carnival was an uninhibited time of licence and permitted anarchy, it was contained within its own time and space separated from the non-play world. More than this, the very nature of carnival can be seen to perform an inhibiting function. Here we must refer to Gluckman's notion of the ritual of rebellion. This describes ceremonies which openly express social tensions and allow subjects to state their resentment of authority. It even allows a ritual overturning of authority, especially in elections of a mock king at New Year, or of a slave king in the old Roman Saturnalia, Gluckmann sees this institutionalisation of rebellion as working through its cathartic effect as an emotional purging of discontent. The ritual of rebellion thus reaffirms the unity of the social system and strengthens the established order. There are two further features of the ritual of rebellion. First, it occurs only within an established and unchallenged social order, and does not involve any notion which might aim at altering it. Thus it is rebellion which is institutionalised, not revolution. The rebels are those seeking to appropriate positions of authority for themselves, not to challenge the basis of authority; they are contenders, not revolutionaries. The social order keeps this within bounds by allowing a symbolic enactment of conflicts which thus emphasise the social cohesion of the system within which these conflicts exist. Second, such rituals cannot settle conflict, which is built into social life by the nature of the social rules. They may serve only to create a temporary truce by sublimating these conflicts or obscuring them[70].

Those carnival ceremonies which involve the election of a mock king or ruler might be said exemplify this principle. Significantly, in episcopal cities the mock king is replaced by a mock bishop. The ritual of rebellion also frequently involves an inversion or reversal of roles. Thus the mock ruler is often a fool or a child. Other versions of the ritual of rebellion could be discerned in the custom of storming the town hall during carnival and deposing the council, or in the carnival courts in which popular justice was meted out to those held to have offended against the community, but to have escaped official justice[70a]. Mikhail

---

[70] See *M. Gluckmann*: Rituals of Rebellion in South-east Africa. Manchester 1952; also his Essays on the Ritual of Social Relations, Manchester 1962. esp. p. 46 and Politics, Law and Ritual in Tribal Society. Oxford 1965. ch. 6, esp. pp. 258–259.

[70a] See *H. Moser*: Archivalisches zu Jahreslaufbräuchen der Oberpfalz. Bayrisches Jahrbuch für Volkskunde (1955) pp. 168–9; ibid. Die Geschichte der Fasnacht im Spiegel der Archivforschung. In: Fasnacht (as note 1) p. 28.

Bakhtin's view of carnival would agree with this in as far as carnival reflects official culture. Moreover he stresses the conservative intention by pointing out that official culture locates changes and moments of crisis very firmly in the past. The official perspective of carnival was to look backwards to the past and use it to consecrate the present[71].

The Nuremberg *Schembartlauf*, often taken as prototypical of German carnival provides a more specific example of the ritual of rebellion. All official accounts of this procession agree that it was a privilege awarded to the Butcher's Guild in return for their loyalty to the town council during the revolt of 1348. They were granted the privilege of holding a special dance at Fastnacht, and were one of the few groups allowed to wear masks during the carnival[72]. Here one might comment that if carnival was a ritual means of containing discontent, the authorities were unwilling to rely on its cathartic effect alone. The fear of rebellion was expressed towards the end of the fifteenth century by allowing only the runners who formed the guard for the Butcher's dance to carry staves and to wear masks, and the grotesque figures who accompanied them were scrutinised by the council[73]. In Germany as a whole during the same period there was a swelling chorus of prohibitions of masking during carnival, all in the interests of good order[74]. In Nuremberg the *Schembartlauf* increasingly from the middle of the fifteenth century fell into the hands of the patricians, who purchased the right of performing the dance and who supplied an increasing number of runners[75]. It does not seem to have been a conscious policy of a patrician government to bring the carnival so carefully under the control of the ruling elite, but such a development would not have been unwelcome to them.

The Nuremberg Council's nervousness about the possibility of disorder inherent inherent in carnival was shared by the magistrates in many other places, and it seems to weaken arguments about its role as a ritual of rebellion. Gluckmann, in his original ideas on rituals of rebellion, did leave as an open question the matter of the efficacy of these rituals, and in speaking of African tribal societies, he saw them as most successful in stationary or repetitive societies. In another work he states that they did not provide an effective long-term catharsis for anger or ambition[76].

Nonetheless, the notion seems highly relevant to some of our instances of carnival and Reformation. Even where they supported the Reformation, magistrates were always nervous about popular expressions of evangelical feeling. Any public demonstration of opposition to the established church could lead to dis-

---

[71] *Bakhtin*: Rabelais (as note 59) p. 9.
[72] *Sumberg*: Schembart (as note 12) p. 33.
[73] *Sumberg*: Schembart (as note 12) p. 57.
[74] *Moser*: Städtische Fasnacht (as note 58) pp. 147, 163.
[75] *Sumberg*: Schembart (as note 12) pp. 60–61.
[76] *Gluckmann*: Rituals of Rebellion (as note 70) pp. 24, 31; Essays (as note 70) p. 46.

turbance which might go beyond mere matters of religion. Where the magistrates were tardy in introducing the Reformation matters could be worse. In Basel the council's reluctance to act against Catholicism led the evangelical party to radical measures. Direct action at Easter 1528 forced the council to remove images from the five churches which already had Lutheran preachers, and from autumn 1528 a committee was formed to put further pressure on the council[77]. The parallels with the action committees formed during earlier urban revolts is too obvious to require further comment[78]. By Christmas 1528 twelve to fifteen guilds supported the evangelical party, and the committee held its meetings at the Gardiners' Guildhouse almost as a shadow government. By the eve of the iconoclastic riot of February 9 1529 this committee was presenting political demands as well. Twelve Catholic councillors were to be removed, especially those from the patrician guilds. More pointedly, the master and councillor representing each guild was to be elected by the guild as a whole, not by the guild executive. The Small Council, the actual ruling body of Basel, was to be elected by the Great Council, not nominated by the outgoing government[79].

One cannot agree with Weidkuhn that events in Basel did show unambiguously features of the ritual of rebellion[80], although it is worth noting that wider political demands were thrown aside once the council accepted the Reformation. Perhaps fear was more significant, and this led town councils to seek means of diverting religious fervour into harmless channels. Certainly the rulers of Zwickau, Naumburg, Danzig and Königsberg would have welcomed any means of hedging anti-Catholic feeling off from wider issues. Hildesheim is perhaps the best test case, particularly as calls for Reformation in 1532 had been linked to social and political demands[81]. The anti-Catholic carnival of 1543 involved a ritual expulsion of the Catholic clergy and, significantly, of the Bishop. This tactic was used elsewhere to distract attention from other internal conflicts[82], and at least this feature can be regarded as a ritual of rebellion. It is certainly a relevant concept which may yield useful insights when applied to a broader range of examples.

[77] *P. Burckhardt*: Die Geschichte der Stadt Basel. vol. 2. Basel 1942. p. 17 f.

[78] *K. Kaser*: Politische und soziale Bewegungen im deutschen Bürgertum zu Beginn des 16. Jht. Stuttgart 1899 pp. 62, 167, 172.

[79] *Burckhardt*: Basel (as note 77) p. 19.

[80] *Weidkuhn*: Fastnacht-Revolte-Revolution (as note 28) pp. 293, 301–2.

[81] *J. Gebauer*: Geschichte der Stadt Hildesheim. vol. 1. Leipzig 1922. pp. 311–12.

[82] See for example the case of Erfurt, *R. W. Scribner*: Civic Unity and the Reformation in Erfurt. Past and Present 66 (1975) pp. 29–60, esp. p. 39.

4. Carnival as an alternative mass medium

The three approaches considered so far have regarded carnival as a means used by those in authority to affirm and uphold the existing order. Natalie Davis has expressed doubts about the »safety valve« approach to popular culture, and accepts Bakhtin's notion of it as a »second life of the people«[83]. In this view it does not sanction and reinforce the given pattern of things, but presents an alternative, a »utopian realm of freedom, equality and abundance«, to quote Bakhtin[84]. Under this aspect the mockery, mimicry and parody of official life, culture and ceremonies seeks to overturn the official world by exposing it to ridicule. The process is twofold: exposure of the official world, and robbing it of its dignity[85].

I want to consider this process as a form of communication, to regard carnival as an »alternative mass medium«. An important characteristic of carnival is the way in which it abolishes the social distance between those whom it brings into contact. It creates freer forms of speech and gesture, and allows a familiarity of language outside the limits of social convention. These include the use of profanities and oaths, and images of what Bakhtin calls »grotesque realism«. The latter involves the lowering of all that is high, spiritual, ideal or abstract to a material level, to the sphere of the earth and the body. Above all it is associated with basic bodily functions, with eating, drinking, defecating and sexual life. Bakhtin regards this as an integral part of carnival humour and parody[86]. This freer form of contact can be regarded, within the carnival context, as a mass medium, as a means of mass communication. It corresponds to Zygmunt Baumann's idea of a mass medium: the communication of the same information to many people at the same time, without any differentiation according to the status of the addressees; communication in an irreversible direction; and the persuasiveness of the information passed on, because of the conviction that everyone is listening to the same message[87].

I have also labelled it an *alternative* mass medium. Partly this is because it flows out of the second life of the people; partly because it also seeks to expose and degrade the values and style of official culture, to submit it to observability.

---

[83] See *Davis*: Reasons of Misrule (as note 45) pp. 41, 49.

[84] *Bakhtin*: Rabelais (as note 59) p. 9.

[85] *Bakhtin* ibid. pp. 10, 19.

[86] *Bakhtin* ibid. pp. 19–21.

[87] Z. *Baumunt*: A Note on Mass Culture: on Infrastructure. In: *D. Mcquail* (ed.): Sociology of Mass Communications. London 1972. pp. 64–5.

It has been pointed out that a primary characteristic of a power elite is its relative degree of secrecy. The reduction of observability of those holding power enables them to plan and follow out strategies for preserving it[88]. Opposition movements at the beginning of the sixteenth century seem to have been aware of this principle, for a common feature of urban revolts of the period is the attempt to submit ruling elites to greater observability[89]. Carnival was another popular form of observability. The cult of the church was removed from its position of mystery and placed in the common gaze in ridiculous terms. Similarly, tournaments, the transfer of feudal rights, the initiation of knights, justice, rule itself were in turn deprived of their mystery and reduced to the level of grotesque realism[90]. Communication was in two directions: the community spoke to itself, and to its rulers.

Examined in this light, our carnival incidents become a form of propaganda for the Reformation. This is most clearly the case in Munster in 1532 when the Bishop was being pressed to introduce the Reformation, and in 1534 as the Anabaptists sought to take control. The propagandist function is confirmed by the response of the chroniclers who reported the incidents as examples of Protestant shamelessness. In some cases they are the earliest recorded expressions of support for the Reformation – in Wittenberg, Danzig, Naumburg and perhaps in Elbing. In Danzig the carnival play of the St. Reinhart society can be seen as publicity for the Reformation. In 1523 they were accused by the Polish chancellor of being Lutherans and of mocking monks, cardinals and indulgences to the scorn of God and his saints. These Lutheran associations were confirmed in 1524 when they were admonished from Wittenberg to hold fast to God's Word[91]. Their use of carnival to disseminate the Reformation seems to have borne some fruit, for in July 1522 the first evangelical sermon took place in Danzig, and the Bishop of Leslau wrote during the year to complain of ecclesiastical innovation[92]. In Naumburg, too, the carnival events were followed later that year by the appointment of a preacher[93]. It is certainly not suggested that these were the results of the carnival incidents. It was the case, however, that the Reformation was usually introduced as an expression of a communal consensus[94]. What is being suggested is that the carnival incidents may have contributed to forming that consensus, or to expressing it publicly once formed.

---

[88] *F. Alberoni*: The Powerless ›Elite‹. . . . In: *Mcquail* (as note 87). p. 82.

[89] Through the demand to have town councils give an annual accounting of their rule to the assembled commune, see *Kaser*: Poilitische und soziale Bewegungen, (as note 78) p. 183.

[90] *Bakhtin*: Rabelais (as note 59) pp. 5, 7.

[91] *Simson*: Artushof (as note 33) p. 68.

[92] *P. Simson*: Geschichte der Stadt Danzig. vol. 2. pp. 50–51.

[93] *F. Köster*: Beiträge zur Reformationsgeschichte Naumburgs von 1525 bis 1545. In: Zeitschrift für Kirchengeschichte 22 (1901) p. 149.

[94] *S. E. Ozment*: Reformation in the Cities (as note 55) p. 125.

We find a very clear example of this aspect of carnival in the Nuremberg Schembart procession of 1539. The procession had not been held during the years 1524-38, possibly because of Protestant disapproval of festivities which seemed close to superstition. The leading Nuremberg preacher, Andreas Osiander, was a sober and puritanical man and the Nuremberg citizenry plainly held him responsible for restrictions on the carnival life. In a Hell in the form of a Ship of Fools, Osiander was shown surrounded by fools and devils, holding a gaming board. He complained to the council, which arrested the carnival organisers and prohibited the Schembart once more. In retaliation a crowd stormed Osiander's house[95]. In this case, as in our other examples of carnival, there is no doubt that carnival communicated the popular will to the magistrates as effectively as a popular vote. The connivance of the rulers in many cases at such expressions of popular feeling may well be taken as evidence that they had got the message.

5. Ritual desacralisation

I now want to take up in more detail the role of degradation and grotesque realism in carnival. Bakhtin sees this as the means through which the ideal, the spiritual and the abstract are reduced to the level of material reality[96]. In particular, parody of the cult of the church places it outside the realm of religiosity. This is perhaps an oversimplified view, regarding popular culture as essentially materialist, while religious and idealist world-views are something imposed from above. This scarcely allows any scope for carnival as an expression of a fervent religious spirit aroused by the Reformation, and begs many questions about the dialectical relationship between popular and official culture[96a].

Bakhtin's argument may have some force if we could regard our examples as expressions of anti-clericalism in which religious fervour plays a subsidiary part. The representation of the pope, cardinals, bishops, monks and nuns in our carnival incidents certainly shows that these figures have been removed from any elevated position and reduced to that of the mundane. And in some cases the degradation goes even further: to the level of beasts who may be hunted, or that of the outcast who is pelted with dung. If we had more information on the use of effigy, we could add that they had been reduced to the level of puppets, straw

---

[95] *K. Drescher*: Das Nürnbergische Schönbartbuch. Weimar 1908. pp. ix, 3b; the Hell is depicted on p. 75a.

[96] *Bakhtin*: Rabelais (as note 59) p. 19.

[96a] See also the comments in *Davis*: Tasks and Themes. pp. 307-309 on the categories in which popular religion is discussed.

men[96b]. All this is a form of desacralisation, something more evident in the case of mockery of images and relics. This goes beyond mere anti- clericalism and is designed to show that these objects do not posses any efficacious power. By virtue of their role in religious cult and ritual, they inhabit a sacral realm which gives them numinous associations. In carnival they are reduced from this status to being once more mere material objects. There are two stages in the process. First they are challenged to display their power, and when they cannot do so their materiality is demonstrated by smashing them[96c]. This applied not only to images, but to such matters as the profanation of the host (the reverse process, one notes to host miracles, in which the material bread is shown to have supernatural associations), and to a lesser degree to the challenging of papal bulls or indulgences. Luther's burning of the papal bull condemning him also had this character.

The discussion thus far accords with Bakhtin's view, but ultimately I suspect that we must go beyond his simple materialism and seek our explanation in terms of social relations and their ideological expression. We could interpret carnival as acting out a desire to overthrow the existing social hierarchy, but it is significant that this so often remained at the level of acting. Only in the case of Munster do we find any attempt to accompany social degradation in carnival with a broader social change. The noticeable feature is the ritual character of the actions. Social anthropologists regard ritual as a form of symbolic action basic to the existence of society because it aims at creating harmony and structure within the social order. In particular it depends on its efficacy in creating a ranked and ordered world in which all play their appointed roles. The social system thus established recognises positions of authority as endowed with explicit spiritual power to bless or curse. Disorder enters this structure where any ambiguity or anomaly exists within it, creating a sense of danger because of the threat to the completeness and wholeness of the system[97]. Mary Douglas argues that holiness is a question of such wholeness or completeness, and that such anomalies thus present a spiritual threat. The response to such preceived threats is a ritualised reaction – there is a ritual reordering and reconstructing to remove the anomaly[98].

[96b] It was a common term of abuse to call Catholic preachers »carnival puppets« (*Fastnachtsbutz*): see, for example, Ulm where an angry crowd hurled the term of abuse at a priest who wished to open his sermon with an Ave Maria. Stadtarchiv Ulm, Ulmiensien 5314, 20a.

[96c] On these themes, see *M. Warnke*: Durchbrochene Geschichte? Die Bilderstürme der Wiedertäufer in Münster 1534/35. In: *M. Warnke* (ed.): Bildersturm. Die Zerstörung des Kunstwerks. München 1973. pp. 65–98; also *H. Bredekamp*: Renaissancekultur als ›Hölle‹: Savonarolas Verbrennung der Eitelkeiten. In: ibid. pp. 41–64; *R. C. Trexler*: Florentine Religious Experience: the Sacred Image. Studies in the Renaissance 19 (1972) pp. 7–41.

[97] *M. Douglas*: Purity and Danger. London 1966. pp. 39–40, 70–72.

[98] *Douglas*: Purity and Danger (as note 97) p. 40.

This looks suspiciously like a structuralist-functionalist assumption of an ever self-stabilising social system, but it does appear to have a certain explanatory value for the Reformation, where religious change did not lead to radical social change[99]. A world structured around the efficacious power of the Catholic cult and ritual becomes for the evangelical believer both an anomaly and a danger to the world as a whole. The restructuring of this world is a necessity, most effectively carried out with the removal of the old religious order and the establishment of a new. The reordering of matters such as images, relics, the church hierarchy, etc., both removed them from their position of authority and demonstrated the effective loss of their spiritual power. They took their place within a structure of being where they were symbolically indifferent. In this sense Stephan Ozment has seen the Reformation as involving a secularisation of daily life[100]. This reordering or desacralisation was often acted out ritually, and carnival seems to be one of the contexts in which it occurred[101]. What seems evident from our examples is that it was initiated from the side of popular rather than official culture[102]. To see why it went no further we must turn to our last approach to the interpretation of carnival.

6. The World Turned Upside-down

This is perhaps the most important of all the aspects of carnival we have been discussing, if only because the world turned upside-down is so frequent and universal a theme in late-medieval culture. It is manifest in a variety of forms, although not always in terms of a top-to-bottom inversion. The German term *verkehrte Welt* captures more effectively the variations of a world topsy-turvy, inside-out, inverted or reversed in which it appears. E. R. Curtius called attention to it as a stock topic of medieval literature. He saw it as going back to a classical principle of stringing together impossibilities such as the ass on the lyre or the blind leading the blind. Vergilian versions of such paradoxes were well-known in the middle ages, and medieval literature carried the principle to the

[99] This leaves aside the interpretation of the Reformation as »early bourgeois revolution, some of the problems of which I have indicated elsewhere: see my review article »Is there a Social History of the Reformation?« In: Social History 4 (1977) pp. 484–487.

[100] *Ozment*: Reformation in the Cities (as note 55) pp. 116–120.

[101] *Davis*: The Rites of Violence: Religious Riot in Sixteenth Century France . Past and Present 59 (1973) pp. 81–3 discusses this element in religious riots in France .

[102] The official ritual form of such reordering was the holding of disputations or of votes within towns as a formal means of introducing the Reformation, the outcome of which was usually known in advance.

point of inversion. The twelfth-century *Mirror of Fools* spoke of the present as standing the entire past on its head, and the *Carmina burana* gave it a popular formulation in a song beginning »Once studies flourished, now all is turned to tedium«. This becomes a lament for the dominance of youth over age, frivolity over seriousness, inexperience over wisdom. Curtius saw the struggle of youth versus age, of moderns against ancients as a classical formulation of the notion[103].

This theme enters the world of carnival in the contest of Carnival and Lent, but Bakhtin sees carnival itself wholly as a world turned upside-down[104]. Inversion is found everywhere. The youth or the fool is made king, folly and licence rule in the place of wisdom and order, the high and the sublime are degraded, the serious is made comic and the revered is mocked. Travesty is another sign of this inversion, the exchange of clothes signifying the reversal of roles, especially where it involved dressing in clothes of the opposite sex. Bakhtin invests these inversions with a cosmic significance. Carnival presents an alternative world which upturns established authority and truth. These pretend to be ageless and immutable; carnival sets them firmly in the context of time and impermanence, showing them up as carnival dummies which can be destroyed in the market place[105]. Bakhtin sees carnival, of course, as an image of revolution (and indeed revolution can take on a carnivalesque spirit and form – this led Weidkuhn to compare Basel in 1529 with Paris in 1968.)

Another form of *verkehrte Welt* is religious – the principle of inversion is an intrisic theme in Christianity. In this form, the world in which we live is an inversion of reality. The here and now is the world upside-down, true reality its inversion. The Gospels abound in examples of inversion: the last shall be first and the first last (Matt. 19, 30); he who humbles himself shall be exalted and he who exalts himself shall be humbled. The parable of Lazarus and the rich man Dives also exemplifies this inversion principle, interestingly enough the most popular New Testament parable of the later middle ages[106]. This embodies an idea of compensatory justice which could be used conservatively to sanction an established hierarchy.

Related to this conservative outlook in which everything has its appointed place in this world is a pessimistic view of the *verkehrte Welt*. The world is upside-down because that which should never have been allowed to happen has come to pass. The natural order has been upturned, and this is a sign of decline. It was a commom view at the end of the fifteenth century, and is found in Sebastian Brant's »Ship of Fools«, which expresses a doom-laden sense of inver-

---

[103] *E. R. Curtius*: European Literature and the Latin Middle Ages. London 1953. pp. 94–98.

[104] *Bakhtin*: Rabelais (as note 59) p. 11.

[105] *Bakhtin* ibid. p. 213.

[106] *T. S. R. Boase*: Death in the Middle Ages. London 1972. pp. 28–35, 45.

sion in its concept of folly. The world is full of decay because it is full of disorder where all is out of place[107]. This pessimistic view of the world upside-down reflects a prophetic and ultimately chiliastic view of inversion. The *verkehrte Welt* is a sign of the last days. It is expressed in inversions in nature, in signs and wonders in the heavens, in rains of blood or of crosses, and in the birth of monsters[108]. Such reversals of nature doubtless had biblical roots, but they were popularised in the prophetic literature at the end of the middle ages. The Tiburtine Sybil, part of one of the most widely read of the popular prophecies, gave a particularly forceful exposition of the concept[109]. The truely chiliastic outlook, of course, did not regard the thought of the *verkehrte Welt* with gloom or foreboding, but with joy. The world turned upside-down was exactly what one wished to see, for it meant the attainment of true reality.

The most compelling form of inversion known to the middle ages was perhaps the figure of the Antichrist, who was the complete reversal of everything that Christ was for Christian salvation history and whose personal history was a black parody of that of Christ. By drawing on this figure and so successfully identifying him with the pope, or rather the papacy, Luther assimilated the *verkehrte Welt* into his religious movement in one of its most powerful forms[110]. It would not be too much to say that the evangelical movement became the inheritor of the prophetic and chiliastic notions of inversion so prevalent in the later middle ages. This gave the opposition of the old and new belief a cosmic significance it might otherwise have lacked – it made it a contest of true and false belief in a total sense. Catholicism was thus not merely a mistake or a delusion, it was the very antithesis of true belief. Thus the acceptance or rejection of the Gospel had to be total, there could be no half-measures. In this sense, the evangelical movement itself was a world turned upside-down. Given the extent to which carnival was also an inverted world, it seems to be a natural mode of expression for the new belief. It witnessed both the sense of total inversion of the old order, as well as the true believer's sense of joy at attaining the »correct« world.

We have said that the *verkehrte Welt* was a near universal theme in the later middle ages. Indeed, it can be regarded as running through all these aspects of carnival we have already discussed, and can be taken as a unifying theme. The role of youth was to invert the values of the previous generation, play and game inverted the mundane world, the ritual of rebellion upturned the structure of rule

[107] *Lefebvre*: Les fols et la folie (as note 27) pp. 89–91.

[108] *W. E. Peuckert*: Die grosse Wende. Das apokalyptische Saeculum und Luther. Hamburg 1948. p. 225.

[109] See *Die dreizehest Sibylla in Zwolff Sibyllen weissagung*, facsimile edition in *A. Ritter* (ed.): Collectio Vaticinorum. Berlin 1923.

[110] *H. Preuss*: Die Vorstellung vom Antichrist im späteren Mittelalter, bei Luther und in der konfessionellen Polemik. Leipzig 1906. pp. 10–27 on the nature of the Antichrist. pp. 85–197 on Luther's use of the figure.

and hierarchy; carnival presented an alternative form of communication to that of the established order (the edict, the sermon, even the printed word), and ritual desacralisation overthrew the given hierarchy of sacred persons and objects. These were all forms of collective behaviour which could be appropriated for the new belief in differing ways and with varying results. In fact we can discern two possibilities running throughout our discussion. These collective forms might serve to integrate the Reformation into existing structures and use it to reaffirm them, or it might lead it to challenge them, overturn them. We know that the latter did not occur. Whether this was primarily because of the nature of the evangelical movement itself, or because of the nature of late- medieval collective mentalities must remain at this point an open question[111]. More importantly, when the new belief sought to express itself collectively it turned not only to new forms of collective expression it had created itself, such as the hymn-singing community[112]. Prior to this, it turned to modes such as carnival which were deeply embedded in the cultural experience of the people.

As such carnival can be said to have met a collective psychological and social need of the new faith in its early stages. For the individual believer such a radical change of opinion would not have been possible without extreme tensions and mental stress. By drawing on the collective resources of the community, carnival made possible the transition from the old to the new. Social anthropologists see such transitions as fraught with the danger of destruction – the disaggregation of values involved need to be followed by any reintegration of values[113]. One may argue that carnival facilitated this transition – the world turned upside-down but it was seen as liberating, not destructive. Of course, carnival was only one of the means through which this was done, and we need to look for other popular cultural forms and their role in the Reformation before we can understand it fully as a manifestation of collective mentalities. Study of our limited range of examples reveals, however, the need for methodological caution. Like other popular cultural phemomena of this pre-industrial period, such as prophecy or millennialism, carnival is ambivalent in its purposes and expressions[114]. As such it

---

[111] Important here is E. P. Thompson's concept of the »moral economy« of the pre-industrial crowd, see: The Moral Economy of the English Crowd in the Eighteenth Century. Past and Present 50 (1971) pp. 76-136. As Thompson points out, the popular ideology was both formed under the influence of that of the rulers, but also broke decisively from it, not least in seeing direct action as legitimate. Natalie Davis has discerned this kind of ambivalence in religious riot in France , where the crowd saw direct action as justified, but saw itself as carrying out the roles in which their magistrates had failed. As I have suggested throughout, carnival shares this ambivalence, and it is certainly a central feature of the Reformation regarded as a popular movement. It requires a separate detailed investigation.

[112] See *N. Z. Davis*: The Protestant Printing Workers of Lyons in 1551. Travaux d'humanisme et renaissance 28/29 (1957/58) p. 251.

[113] See *Gluckman*: Les rites de passage (as note 70) Essays. p. 3.

[114] *E. J. Hobsbawm*: Primitive Rebels. Manchester 1959. Chs. 3-6 called attention to the

witnesses the richness und complexity of popular culture and the movements to
which it gave birth.

Zusammenfassung

Der vorliegende Aufsatz analysiert 22 Fälle, in denen sich die reformatorische
Bewegung im Karneval oder in fastnachtähnlichem Treiben zum Ausdruck
bringt. Die Vorfälle werden beschrieben und analysiert und unter Berücksichtigung der Eigenart und Bedeutung des Karnevals interpretiert. Es werden sechs
Interpretationsarten berücksichtigt: Jugendkultur, Spiel und Spaß, Rebellions-
ritual, Karneval als alternatives Massenmedium, Karneval als rituelle Desakralisierung, verkehrte Welt. Die ersten drei Interpretationsarten können als von
oben aufgesetzte Formen betrachtet werden, als Mittel, die soziale Ordnung aufrechtzuerhalten, die letzteren drei sind populäre Kulturformen, die von unten,
aus dem Volk, kommen.

Für die Reformation erweist sich das Thema der *verkehrten Welt* als umfassende Thematik. Sie ist in allen Interpretationsarten enthalten und erlaubt eine
psychologische Erklärung dafür, warum eine religiöse Wende oder Revolution
möglich war ohne zu einem sozialen Umsturz zu führen.

importance of millennialism in social protest movements, but not all kinds of millennialism
need lead to such movements: see *M. Reeves*: Joachim of Fiore an the Prophetic Future.
London 1976. p. vii.

Thomas A. Brady Jr.

Princes' Reformation Versus Urban Liberty: Strasbourg and the Restoration in Württemberg, 1534

Ulrich (1487-1550), third duke of Württemberg, rode into his capital city of Stuttgart on May 15, 1534, after fifteen years in exile. Driven from his lands by the Swabian League in 1519, Ulrich spent most of the intervening years as guest of his cousin, protector, and friend, Landgrave Philip (1504-67) of Hesse, with whose backing he recovered his duchy[1]. The restoration and subsequent reformation in Württemberg marked a turning point in the political history of Reformation Germany, the last struggle in the South before the chief theater of struggle shifted to the North. It was also a turning point *within* the Protestant movement. Although it was greeted with joy in many of the Protestant free cities,

This study is dedicated to the scholars of the Sonderforschungsbereich 8, Spätmittelalter und Reformation, Projektbereich O and Z, who did so much to make my year in Tübingen both profitable and enjoyable. My special thanks go to my host, Professor H. A. Oberman, and to his Institut für Spätmittelalter und Reformation. This research could not have been completed without the generous support of the Alexander von Humboldt–Stiftung. My thanks also to the directors and staffs of the following institutions: the Archives de la ville de Strasbourg, the Hessisches Staatsarchiv Marburg, and the Hauptstaatsachiv Stuttgart as well as the Center for Reformation Research (St. Louis). Catherine Gingrich Brady helped with every stage of this study.

SIGLA: AMS = Archives Municipales de Strasbourg; HStAM = Hessisches Staatsarchiv Marburg (therein: PA = Politisches Archiv des Landgrafen Philipp von Hessen); HStASt = Hauptstaatsarchiv Stuttgart; PCSS = Politische Correspondenz der Stadt Straßburg im Zeitalter der Reformation, edd. *Hans Virck* et al. (Strasbourg 1882-90; Heidelberg 1928-33); VKLBW = Veröffentlichungen der Kommission für geschichtliche Landeskunde in Baden-Württemberg; QBLG = Quellen der badischen Landesgeschichte, ed. *Franz Joseph Mone* (Karlsruhe 1845-63).

[1] On the restoration in Württemberg the basic works are *J. Wille*: Philipp der Grossmüthige von Hessen und die Restitution Ulrichs von Wirtemberg 1526-1535. Tübingen 1882, with numerous important documents; and *A. Keller*: Die Wiedereinsetzung des Herzogs Ulrich von Württemberg durch den Landgrafen Philipp von Hessen 1533/34. Dissertation Marburg 1912. Wille published some additional correspondence in: »Briefe Jakob Sturms, Stettmeisters von Strassburg«. In: ZGO 33 (1880) pp. 101-115, here at pp. 103 ff., to be used with *Otto Winckelmann's* corrections in: PCSS II. Wille, Winckelmann and other early students of this subject exploited HStAM, PA, before the reorganization that produced its present structure. Thus, the letters between Landgrave Philip of Hesse and Jacob Sturm, cited by *Winckelmann* as being in »Marburg Archiv (Württemberg)« are now in: HStAM, PA 2915 (Stadt Strassburg).

and although much aid for the restoration came from the free city of Strasbourg, the cause of urban liberty lost through Ulrich's restoration. As Heiko A. Oberman has written: »Ulrich's restoration . . . marks the beginning of a new era, in which the cities would have a future only as subordinate territorial administrative centers, and as such could secure no maneuvering space for their own political will«[2]. While furthering the cause of Protestantism, Ulrich's recovery of Württemberg restored to power the worst enemy of urban liberty in South Germany. It was made possible, however, partly through the aid he received from the most militant Protestant free city in the South, Strasbourg. The motives, forms, and extent of this aid form the subject of the following exploration of this apparent paradox.

I
Ulrich's Cause and the South German Free Cities, 1519–1534

Vater unser:
Reitling is unser.
der du pist in den himmeln:
Ehing und Eßling wölln wir auch pald gewinnen.
geheiligt werde dein nam:
Hailprunn und Weil wölln wir auch han[3].

The list of Swabian free cities in this version of »Duke Ulrich's paternoster« documents his fame as a scourge of urban liberties. He began to rule in 1503, grandson and namesake of Count Ulrich »the Well-beloved« (ca. 1413–80); but by 1519 his subjects might have called him »Ulrich the Well-hated«, though their emnity dimmed through the years of exile[4]. It was his attack on Reutlingen in 1519 which brought the Swabian League down on his head and sent him on the bitter road into exile. The free cities of the South, who played a stronger role in the Swabian League than they would in any subsequent alliance – including the

---

[2] *H. A. Oberman*: Werden und Wertung der Reformation. Vom Wegestreit zum Glaubenskampf. Tübingen 1977. (Spätscholastik und Reformation 2) pp. 339–340.

[3] *R. Frhr. v. Liliencron* (ed.): Historische Volkslieder der Deutschen. Leipzig 1865–69. vol. III p. 239 No. 313.

[4] The irony of this change is caught by *G. R. Elton*: »[Ulrich's] absence, assisted by the Austrian occupation, had turned him from a well-hated tyrant into a romantic dream to the people of the duchy«. Reformation Europe, 1517–1559. New York 1966. 1st ed. London 1963. p. 155.

Smalkaldic League – helped to drive their foe from his lands, which they handed over to the Hapsburgs[5].

The success of the Reformation in South Germany gave Ulrich a chance to regain his lands. He first tried for aid from the Swiss Evangelical towns. He had converted, perhaps in early 1524, to the Swiss version of the new religion[6], a reasonable act in view of the proximity of his remaining territories to the spheres of influence of Swiss cities – the great fortress of Hohentwiel to that of Zürich and Montbeliard to that of Basel. With Swiss troops Ulrich tried to seize his old lands under cover of the revolution of 1525, but they deserted him before Stuttgart[7]. From this point onward, his fate depended on the development of a Protestant alliance in Germany.

All dreams of a Protestant alliance in the southern regions of the German-speaking world centered on the young Landgrave of Hesse, Philip, whose sponsorship for Ulrich's cause reflected a near perfect marriage of his friendship for Ulrich, his expansive view of his own religion, and his ambition to be leader of the Protestant South[8]. He dreamed of a southern anti-Hapsburg front, an-

[5] That the free cities were chiefly to blame for Ulrich's expulsion was alleged in several contemporary songs. *Liliencron* (as note 3) vol. III p. 241 No. 314 lines 1–5; pp. 252–253 No. 318, lines 131–166; and *K. Steiff* and *G. Mehring* (eds.): Geschichtliche Lieder und Sprüche Württembergs. Stuttgart 1912. p. 111 No. 28. *E. Naujoks*, who best appreciates the importance of the Swabian League to the free cities of Swabia, writes that, »Es war richtig, wenn die Fürsten hierin nicht nur einen Erfolg der kaiserlichen Partei, sondern vor allem der Städte sahen«. In: Obrigkeitsgedanke, Zunftverfassung und Reformation. Studien zur Verfassungsgeschichte von Ulm, Eßlingen und Schwäb. Gmünd. Stuttgart 1958. (VKLBW 3) p. 48, and see pp. 24–28. According to *E. Bock*: it is quite understandable, »daß es vor allem die Städte waren, die immer für eine Verlängerung des Bundes eintraten, soweit sich damit nicht Änderungen verbanden, die gegen ihre politischen Richtlinien gingen«. In: Der Schwäbische Bund und seine Verfassungen 1488-1534. Ein Beitrag zur Geschichte der Zeit der Reichsreform. Aalen 1968. 1st ed., Breslau 1927. (Untersuchungen zur deutschen Staats- und Rechtsgeschichte, Old Series 137) p. 171. Ulrich's successful seige of Reutlingen (21.-28. I. 1519) is colorfully recounted by *Ludwig Friedrich Heyd*: Ulrich, Herzog zu Württemberg. Ein Beitrag zur Geschichte Württembergs und des deutschen Reichs im Zeitalter der Reformation, 3 vols. Tübingen 1841-44. vol. I pp. 524-531; and that Ulrich also planned to subjugate Eßlingen in 1519 is confirmed by *G. Kittelberger*: Herzog Ulrichs Angriffspläne auf die Reichsstadt Eßlingen. 1971. (Jahrbuch für Geschichte der oberdeutschen Reichsstädte 17) pp. 116-119.

[6] *Oberman*: Werden und Wertung (as note 2) p. 341 note 34. As we have no biography of Ulrich more modern than Heyd's (note 5 above), it is difficult to contest the »heute vorherrschende Einschätzung Ulrichs als eines reinen ›homo politicus‹.

[7] *A. Feyler*: Die Beziehungen des Hauses Württemberg zur Eidgenossenschaft in der ersten Hälfte des 16. Jahrhunderts. Zürich 1905. pp. 264-279; *G. Franz*: Der deutsche Bauernkrieg. 7th ed. Bad Homburg v. d. H., 1965. pp. 106-107.

[8] See the excellent discussion by *R. Hauswirth*: Landgraf Philipp von Hessen und Zwingli. Voraussetzungen und Geschichte der politischen Beziehungen zwischen Hessen, Strassburg, Konstanz, Ulrich von Württemberg und reformierten Eidgenossen 1526-1531. Tübingen/Basel 1968. (Schriften zur Kirchen- und Rechtsgeschichte 35) ch. 1.

chored by Hesse in the North and the Swiss towns in the South, with the free cities of Swabia and the Upper Rhine – plus Württemberg – in the center: in fine, a southern wing of the Smalkaldic League (established 1531) to match, in financial power and military prowess, the swarm of Lutheran powers around the elector of Saxony[9]. Always vital to Philip's dream, the Evangelical cities of the South became even more significant after the collapse of Zürich's mini-imperialism after the death of Zwingli (d. 1531). Though Ulrich's was a princely cause, Philip had to sell it as a Protestant cause to his urban friends and clients. By the end of 1533, this effort bore fruit, when enough Protestant cities supported his plan to block renewal of the Swabian League, thus opening the high road to Stuttgart[10].

Philip's dream pitted against each other the two leading motives of urban policy in the South – collective defence of their own liberties against their loyalty to Protestantism. To those who lay within striking distance of Württemberg – Reutlingen, Esslingen, Heilbronn, Weil der Stadt, Schwäbisch Gmünd, and Ulm – the restoration of such a wolf in Stuttgart, even clad in the sheep's clothing of his new religion, was a highly dangerous policy decision. In late 1533, Philip's dream was but a policy; within a few months, it became history. As Ranke noted long ago[11], the restoration in Württemberg became possible in 1534 because of shifts in the fortunes of the Hapsburg dynasty and its adversaries, lending temporary advantage to France and the German Protestant powers. The landgrave seized his chance and made preparations for a strike against the Hapsburg regime in Stuttgart. He turned for aid, not to the Evangelical towns of Swabia, such as Ulm and Augsburg, whose enthusiasm for the project might well be suspect, but to Strasbourg.

[9] *E. Fabian*: Die Entstehung des Schmalkaldischen Bundes und seiner Verfassung 1524/29–1531/35. Brück, Philipp von Hessen und Jakob Sturm. 2nd ed. rev. Tübingen 1962. (Schriften zur Kirchen- und Rechtsgeschichte 1).

[10] *Wille*: Philipp der Grossmüthige (as note 1) pp. 39–40, 120 ff. The dissolution of the Swabian League is commonly attributed to the Hessian landgrave (see *Bock*: Der Schwäbische Bund (as note 5) pp. 211–218), but it is now known that the Bavarians were just as much responsible. See *H. Puchta*: Die Habsburgische Herrschaft in Württemberg 1520–1534. Dissertation Munich 1967. The continuity between the League and the organization of the Swabian Circle is documented in the rich study by *A. Laufs*: Der Schwäbische Kreis. Studien über Einungswesen und Reichsverfassung im deutschen Südwesten zu Beginn der Neuzeit. Aalen 1971. (Untersuchungen zur deutschen Staats- und Rechtsgeschichte, New Series 16) esp. pp. 133–141.

[11] *L. v. Ranke*: Deutsche Geschichte im Zeitalter der Reformation. Ed. *W. Andreas*. 2 vols. Wiesbaden n. d. vol. II p. 81.

II
Strasbourg and the Cause of Duke Ulrich, 1519–1534

> *Herzog Ulrich, den pund hast du verachtet*
> *den adel auch geschmecht,*
> *den edlen fürsten auss Baiern*
> *gehaissen ein schneiderknecht . . .*[12]

> *Ich bin jung und nit alt*
> *gerad, hübsch und wolgestalt,*
> *gross genug und kein zwerg,*
> *herzog und henker zu Wirtemberg. . .*[13]

The Strasbourgeois had no major economic interests in Swabia[14], nor had their regime ever joined the Swabian League. Ulrich's expulsion was nonetheless noted there, for Ulrich was also an Alsatian lord, who ruled the Alsatian lordship of Reichenweier/Riquewihr (his birthplace) and the county of Horburg, plus the far more important county of Montbeliard and associated lordships, which lay astride the western approach to the Burgundian Gate and thus controlled the high road from Burgundy to the Upper Rhine[15]. These western lands were the direct concern of Ulrich's brother, Count George (1498–1558), who sought refuge at Strasbourg in 1519[16].

Ulrich's expulsion had unexpected results for some Strasbourg merchants. In late 1519 his officials at Montbeliard seized seven wagons with goods in transit

---

[12] *Liliencron* (as note 3) vol. III p. 242 No. 315, stanza 7.

[13] *Steiff* and *Mehring* (as note 5) p. 111 No. 28.

[14] I have summarized the evidence on the geographical structure of Strasbourg's commerce in: Ruling Class, Regime, and Reformaton at Strasbourg, 1520–1555. Leiden 1978. (Studies in Medieval and Reformation Thought 22) pp. 97–102. but for a detailed discussion one must consult *P. Hertner*: Stadtwirtschaft zwischen Reich und Frankreich. Wirtschaft und Gesellschaft Strassburgs 1650–1714. Cologne/Vienna 1973. (Neue Wirtschaftsgeschichte 8) pp. 1–10 and esp. 115–192. making some allowances for changes during the intervening years.

[15] *J. Fritz*: Die alten Territorien des Elsass nach dem Stande vom 1. Januar 1648. Strasbourg 1896. (Statistische Mittheilungen über Elsass-Lothringen 27) pp. 49–50.

[16] *Martin Crusius*: Schwäbische Chronik. Aus dem Lateinischen erstmals übersetzt und mit einer Continuation vom Jahre 1596 biss 1733 versehen von Johann Jacob Moser. Frankfurt/Main 1733. III. x, 8 (vol. II, p. 191).

from Lyons to Strasbourg[17]. They alleged that the goods were actually in transit to Ulmers or Nurembergers (*die bundtschen*) and released them only after Strasbourg's regime vouched for its merchants and forwarded the bills of lading and the merchants' signs[18]. But this was minor trouble, and Ulrich's image at Strasbourg, so Wolfgang Capito reported in 1525, was very good[19].

Neither Ulrich nor Württemberg figured importantly in Strasbourg's foreign policy until the era of the Reformation. The political tie to Philip of Hesse brought both that prince and Ulrich to Strasbourg's money market, though neither came from a dynasty which usually borrowed there[20]. Philip began borrowing in Strasbourg only in 1530[21] and Ulrich two years later, when he got 7,500 fl (= *gulden* = Rhenish florins) secured by revenues at Montbeliard and Blamont – about all he had left[22]. Only with Philip's backing, however, could Ulrich expect *politically-motivated* aid from Strasbourg's regime, and this only because the regime had decided to make common cause with the Lutheran princes.

In a microcosm of the struggle within German Protestantism, at Strasbourg during the late 1520s a pro-Swiss, pro-Zwinglian party struggled in the regime with a pro-princely one. Leader of the latter was Jacob Sturm (1489–1553), who since 1526 had become the regime's premier diplomat and a confidant of Philip of Hesse[23]. Sturm had shared Philip's vision since 1528, when he abandoned the historic policy of urban solidarity, and he thereafter worked against the Swiss alliance and eventually led his regime into the Smalkaldic League[24]. To crown the success, the southern urban preachers signed the confession of Augsburg in 1532, and a now solid Protestant front wrang a truce from Charles V. This peace (the *Nürnberger Anstand*) was jeopardized by Philip's plans for Württemberg in 1534.

---

[17] HStASt, A 149/1. Two major items in the bills of lading are metal wares (esp. knife blades) and rosaries.

[18] The merchants involved were Friedrich V von Gottesheim, Jacob Wissbach, Batt von Duntzenheim, Conrad Joham, Diebold Olter, and Friedrich and Jacob Ingold. Except for Olter, they can be identified by consulting the index to my Ruling Class (see note 14).

[19] Wolfgang Capito to Ulrich Zwingli, Strasbourg, 6. II. 1525: *Favor ducis W[irttembergensis] hic magnus est.* Huldreich Zwinglis sämtliche Werke, eds. *E. Egli* et al., 14 vols. Berlin/Leipzig/Zürich 1905–59. vol. VIII, p. 299 (No. 362), lines 4 f.

[20] *Brady*: Ruling Class (as note 14) p. 155.

[21] See below, note 36, for references.

[22] AMS VII 11/2; AMS AA 69. fol. 99; noticed in: PCSS II p. 158 No. 154. Interest on this loan was still being paid in 1700.

[23] *Brady*: Ruling Class (as note 14) pp. 208–215, 351.

[24] On the evolution of Sturm's policy, see my »Jacob Sturm of Strasbourg and the Lutherans at the Diet of Augsburg, 1530«. In: Church History 42 (1973). pp. 183–202, here at pp. 184–185; and now Ruling Class (as note 14) p. 243.

The advance of the Reformation in the South had greatly widened the circle of anti-Hapsburg powers. Strasbourg had no traditional motive for or against the Hapsburgs, but a Hapsburg Württemberg now became the center of Catholic resistance to the new religion in the Southwest[25], as well as a wedge between Protestant Hesse and its southern urban allies. A Hapsburg Württemberg could convert the loose string of territories streching from Tyrol and Vorarlberg across Upper Swabia, the Breisgau, and the Sundgau to the Franche Comté, into the basis of a powerful territorial state[26]. With a bit of luck, the Southwest might see a Hapsburg state to match that in the Southeast – granted, that is, the traditional high degree of cooperation between the monarchy and the free cities[27]. But the rise of Protestantism made such an alliance impossible, at least in the eyes of Strasbourg's Sturm, whose foreign policy became thoroughly confessional. Sturm clearly appreciated Hapsburg Württemberg as a wedge between Hesse and the Swabian towns, as well as the anti-Protestant potential of the Swabian League[28]. He cared less about the plight of the Bavarian dukes, sealed into an iron Hapsburg ring, whom he mistrusted for confessional reasons[29]. Just as clear

[25] *Oberman*: Werden und Wertung (as note 2) pp. 304–328.

[26] In the discussion of the strategic significance of Hapsburg Württemberg to the Protestants, it is often forgotten that, already before 1519, the Hapsburg dynasty ruled more land than any other power between the Lech and the Vosges and between Lake Constance and Franconia. But see *P. Blickle*: Landschaften im alten Reich. Die staatliche Funktion des gemeinen Mannes in Oberdeutschland. München 1973. pp. 96–97, on »Swabian Austria«, and *F. Metz* (ed.): Vorderösterreich, eine geschichtliche Landeskunde. 2nd ed. Freiburg im Breisgau 1967. pp. 13–136.

[27] *Oberman*: Werden und Wertung (as note 2) pp. 338–339: »Schon im ersten Drittel des 16. Jahrhunderts hat der Mythos von Kaiser und Reich auch die progressivsten Kräfte in jener entscheidenden Wachstumsphase gehemmt, als es darum ging, die Einführung der Reformation in Strassburg und Konstanz (1523), in Nürnberg, Ulm und Augsburg (1524) überlokal politisch zu gestalten ... Nicht nur die wirtschaftlichen Sonderinteressen der Städte erwiesen sich mächtiger als ihre gemeinsame Sendung«. To this must be said that Oberman 1) vastly overestimates the cultural and political potential of the free cities, 2) ignores the fact that their ruling elites freely chose the Lutheran princes over the Swiss, and 3) creates a new myth of their »gemeinsame Sendung«. The key lies in his use of the word »überlokal«, for it was just the weakness of the free cities – and their strength – that they could not develop into a federation of true states »â la néerlandaise«, that they remained profoundly *lokal*.

[28] As soon as he accepted the idea of a confessionally-based alliance, Sturm realized that the Swabian League would have to be destroyed. To his (self-drafted) instruction for a meeting at Geislingen, drafted before 13. XII. 1528, Sturm added: *Nota: verhinderung schwebischen bunds.* PCSS I p. 306 No. 536.

[29] This is clear from his reaction to the offer of a Bavarian alliance, tendered through none other than Count Wilhelm von Fürstenberg late in 1534. See PCSS II Nos. 251, 253, 257, and esp. 259 (Sturm to Bernhard und Georg Besserer, 15. XII. 1534). The Bavarians, and especially the chancellor, Leonhard von Eck, have been very roughly handled by Protestant historians, particularly the clerical ones, for their role in the Württemberg af-

to Sturm was the military value of Württemberg, as he later told Duke Ulrich: »for the landgrave would supply the cavalry, you the infantry, and the southern towns the artillery«[30].

In 1534 Strasbourg's regime wanted the peace preserved, but the ascendancy of Sturm and his ties to Philip were now so strong as to assure the prince a willing hearing of his war plans at Strasbourg. Sturm, to be sure, did not want to risk the peace for Ulrich's sake[31], but he had staked Strasbourg's security on the landgrave, and he could hardly refuse him his personal support.

III
Strasbourg Money and the Restoration in Württemberg, 1534

Das stündelin ist wider komn,
das lang im land verpoten war
dass man herzog Uolrich den fromn
wider kecklich nennen tar
und sprechen, er well sein erbland hon; ...[32]

Making war required money, especially in a Germany in which armies were raised more through military entrepreneurs than through feudal levies[33]. Although he had not begun to borrow there until 1530, the landgrave was no stranger to Strasbourg's bankers. Through Friedrich II Prechter (d. 1528) and Hans Ebel (d. 1543), he had in 1532 transmitted his levy to the Swabian League's treasury at Augsburg[34]; and he was later consulted during the pursuit

---

fair; but the double game the Bavarians played was matched by the duplicity of Landgrave Philip. See Landgrave Philip to Johann Feige, his chancellor, 30. IX. 1532, quoted by *Wille*: Philipp der Grossmüthige (as note 1) p. 91.

[30] PCSS II pp. 262–263 No. 287.

[31] See Landgrave Philip to Jacob Sturm and Mathis Pfarrer, 3. X. 1533, in PCSS II pp. 199–200 No. 204.

[32] *Liliencron* (as note 3) vol. IV p. 78 No. 448, stanza 15.

[33] See *F. Redlich*: The German Military Enterpriser and his Work Force. A Study in European Economic and Social History. Wiesbaden 1964. (Supplement to the Vierteljahrschrift für Sozial- und Wirtschaftsgeschichte 47) vol. I pp. 30–53.

[34] .HStAM, PA 131. fol. 146; PA 1429. fol. 37. On these two men, who were partners and brothers-in-law, see *Brady*: Ruling Class (as note 14), in the index of personal names; and *F.-J. Fuchs*: Une famille des négociants banquiers du XVIe siècle, les Prechter de Strasbourg. Revue d'Alsace 95 (1956) pp. 146–194, here at pp. 147–148.

of Prechter's assassins[35]. In 1530 Philip tried to raise 20,000 fl. at Strasbourg, but the regime lent him only half the sum, though he did get it at the relatively low interest rate of 4%[36]. The regime warned him, however, against seeking a very large loan, pleading

> that we have had ourselves to borrow a considerable sum, due to the great costs stemming from the recent peasant rebellion and other menacing developments of recent years, and especially for our extensive public works [i.e., fortifications]. For a month or more we've been trying to raise money. And without consulting and getting permission for our assembly of the Schöffen and Ammeister, we cannot lend more than 200 fl.[37].

This was not strictly true, for later the regime did lend Philip much more than 200 fl. without consulting the 300 Schöffen of the guilds; but the legal requirement of consultation did serve as a useful excuse to friendly borrowers.

The man through whom the landgrave paid the interest on this first Strasbourg loan was to be his standing connection to Strasbourg's money market, Conrad Joham (d. 1551)[38]. Joham, son of a wealthy immigrant from Saverne, was a merchant in silk and metals with agents in the leading trade centers of Europe and one of Strasbourg's richest men. Not only had he regular business ties to Frankfurt am Main, a natural resort of the Hessian princes for loans, but one of his daughters married a son of Claus Stallburger, called »the Rich«, a big man in that city[39]. In February, 1534, when Philip of Hesse was assured an enormous loan-plus-subsidy from France and the neutrality of his fellow princes, he turned to the problem of financing the recruitment of infantry (*Laufgeld, zum Anlauf*) in the South[40]. He borrowed 21,000 fl. from Conrad Joham, who

[35] HStAM, PA 2915. fols. 23–25.

[36] This and all subsequent Hessian loans at Strasbourg were secured by assignments (here *Verschreibung*) of the interest to princely revenues. On this practice see *H. Bitsch*: Die Verpfändungen der Landgrafen von Hessen während des späten Mittelalters. Göttingen/Frankfurt/Zürich 1974. (Göttinger Bausteine zur Geschichtswissenschaft 47) pp. 110–115. On this loan, see HStAM, K 28. fols. 263^r–263^v; HStAM, PA 2915. fols. 44, 50^r–51^v; PCSS I Nos. 714, 716, 732, 735.

[37] HStAM, PA 2915. fols. 44^r (15. IV. 1530): *das wir durch mergklichen vnd grossen vncosten, so vns vergangner bewrischer vfrur vnd anderer geschwinden leuff halb, die sich nun ettliche jor har gehalten vfgangen ist, vnnd jnn sonderheit der mergklichen vnnd schweren vnser statt gebew, so wir hieuor gethon vnd yetzt vorhaben, dohyn verursacht vnnd gedrungen werden, ein namliche summa gelts vfzenemen. Wie wir dann nun mehr ein monat lang jn vbung gestanden vnnd noch sein. Nun haben wir aber on sonder vorwissen vnd verwilligung vnsers grossen Raths Scheffel vnd Amman vber zweyhundert gulden hynweg zulyhen nit macht.*

[38] HStAM, K 28. fol. 263^r–263^v. On Joham, see *Brady*: Ruling Class (as note 14) pp. 322–323, and the index of personal names.

[39] *A. Dietz*: Frankfurter Handelsgeschichte. 4 vols. in 5. Frankfurt/Main 1910–25. vol. I p. 250.

[40] See *Redlich* (as note 33) vol. I pp. 44–45.

»is to pay out these 21,000 fl. to my gracious lord or to his agents at Strasbourg . . .; and these 21,000 fl. shall be used for the recruitment of troops at Strasbourg«[41]. Joham was to receive »for his effort, expenses, and service, and for exchange [*vff wechsel*]« more than 800 fl. at the next autumn fair at Frankfurt[42]. Joham in fact paid out 20,000 fl. to a Hessian agent, Michael Nusspicker, in two equal payments in March, 1534, and the other 1,000 fl. to one of Philip's mercenary captains, Marx von Eberstein[43]. Nusspicker disbursed most of the 20,000 fl. to other mercenary officers during the April mobilization in Lower Alsace and transferred the unspent balance (2,008 fl.) to the Hessian treasurer [*Kammermeister*], Jost von Weiters[44].

When the Hessian recruitment mission, led by Count Wilhelm von Fürstenberg (1491–1549), arrived at Strasbourg in early April, 1534, Joham's 21,000 fl. were not nearly enough to hire and equip the troops. With Fürstenberg came two Hessian officials, Eberhard von Bischofferode and Rudolf Schenk zu Schweinsberg, through whom the two princes announced their declaration of war – their first official note to Strasbourg's regime – and asked for a gift, or at least a loan of 30,000 fl.: »for that part which the Stettmeister and Senate don't wish to give to us, we will both give them sufficient security«. . .[45]. In fact, before the

[41] HStASt, A 104/2. fol. 45ʳ, from the copy of the war accounts of Jost von Weiters, the Hessian *Kammermeister*, sent to Stuttgart to support the landgrave's request that Ulrich pay about half the war costs. The original accounts are in HStAM, PA 359, and others in PA 352–358, 360. Jost von Weiters (d. ca. 1562) entered the Hessian treasury service by 1527 and advanced to the office of *Kammermeister* after 14. VIII. 1532; he still held this office in 1555, but Herman Ungefug succeeded to it in 1562. *F. Gundlach*: Die hessischen Zentralbehörden von 1247 bis 1604. Marburg/Lahn 1931–1932. (Veröffentlichungen der historischen Kommission für Hessen und Waldeck 16). vol. I pp. 168–170, 182, 255–259, 264; vol. II pp. 53, 56, 63.

[42] HStASt, A 104/2. fol. 45ʳ, has 840 fl.; HStAM, PA 359. fol 54ʳ, has 811 fl. This is the transaction described by *Winckelmann* in PCSS II p. 210 note 2.

[43] Michael Nusspicker to Landgrave Philip, Strasbourg, 17. III. 1534, in HStAM, PA 2915. fol. 250ʳ; Jost von Weiters to Landgrave Philip, Frankfurt am Main, 26. III. 1534, in: HStAM, PA 330. fol. 3ʳ; Landgrave Philip to Rudolf Schenck zu Schweinsberg, ca. 19. IV. 1534, in: HStAM, PA 326. fol. 53ʳ. Michael Nusspicker (d. after 1572), was 1540–49 Hessian Kanzleiregistrator, 1567 Obereinnehmer der Tranksteuer. *Gundlach*: Zentralbehörden (as note 41) I pp. 157, 245–249; II pp. 64, 125, 131, 147. Rudolf Schenck zu Schweinsberg (d. 15. XII. 1551) studied 1505 at Erfurt; 1518 Hessian vassal; 1524 married Helene, daughter of Wilhelm von Dornberg; Protestant by 1527; 1536 Landvogt zu Eschwege; 4. IV. 1537 Landvogt an der Werra; 1534 ff. Statthalter zu Kassel. Ibid. vol. I pp. 188–190, 206–207; II 61, 63, 72, 97; *G. Frhr. Schenk zu Schweinsberg*: Rudolf Schenk zu Schweinsberg. Allgemeine deutsche Biographie 31 (1890) pp. 65–66.

[44] Landgrave Philip to Count Wilhelm von Fürstenberg, et al., Kassel, 11. VI. 1534, in: HStAM, PA 326. fol. 34ʳ; Weiter's account in: HStASt, A 104/2. fol. Cᵛ, where it is noted that Nusspicker turned over 2008 fl., 4 batzen, 10d.

[45] HStAM, PA 2915. fol. 268ʳ–268ᵛ, printed in: PCSS II p. 210 No. 221: *was sie* [Stettmeister and Senate of Strasbourg] *nun uns daran nit zu hilf kommen wolten, darvor wolten*

Hessians presented their credentials, they secured an advance of 4,000 fl. from the regime, and Philip soon wrote for at least 6,000 fl. more, bringing his total indebtedness to Strasbourg's regime to 20,000 fl.[46] Strasbourg's rulers balked, just as they had in 1530, and the privy council of the XIII told

> us that they stood willing to aid Your Grace, but that they hadn't the authority and had sent the request to the Senate and to the Schöffen, but that this would mean spreading the news about ...[47]

The XIII in fact informed only the Senate and not the Schöffen, which, according to what they had told Philip in 1530, was illegal[48]. Nusspicker received 10,000 fl., which were »spent on the southern troops for the first half-month and for the march«[49]. On the same day, April 23, the regime also decided to remit the first year's interest, though it was noted that King Ferdinand would recognize this as a politically hostile act[50]. The regime of Strasbourg thus committed itself to support the restoration in Württemberg.

Mercenary troops, even when they had to fight no harder than Philip's troops did at Lauffen on the Neckar, where they scattered the Hapsburg deputy's forces on May 13, 1534, travelled on their purses. Eight days after the victory at Lauffen, Philip sent Hermann Schütz, his *Rentmeister* at Grünberg in Hesse, to Strasbourg for more money, this time for 20,000 fl.[51] Schütz was known at

wir beide inen nach notdurft verschreibung thun, das wir inen solchs widerumb gutlich und gnediglichen wollen entrichten. In this instruction, the words *darvor wolten wir beide jnen nach notdurft verschreibung thun* replace the original *daruor sol jnen herzog Vlrich nach notdurft verschreibung thun.* HStAM, PA 2915. fol. 268ʳ. Eberhard von Bischofferode, Sr., was in 1536 Oberamtmann zu Darmstadt. *Gundlach*: Zentralbehörden (as note 41) II p. 61. Credentials for him and the other envoys from the two princes, dated Kassel, 16. IV. 1534, in: AMS VII 11/2 No. 1, and AMS VII 11/3 No. 1.

[46] AMS VII 11/3. Nos. 2–3; HStAM, PA 326. fols. 46ʳ, 50ʳ, 52ʳ, 53ʳ.

[47] Rudolf Schenck zu Schweinsberg to Landgrave Philip, Strasbourg, 17. IV. 1534, in HStAM, PA 326. fol. 50ʳ: *haben sie vns angezeigt das e. f. g. sie zu dem vnd mehernn zudienen willen, jn jrer macht stehe es aber nit, muss an einen gemeinen rath vnd scheffen gelangen, das dan ein weitleufig dingk sei, ...*

[48] Ibid. where Schenck appears confused.

[49] HStAM, PA 359. fol. 54ᵛ (Weiter's account); also in HStASt, A 104/2, fol. 45ᵛ: the sum of 1,333 fl., 5 batzen, *tregt der vffwechsel vff die Xᵐ an gold vff jeden fl. ii. batzen.* See also the copy of Rudolf Schenck zu Schweinsberg's accounts for the Strasbourg mission, in: HStASt, A 104/2a.

[50] Annales de Sébastian Brant, ed. *L. Dacheux*. In: Bulletin de la Société pour la Conservation des Monuments historiques d'Alsace, IIe série 15 (1892) pp. 211–279, and 19 (1899) pp. 33–260, here at No. 5048, dated 23. IV. 1534: *Ist erkannt, ihnen solches anzuzeigen etc. doch so die in jahresfrist bezahlt würden den zins nachzulassen (welches König Ferdinand, wie auch anderes, ... übel aufgenommen und empfunden).* This is an extract from the protocols of the Senate & XXI.

[51] Instruction for Hermann Schütz, 21. V. 1534, in: HStAM, PA 2915. fols. 270ʳ-271ᵛ, and AMS AA 411; printed in: PCSS II p. 212 No. 228. See *Wille*: Philipp der Grossmüthige (as note 1) p. 189 note 5. Hermann Schütz was in 1536 a *bestelter diener von haus aus* and *rent*[meister] *zu Grunbergk. Gundlach*: Zentralbehörden (as note 41) II p. 59.

Strasbourg, having confiscated about 135 sheep belonging to three Strasbourg livestock merchants in 1530, because the exporters had no »passport to export sheep.«[52] Once again to Schütz, the XIII replied

> that the XIII have no power to loan any of the city's money, but they must refer the requests to their lords and colleagues, the Senate & XXI; and the latter cannot lend such a sum without the permission of the Schöffen and Ammeister, who number 300 guildsmen and who are not sworn to secrecy[53].

To Philip's offer of a new alliance among himself, Württemberg, and the southern Protestant free cities, also transmitted through Schütz, the XIII gave a cool reply, »that without peace or at least a truce, nothing fruitful could be secured in the Senate.«[54] Sturm was much franker on May 22, when he pointed out to the landgrave the dire consequences of continuing the war[55]. While King Francis of France egged Philip on to an invasion of the Hapsburg hereditary lands[56], the last thing the Strasbourgeois wanted was to lose the hard-won general peace through an escalation of the Württemberg campaign into a South German war.

Philip did get another loan in Strasbourg after the campaign. Sturm reported to him on June 17 that »I have exerted every possible energy to raise the money Your Princely Grace desires . . ., and I have achieved success, though under conditions which you will learn« from an agent who would arrive in camp in a few days[57]. Conrad Joham wrote by the same post that »10,000 fl. are on hand, partly raised from my lords (i.e., the Senate & XXI) and partly from other sources«[58]. These letters probably refer to two loans negotiated during the following week: 10,000 fl. from the civic regime at 6%, secured by revenues at Kassel and Marburg; and 5,000 fl. from the Great Hospital at 5%, secured at

---

[52] Stettmeister and Senate of Strasbourg to Statthalter and Councillors at Kassel, 15. VI. 1530, in: HStAM, PA 2915. fol. 47. The livestock merchants, here called *metzger*, were Hans von Dürningen, Hans Hildt, and Hans von Frankfurt.

[53] HStAM, PA 2915. fols. 280ʳ-281ᵛ, printed in: PCSS II p. 213 No. 229.

[54] PCSS II p. 213 No. 229.

[55] *Wille*: Briefe Jakob Sturms. pp. 103–105.

[56] *Wille*: Philipp der Grossmüthige (as note 1) p. 265.

[57] HStAM, PA 2915. fol. 289ʳ, cited in: PCSS II p. 215 No. 232. The hand in which this letter is written, discussed by *Winckelmann* PCSS II p. 215 note 1, is not Sturm's; but the letter is surely from him. Sturm enclosed a sheet bearing news from Speyer (fol. 288ʳ-288ᵛ, dated 13. VI. 1534) and the letter from Joham (fol. 290ʳ, dated 17. VI. 1534; see note 58 below); and the newsletter and the address for the whole packet are in the same secretarial hand. So also is Sturm's letter to the landgrave, Strasbourg, 22. V. 1534, on fols. 277ʳ-278ʳ.

[58] [Conrad Joham] to Landgrave Philip, [Strasbourg], 17. VI. 1534, in: HStAM, PA 2915. fol. 290ʳ, noticed in: PCSS II p. 215 note 1, where *Winckelmann* speculates that the writer may be Sturm. The letter is, in fact, in Conrad Joham's hand, though it is unsigned – perhaps for reasons of security.

Homberg and Grünberg[59]. The membership of both Sturm and Joham in the regime's most powerful body, the XIII[60], certainly smoothed the path of the loans, though Philip was charged 6% for the larger loan, which must have been the full market price for long-term money, the more usual rate being 5%[61]. The regime certainly made no financial sacrifice in granting these loans.

The Württemberg campaign of 1534 was the second most expensive of Landgrave Philip's five wars, costing nearly half a million florins, or more than the two Brunswick raids in 1542 and 1545 together and nearly four-fifths as much as the Smalkaldic War of 1546-47[62]. Philip asked Ulrich to pay about half the bill, or 230,563 fl.[63], in response to which Ulrich became predictably less grateful in Stuttgart than he had been in Kassel[64]. About 137,000 fl. were received in direct loans and gifts from other powers, including France, Bavaria, and Denmark[65], but this sum may not include the public and private loans at Strasbourg[66]. At Strasbourg Philip borrowed for this campaign:

> 21,000 fl. from Conrad Joham, February, 1534
> 10,000 fl. from the civic regime, April, 1534
> 10,000 fl. from the civic regime, June 24, 1534
> 5,000 fl. from the Great Hospital, June 23, 1534,

for a total of 46,000 fl., or just under one tenth of the total war costs, and about one quarter of the war loans secured outside Hesse[67].

[59] HStAM, K 28. fols. 43ʳ, 47ᵛ, 82ᵛ-87ᵛ, dated 23.-25. VI. 1534.

[60] *Brady*: Ruling Class (as note 14) p. 322; and pp. 165-166 on the privy council of the XIII.

[61] See the discussion of interest rates in: ibid. pp. 153-154.

[62] G. *Paetel*: Die Organisation des hessischen Heeres unter Philipp dem Grossmütigen. Berlin 1897. pp. 156-157.

[63] HStASt, A 104/2. fols. 198ᵛ-199ᵛ. This is not much smaller than the sum reported by Leonhard von Eck to his masters: *Die summa gelts so Wirthemberg Hessen schuldig plybt, wurdt 300,000 laufen, ausserhalb des gelts, so der landgraf von E. f. g. dargelichen, die 50,000 kronen, so Hessen von Frankrych allererst uf nach dem vertrag emphangen, desgleichen uber das gelt, so vil fursten und stete dargestreckt haben. Wille*: Philipp der Grossmüthige (as note 1) p. 308.

[64] See his exchange with Philip printed in: ibid. pp. 333-342; the letters are now in: HStAM, PA 3058 (besides the acts in PA 3057-3058, there are pieces of correspondence between the landgrave and his agents in Stuttgart in: HStAM, Samtarchiv, Schublade 54 No. 14).

[65] See *Paetel*: Organisation (as note 62) p. 106; and *Keller*: Wiedereinsetzung (as note 1) p. 49 and note 16.

[66] Weiters notes 25,575 fl. *entnommen von den stetten*, which may comprise the last three sums in this list, but he nowhere identifies loans at Strasbourg. Secondary works (note 65 above) either refer vaguely to aid from Strasbourg or mention the sum of 20,000 fl. (from *Winckelmann*, in: PCSS II p. 210 note 2).

[67] Because Professor Oberman (Werden und Wertung (as note 2) p. 339 note 29) thanks me for the information that »die Strassburger Beteiligung an der Wiedereroberung Württembergs auf ein Viertel der Kriegskosten anzusetzen ist«, I must here apologize for

IV

Strasbourg and the Mobilization of Infantry for the Württemberg Campaign, April, 1534

> *Als fünfzehnhundert dreissig vier*
> *gezelet ward, in dem revier*
> *bei Strassburg an der stat hinauf*
> *versamlet sich vil volks zu hauf,*
> *auch der landgrav auss Hessenland*
> *mit gschütz, knecht, pferden, proviant.*
> *Grav Wilhelm von Fürstenberg war*
> *meister, hauptman ganzer schar,*
> *zu fuss ir achtzehentausent gewesen,*
> *viertausent reisige ausserlesen*[68].

Landgrave Philip raised 16-18,000 troops in 1534, an enormous force for a second-rate prince in a brief campaign; and they were mostly mercenaries, for the Hessian feudal levies could never have supplied such a force[69]. He naturally turned to the officer-businessmen whose business was war[70]. In the German military division of labor, mercenary cavalry came from the North and infantry from the South[71]. Already in September, 1533, he instructed his commander of foot to hire captains and send them through South Germany and especially to the Upper Rhine[72], whose dense population and fragmented political structure made it an ideal recruiting ground.

misleading him through erroneous preliminary calculations. The Strasbourg loans in fact amounted to about one-quarter of all loans raised outside of Hesse for the war, not a quarter of all the war costs.

[68] *Liliencron* (as note 3) vol. IV p. 70 No. 447, lines 1–10.

[69] *Paetel*: Organisation (as note 62) chs. 1–2; *H. Preuss*: Söldnerführer unter Landgraf Philipp dem Grossmütigen von Hessen (1518–1567). Darmstadt/Marburg 1975. (Quellen und Forschungen zur hessischen Geschichte 30). p. 1.

[70] *Redlich*: German Military Enterpriser (as note 33) I pp. 3, 30–31.

[71] *E. v. Frauenholz*: Entwicklungsgeschichte des deutschen Heerwesens. München 1937. II,2 p. 29; *R. Wohlfeil*: Adel und neues Heerwesen. In: Deutscher Adel 1430–1555. Ed. *H. Rössler*. Darmstadt 1965. (Schriften zur Problematik der deutschen Führungsschichten in der Neuzeit 1) pp. 203–233; here at p. 225.

[72] HStAM, PA 326. fol. 7, dated to before 29. IX. 1533 by *J. V. Wagner*: Graf Wilhelm von Fürstenberg 1491–1549 und die politisch-geistigen Mächte seiner Zeit. Stuttgart 1966. (Pariser Historische Studien 4) p. 59 note 121. How Landgrave Philip used the Münster crisis to mask his preparations is shown in: HStAM, PA 332. fols. 1 ff.

Philip's commander on foot was Count Wilhelm von Fürstenberg, whose violent temperament, unbridled sexual appetites, and genius for acquiring enemies made him a fit counterpart to Duke Ulrich[73]. Fürstenberg was no friend of the exiled Württemberger, who had robbed him of an expected inheritance of Burgundian lordships[74]; but the count always served the best-paying master. Long in French service, it was he who brought Francis I and Philip of Hesse together at Bar-le-Duc in January, 1534, and served as their interpreter[75]. The infantry was to be mobilized at Geispolheim, a Lower Alsatian village some fifteen kilometers southwest of Strasbourg. The chateau of Geispolsheim was an episcopal fief later, and possibly already at this time, belonging to none other than Conrad Joham, Philip's banker at Strasbourg[76]; while the village itself belonged to Strasbourg's Cathedral Chapter[77].

Fürstenberg, Bischofferode, Schenck, and Count Philip of Solms left Hesse for Strasbourg on Palm Sunday (March 29), just as the twenty-eight captains were to begin mobilization[78]. Fürstenberg was a well-known character at Strasbourg, where, in the years after the revolution of 1525, his house in the Kalbsgasse had become a watering spot for young Swabian and Rhenish noblemen, to the sounds of whose revels the streets rang at night[79]. Fürstenberg had there become a Protestant converted by Caspar Hedio (1494–1552), but Jacob Sturm still mistrusted him as an opportunist[80]. The Hessian mission arrived on March 30 and went first to the Ortenburg, a great fortress on the right bank near Offenburg, visible from the roofs of Strasbourg. Returning to the city, Bischofferode, Schenck, Michael Nusspicker, and the count of Solms lodged from April 3 to 19 in the house of Antonj Tuchscher[81], while Fürstenberg lived either at the

[73] *Wagner*: Wilhelm von Fürstenberg (as note 72) p. 37.

[74] Ibid. pp. 11–19. Fürstenberg married (22. X. 1505) the daughter of the last lord of Neuchâtel, and he expected to divide the family's Burgundian territories (Blamont, Héricourt, Châtelot, Bourguignon, and Granges, *inter alias*) with the husband of the other daughter, Count Felix of Werdenberg.

[75] Ibid. p. 57.

[76] *Brady*: Ruling Class (as note 14) p. 323.

[77] *Fritz*: Territorien (as note 15) pp. 94, 104, 111; *F. Jaenger*: Geispolsheim, une exemple de village fortifié en Alsace. Cahiers alsaciens d'art, d'archéologie et d'Histoire 1947. pp. 133–136.

[78] Rudolf Schenck zu Schweinsberg gives the itinerary in his accounts, now in HStASt, A 104/2a. See *Wagner*: Wilhelm von Fürstenberg (as note 72) p. 60, for the names of some of the captains; and HStAM, PA 355. fols. 11–12, for a fuller list, including two Fleckensteins, an Eschau, a Schauenburg, an Andlau, a Landschad von Steinach, and a Reinach.

[79] *Wagner*: Wilhelm von Fürstenberg (as note 72) p. 37 note 215; *A. Seyboth*: Das alte Strassburg vom 13. Jahrhundert bis zum Jahre 1870, geschichtliche Topographie nach den Urkunden und Chroniken. Strasbourg 1890. p. 236 (not p. 650, as *Wagner* p. 37 note 215).

[80] PCSS II p. 257–258 No. 280; also quoted by *Wagner*: Wilhelm von Fürstenberg (as note 72) pp. 79–80. And see PCSS II p. 526–527 No. 551.

[81] Schenck's accounts in HStASt, A 104/2a, according to which they paid 15 fl., 5

Ortenburg, one of whose tenants he was, or in the Kalbsgasse. He took no part in the Hessians' negotiations with the civic regime. That Strasbourg's regime tolerated the assembly of an enormous army so near its walls is more convincing evidence than its loans to Philip that Strasbourg was backing the Württemberg campaign. Solms, Bischofferode, and Schenck openly recruited in the house of an official in the Wantzenau, an episcopal district north of the city, apparently under the protection of the civic regime[82]. For the Hessian recruiting was quite illegal. Although the emperor had forbidden any recruiting against his brother[83], Strasbourg's regime allowed the Hessians to recruit among the local artillery-men[84], and it sold them about 2,000 pikes for the infantry[85]. Passes were also issued to mercenaries who hurried westward over the Rhine bridge to the muster place at Geispolsheim[86].

Fürstenberg and his captains mustered about 9,000 troops at Geispolsheim[87]. Many were certainly Alsatians, as were some of the captains, and some were surely residents and even citizens of Strasbourg[88]. No muster lists have survived, but it is known that Strasbourgeois frequently hired out as mercenaries, for lists of citizens, sons of citizens, and servants, who signed up 1546–47 contain 148 names[89]. Nobles of the town frequently became professional soldiers, and some had earlier served under Fürstenberg[90]. Recruiting was a very closely policed activity at Strasbourg[91], and one member of the privy council of the XV, Sifridt

batzen, 1 kreutzer, for one week's lodging; there, too, the notice of the brief trip to Orten-burg, on which see *Wagner*: Wilhelm von Fürstenberg, (as note 72) p. 37.

[82] HStASt, A 104/2a; *Fritz*: Territorien (as note 15) pp. 100–101.

[83] The printed mandate is dated Toledo, 20. II. 1534, of which a copy in HStAM, PA 328. fol. 2. See *Keller*: Wiedereinsetzung (as note 1) pp. 48–49.

[84] Rudolf Schenck zu Schweinsberg to Landgrave Philip, Strasbourg, 15. IV. 1534, in HStAM, PA 326. fols. 42^r-43^v.

[85] Instruction for Eberhard von Bischofferode, 5. IV. 1534, in: HStAM, PA 326. fol. 40^v. Strasbourg sold the Hessian officials 2,000 *lange Spiesse* at 9 albus per pike, or 318 fl. for the lot. *Paetel*: Organisation des hessischen Heeres (as note 62) p. 157. Weiter's account in: HStASt, A 104/2. fol. d^r, give the cost as 15 fl. per 100 pikes.

[86] Annales de S. Brant No. 4048, dated 25. IV. 1534.

[87] *Preuss*: Söldnerführer (as note 69) pp. 359–360; *Wagner*: Wilhelm von Fürstenberg (as note 72) p. 63 note 149.

[88] For example, Hans Kratzer and Engelhard von Spaichingen, both residents of Stras-bourg. *Preuss*: Söldnerführer (as note 69) pp. 16, 51, 57.

[89] AMS IV, 86/22.

[90] *Brady*: Ruling Class (as note 14) p. 139 note 75; QBLG II p. 142.

[91] See, for example, AMS XXI 1539. fols. 5^r-6^r, of 11. I. 1539. The *Statutenrepertorium* in AMS, an eighteenth-century index to series R (Réglements, formerly MO = Mandate und Ordnungen), has no less than forty-three entries for prohibitions of foreign military service issued by the regime of Strasbourg in the century between 1458 and 1557. See *O. Stolz*: Zum Verbot des Kriegsdienstes für fremde Mächte in Deutschland im sechzehnten Jahrhundert. Elsass-Lothringisches Jahrbuch 21 (1943) pp. 187–213.

II von Bietenheim (d. ca. 1551), even lost his offices in 1543 for aiding illegal recruiting[92]. The regime simply looked the other way in 1534, while Fürstenberg, the captains, and the Hessians recruited and mustered this great army near the city and began, on April 27, to march it northeastward toward the Rhine and the rendezvous with the landgrave. By May 4 they met him near Pfungstadt, just south of Darmstadt, and the combined armies headed for the Neckar. On May 12-13, they routed the forces of the Hapsburg deputy near Lauffen, and on the 15th they entered Stuttgart. Fürstenberg's infantry had barely seen action, but the war was over[92a].

V
Strasbourg Propaganda for the Württemberg Campaign

> *. .Nun lob got in seinem reich,*
> *dass es dazu ist komen,*
> *das Wirtemperg ist iez geleich*
> *dem pfawengschrai entrunnen,*
> *hat nun gewert fünfzehen jar;...*[93]

News of the course of the campaign in the Neckar valley came to Strasbourg's regime both through the landgrave and through its own agent in the

---

[92] *Brady*: Ruling Class (as note 14) p. 301.

[92a] The other large Evangelical cities of South Germany did not share Strasburg's enthusiasm for this campaign. Augsburg, probably because it feared the political consequences of an invasion of Württemberg, refused to release Sebastian Schertlin von Burtenbach into Hessian service, although Landgrave Phillip wanted Schertlin to raise four companies of infantry for this campaign. *Redlich*: German Military Enterpriser (as note 33) I pp. 80-81. At Frankfurt am Main, on the other hand, the Evangelical regime feared not Ulrich but Philip, whose demand for the local establishment of the monastery of Haina the Frankfurters resisted. In 1534 Philip urged Frankfurt to allow his army to use the city's Main bridge, the easiest way to bring his troops to the staging area in Upper Katzeneln-bogen. When Frankfurt's regime refused, Philip had to move westward and cross the Main on a boat-bridge near Griesheim, which cost him much time. Relations were so bad between Frankfurt and Philip that there was rumor that he would seize the city and crown himself emperor. When, after the Württemberg campaign, Philip's artillery came northward through Frankfurt, the city bristled with weapons against a surprise attack. *S. Jahns*: Frankfurt, Reformation und Schmalkaldischer Bund. Die Reformations-, Reichs- und Bündnispolitik der Reichsstadt Frankfurt am Main 1525-1536. Frankfurt a. M. 1976. (Studien zur Frankfurter Geschichte 9) pp. 109-113, 280-283.

[93] *Liliencron* (as note 3) vol. IV p. 95 No. 454, stanza 25.

princes' camp[94]. Fürstenberg's mobilization could hardly have been kept secret from the citizens, though not everyone knew the purpose, and the rumor ran through Strasbourg that the princes aimed at a general rebellion, just like 1525[95]! In the anxious days before Lauffen, Count George of Württemberg considered taking refuge in Strasbourg, just as he had in 1519[96]. Although the direct consequences of the victory to the lands on the Upper Rhine were not great, still the event was noticed and recorded by some of the region's chroniclers[97]. One figure, a Strasbourg lawyer, lent direct aid to the propaganda effort to justify the campaign.

Franz Frosch (1490–25.IV.1540)[98], city advocate of Strasbourg from 1533 until 1540, was a native Nuremberger, educated at Ingolstadt, in Italy, and at Freiburg im Breisgau under Ulrich Zasius. He worked as a procurator (1522–25) and later assessor (1530–32) of the *Reichskammergericht* and as chancellor of the bishop of Würzburg (1525–30). During the 1530s, he frequently wrote legal opinions for members of the Smalkaldic League, usually on issues connected with the *ius reformandi*.

Frosch was known to Landgrave Philip through the advocate's petition to the prince on May 22, 1534, nine days after the battle of Lauffen, in which Frosch begged Philip to protect the properties of his brother-in-law at Pfullingen in Württemberg[99]. Frosch had married Felicitas, sister to Peter Scher von Schwarzenberg (d. 29.IX.1557), a long-time official of King Ferdinand[100]. Scher had

---

[94] PCSS II p. 211 No. 266, and p. 211 note 3.

[95] Annales de S. Brant. No. 5049, dated 27. IV. 1534: *Martin Hug soll sagen, dass H. Landgraf und Herzog Ulrich sich sollen haben vernehmen lassen, so ihnen die Schanz nicht geräth, wollen sie etwas anderes im sinn haben, und soll ein fähnlein, daran ein stiefel oder bundschuh stehe: habe ihm jemand gesagt, der das fähnlein gesehen.*

[96] Ibid. No. 5052, dated 6. V. 1534: *H. Ulrich von Wirtemberg und Landgraf von Hessen begehren ist dieser gefährlichen läufe halb, Graf Jörg von Wirtemberg begehren würde eine zeit lang hie zu seyn; ihm darzu gönnen, und zoll und bürgerl. beschwerde frei zu lassen. Erk.: Lassen ruhen, so er kommt und begehrt, soll mans hie hören.*

[97] Badische Landesbibliothek Karlsruhe, Hs. St. Blasian 12. fol. 160ᵛ: *Anno 1534 ist hertzog vlrich von wirttenberg wider in kummen in das wirdenberger landt, so nun hyne furder von huss osterich zu affter lehen entpfohen.* This is a continuation of the Königshoven chronicle. In the Jahresgeschichten von Ober-Achern von 1471 bis 1601, printed by Mone in: QBLG III p. 657: *In dissem jar ist auch hertzog Ulrich von Wirtemberg von dem landgrafen uss Hessen wiederumb ingesetzt worden.* These are both Upper Rhenish sources.

[98] *J. Ficker* and *O. Winckelmann*: Handschriftenproben des sechzehnten Jahrhunderts nach Strassburger Originalen. 2 parts; Strasbourg 1902–05. I p. 13; *H. Winterberg*: Die Schüler von Ulrich Zasius. VKLBW, B 18. Stuttgart 1961. pp. 38–39.

[99] Franz Frosch to Landgrave Philip, Strasbourg, 22. V. 1534, in: HStAM, PA 2915. fols. 285ʳ-286ᵛ.

[100] *J. Bernays*: Zur Biographie Johann Winthers von Andernach. In: ZGO 55 (1901) pp. 28–58, here at pp. 35–38.

fled before the invading army, and Frosch wanted Philip to intercede for him with Ulrich.

Some weeks later, the landgrave sent Jacob Sturm a set of four questions about the legality of the reconquest, requesting that Sturm either answer them or give them to the local lawyers and secure their opinions. Since this request came nearly five weeks after the princes' entry into Stuttgart, Philip probably wanted to use the replies either for propaganda or in the peace negotiations then underway. On June 29 Sturm replied that

> because I myself understand too little about the subject, being inexperienced and uneducated in the law, and because very few of our lawyers here

know anything about the affair, I referred your articles to Doctor Frosch, who would be known to the landgrave through the recent petition. Sturm enclosed Frosch's replies and recommended him as a reliable and useful man[101]. The landgrave had asked:

1. Was the Swabian League justified in expelling Ulrich from his duchy in 1519?
2. Was the League's expulsion of Ulrich a breach of the landpeace?
3. Do the common law and the landpeace justify Ulrich's recovery of his land through force?
4. Is the recovery to be regarded as occurring *in continenti*, Ulrich having having retained *civilis possessio* of Württemberg in exile?

Frosch replied »no« to the first two questions, »yes« to the third and »probably not« to the fourth[102]. The crucial point was Frosch's opinion that the princes, in seizing Württemberg from its Hapsburg regime, were vindicating Ulrich's legal rights.

Frosch's opinion was destined for the archives. On the day of Sturm's letter, King Ferdinand and the elector of Saxony, who was acting for the two princes, concluded the treaty of Kaaden, which confirmed Ulrich in Württemberg, albeit as an Austrian vassal, and conceded him the *ius reformandi*[103]. This peace, far from ending Strasbourg's involvement in the restoration in Württemberg, marked only the start of a new stage of entanglement, because, as no informed spectator doubted, reformation would follow restoration.

---

[101] [Jacob Sturm] to Landgrave Philip, [Strasbourg], 29. VI. 1534, in: HStAM, PA 2915. fol. 310^r-310^v, printed in: PCSS II p. 215 No. 233.

[102] I give them here in Winckelmann's paraphrase from PCSS II p. 215-216, Beilage to No. 233. The articles (fol. 295^r) and Frosch's replies (fols. 297^r-308^r) are in HStAM, PA 2915; and I intend to publish an edited version of them.

[103] On the treaty, see *Wille*: Philipp der Grossmüthige (as note 1). pp. 222-224, and on the *ius reformandi*, ibid. pp. 246-247. Fundamental on the treaty of Kaaden and its implications for the reformation in Württemberg is the penetrating study by *W. Bofinger*: Kirche und werdender Territorialstaat. In: Blätter für württembergische Kirchengeschichte 65 (1956) pp. 75-149, here at pp. 101-120. *Oberman* is correct that the treaty's importance for the Württemberg form has been »überschätzt« in the literature. Werden und Wertung (as note 2) p. 340.

VI
The Strasbourgeois and the Reformation in Württemberg

Nach Christus wort und seiner ler,
so samlest du ein grosses heer;
den wolf treib aus dem lande,
der deine scheflein hat verfürt,
verjagt, erbissen und ermordt;
reich ihn dein gnedig hande![104]

Through Ulrich's recovery of Württemberg with aid of the cities, especially Strasbourg, writes H. A. Oberman, »the years 1534-36 became years of decision, because there it became evident for the first time, that two fundamental types of reformed ecclesiastical systems had developed, which would now test each other«[105]. One type, represented in Württemberg by Ambrosius Blarer of Constance, was »a political theology guided chiefly by Strasbourg, which was better suited to a liberation struggle than to the consolidation of the reconquered duchy«[106]. The other was a reformation »from above«, the territorial church typical of Lutheran Germany, represented in newly conquered Württemberg by the Hessian military chaplain, Erhard Schnepf. Here, in the forceful introduction of the new religion into the duchy's churches and into its university at Tübingen, the only recently quieted clerical violence between the two antagonistic forms of Evangelical religion flared up once more[107]. This struggle, coming on the heels of the unexpected victory in May, brought the Strasbourgeois more trouble than they had bargained for.

---

[104] *Liliencron* (as note 3) vol. IV p. 91 No. 452, stanza 18.

[105] *Oberman*: Werden und Wertung (as note 2) p. 352.

[106] Ibid. To this must be said that, whatever the residual loyalty of Bucer and other Strasbourg preachers to the political principles of the Zwinglian reform, Strasbourg's regime, guided by Sturm, had chosen to associate itself with the Lutheran princes. Sturm, as I shall show in a study of his career in progress, was no friend of the »political theology« of which *Oberman* writes.

[107] In general, on the Württemberg reformation, see *J. Rauscher*: Württembergische Reformatonsgeschichte. Württembergische Kirchengeschichte 3. Stuttgart 1934; *H. Hermelink*: Geschichte der evangelischen Kirche in Württemberg von der Reformation bis zur Gegenwart. Das Reich Gottes in Wirtemberg. Stuttgart/Tübingen 1949. Chs. 1-3; and now *Oberman*: Werden und Wertung (as note 2) ch. 13.

Jacob Sturm certainly did not look on Württemberg as a prize to be reformed *à la* Strasbourg for the greater glory of South German Zwinglianism. Had he not, after all, duped Zwingli in 1530 and thereafter disassociated Strasbourg from Swiss Protestantism[108]? The last thing Sturm wanted was a new breach in the intra-Evangelical concord for which he had worked so long and so hard, and it was for this reason – and not because he feared that Strasbourg would lose dominant influence on the ecclesiastical reform in Württemberg – that he so strongly objected to the treaty of Kaaden's prohibition against »sacramentarians« in Württemberg. Sturm's complaint is lost, but we have the landgrave's soothing reply:

> We also noticed in your last letter, that you are quite dissatisfied with the word »sacramentarian« in the treaty, because of the suspicion, that it might work to Strasbourg's disadvantage[109].

»Sacramentarian« was the old Lutheran battle cry against the Swiss heresy, and Sturm feared that its revival would be of use to the king and the Catholic princes, who might seek to divide the Protestant powers, and, he hinted, to those Lutherans who simply waited for a new excuse to take up the anti- Zwinglian vendetta once more.

> We have, however, to be concerned that the king and the mediators mean us with this word – please God, no one else will say the same – and seize the opportunity to drag us in under this name, whether we wish it or no[110].

Sturm was thus concerned with Strasbourg's solid relations with the Lutheran powers in the Smalkaldic League, not for the opportunity to bring Württemberg within Strasbourg's ecclesiastical influence.

Sturm wrote of these dangers from Stuttgart, where he was deeply involved in the restoration. Whether or not he was truly Ulrich's »confidant«[111], Sturm did advise Ulrich on the treaty of Kaaden, which, despite his misgivings, he urged the duke to accept[112]. He also reported to the landgrave in great detail on the clerical quarrels he had experienced in Stuttgart, in which, by Sturm's account, the

---

[108] *Brady*: Jacob Sturm and the Lutherans (as note 24) pp. 193–196.

[109] Landgrave Philip to Jacob Sturm, [end of July, 1534?]: *Als wir auch aus euerm nehern schreiben vermerken, das ir des worts ›sacramentirer‹, so im vertrag verleipt, nit wol zufrieden seit, im zweifel, das es der stadt Straspurg ... zu nachteil reichen mocht.* PCSS II p. 218 No. 236; also by *Wille*: Briefe Jacob Sturms (as note 1) p. 106.

[110] Jacob Sturm to Landgrave Philip, Stuttgart, 31. VII. 1534; *wir müssen aber sorgen, das uns der konig und die unterhandler - gott woll nit jemants mehrer - mit disem wort wollen gemeint haben, und so si iren vorteil ersehen, wir wollen oder nit, und under disem namen uberzucken.* Ibid. p. 219 No. 237; also by *Wille*: Briefe Jacob Sturms (as note 1) p. 108.

[111] *Oberman*: Werden und Wertung (as note 2) p. 343 note 35.

[112] Jacob Sturm to Landgrave Philip, Stuttgart, 31. VII. 1534: *so hab ich ... doch daneben nit underlassen, s. g. allerlei geferlichkeiten anzuzeigen, wo s. g. den vertrag nit ratificieren solte, ...* PCSS II p. 219 No. 237.

Lutheran Schnepf was entirely the aggressor[113]. Sturm, who was easily exasperated by the *rabies theologorum*[114], told the Hessian prince that the Lutheran attacks on southern preachers were poor thanks indeed for the cities' support for the reconquest:

> it has happened through the grace of God that peace has reigned for quite a while among in the southern cities. Now we hoped that, should My Gracious Lord, Duke Ulrich, get his land back, this would further promote peace, quiet, and unity, and things should get even better. Perhaps God wills it otherwise, so that the victories and good luck don't make us haughty[115].

Sturm recommended to Ulrich that he enforce the Confession of Augsburg as the binding norm of preaching[116]; and he asked with the landgrave

> whether Your Princely Grace might find any kind of way to prevent this business; but that in any case Your Princely Grace should deal with the matter in such a way, that no one notices that the solution stems from me or from my lords or from the city of Strasbourg – for various reasons. Your Princely Grace might announce – because Your Princely Grace and the elector and other princes have accepted us into the league as being in doctrinal agreement – that so long as preaching is according to the Saxon confession, no one should be pressed beyond the words of Scripture into other words[117].

---

[113] Jacob Sturm to Landgrave Philip, Strasbourg, 26. VIII. 1534: *so bedunkt mich, das M. Erhart Schnepf lasz sich auch also vernemen, als ober er die unsern fur schwermer halte, wil sich nit begnügen lassen an den worten der Sachsischen confession, die er doch selbst stellen helfen, us welchem dan die ergernüs der zweispaltung noch meher gemirkt musz werden; und nemens die papisten also ane als ein declaracion, wer die sacramentirer seien, die im frieden usgeschlossen seind.* PCSS II p. 221 No. 239. Compare Martin Bucer to Landgrave Philip, [Strasbourg], [ca. 24. VIII. 1534], in: *M. Lenz* (ed.): Briefwechsel Landgraf Philipp's des Grossmüthigen von Hessen mit Bucer. 3 vols. (Publikationen aus den K. Preussischen Staatsarchiven 5, 28, 42). Leipzig 1880–91. I pp. 42–43, written on the evening of Sturm's return from Stuttgart.

[114] See my Jacob Sturm and the Lutherans (as note 24) p. 186.

[115] Jacob Sturm to Landgrave Philip, Strasbourg, 26. VIII. 1534: *solchs hat dennochten durch die gnad gottes sovil gewirkt, das bei den oberlendischen stetten itzt ein zeitlang guter fried geweszen. nun hetten wir gehofft, so min g. herr, herzog Ulrich, wider in sein land komen were, es solt zu weiter friden, rugen und enigkeit gedient haben und forthin je besser worden sein. so will es unser hergot villeicht darumb, das wir uns der victorien und glucks nit zu vil uberheben, mins bedunkens anders fugen.* PCSS II p. 221 No. 239.

[116] Ibid. p. 221.

[117] Ibid. p. 222: *deshalben hab ich gedacht, ob irgen e. f. g. wege finden mocht zü verhütung desselben; doch das in alle wege e. f. g. die sachen also handelten, damit es niemant vermerken mocht, das es von mir herkeme oder auch von mein hern oder stat Straspurg, aus allerlei ursachen. es mocht e. f. g. anzeigen, dweil e. f. g. sampt andern chur. und fursten uns in die vereinigung als mithellige im glauben angenomen und das man billich gesettigt were, wan man leret, wie [die] Sachsisch confession ustrucket, das man dan nieman uber die wort, so die schrift in sich hielt, ferner zu meher worten tringen solte.*

Sturm was again thinking not of the fate of the Württemberg Reformation, but of Strasbourg's solidarity with the Smalkaldic League.

With Schnepf and his friends growling from the pulpits, Sturm's visits to Stuttgart after the conquest cannot have been very plesasant. Landgrave Philip wanted him to stay and accept a post at court, perhaps as Ulrich's *Hofmeister*[118]; but Sturm did not respond to this suggestion, although he was distantly connected with the most powerful figure at Ulrich's court[119]. Most of Sturm's later personal contacts with Ulrich involved the duke's feuds with other Evangelical powers or some other unpleasantry.

Württemberg itself, as a land about to undergo reform, meant more to Strasbourg's preachers than it did to Sturm. The leading churchman at Strasbourg, Martin Bucer, had been one of the many whose hearts went faint at the thought of the daring, even rash, strike Landgrave Philip had planned[120]. When the news of the victory at Lauffen came across the Rhine, however, Bucer was full of plans; and he and his colleagues immediately recommended Ambrosius Blarer and Symon Grynaeus of Basel to aid in reforming the church of Württemberg and the university at Tübingen[121]. It may well be true that Ulrich's own views accorded better with the southern form of the new religion than with its Lutheran one[122], but this does not explain why he allowed the Lutheran preachers from Hesse to swarm into Württemberg and to take up the old battle against the »sacramentarians« again. Clear it is that the duke intended to take the Lutheran path to reform. It could not have been otherwise, for Ulrich was astute enough to sense that the cause of South German Zwinglianism was dying; and thus Ambrosius Blarer's »strategy of the Reformation through parish reform«[123] had no chance in Württemberg. To whatever degree the rejection of their nominee, Blarer, may have injured the Strasbourg preachers' pride, they themselves had

[118] Landgrave Philip to Jacob Sturm, Kassel, 13. VII. 1534, in PCSS II p. 216 No. 234, with which he forwards a text of the treaty of Kaaden.

[119] This was Hans Konrad Thumb von Neuburg, Württemberg *Marschall und Hofrat*, and son of Konrad Thumb von Neuburg und Margarethe von Adelsheim. *W. Bernhardt*: Die Zentralbehörden des Herzogtums Württemberg und ihre Beamten 1520–1629. VKLBW, B 70–71. Stuttgart 1973. II p. 675. Jacob Sturm's maternal grandmother, Ottilia von Kölln (née Schott), (d. ca. 1519), remarried Zeisolf von Adelsheim (d. 30. XII. 1503). The Adelsheim came from the Baden-Palatine border lands and came into Lower Alsace in Palatine service. *Brady*: Ruling Class (as note 14) p. 80.

[120] *Lenz*: Briefwechsel (as note 113) p. 37 note 2.

[121] Strasbourg preachers to Landgrave Philip and Duke Ulrich, Strasbourg, 18. V. 1534, in: ibid. pp. 36–37 No. 10.

[122] This is *Oberman's* view (Werden und Wertung (as note 2) p. 342), who, however, keys the agreement to its anti-Hapsburg component. Once back in his lands, on the other hand, Ulrich showed no inclination to entertain pan-European delusions à la Zwingli or to take any initiative in Protestant causes in Germany.

[123] The phrase is *Oberman's* (Werden und Wertung (as note 2) p. 352).

already gone so far down the path toward total submission to the Lutherans, that the victory of Lutheranism in Württemberg could not be regarded as an act hostile to the interests of Strasbourg.

The university was another story, for here »everything suggests that in South Germany an academic alternative to Wittenberg and Marburg was planned«[124]. Just when the Hessian recruiting and mobiliziation mission came to Strasbourg, Bucer was fighting unsuccessfully for the establishment of a full university at Strasbourg[125]. Three of the four universities most favored by the Strasbougeois before the Reformation – Heidelberg, Cologne, and Freiburg im Breisgau – were still in Catholic hands, while the fourth – Basel – was hardly suitable for Strasbourg's *theological* students[126]. Hence, for Bucer and for like-minded men, the reform of the University of Tübingen took on direct significance for training their own successors; and, to their great good luck, Ulrich allowed Blarer and Grynaeus to begin the purge of the university faculty and the reform of its curriculum[127]. This effort failed, it is true, and these urban clergymen did not re-shape the university to their own purposes.

Later, when the gouty old sinner in Stuttgart was dead (d. 1550), the Strasbourgeois developed much better relations with his son and successor, Duke Christoph (1515–68). Württemberg and Strasbourg theologians cooperated in the Evangelical embassy to the second session of the Council of Trent in 1551[128]; and, as the power of orthodox Lutheranism waxed in both states after mid-century, cultural relations became closer than ever before, and Tübingen became for the first time the university of choice for the Strasbourgeois[129].

---

[124] Ibid. p. 344.

[125] This is connected with the Buffler foundation, which is discussed in detail by *E.-W. Kohls*: Die Schule bei Martin Bucer in ihrem Verhältnis zu Kirche und Obrigkeit. Heidelberg 1963. (Pädagogische Forschungen 22) pp. 77–82.

[126] *F. Rapp*: Les Strasbourgeois et les Universités rhénanes à la fin du Moyen Age et jusqu'à la Réforme. Annuaire de la Société des Amis de Vieux-Strasbourg 4 (1974) pp. 11–22. Compare these figures with post-Reformation university choices, calculated by *J. Ficker*: Die Anfänge der akademischen Studien in Strassburg. In: Das Stiftungsfest der Kaiser-Wilhelm-Universität Strassburg am 1. Mai 1912. Strasbourg 1912. pp. 25–74, here at p. 58, where the popularity of Wittenberg und Tübingen after 1530 is visible. In fact, though the Tübingen figure is given for the years 1531–67, most of this attendance is likely to have occurred after 1550.

[127] On the reform of the university, see *Oberman*: Werden und Wertung (as note 2) pp. 342–344, 357–365, 431; important new sources bearing on the involvement of Strasbourg, by *B. Moeller*: Neue Nachträge zum Blarer-Briefwechsel. Zur Reformation der Universität Tübingen 1534–1535. Blätter für Württembergische Kirchengeschichte 68/69 (1968/69) pp. 60–80; and the dissertation of *R. L. Harrison, Jr.*: The Reformation of the Theological Faculty of the University of Tübingen, 1534–1555. Vanderbilt University 1975.

[128] See PCSS V, passim; and *V. Ernst* (ed.): Briefwechsel des Herzogs Christoph von Wirtemberg. 4 vols. Stuttgart 1899–1907. I Nos. 172–174, 209, 231, 253, 270, 291, 305, 326, 364, 371, 386, 394, 402.

VII
Conclusion

By affording to Philip of Hesse access to money and to men, the regime of Strasbourg aided the restoration in Württemberg more than did any other southern free city. It and the other cities also restrained, as the landgrave later complained, the princes from escalating the campaign into a general anti-Hapsburg crusade. »I wish«, he wrote to Ulrich on August 24, 1534,

> that Jacob Sturm and the cities had given the needed money and had argued as strongly *for* an attack on the king as they in fact argued *against* it – then would have been the right time. But they gave Your Grace nothing free[130].

But the urban politicians, including Sturm, only wanted peace and security.

Sturm and the other southern urban politicians got no comfort from the restoration and reformation in Württemberg in the short run. There was, first of all, Ulrich's old appetite for urban liberties. No sooner was he safely seated in Stuttgart again, than he began to kindle the old quarrels with Reutlingen and Esslingen and managed to begin a new one with Ulm. Sturm frequently was called upon in ensuing years to mediate these quarrels, which cannot but have weakened the bonds within the Smalkaldic League[131]. The second feature of Ulrich's restoration which proved troubling to the urban politicians was the old man's refusal to reconcile to himself and settle the succession upon Christoph, which, as Sturm later pointed out, only served to drive the prince deeper into the arms of his Bavarian relatives and thereby endanger what had been won in 1534[132].

---

[129] See note 126 above; Ficker's calculations are cited by *Oberman*: Werden und Wertung (as note 2) p. 359 note 70.

[130] Landgrave Philip to Duke Ulrich, Friedewald, 24. VIII. 1534: *Ich wolt aber das Jacob Sturm und die Städte hätten Geld darzu geben, und so sehr gerathen den König anzugreifen, als sie es widerrathen haben ... ware es wohl gut gewesen zu der Zeit; sie haben Euer Lieb keinen Pfennig umsonst gegeben.* Quoted in modernized form by *Wille*: Philipp der Grossmüthige (as note 1). p. 225.

[131] PCSS II p. 217–218 No. 235; pp. 270–271 No. 298; and *Lenz*: Briefwechsel, II p. 245 (as note 113) No. 190. See *Naujoks*: Obrigkeitsgedanke (as note 5) pp. 105–117, on Ulrich's later quarrels with Swabian free cities.

[132] Jacob Sturm to Landgrave Philip, Strasbourg, 1. XII. 1537, in: PCSS II p. 460 No. 484; a faulty text by *Wille*: Briefe Jacob Sturms (as note 1). p. 109.

The short-time gain from Strasbourg's support of the restoration in Württemberg lay, therefore, only in a weakening of the Hapsburg strategic position in the Southwest and in a – never to be fully realized – potential increase in the material power of the Smalkaldic League. No more than a leopard changes his spots had Ulrich changed his personality, either when he converted to the new religion or when his friends helped him to recover his lands. Years later, Johann Feige, the Hessian chancellor, wrote to his prince about Ulrich: »for among the free cities there is great grumbling about him«[133]. Strasbourg and Strasbourg's Sturm had aided the cause of Protestantism in South Germany in 1534, but they had substantially damaged the cause of urban liberty. Ulrich restored was again »duke and hangman of Württemberg«.

Zusammenfassung

Die freie Reichsstadt Straßburg war dem Herzogtum Württemberg weder durch Tradition noch durch starke Interessen verbunden. Zudem war Herzog Ulrich, 1519 aus seinem Land vertrieben, als Feind städtischer Freiheiten in Schwaben bekannt.

Der politische Erfolg der Reformationsbewegung, die Entstehung des Schmalkaldischen Bundes und die strategischen Implikationen, die ein Württemberg in habsburgischer Hand für Straßburg bedeutete, drängten Jacob Sturm und andere Mitglieder des Straßburger Stadtregiments dazu, den Plan des Landgrafen Philipp von Hessen zu unterstützen, Ulrich 1534 wieder in sein Herzogtum einzusetzen. Straßburg förderte dies auf vielfältige Weise:

1. Kriegsanleihen aus öffentlichen und privaten Mittel machten etwa ein Viertel aller Mittel aus, die vom Landgrafen außerhalb Hessens aufgebracht wurden,
2. das Stadtregiment ließ zu, daß Graf Wilhelm von Fürstenberg in dem Dorf Geispolsheim den Hauptmusterungsplatz für Philipps Söldnertruppen einrichtete,
3. mit Erlaubnis des Stadtregiments konnte eine hessische Gesandtschaft in und um Straßburg Söldner werben und eine größere Menge Langspieße aus dem Stadtarsenal ankaufen,
4. der Rechtsvertreter Straßburgs, Franz Frosch, lieferte ein Rechtsgutachten, das sich zugunsten der Wiedereinsetzung Ulrichs aussprach, und
5. haben die Straßburger Prediger vermutlich für den Erfolg der Unternehmung gebetet.

---

[133] Johann Feige to Landgrave Philip, Neustadt v. d. Röhn, 7. VIII. 1541: *Dan ist unter den reichstetten ein gross gemurmel uber in;* ... Lenz: Briefwechsel (as note 113) III p. 136.

Nach der Rückeroberung haben die Straßburger Prediger für die Württembergische Kirche und Universität (Tübingen) Reformer empfohlen, Jacob Sturm bemühte sich außerdem um Unterstützung in anderen Reichsstädten und versuchte zwischen Philipp und Ulrich zu vermitteln.

Der militärische Nutzen, den der Schmalkaldische Bund durch Württemberg hätte haben können, kam unter Herzog Ulrich (gest. 1550) nicht mehr zum Tragen. Unter seinem Sohn Christoph entwickelten sich jedoch enge politische Beziehungen zwischen der Stadt Straßburg und dem Herzogtum, dessen Landesuniversität zur bevorzugten Ausbildungsstätte des Straßburger städtischen Klerus wurde. Auf diese Weise hat Straßburg schließlich doch von der Unterstützung profitiert, die sein Stadtregiment dem schlimmsten Feind städtischer Freiheiten in Süddeutschland bei seiner Wiedereinsetzung gewährt hatte.

Hans-Christoph Rublack

Gravamina und Reformation

I

Die Gravamina[1] der deutschen Nation gegen den römischen Stuhl, auf dem Reichstag zu Worms 1521 zusammengestellt, 1523 erneut für die Reichsstände *begriffen und vorlesen*, wie Hans von der Planitz meldete[2], also zu einer Beschlußvorlage formuliert, aber trotz Billigung liegengeblieben, 1526 in Speyer erschienen sie als wichtigste Verhandlungsmaterie, die Beschwerden der Laien, genauer: die Vorstellungen der weltlichen und geistlichen Fürsten und der Städte zur Kirchenreform, die ein Ausschuß zum Konsens der Stände zu bringen schien: Die Gravamina also begleiteten die Erörterung über die »Reformation« – Luthers Lehre und die causa Lutheri – auf den Reformationsreichstagen bis zu dem Tag der Reichsstände, dessen Abschiedsformel eine Lösung der Frage der Kirchenreform in nationalem Umfang suspendierte. Vom Gewicht der Tagesordnungspunkte her war der Speyrer Reichstag 1526 der eigentliche Gravaminareichstag.

Die Bedeutung dieses Ereignisses ist freilich wenig gesichert. »Es war ein Moment«, – so Ranke[3] – »in welchem alle allgemeinen und deutschen Verhält-

[1] *B. Gebhardt*: Die gravamina der Deutschen Nation gegen den römischen Hof. Ein Beitrag zur Vorgeschichte der Reformation. Breslau ²1895 – *H. Cellarius*: Die Reichsstadt Frankfurt und die Gravamina der deutschen Nation. Leipzig 1938. (Schriften des Vereins für Reformationsgeschichte 163). *H. Scheible*: Die Gravamina, Luther und der Wormser Reichstag 1521. In: Blätter für pfälzische KiG 39 (1972) S. 167–183. – *H. Raab*: Die Concordata Nationis Germanicae in der kanonistischen Diskussion des 17. bis 19. Jahrhunderts. Wiesbaden 1956. (Beiträge zur Geschichte der Reichskirche in der Neuzeit 1) S. 9 f., S. 19 ff. – Die Erläuterungen in Zedler, Grosses Vollständiges Universal-Lexikon 11. 1735. S. 629 ff. erkennen noch den Charakter der Gravamina als Rechtsbeschwerde: *Grauamen heisset eine Beschwerung und Beklagung über allerhand Mängel, Gebrechen und Bedrückungen, um deren Abhelffung oder Remedirung gebeten wird ... Grauamina Nationis Germanicae heissen die Beschwerden, welche die Teutschen wieder den Päbstlichen Stuhl geführt, dazu sie menengfeltige Ursachen gehabt, als, daß der Pabst dem Kayser und denen Ständen ... grossen Eintrag in ihre Jura thue, sie mit unbeschreiblichen Abgaben belästige, wie auch, daß er als Haupt der Kirchen derselben Disciplin so wenig beobachte.* – Nur am Schluß geänderter Text der Antrittsvorlesung Tübingen 20. 4. 1978.

[2] RTA JR III S. 645.

[3] *L. v. Ranke*: Deutsche Geschichte im Zeitalter der Reformation. München 1925. (Gesamtausgabe der Deutschen Akademie, hg.v. *Paul Joachimsen* Reihe I, Werk 7) II S. 289 f.

292

nisse zusammengreifen, in welchem die frühere und die spätere deutsche Geschichte sich von einander trennen«. Die Abschiedsformel, so fährt er fort, enthielt die »Trennung der Nation in religiöser Hinsicht. Es sind die für die deutschen Geschicke entscheidenden Worte«.

Rainer Wohlfeil[4] benötigte 1976 zweier reflektorischer Anläufe, um die Bedeutung von Speyer 1526 zu fixieren: Er revidiert den Reichstag zu einem wichtigen, weil ex post so belegt durch die Entstehung der protestantischen Landeskirchen, interessanter, da der »gemeine Mann« als Tagesordnungspunkt erschien, aber eben nicht vorwärtsweisend, sondern fast alltäglich von Herrschaftsinteressen bestimmt.

Bernd Moeller, Deutschland im Zeitalter der Reformation, 1977[5] weist fünf Nennungen im Index s.v. »Reichstage in Speyer« nach: Dreimal 1529, 1526 einmal in der Zeittafel, dann S. 101 ein Satz: »Sogar auf der Ebene des Reiches konnte es eine Zeitlang, auf dem Speyerer Reichstag von 1526, scheinen, als würden die bäuerlichen Forderungen wenigstens teilweise Gehör finden«. Die Abwertung von Rankes Epoche zur Beiläufigkeit ist perfekt.

Auch wenn man nicht - wie selbstverständlich, und ja auch Ranke nicht, - der Meinung ist, daß der deutsche Nationalstaat die Erfüllung der deutschen nationalen Geschichte ist, auch wenn man nicht meint, wie der Historiograph dieses Reichstages, Walter Friedensburg[6], die Religionspolitik Karls V. lasse sich verstehen aus der Tatsache, daß diesem das deutsche Wesen ein Buch mit sieben Siegeln war und blieb[7], und den er als Monarch sehen will, »der dem Banne des Katholizismus sich weder entreissen wollte noch konnte«[8], - wenn man also nicht national-protestantisch urteilt, ist die Frage nicht obsolet, ob nicht damals 1526 die Chance einer Kirchenreform in »nationalem« Ausmaß gegeben war und verpaßt wurde, ob nicht durch eine Reform auf der Grundlage der Gravamina sich hätte vermeiden lassen, daß die Zersplitterung des Reichs in Territorien befestigt wurde. Diese Frage ist z.B. erheblich, wenn man die Deutschen als verspätete Nation begreift und mit Helmuth Plessner[9] »in den Kompromissen der Reformation, in den Zweideutigkeiten des Verhältnisses von Landeshoheit und Reich ... das Verhängnis begründet« sieht, »daß sich Deutschland als Staat

[4] *R. Wohlfeil*: Der Speyerer Reichstag von 1526. In: Blätter für Pfälzische Kirchengeschichte und religiöse Volkskunde 43 (1976) S. 5–20.

[5] *B. Moeller*: Deutschland im Zeitalter der Reformation. Göttingen 1977. (Deutsche Geschichte, hg. v. Joachim Leuschner, 4) S. 212.

[6] *W. Friedensburg*: Der Reichstag zu Speier 1526 im Zusammenhang der politischen und kirchlichen Entwicklung Deutschlands im Reformationszeitalter. Berlin 1887. (Historische Untersuchungen Jastrow 5). *Ders.*: Die Reformation und der Speierer Reichstag von 1526. In: Luther-Jahrbuch 8 (1926) S. 120–195.

[7] *Friedensburg*: (wie Anm. 6) S. 180.

[8] Ebd. S. 186.

[9] *H. Plessner*: Die verspätete Nation. Über die politische Verführbarkeit bürgerlichen Geistes. Frankfurt 1974. S. 63, Zitat S. 47. (suhrkamp tb 66).

nicht entwickeln konnte und dem modernen Rechtsgedanken innerlich fremd blieb«, und wenn man sodann dem Luthertum, das verhinderte, daß Deutschland von Calvinismus und Aufklärung erfaßt wurde, einen bedeutenden Anteil an der Verspätung gegenüber Westeuropa und damit an der deutschen Katastrophe 1933 – 1945 zuschreibt. Dies zumindest gibt der Frage Berechtigung, wenn auch eine Antwort in so weitgespannten Konstruktionen für uns kaum zulässig scheint.

Gewichtiger für die Diskussion der Historiker ist jedoch der im Thema angegebene Komplex von Fragen: Bestimmt man den Reichstag Speyer 1526 als Gravaminareichstag[10], zugleich als den, der zumindest die vorentscheidende Weiche stellte, daß die Reformation sich territorialisierte, indem die Gravamina nicht zum Zuge kamen: wie ist dann das Verhältnis von »nationalen«, jedenfalls kirchenpolitischen Gravamina und religiöser Reformation zu bestimmen?

Wer sich mit diesem Thema auseinandersetzt, steht vor dem riesenhaften Diktum von Joseph Lortz: Ohne Gravamina keine Reformation[11]. Also das Hauptvehikel für Luthers Lehre? Das Bindeglied zwischen »Martin Luther and the German nation«? Es melden sich Zweifel: Die Gravamina waren solche der Reichsstände, der Obrigkeiten, die den gemeinen Mann als Objekt ihrer Herrschaft, auch Sorge[12], oder als Gegenstand ihrer Furcht sahen, die sich zum wenigsten als Vertreter verstanden, aber sich auf den gemeinen Mann beriefen, wenn das Argument nützlich war[13]. Der zweite Anlaß zum Zweifel: Luthers Konvergenz zu den Gravamina war temporär und selbst in der Adelsschrift kaum deckungsgleich. Drittens: Der Fächer der die Rezeption der Reformation bedingenden Motive ist breiter: Ozment[14] hat die religiöse Entlastung heraus-

---

[10] Spalatin faßte die Bedeutung von Speyer 1526 in diesem Sinn zusammen: *In his comitiis Imperialibus super centum articulos et capita gravaminum sunt reddita ab ordinibus Ro. Imperii. – Dafür heldet mans, das man nye auf keinen Reichstag bissher so frey, so dapffer und so kecke mit gegen und von dem Babst den bischoffen und andern Geistlichen geredt hab als auf disem.* Chronicon sive Annales Georgii Spalatini . . . In: *Joh. Burkart Mencken* (ed.): Scriptores rerum Germanicarum. . . Leipzig 1728. S. 658 f.

[11] *J. Lortz:* Die Reformation in Deutschland Bd. 1, Freiburg ⁵1962. S. 204: »Ohne die ›Gravamina der deutschen Nation‹ hätte die Nation jenem ersten Ruf Luthers nicht geantwortet, wäre Luther nicht zum Reformator geworden, wäre die Reformation nicht gekommen.« Ähnlich, wenn auch differenzierter *E. Iserloh:* Luther und die Reformation. Beiträge zu einem ökumenischen Lutherverständnis. Aschaffenburg 1974. (Der Christ in der Welt 11, 4) S. 23: »In seiner Schrift ›An den christlichen Adel deutscher Nation‹ machte sich Luther diese Klagen (i. e. die Gravamina HCR) zu eigen und wurde gerade dadurch zum Helden des Volkes.«

[12] *Wohlfeil* (wie Anm. 4) S. 19.

[13] *B. Mogge:* Studien zum Nürnberger Reichstag 1524. In: Mitteilungen des Vereins für Geschichte der Stadt Nürnberg 62 (1975) S. 84–101, hier: 92. *Gebhardt* (wie Anm. 1) S. 98 notiert die »Rücksichten auf Stimmung und Strömung im Volk« als neues Moment für 1518.

[14] *St. E. Ozment:* The Reformation in the Cities. The Appeal of Protestantism to Six-

gestellt, in den Bauernprogrammen 1525[15], die ja wieder als von der reformatorischen Botschaft berührt angesehen werden[16], findet sich kaum eine Spur von dieser hohen Kirchenpolitik. Ohne Gravamina keine Reformation gilt zunächst in dem von Borth[17] dargelegten Sinn für die Reichstagspolitik, und das heißt: Gravaminapolitik ist Interessenpolitik inbezug auf Papst, Konzil, Klerus, wenn auch mit religiösen Motiven verwoben. Wie setzten sie sich in der Interessenlage der ständischen Reichspolitik durch? Verlieh die reformpolitische Linie der 15. Jahrhunderts dem neuen Glauben einen Schub, beförderte also Altes den Bruch? Oder vertiefte Luther, wie man lesen kann[18], den Kanon der Gravamina und machte so deren Sache zu seiner eigenen?

teenth-Century Germany and Switzerland. New Haven/London 1975. – Die Untersuchungen zum Lutherbild in Flugschriften ergaben ein reicheres Spektrum der Rezeption, vor allem *A. Körsgen-Wiedeburg*: Das Bild Martin Luthers in den Flugschriften der frühen Reformationszeit. In: Festgabe E.W.Zeeden, Münster 1976, S. 153–177; *M. Lienhard*: Held oder Ungeheuer? Luthers Gestalt und Tat im Lichte der zeitgenössischen Flugschriftenliteratur. In: Luther-Jahrbuch 45 (1978) S. 56–79. Lienhard hat von Körsgen-Wiedeburg noch keine Kenntnis genommen.

[15] Ausnahmen: *G. Franz*: Quellen zur Geschichte des Bauernkrieges. Darmstadt 1963, Nr. 35 (Tigens Rettenberg); Nr. 91 (Meraner Artikel); Nr. 94 (Salzburger Artikel).

[16] *M. Brecht*: Der theologische Hintergrund der Zwölf Artikel der Bauernschaft in Schwaben von 1525. In: ZKiG 85, 4. F 23 (1974) S. 174–208.

[17] *W. Borth*: Die Luthersache (causa Lutheri) 1517–1524. Die Anfänge der Reformation als Frage von Politik und Recht. Lübeck/Hamburg. (Historische Studien 414) S. 74, 76 f.: Die Adelsschrift bedeutete eine »Solidaritätserklärung« Luthers mit der Gravaminabewegung; S. 139 ff., bes. 141: »Damit war aber die Luthersache zum Annex des Gravaminakomplexes geworden« (RT 1522/23); S. 155, 159, 168 ff. Dazu *W. Günther*: Martin Luthers Vorstellung von der Reichsverfassung. (RST 114). Münster i.W. 1976. S. 98–105, bes. 105, Anm. 141. Gegenüber *Scheible* (wie Anm. 1), akzentuieren wir anders: zeitlich (1526) und sachlich, insofern Gravamina nicht so sehr als Teil der öffentlichen Meinung und conditio der Reformation, vielmehr als kirchenpolitisches Instrument der Reichsstände in den Blick kommen.

[18] *G. Ebeling*: Luther. Einführung in sein Denken. Tübingen 1964, S. 59 f. Dagegen bemühte sich *Gebhardt* (wie Anm. 1) S. 126 ff. um den Nachweis, Luther sei nicht radikaler als die Gravamina gewesen und führte die Unterschiede auf die Gattung zurück. Vgl. *G. Ritter*: Luther. Gestalt und Tat. München ⁶1959. S. 91: »... alle Unzufriedenheit der Zeit glaubte hier sich wiederzuerkennen. Und doch war wieder alles neugestaltet; ... vor allem war alles viel grundsätzlicher erfaßt und überall die Wurzel des Notstandes im falschen Religionsverständnis aufgedeckt«, ebd. S. 92: »Mit alledem ist das Mittelalter in sehr merkwürdiger Weise zugleich radikal überwunden und ebenso radikal fortgebildet, ja übersteigert.«

II

Betrachten wir des näheren die Gravamina des Speyerer Reichstags 1526. Es war die dritte und ausgereifte Redaktion der Artikelserie. Die erste, die »centum gravamina«, genau besehen 102, im kleinen Ausschuß in Worms 1521 redigiert[19], aus Klagen, Anständen, Forderungen, Reformvorstellungen in einen Katalog gebracht, eine Dokumentation des Mißverhältnisses von Laien und Klerus, angeschwollen seit der Konzilien- und Reformatio-Sigismundi-Zeit – althergebracht also, fast wie alte Tränen, die noch einmal lange Schatten werfen[20], nun neu auf das Feuer gesetzt, und wie Aleander fürchtete, »in einen Topf mit der Sache Luthers«[21]. Die Entmischung schien in Worms zu gelingen: Luther geächtet, die Gravamina »zu den Akten gelegt«[22].

Doch eben nur scheinbar. Die Beschwerden gerieten wieder in die Öffentlichkeit. Es gab zwei Voll- und zwei Teildrucke[23], 34, bzw. 6 und 4 Blatt stark, zwar kein Anzeichen für einen »Beifallsorkan« (Diwald), immerhin Flugschriftenpropaganda – wofür?

Beschwerden über die finanzielle Ausbeutung der deutschen Kirche durch Rom, des gemeinen Manns durch den Klerus, widerrechtliche Eingriffe der geistlichen Gerichtsbarkeit ins weltliche Recht, Belastungen der Ortsgemeinden durch anwesende und abwesende Pfarrer und Bettelmönche: Propaganda gegen die Mißstände, implizit – und nur dies – für eine Kirchenreform auf allen Ebenen – in capite et membris. Die Nürnberger Fassung im Winter 1522/23[24] behielt die Schwerpunkte bei, akzentuierte, wenn auch nur geringfügig, den Angriff gegen die Bischöfe und Domkapitel[25], erweiterte, formulierte neu und ließ einzelne

---

[19] RTA JR II S. 661 ff. – Dazu *R. Wohlfeil*: Der Wormser Reichstag von 1521. In: *F. Reuter* (Hg.): Der Reichstag zu Worms von 1521. Reichspolitik und Luthersache. Worms 1971. S. 59 ff., hier S. 86 ff., sowie *H. Scheible*: Fürsten auf dem Reichstag. In: ebd. S. 369 ff., hier S. 391 ff. ausführlich zur Vorlage Herzog Georgs von Sachsen. Scheible weist in seinen kommentierenden Erläuterungen auf, daß Gravamina in der Erfahrungswelt Herzog Georgs aktualisiert wurden, also nicht aus sekundären Motiven eine Tradition aufgegriffen wurde. Vgl. auch *Scheible* (wie Anm. 1) S. 178 ff.

[20] *G. Kreisler*: Ich weiß nicht, was soll es bedeuten. (dtv 1087) München 1975. S. 137. – Zur Geschichte der Gravamina im 15. Jahrhundert zusammenfassend *Scheible* (wie Anm. 1).

[21] Aleander 1520 zitiert bei *Scheible* (wie Anm. 19) S. 392.

[22] So *Wohlfeil* (wie oben Anm. 19) S. 89.

[23] *J. Benzing*: Die amtlichen Drucke des Reichstags. In: *Reuter* (wie Anm. 19) S. 438–448, hier S. 447 f.

[24] RTA JR III S. 645 ff. Für Einzelheiten des procedere ist die sonst durch die Edition der RTA überholte Dissertation von *O. R. Redlich*: Der Reichstag von Nürnberg 1522–23. Diss. phil. Leipzig 1887, zu vergleichen.

[25] Ein Vergleich der beiden Fassungen Exkurs II bei *Gebhardt* (wie oben Anm. 1) S. 133–141. Neu war 1523 die Beanstandung der Verleihung von ertragreichen Pfründen an Domkapitulare durch die Bischöfe (RTA JR III S. 685 [15]), verschärft gegenüber Worms (43), (RTA JR II S. 685) war der Artikel gegen den Bann (Nürnberg RTA JR III

Artikel fallen. Ein Zeichen, daß die Gravamina in Bewegung waren, nicht einfach unreflektiert abgeschrieben wurden. Doch die Stoßrichtungen bleiben dieselben: Gegen die römische Kurie, gegen die Privilegien der Kleriker und die Rechte der Bischöfe, besonders die geistliche Jurisdiktion. Im folgenden Jahr setzten die Reichsstände zum Versuch an, die Religionsfrage – Gravamina und causa Lutheri – im Rahmen des Reiches deutscher Nation zu lösen. Die Reichsstädte bereiten das Nationalkonzil, den Konzilsreichstag, ebenso vor wie Markgraf Kasimir von Brandenburg-Ansbach im Fränkischen Kreis[26]. Aber auch die Bischöfe der Mainzer Provinz rüsten sich[27]. Ihre Antwort auf das in den Attacken mehr verhüllte, als offenbare Reformbegehren soll, um so die europäische Erstreckung nur einmal anzudeuten, charakterisiert werden durch das Votum, das 1529 John Fisher, Bischof von Rochester, im House of Lords gab, als die Commons Gravaminagesetzentwürfe verabschiedet hatten: *My Lords, you see daily what bills come hither from the Common House and all is to the destruction of the Church. For God's sake see what a realm the Kingdom of Bohemia was, and when the Church went down, then fell the glory of the Kingdom. Now with the Commons is nothing but down with the Church, and all this me seemeth for lack of faith*[28].

S. 665 [22]), dagegen entfiel Worms (68) (RTA JR II S. 689), in dem der Hoffnung Raum gegeben worden war, daß der persönliche Einsatz der Bischöfe auf Synoden Besserung bringen werde.

[26] Reichsstädte: *Verf.*: Politische Situation und reformatorische Politik in der Frühphase der Reformation in Konstanz. In: *J. Nolte* u. a. (Hg.): Kontinuität und Umbruch. Stuttgart 1978. (Spätmittelalter und frühe Neuzeit 2). S. 316–334, hier S. 320 ff. und jetzt *Brecht* (wie Anm. 78) S. 193 ff. – Brandenburg-Ansbach: *W. F. Schmidt; K. Schornbaum*: Die Fränkischen Bekenntnisse. Eine Vorstufe der Augsburgischen Konfession. München 1930. S. 9 ff.

[27] *G. Pfeilschifter*: Acta Reformationis Catholicae (= ARC) 1. Regensburg 1959. S. 419 ff. und Nr. 160.

[28] Zitiert nach *A. G. Dickens; D. Carr*: The Reformation in England to the Accession of Elizabeth I. (Documents of Modern History) S. 21. – Die Regensburger Einung 1524 (ARC 1, Nr. 123, S. 329 ff.) legte sich auf Erhaltung der kirchlichen Ordnungen und Gebräuche fest, *wie das alles von den heiligen vättern und unsern voreltern löblich an uns kumen ist*. Die Reformordnung (ebd. Nr. 124) sah verschärfte Aufsicht der Bischöfe über Lehre und Leben des Klerus vor, auch bei Absenzen und bei Stationierern, gab zu einem gewissen Grade auch der Entlastungstendenz Raum, begrenzte so die Zahl der Feiertage. – Die Aschaffenburger Responsiones sagen in der Praefatio (ARC 1, Nr. 160, hier S. 437): *Proinde non sine divini numinis instinctu rempublicam tam pulchro ac firmo ordine constituisse creditur non modo in his, qui pace belloque civilem administrationem gererent, sed et in illis, qui templo et sacris praeessent, ut sic regnum ac sacerdotium, regiam et templum, ordinem ecclesiasticum et saecularem stabili concordia et pace conglutinaret ac conservaret.* Als Argumente sind die Begründungen kennzeichnend, die Reformen ablehnen: *abusus non tollit usus*, ferner der Hinweis, daß Laienobrigkeiten ebenso handelten wie geistliche (Stellenbesetzung durch Ungelehrte) und daß die Erzbischöfe und Bischöfe nicht kompetent seien, da Rom zuständig sei. Der Angriff wird also nach oben (Rom) und unten (Parochialklerus) abgelenkt.

Die Erhaltung des Vorrechts war als Herrschaftssicherung ausgegeben, die Beschwerden als Angriffe auf bestehendes Recht und als Häresie diskriminiert. So war kaum Hoffnung auf Reform, wenn die inflexible Haltung der Träger der kirchlichen Hierarchie Systemerhaltung zum Grundsatz erhob und lediglich den Gravamina der Laien eine eigene Serie von Beschwerden entgegensetzte[29], die deren Übergriffe auf das kirchliche Recht beklagten. Zukunftsorientierter, weil Abwehr und Klerusreform verbindend, war dann noch die Regensburger Reformation. Als die weltlichen Stände 1526 den Reichstag zu einem Konzilsreichstag[30], wie ihn Kaiser Karl V. 1524 verboten hatte[31], hätten gestalten können, wies sie wiederum das Reichsoberhaupt in enge Schranken[32]. Die Gravamina wurden, gerade weil die Lehrfrage nicht erörtert werden durfte, der zentrale Verhandlungsgegenstand auf diesem Reichstag.

Im Gegensatz zu den erwähnten Reichstagen war diesmal der Klerus dabei[33]. Die Interessen der Bischöfe konnten eingebracht werden. Die Wormser und Nürnberger Gravamina galten als Vorlage für die Beratungen des Großen Ausschusses. Er kam zu einem Ergebnis, einer Gravaminaserie, die nicht nur im Negativen steckenblieb, sondern Reformvorschläge enthielt.

Durchgehend ist es das Ziel des Gutachtens, die weltliche von der geistlichen Gerichtsbarkeit klarer zu trennen. Schon der erste Artikel läßt Appellationen in weltlichen Sachen an die römische Kurie nicht mehr zu: *sunder daß sollich weltlich sach an iren ordentlichen welltlichen gerichten dahyn sy gehorenn, zurechtvertigen vnd zu ortern gestat werde wie sich gepurt*[34]. Nach diesem Grundsatz soll auch die geistliche Gerichtsbarkeit auf Diözesanebene geregelt[35], die Expansion der geistlichen Jurisdiktion damit zurückgeschnitten werden. Nicht nur hierin gewinnen die weltlichen Obrigkeiten - Fürsten wie Städte - einen Zu-

[29] *J. Ney*: Analekten zur Geschichte des Reichstags zu Speier im Jahre 1526. In: ZKiG 12 (1891) S. 338–360. Dazu ARC 1, S. 423 f.

[30] *Friedensburg* (wie Anm. 6) S. 221 (Kasimir); *Fr. Haffner*: Die Konzilfrage auf dem Reichstag zu Speyer 1526 ... In: Blätter für pfälzische KiG 37/38 (1970/71) S. 59–201, hier: S. 82, 89. *Brecht* (wie Anm. 78). S. 223.

[31] *Borth* (wie Anm. 17) S. 158 f. - Zum Reichstag 1524 *Mogge* (wie Anm. 13) bes. S. 89.

[32] *Friedensburg* (wie Anm. 6) S. 529, nämlich auf den Schutz der bestehenden kirchlichen Ordnung und die Durchsetzung des Wormser Edikts.

[33] Die Zusammensetzung des Ausschusses der 2. Kurie, der die Gravamina beriet, bei *Friedensburg* (wie Anm. 6) S. 273., ergänzend *Ney* in: ZKiG 12 (1891) S. 336 f. Anm. 3.

[34] Die im Folgenden besprochene Serie ist die des Großen Ausschusses, ediert in *L. v. Ranke*: Deutsche Geschichte im Zeitalter der Reformation. München 1926. (Gesamtausgabe Reihe I, Werk 7). VI S. 32 ff.; Zitat: S. 33.

[35] Ebd. S. 38 f., 43–47, etwa 39: *daß keynerley weltlich sach an geystlich gerichten vnd herwidderumb geystliche sachen an weltlich gerichten gerechtuertigt sunder yede der gleichen sachen von geystlichen vnnd weltlichen Richtern an Ire Ordentliche geystliche odder weltliche gerichte gewisen bleybe* ....

wachs an Kompetenz: Ihnen wird mit den geistlichen Fürsten – und das ist gegenüber 1523 neu – das Stellenbesetzungsrecht auf in Papstmonaten freiwerdenden Pfarreien eingeräumt[36] sowie ein dauerndes Aufsichtsrecht; sie erhalten ein Mitspracherecht über die Kompetenzregelung bei inkorporierten Pfarren[37], sie werden beauftragt, die Zehntfrage zu regeln[38], über exemte Klöster erhalten sie die Gerichtsbarkeit[39] und sie sollen die Anstände inbezug auf die Bettelorden lösen[40]. Kräftig dringen die Obrigkeiten in das kirchliche Gebiet vor – dies ist die eine Tendenz. Doch auch die Episkopalgewalt soll gestärkt werden: Einmal gegenüber der römischen Kurie: Die soeben erwähnte Appellation nach Rom wird in Pfründsachen zwar grundsätzlich freigegeben, aber nur in zweiter Instanz und wenn sie einen Streitwert von 100 fl übersteigt[41]. Die Bischöfe werden von Annaten entlastet, erhalten dennoch ihre Bestätigung von Rom – zu zahlen wären lediglich Schreibgebühren[42] –, die Palliengelder entfallen, und es ist ersatzweise ein innerdeutsches Verfahren der Konfirmation vorgesehen, Konfirmation der Bischöfe durch Erzbischöfe oder Primates deutscher Nation[43]. Den Bischöfen wird ferner die geistliche Aufsicht über eximierte Prälaten und Klöster gegeben[44]. Wie stark der Ausschuß auf die geistlichen Fürsten Rücksicht nahm, tritt deutlich darin zutage, daß die Reform der geistlichen Gerichte ihnen anheimgestellt wird[45]. Der Ausschuß fand also ein Arrangement, das die Interessen der Bischöfe und der Landesfürsten vermittelte. In diesem Rahmen wird auch der antirömische Impuls, der doch sowohl in den Flugschriften wie den bisherigen Gravamina und der Reichsständepolitik[46] beherrschend schien, aufgenommen und eingefangen: Die römische Kurie bleibt – stillschweigend – leitendes Zentrum. Viele der in den früheren Gravamina zusammengetragenen Beschwerden entfielen nun, abgewehrt werden sollen die fiskalischen und zentralistischen Ein-

---

[36] Ebd. S. 34, der Abschnitt ist gegenüber den Gravamina 1523 neu.

[37] Ebd. S. 40.

[38] Ebd. S. 49.

[39] Ebd. S. 37: der Ausdruck *zeitlich handlung . . .ßoll für zeitlichem lantsfürsten vnd oberkeit Erortert werden* kann sowohl Jurisdiktion als auch Verwaltung und Aufsicht über die Klöstergüter bedeuten, vgl. aber unten Anm. 44.

[40] Ebd. S. 41.

[41] Ebd. S. 33.

[42] Ebd. S. 35.

[43] Ebd. Plural!

[44] Ebd. S. 36 f. Die geistliche Aufsicht schließt auch Jurisdiktionsrechte ein, wie aus dem Kontext hervorgeht, die Abgrenzung zu den Rechten der weltlichen Obrigkeit (wie oben in Anm. 39) ist nicht präzise ausformuliert.

[45] Ebd. S. 45.

[46] Die Gravamina 1521 und 1523 haben eine ausführliche Liste von Beschwerden gegen die römische Kurie, vgl. RTA JR II, insbes. S. 673-680, [5]-[27]; RTA JR III insbes. S. 654-666, Art. [10]-[12], [15], [17], [18], [26]. Die Beschwerden gegen Rom sind 1526 also reduziert. *Scheible* (wie Anm. 19) S. 392 f.

griffe aus Rom[47]. Dagegen ist eine nationalkirchliche Bestrebung nur schwach erkennbar – Primates sind vorgesehen für den Fall, daß die Kurie Konfirmationen verweigert. Und ebenso – um dies gleich vorwegzunehmen – sucht man in den Formulierungen des Ausschußgutachtens fast vergeblich nach Formeln, die den reformatorischen Impuls weiterleiten: Daß die Pfarrer das Wort Gottes treulich predigen und die Bettelmönche ihre Heiligen nicht über Gott erheben sollen, enthielt kaum ein kraftvolles Bekenntnis[48]. Blieb das Wort Gottes doch in den Ärmeln stecken, wie die Gegner Kursachsens und Hessens das »verbum Domini manet in aeternis« persiflierten, das die Gesandtschaften auf den Ärmeln zur Schau trugen? Die Speyrer Gravamina reformieren das bestehende kirchliche System.

Dies gilt auch für die letzte beherrschende Tendenz: Die Untertanen sollen entlastet werden. Die ganzen Gravamina stehen ja 1526 unter dem Titel: Prävention von Aufruhr, der Ausschuß beriet gleichzeitig die Entlastung der Untertanen von weltlichen Beschwerden[49]. Gemäß der Entlastungstendenz war vorgesehen, das Verbot der Eheschließung in der Fastenzeit aufzuheben, woran die Regensburger Reformation festgehalten hatte[50], die Stolgebühren abzuschaffen, neu eingeführte Kleinzehnte sollten entfallen[51], aber auch Geldbußen im Satisfaktionsverfahren waren aufzugeben[52]. Es war der Pfarrklerus, auf dessen Kosten die Entlastung des gemeinen Mannes erfolgen sollte. Freilich traf sich dieses Motiv mit dem Ansatz, die Kirche wieder auf die Seelsorge auszurichten: *Sunder sollenn die peychtuetter zuforderst mit allem fleyß mit tuglichenn freundtlichenn vnd nach gelegenheyt der personen auch mit ernstlichen ermanungen Ire peychtkinder zuforderst zu der rechtenn buß, besserung Ihres lebennß vnnd vonn sundenn abtzusteen vnderweysen vnnd ermanen*[53]. Kirchliche Handlungen, wie

---

[47] *Ranke* (wie Anm. 34) S. 32–36.

[48] Ebd. S. 34: geistliche und weltliche Fürsten und andere Obrigkeiten sollen die vakanten Pfründen besetzen mit *geschicktenn gelertten verstendigen personen, die personlich Residiren vnnd dem folg daß wort Gottes trewlich predigenn vnnd mit guttenn Exempeln furseyn*; ebd. S. 36: den Predigern der Bettelorden soll untersagt werden, *sych mit denn predigen dem wort gotteß gemeß zu halten* [sic!, gemeint ist wahrscheinlich das Gegenteil] *vnd Ire helligen nit vber gott zu erheben*. ... Diese Verborgenheit reformatorischer propria ist umso bemerkenswerter, als von seiten Kursachsens Dr. Gregor Brück, von seiten der Städte Jacob Sturm und Christoph Kress im Ausschuß saßen, von seiten der weltlichen Fürsten Landgraf Philipp, der doch – wie bekannt – in Speyer in demonstrativer Schaustellung auftrat.

[49] Ebd. S. 32, 50 ff., *Wohlfeil* (wie Anm. 4) S. 16 f., sowie vor allem *G. Vogler*: Der deutsche Bauernkrieg und die Verhandlungen des Reichstags zu Speyer 1526. In: Zeitschrift für Geschichtswissenschaft 23 (1975), S. 1396–1410; *ders.*, in: *R. Vierhaus* (Hg.): Herrschaftsverträge, Wahlkapitulationen, Fundamentalgesetze. Göttingen 1977. S. 173–191.

[50] *Ranke* (wie Anm. 34) S. 37; ARC 1, S. 341.

[51] *Ranke* (wie Anm. 34) S. 39 f. und 41, 38.

[52] Ebd. S. 43. Ebenso Ablaß um Geld, ebd. S. 35 f.

[53] Ebd. das Folgende; ebd. S. 40 f.

die Firmung, sollten erläutert werden; schließlich nahm die Eindämmung des Fiskalismus einen die Seelsorge der Kirche stark belastenden Zug. Die Gravamina der Reichsstände von 1526 enthalten Grundlinien einer Kirchenreform: Stärkung der episkopalen Gewalt, erhöhte Kompetenz der Obrigkeiten im kirchlichen Bereich, Ausrichtung auf die Funktion der Seelsorge und Einschränkung außerparochialer Institutionen[54]. Man wird deutlich sehen müssen, daß dabei Prinzipien des altkirchlichen Aufbaus nicht verändert wurden: Die Hierarchie blieb, die Laien sollten nicht aktiviert, nur instruiert und gebessert werden, lediglich die Laienobrigkeiten schalteten sich ein – diese Gravamina entsprachen den Interessen der Reichsstände. Der Papst wird in seinen Eingriffsmöglichkeiten beschränkt, gewiß, aber eine Nationalisierung der Kirche im Reich deutscher Nation, eine Trennung von der Universalkirche ist doch nicht angestrebt.

Was war 1526 vom reformatorischen Programm der Gravamina übriggeblieben? Man muß, wenn man Luthers Adelsschrift[55] mit den Gravamina vergleicht, die Unterschiede der Situation berücksichtigen: Luther holte weit aus, um die drei Mauern der Romanisten zu zerschlagen. In eben jenen Mauern waren die Fürsten und ihre gelehrten Räte, die in den Reichstagsausschüssen saßen[56], gefangen. Die geistlichen Fürsten[57] waren weit davon entfernt, sich als Laienpriester mit geistlichem Amtsauftrag zu verstehen[58], die Stände waren gebunden an das Verbot der kaiserlichen Proposition[59], Lehrinhalte zu erörtern und sie bewegten sich im Rahmen der Reichspolitik, die von einem Kaiser, der daran festhielt, daß ein Konzil vom Papst zu berufen sei[60], so weit bestimmt war, daß er die

[54] Bettelorden ebd. S. 41 mit 36 (Stationierer), nicht allerdings die älteren Orden. Hervorzuheben ist auch die vorgeschlagene Suspendierung der Sendgerichte bis zu einem Konzil, ebd. S. 46.

[55] WA 6 (1888) S. 381–469. Dazu und für die Tradition der Gravamina *W. Köhler*: Die Quellen zu Luthers Schrift »An den christlichen Adel deutscher Nation«. Ein Beitrag zum Verständnis dieser Schrift Luthers. Diss. phil. Heidelberg 1895. Halle 1895; *Gebhardt* (wie Anm. 1) S. 126–133. Neuestens *H. Scheible*: Reform, Reformation, Revolution. Grundsätze zur Beurteilung der Flugschriften. In: ARG 65 (1974) S. 108–134; hier 118 f. und *Borth* (wie Anm. 17) S. 74 ff.

[56] In den Achterausschuß der 2. Kurie waren außer Georg Truchseß und Gf. Bernhart von Solms und Philipp von Flersheim nur gelehrte Räte deputiert (*Friedensburg* (wie Anm. 6) S. 38; vgl. *J. Ney*: Analekten zur Geschichte des Reichstags zu Speier im Jahre 1526. In: ZKiG 9 (1888) S. 138); im Großen Ausschuß sank die Quote der nicht-adeligen Räte auf 6 von 21 (*Friedensburg* (wie Anm. 6) S. 334 ff.).

[57] Im Achterausschuß waren die Hälfte Vertreter der Geistlichen Bank, im Großen Ausschuß mit Dr. Johann Fabri als Vertreter Österreichs 10 von 21 (*Friedensburg* (wie Anm. 6)).

[58] Die hinter dem Bild der drei Mauern der Romanisten stehende reformatorische Grundlegung: WA 6. S. 407: *Dan alle Christen sein warhafftig geystlichs stands, unnd ist unter yhn kein unterscheyd, denn des ampts allein* . . . .

[59] Vgl. oben Anm. 32.

[60] Die politische Funktion des Konzils in den deutschen Reformationserwartungen

ganze Gravaminadiskussion untersagen lassen konnte. Kurz: Luther konnte 1520 rücksichtsloser polemisieren, Weitergehenderes fordern, tiefer begründen, für die Fürsten und Räte 1526 war Politik, auch Religions- und Kirchenpolitik, die Kunst des Möglichen.

Kaum verwunderlich, daß so wenig von dem, was Luther bewegte und was er bewegen wollte, in den Gravamina erscheint: Kein Wort von dem neuen Amtsverständnis, das der Papst annehmen sollte – (die Krone ablegen, weinen und beten für die Christenheit und ein Exempel aller Demut vortragen)[61], – auch war nicht zu erwarten, daß die Bischöfe Luthers Hinweis folgen würden, Paulus habe Bischof und Pfarrer gleichgestellt[62], ebensowenig dem, daß jegliche Stadt aus der Gemeinde einen gelehrten, frommen Bürger erwähle und ihm das Pfarramt befehle[63], keine Aufhebung des geistlichen Rechts[64], geschweige denn die Anwendung des Reduktionsprinzips für die Reform der Kirche: *Szo ist yhe christlich, das wir allis abthun odder yhe weniger machen, was wir sehen in einen miszprauch kummen unnd got mehr ertzürnet den vorsunet*[65] – Luther wollte eine andere Kirche.

Das zeigt sich besonders in den Abschnitten, die in der Adelsschrift eingehender und mit vollerem Einsatz begründet sind: Bettelklöster sind nicht mehr zu bauen, am besten aufzuheben und der Austritt aus den Konventen freizugeben[66], ebenso Wallfahrtskirchen und wilde Kapellen[67] – die reformatorische Kirche konstituiert sich in der Verkündigung des Evangeliums in der Pfarrei, *dan wo sie recht gleubtenn hetten sie alle ding in yhren eigen kirchen, da yhn hynn geboten ist zu gehen*[68]. Ferner: Der Zoelibat ist freizugeben, da Gottes Gebot höher als das Gebot des Papstes gelten muß[69] – kirchliche Satzungen sind theonom zu

---

1525/26 ist im Folgenden nicht eigens thematisiert, vgl. *H. Jedin*: Geschichte des Trienter Konzils 1, ²1951. S. 198–200, und *Haffner* (wie Anm. 30).

[61] WA 6. S. 415. Vgl. ebd. S. 430: der Papst solle als Gelehrtester in der Schrift Glauben und heiliges Leben regieren.

[62] WA 6. S. 440.

[63] WA 6. S. 440.

[64] WA 6. S. 443: *sein doch in dem gantzen geystlichen Bapsts gesetz nit zwo zeyllen, die einen frummen Christen mochten unterweysen, und leyder szoviel yrriger und ferlicher gesetz, das nit besser weere, man macht ein Rotten hauffen drausz.*

[65] WA 6. S. 444. Dieses Kriterium erscheint in der Eingabe der Reichsstädte vom 4. 7. 1526 (*J. E. Kapp*: Kleine Nachlese einiger ... zur Erläuterung Der ReformationsGeschichte neutzlicher Urkunden 2. Leipzig 1727. S. 686): *wir durch wolhergebrachte gute Christlich Ubung, Ordnung und Gebrauch nichts anders verstan, dann die, so dem glauben in Christum und seinem heyligen wort nicht zuwider,* die entgegenstehenden seien zu ändern, dies wurde von Herzog Georg von Sachsen genau verstanden als *engerung (Friedensburg* (wie Anm. 6). S. 539); material ist das Schriftprinzip angewandt.

[66] WA 6. S. 438 f.

[67] WA 6. S. 447 f.

[68] WA 6. S. 448.

[69] WA 6. S. 440–443.

begründen. Oder: Bruderschaften, Ablässe, Butterbriefe, Dispense, *nur allis erseufft unnd umbbracht*[70], so summarisch die Gravamina abgehandelt: konstitutiv ist die Bruderschaft mit Christus in der Taufe; gegenüber diesem grundlegenden Verhältnis verblaßt der gesamte kirchliche Apparat, die Hierarchie, die verkrustete Rechtsordnung, die doch nur immer der werdenden Wirklichkeit angepaßt werden kann, indem sie sich partiell selbst aufhebt[71].

Die Divergenz der Grundlinien von Reformation und Gravamina im Grundsätzlichen profiliert zugleich die Konvergenzen. Denn der Vergleich legt offen, wie manches doch gleichlaufend und übereinstimmend war: Annaten aufzuheben[72], Papstmonate in die Befugnis der Fürsten zu geben[73], die Konfirmationen durch Rom abzustellen[74], tendenzgleich auch der Vorstoß gegen die Offiziale[75] und das geistliche Strafsystem[76]. Es war die traditionelle Stoßrichtung gegen Rom und gegen die Expansion des geistlichen Rechts auf das weltliche Gebiet, in der sich Reformation und die Interessen der Gravaminapolitik überlappten. Aber war dies nicht die Konvergenz des Inkompatiblen? Hatte sich Luther, für den politisches Handeln »Derivat seiner Theologie« (Wolgast) war, nicht ohnehin in der Adelsschrift in ungewohnter Weise in eine ihm unangemessene Arena begeben? Sein Desinteresse an dem Gravaminareichstag 1526 wird grell beleuchtet durch seine Äußerung, auf diesem Reichstage laufe alles wie üblich , man spiele und trinke[77].

III

Die Frage, ob zwei in ihren wesentlichen Zielen unvereinbare Erscheinungen, Gravamina und Reformation, eine nur zeitweilige Koalition eingingen, sei an zwei Phänomenen diskutiert.

---

[70] WA 6. S. 452.
[71] WA 6. S. 428: das geistliche Recht tritt in Widerspruch zu sich selbst.
[72] WA 6. S. 418 f.
[73] WA 6. S. 419 f.
[74] WA 6. S. 429 f.
[75] WA 6. S. 430 f.
[76] WA 6. S. 445.
[77] WAB 4, Nr. 1033, S. 109: Luther an Wenzeslaus Link in Nürnberg, 28. 8. 1526: *Spirae Comitia sunt more solito Germanis comitia celebrandi, potatur et luditur, praeterea nihil.* Ebensowenig wurde der Reichstag in Rom beachtet, weil Clemens VII. in der hohen Politik beschäftigt war: *G. Müller:* Die römische Kurie und die Reformation 1523–1534. Kirche und Politik während des Pontifikates Clemens' VII. Gütersloh 1969. S. 57 f. (QFRG 38). – Der Reichstag scheint auch in der Flugschriftenpublizistik kein dem Wormser Reichstag und Speyer 1529 vergleichbares Echo gefunden zu haben (freundlicher Hinweis von PB Z 1, Frau Dr. Hebenstreit), für 1526 vgl. *H. Claus:* Der deutsche Bauernkrieg im Druckschaffen der Jahre 1524–1526. Verzeichnis der Flugschriften und Druckschriften. Gotha 1975, Nr. 246–250. (Veröffentlichungen der Forschungsbibliothek Gotha 16).

1. Die Reichsstädte hatten sich schon vor dem Speyrer Reichstag korporativ für das, was sie Wort Gottes nannten, eingesetzt[78]. Wie stellten sie sich zu den Gravamina?
2. Ein Protagonist der Gravaminapolitik war Markgraf Kasimir von Brandenburg-Ansbach, auf dem Speyrer Reichstag 1526 kaiserlicher Orator[79]. Wie stellte er sich zur Reformation?

Die kaiserliche Proposition legte die Beratungen der Reichsstände in der Religionsfrage auf die Durchführung des Wormser Edikts fest[80]. Sie empfahl dringlich, ein Reichsgesetz zu vereinbaren, wie Rebellion zu bekämpfen sei, Rebellion gegen eben dieses in Worms von Kaiser und Reich erlassene Edikt. Es war schon ein Kunstgriff, wenn die beiden Kurien, Kurfürsten und Fürsten, aus der Proposition herauslasen[81], daß man die in der Narratio erwähnten Mißbräuche in der Kirche[82], zum Verhandlungsgegenstand machen könne. Der Kaiser hatte die Reform auf das mit dem Papst auszuhandelnde Konzil vertagt[83], so lange sollte die *wol hergebrachte guete christliche Übung und ordnung* geschützt werden[84]. Hier setzte die Interpretation ein: sie unterstellte, es sei wohl hergebrachte, = gute kirchliche Ordnung von den Mißbräuchen zu unterscheiden[85], so daß die Reichsstände die nicht zu schützenden Mißbräuche zunächst definieren mußten[86]. So kamen die Gravamina auf die Tagesordnung.

Die Stellungnahme der Reichsstädte[87] war klar und konsistent: Die Einseitigkeit der vom Kaiser verordneten Beratungspunkte lehnten sie ebenso ab wie die

---

[78] Dazu jetzt *M. Brecht*: Die gemeinsame Politik der Reichsstädte und die Reformation. In: ZsavRG kan. Abt. 63 (1978) S. 180 f.

[79] Zu Markgraf Kasimir zuletzt *H. Scheible* (wie Anm. 19) S. 379–383. Georg Vogler hatte schon im Ausschuß, der die Gravamina 1523 umformulierte, gearbeitet (RTA JR III S. 645;) für 1526 vgl. *Friedensburg* (wie Anm. 6), S. 220 ff., 363 f., 404.

[80] Ebd. S. 529.

[81] Ebd. S. 536: abgesetzt von wohlhergebrachten Übungen und Ordnungen wurden die Mißbräuche, die nicht zu der Christgläubigen Andacht, zu Frieden und Einigkeit führten; dazu ebd. S. 225.

[82] Die Instruktion (*Friedensburg* (wie Anm. 6) S. 525) erläuterte, warum der Tag Martini 1524 verboten worden sei, es sei des Kaisers Meinung nicht gewesen *und noch nit, daz von andern des hailigen reichs und Teutscher nacion obligenden beschwerden misspreuchen... wie dieselben... in pesserung gestelt... zu handeln underlassen oder angestelt worden sein sollt*, der dispositive Teil der Instruktion beginnt S. 529 (*so ist fur daz erst*), der darin für den Augsburger Reichstag 1525 vorgesehene Abschnitt über die Gravamina entfiel 1526 (ebd. S. 530, Anm. 1). Vgl. auch *Vogler* (wie Anm. 49) S. 1398.

[83] *Friedensburg* (wie Anm. 6) S. 528: die »Interims«-Konsequenz hieß jedoch Durchsetzung des Wormser Edikts.

[84] Ebd. S. 529.

[85] Vgl. oben Anm. 81.

[86] *F. Gess* (Hg.): Akten und Briefe zur Kirchenpolitik Herzog Georgs von Sachsen 1. Leipzig/Berlin 1917. S. 566 f. (Relation Dr. Otto von Packs, Speyer, 2.7.1526: *Ader* [!] *uber dem punct, was gut, Christlich und wolhergebracht sey, da hat sichs hart gestoßen*.

[87] Dazu jetzt *Brecht* (wie Anm. 78) S. 220 ff.

oberen weltlichen Stände, sie wiesen nur noch eindringlicher als diese darauf hin, daß nur wenn man die Linie der Reichstage bis 1524 einhalte und das Wormser Edikt entschärfe[88], Frieden und Einigkeit zu erhalten sei. Ein Rückfall auf dies Edikt werde neuen Aufruhr bringen[89]. Man könne auch den gemeinen Mann, der durch das Wort Gottes gut unterrichtet sei, nicht mehr dazu bringen, kirchliche Gebräuche einzuhalten, die der Schrift widersprächen[90]. Über die neue Lehre zu beschließen, sei zwar Sache eines Konzils[91], es müsse aber nach der Schrift urteilen, denn kein Mensch könne über das Gotteswort urteilen[92]. Ob-

[88] Im Folgenden referiert nach der in Stuttgart HStA A 262 Bü 9, Nr. 6 vorhandenen *Ain schrifft von den botschafften der frey vnnd reychßstetten vßgangen die Cristenlichen Ceremonien vnnd kurchenpruch betreffende. Sine Dato. 1526* (unfoliiert), die *Friedensburg* (wie Anm. 6) S. 245, Anm. 4 Ulmer Provenienz zuzuweisen für möglich hielt; sie führt die Argumente der Reichsstädte eingehender aus als deren Eingabe vom 4. 7. 1526 (*Kapp*: Kleine Nachlese 2. S. 685–688). Sie gehört jedenfalls in die Anfangsphase des Reichstags, der terminus post quem ergibt sich aus der Erwähnung des Bedenkens der zwei oberen Kurien zur Proposition (*Friedensburg* (wie Anm. 6) S. 534 ff.) vom 30. 6. 1526. – *Ain schrifft*: als das Wormser Edikt publiziert worden sei *vnnd sich etlich stende vnderstanden das mit dem werck anZugriffen sind Ine wye mengklich waist die sachen so gantz weittlouffig vnnd beschwerlich vnderougen begegnet dassie vß der not Ir furnemen selbs endernn vnd In ruw stellen mußen... vnd dis alles hat Zu nachuolgenden gehaltnen Reichstagen die Reichs stennde ouch der Rö kay Mt vnsers allergnedigisten hern statthalter vnnd geschickten orator nit vnZeitlich bewegt dassie Ingedacht wie vnmöglich die volZiehung berurts mandats gewest vnnd noch Ist etlich andere kayserliche mandat darInn söllich onfuglich kay Edict etlicher massen gemiltert offenlich In das Reich vss gon lassen...*, wenn sich alle Reichsstände an die Reichsabschiede 1523 und 1524 gehalten hätten, wäre die Empörung (1525) zum größten Teil verhütet worden.

[89] *Ain schrift* (wie Anm. 88): die Städte, *als die so des gemeynen mans gemut vnd naygung vor anderen bericht haben*, seien sicher, wenn *diser handel* ohne Konzil *oder durch andere ordenliche weg widerumb so beschwerlich furgenommen vnnd allein vff ein ernstliche execution straff vnnd handthabung gedacht werden solt das uss solchen nit allein kein abstellung vnd verhuettung kunfftiger vnfridlicher handlung... sunder vill mer die hochst furderung des alles wurdet erfolgen...*, kein besseres Mittel gebe es, *die alten wunden widerumb Zuernewern, widerwillen by denn vnderthonen vnd dem gemeinen man Zuerwecken vfruren vnnd emperungen wider die oberkaitten Zubewegen vnd Zu aller Zerthrenung burgerlicher vnd fridlicher einikait ouch Zersterung aller Erbern Regirung vnd ordenlicher pollicey vrsach Zu geben dan wo aber maln, wie vor, vnderstanden werden solt das ende diser sachen vff thatliche execution Zustellen.*

[90] Ebd.: *so seint des die vnderthonnen vnd der gemain man mehr dan Zuuil bericht*, Chieregati habe Mißbräuche selbst eingestanden, *die nit allein am leib vnd gut vntreglich sunder den gewyssen vnd selen der menschen gantz beschwerlich vnd verderblich vnd offentlich wyder das wort Gottes vor ougen gewest, wir wollen etlicher kundischen vnnotturfftigen Ceremonien die weder Zu gottes Eere oder dem hail der menschen furderlich... geschweigen.*

[91] *Kapp* (wie Anm. 88) S. 686.

[92] Die hellsichtige Interpretation Herzog Georgs von Sachsen in *Friedensburg* (wie Anm. 6) S. 538: *dieweil si sagen, das kein mensch im cristlichen glauben etwas vorandern*

gleich die Reichsstädte 1526 weit hinter deutlicheren Formulierungen, inbesondens des Ulmer Reichsstädtetages von Dezember 1524[93], zurückblieben, war ihre Stellung, wie nicht nur Herzog Georg von Sachsen bemerkte[94], klar pro-evangelisch. Innerhalb der Gruppierungen der Reichsstände bildeten sie, bevor noch Hessen und Kursachsen mit ihren Demonstrationen in Speyer auftraten[95], die radikale Partei, die deutlich machte, daß ein Einschwenken auf die Linie der Proposition nicht durchzusetzen war. Die Reichsstädte konnten zwar auch eine Beschlußfassung über die neue Lehre nicht herbeiführen, sie sahen jedoch in der Erörterung der Gravamina eine Möglichkeit, den in ihren Städten erreichten Zustand reichsrechtlich zu decken[96]. Sie bewährten ihre Rolle als Schrittmacher[97] auf diesem Reichstag, indem sie die Diskussion der Gravamina vorantrieben. Und obwohl es ihnen schließlich gelang, zwei Vertreter in den Großen Ausschuß, der die Gravamina beriet, zu entsenden[98], reichten sie zusätzlich eine separate Liste städtischer Gravamina ein[99].

moge, das auch solche voranderung von einem gemeinen cristlichen concilio nicht mocht vorgenohmen werden.
[93] Ulm Stadtarchiv A 529, f. 2ʳ-25ᵛ: das kaiserliche Mandat sei nicht zu *ersitzen,* man müsse etwas dagegen tun, *dan wa nit, mecht gemeinen E(hrsamen) Frey vnd Reichs Stetten vf dz strenng vnd vngestümb irer mißgönner anhalten (besunder der Visch den dzwasser durch dis heilig vnzerstörlich heilig (sic) wortt Gottes etwz weichen oder entzogen werden will) darauß mer oder wider wertigs dann mit der federn Zubegreiffen eruolgen.* Sie bekennen *Gott den Allmechtigen... für vnsern schöpffer vnd dz haubt seiner Christlichen Kürchen der vns durch den todt seines einigen gliebten sons Jesu Christi hat geseeliget, des wort vnnd Euangelio wir auch souil er vns gnad mitteilt wellen anhangen dz vnsers vermügens helffen schutzen vnd handthaben vnd dabey biß in vnser Gruoben bleiben Inmassen wir vns alls Christenleut in der Tauff Zuthun verPflichtet haben ...* Dazu *Brecht* (wie Anm. 78) S. 200 f.
[94] Vgl. oben Anm. 92: *so muste mans darfur halten, als wolten sie sich von cristlicher kirchen sundern.*
[95] Die Ärmelaufschriften der hessischen und kursächsischen Gefolge als auch die Kleiderfarbe waren vereinbart (*Friedensburg* (wie Anm. 6) S. 287, Anm. 1), ebenso ließ Philipp von Hessen ostentativ vor dem Fasttag, Freitag, einen Ochsen schlachten (ebd. S. 300).
[96] Die Straßburger Instruktion (*H. Virck*: Politische Correspondenz der Stadt Strassburg im Zeitalter der Reformation 1. Strassburg 1882, Nr. 450) sah als Minimum vor, daß bis zu einem Konzil *thatliche vnd gewaltig handlung abgestelt vnd verhiet bliben, als das dheiner, uf welcher parti er wer, des gloubens halb ... uberzugs besorgen durft, ...* *Friedensburg* (wie Anm. 6) S. 347. Nürnberg sah die taktische Komponente der Gravaminadiskussion (Nürnberg Staatsarchiv Nürnberger Briefbücher 93, f. 47ʳᵛ, an Bernhart Baumgartner, 30. 6. 1526): sie würden *zu einem gegenfewer gebraucht.* Das »Arrangement« des Großen Ausschusses beurteilte Nürnberg skeptisch, maß ihm aber keine entscheidende Bedeutung zu (ebd. f. 128ᵛ-131ᵛ, an Kress und Baumgartner, 20. 8. 1526).
[97] *Friedensburg* (wie Anm. 6) S. 239: »eifrige Schildhalter und Bannerträger des Luthertums ...«. Spalatins »Chronicon« (wie Anm. 10), S. 658: *In his comitiis ante Principis nostri adventum Civitates Imperiales egregie tam responderunt quam steterunt ab Evangelio;* S. 659: *Die erbarn Frey vnd Reichstete halten ob Gotts wort vberaus starck und veste, und etlich Fursten auch. Brecht* (wie Anm. 78) S. 228 f.
[98] *Friedensburg* (wie Anm. 6) S. 334: Jacob Sturm, Christoph Kress. Zu Sturm: G.

Die städtische Gravaminaserie formuliert in der Mehrzahl der Punkte in der Sprache der Gravamina, sie war jedoch radikaler. Die Reichsstädte gingen zwar in der Kirchenreform nicht über den schon erreichten status quo hinaus, hier wollte man nur einen Rückfall verhindern[100]. Sie forderten im Kern die Kommunalisierung der Kirche: Die Kleriker waren dem weltlichen Gericht weitgehend zu unterstellen[101], zumindest sollte bei konkurrierender Rechtssprechung Gleichheit herrschen[102], die Magistrate wollten die Pfarrer, Prädikanten und andere Kirchendiener ein- und absetzen[103], schließlich sollten die Geistlichen steuern[104]. Auf der Linie der Integration des Klerus in den bürgerlichen Verband lag es auch, wenn man die Aufhebung nicht nur der Bettelkonvente, sondern aller Klöster verlangte[105] und die Priesterehe freistellen wollte[106]. Mit anderen

Livet: Jacques Sturm, stettmeister de Strasbourg, formation et idées politiques (1489–1532). In: *ders.*; *F. Rapp*: Strasbourg au coeur religieux du XVIᵉ siècle. Strasbourg 1977. S. 207–241. Zu 1526: S. 223 f. *T. A. Brady Jr.*: Ruling Class, Regime and Reformation at Strasbourg 1520–1555. Leiden 1978. (Studies in Medieval and Reformation Thought 22) Register S. 447. Zu Kress: *J. W. Zophy*: Lazarus Spengler, Christoph Kress und Nuremberg's Reformation Diplomacy. In: Sixteenth Century Journal 5 (1974). S. 35–48.

[99] *Friedensburg* (wie Anm. 6) S. 543–551.

[100] *Friedensburg* (wie Anm. 6) S. 550 f. Vgl. oben Anm. 96 die Straßburger Instruktion.

[101] Ebd. S. 546 f. Die Beschwerden fordern konkret die Unterstellung der Geistlichen unter das weltliche Gericht in Malefiz- und Frevelsachen, auch *in allen andern weltlichen fellen* .... Die erste Formel bedeutete konkret die Hochgerichtsbarkeit, die zweite war extrem dehnbar nach dem Maßstab dessen, was als weltlich angesehen war, etwa Sittlichkeit. – Hatte der Rat das Ein- und Absetzungsrecht, übernahm er das Ämterrecht, blieb nur Häresie übrig; tendenziell gilt der Satz im Text. Kommunalisierung als Verbürgerlichung der Kranken- und Armenfürsorge in spätmittelalterlichen Städten: *K. Trüdinger*: Stadt und Kirche im spätmittelalterlichen Würzburg. Stuttgart 1978. (Spätmittelalter und Frühe Neuzeit 1) S. 109; zur Charakterisierung spätmittelalterlicher Kirchenpolitik des (Nürnberger) Rats *G. Seebaß*: Stadt und Kirche in Nürnberg im Zeitalter der Reformation. In: *B. Moeller* (Hg.): Stadt und Kirche im 16. Jahrhundert Gütersloh 1978. (SVRG 190) S. 70. als Tendenz der Reformation einer landesherrlichen Stadt *Verf.* (wie Anm. 110); und begrüßt von *H. A. Oberman*: Werden und Wertung der Reformation. Tübingen 1977. S. 360.

[102] Ebd.: *und also die geistlichen und weltlichen glichmessige richter und straff haben* – damit setzte die weltliche Obrigkeit der geistlichen Jurisdiktion das Maß (Strafen, eventuell auch Verfahren).

[103] Ebd. S. 545. Die Forderung ging über die des Großen Ausschusses (vgl. oben Anm. 36) hinaus, ging aber mit den landesfürstlichen Interessen konform (vgl. unten Anm. 122).

[104] Ebd. S. 547.

[105] Ebd. S. 544: die städtischen Beschwerden folgen den in den bisherigen Artikelserien üblichen Klagen gegen Bettelmönche und Terminierer, schließen dann aber *auch andre monch und closterfrauen* ein, die man *absterben* lassen oder bei Austritt mit einem Leibgedinge abfinden wollte, das *ubermass*, also à la longue alle Einkünfte der Klöster, wolle man zur Armenfürsorge wenden.

[106] Ebd. S. 546.

Worten, die Gravamina der Reichsstädte zielten auf die Lokalisierung[107] der Kirchenreform, wenn sie auch ein Konzil als notwendig postulierten. Aber wie ernst würden die Städte korrigierende Beschlüsse eines Konzils nehmen, wenn sie zuvor ihre Kirche kommunalisiert hatten? Die städtischen Gravamina verfolgen also – wiewohl unter Berufung auf den gemeinen Mann, gegen den man nichts unternehmen könne, – die obrigkeitlichen kirchenpolitischen Interessen, deren spätmittelalterliche Tradition man nur in Erinnerung zu rufen braucht[108]. Was bei den Fürsten Territorialisierung war, lief bei den Städten auf Kommunalisierung hinaus.

Damit ergeben sich erste Antworten auf die gestellten Fragen:

1. Eine Nationalkirchenreform war weder von den Fürsten noch von den Städten angestrebt. Der Reichstag von 1526 verpaßte hier keine Chance. Territorialfürsten und Magistrate nutzten die Gelegenheit, um ihr Landes- und Stadtkirchenregiment auszubauen. Der fremde Kaiser hat eine nationale Chance nicht vertan.

2. Die Gravamina waren für die Städte – und dies schon auf den früheren Reichstagen, etwa 1522/23[109] – ein flexibles Instrument, ihre Rechte als Obrigkeit zu erweitern und den Stand der reformatorischen Bewegung abzusichern. Gravamina und Reformation laufen für sie nicht auseinander, sind für sie kein Widerspruch, sondern politische Form der Reformation.

3. Als Nebenergebnis zu unterstreichen: auch reichspolitisch agierten die Städte als Schrittmacher der Reformation.

IV

Markgraf Kasimir von Brandenburg-Ansbach hat nie in Gefahr gestanden, sich eine Reputation als homo religiosus zu verdienen. Schon als er starb, lehnte es der Kitzinger Pfarrer Meglin ab, für ihn zu beten, obwohl dies Georg der Fromme, der Bruder Kasimirs, befohlen hatte[110]. Noch das Urteil Karl Schornbaums, das auf genauer Quellenkenntnis beruht; »Politische Ziele und Pläne allein bestimmten ihn, religiöses Empfinden war ihm fremd«[111], sollte einen Mangel her-

---

[107] D. h. Abbau der Funktionen der Hierarchie und Aufhebung außerparochialer Institutionen, vgl. *Verf.* (wie Anm. 26) S. 326 zum Konstanzer Gutachten für den Ulmer Reichsstädtetag Dezember (Nikolai) 1524.

[108] *A. Störmann*: Die städtischen Gravamina gegen den Klerus am Ausgang des Mittelalters und in der Reformationszeit (RST 24–26). Münster i.W. 1916.

[109] RTA JR III S. 493 und 645.

[110] *Verf.* in: *D. Demandt; H.-Chr. Rublack*: Stadt und Kirche in Kitzingen. Stuttgart 1978. (Spätmittelalter und Frühe Neuzeit 10).

[111] *K. Schornbaum*: Die Stellung des Markgrafen Kasimir von Brandenburg zur reformatorischen Bewegung in den Jahren 1524–1527 ... Diss. phil. Erlangen 1900. Nürnberg 1900. S. 110. Vgl. auch die akzentuierende Formulierung in *Ders.*: Zur Politik des Markgrafen Georg von Brandenburg... München 1906. S. 1: »Kasimir, religiösen Empfindens

ausstellen. Erst Heinz Scheible ist jüngst zu einem ausgewogenerem Entwurf gekommen[112], der zwar die dunklen Stellen in Kasimirs Verhalten nicht retuschiert, aber doch sein politisch kluges Verhalten, seine Fähigkeit, politisch Mögliches zu erkennen, hervorhebt. In der Tat läßt sich sein Verhalten auf den Reichstagen der zwanziger Jahre und als Territorialherr als konsistent verstehen, wenn man ihn als »Politiker«, als Vertreter einer dritten Partei, die auf Friedenssicherung ausgerichtet war, zwischen den festgelegteren Religionsfronten, zu verstehen sucht. So läßt sich auch das »roll-back« in seinem Territorium nach dem Speyrer Reichstag 1526 erklären, mit dem er sich zwischen die Bischofsstühle und die Kanzeln der reineren evangelischen Lehre setzte. Der Ansbacher Landtagsabschied vom Oktober 1526 entsprach genau einer »politique«-Haltung. Er enthält Grundelemente einer Ordnung für die Kirche des Landes, die sich im Rahmen des Reichsabschieds Speyer 1526 hält und die offenbar von der Mehrheit der Landstände getragen werden konnte.

Denn auf der einen Seite hielt diese Landeskirchenordnung die unbehinderte Predigt des Wortes Gottes durch: Es war *das heilig evangelion und wort Gots alts und neues testaments lauter und rein* [zu] *predigen und gar nichts, das dawider ist*[113]. Damit war nur wiederholt, was bereits 1524 vom Ansbacher Landtag verabschiedet worden war[114]. Gegenüber diesem Element, das für eine Deutung im Sinne der Reformation offen war, denn es fehlte ja die Einschränkung, die der Reichstag 1522/23 gemacht hatte, daß die Schriftpredigt nur soweit von der christlichen Kirche angenommen zulässig sei[115], standen konservative Elemente. Sie vor allem erregten Widerspruch, zumindest Unverständnis bei allen, die der Entwicklung im ganzen Land vorausgeeilt waren, also insbesondere bei den Städten. Dort waren die Zeremonien der alten Kirche schon nicht mehr in Übung, die communio sub utraque eingeführt, wurde die Messe deutsch gelesen u.a.m.[116]. Nun verpflichtete die Landeskirchenordnung Kasimirs die Untertanen auf die lateinische Messe und vor allem auf alle Zeremonien, *wie die von der heiligen christlichen kirchen aufgesetzt worden sein*[117]. Fasten und Beichten wurden wiedereingeführt, die Klöster in ihre Güter restituiert.

fast vollkommen bar, hatte sie [scil. die Reformation] nur vom politischen Standpunkt aus zu würdigen verstanden...«. *G. G. Krodel*: State and Church in Brandenburg-Ansbach-Kulmbach 1524–1526. In: *W. M. Bowsky* (ed.): Studies in Medieval and Renaissance History 5. Lincoln (USA) 1968. S. 137–213, hier: S. 151 (in Anm. 24) hält die Frage der Motive für eine offene.

[112] *Scheible* (wie Anm. 79); vor ihm hat *H. v. Schubert*: Bekenntnisbildung und Religionspolitik 1529/30 (1524–34). Gotha 1910. S. 66 f. Kasimir von einem positiven einheitlichen Gesichtspunkt zu erfassen versucht.

[113] *Sehling* XI/1 (ed. *M. Simon*) S. 89. Der Landtagsabschied akzentuierte die Speyrer Abschiedsformel: *das wir solchs zuvorderst gegen Gott dem almechtigen und auch key. mai. (als christlich gotliebend und kay. maie. gehorsam fürsten) verantworten mögen.*

[114] Ebd. S. 80.

[115] RTA JR III S. 447, Nr. 84.

[116] Dazu *Verf.* (wie Anm. 110).

[117] *Sehling* (wie Anm. 113) S. 95. Die Folgen sind an der Reformationsgeschichte Kitzingens dargestellt von *Verf.* (wie Anm. 110).

Sieht man diese Kirchenordnung als Dokument der Zweideutigkeit, da der Markgraf mit ihr den – als vergeblich beurteilten oder verurteilten – Versuch machte, auf beiden Schultern zu tragen, so verfehlt man ihren spezifischen Charakter. Es läßt sich nämlich die Vorlage für die Regelungen der kirchlichen Gebräuche exakt ermitteln: Es sind die Reformvorschläge, die der Ausschuß der Fürstenkurie, der Achterausschuß, auf dem Reichstag 1526 erstellte[118]. Mit anderen Worten, Markgraf Kasimir setzte die auf dem Reichstag erarbeitete Linie der Reformpolitik der Gravamina in eine Kirchenordnung um. Der Landtagsabschied 1526 in Brandenburg-Ansbach ist nichts Geringeres als der Versuch einer Gravaminareform. So gesehen blieb der Reichstag von Speyer, blieben die Gravamina keineswegs folgenlos, sie konnten realisiert werden, und sie wurden in diesem Fall realisiert. So folgte die Kasimirianische Ordnung der Intention der Gravamina nicht nur darin, daß sie die Untertanen von Finanzleistungen für die Kirche entlastete oder daß sie die Zahl der Feiertage einschränkte. Die Laien sollten auch nicht mehr mit kirchlichen Sanktionen belangt werden, wenn sie an kirchlichen Festtagen Erntearbeiten nachgingen[119].

Gravaminareform bedeutete jedoch mehr als Befreiung des Laien von kirchlicher Belastung. Nicht nur die billigere Kirche war angestrebt, auch eine Kirche, die sich dem Laien zuwendete, die ihm verständlich machen sollte, warum kirchliche Handlungen vollzogen wurden. Die Restauration der Zeremonien war begleitet von dem Gebot, *dem gemeinen volk [zu] erzelen, woraus sie iren ursprung haben, auch was damit gemeint sei, damit sie irer aufsatzung nach und anderer gestalt nit gebraucht werden, also das niemand darin sein seligkeit, sunder allein die er und lob Gottes bedenken und suchen sol*[120].

Gravaminareform hieß aber 3. für den Markgrafen die Territorialisierung der Kirche. Bezeichnenderweise fehlen die Regelungen der Vorlage über Ordination der Geistlichen durch den Bischof, über Weihbischöfe, Firmung und Visitation[121]. Die bischöfliche Gewalt ist für diese Landeskirchenordnung nonexistent. Dagegen übernahm der Landesherr die personenrechtlichen Befugnisse der Bischöfe über den Klerus, er setzte die Geistlichen bis hinunter zu den Kaplänen ein, er beauftragte seine Amtleute, Lehre und Leben der Geistlichen zu beaufsichtigen[122], von der bischöflichen Jurisdiktionsgewalt schweigt die Ordnung völlig.

Die Landeskirchenordnung Kasimirs, auch wenn sie nur »interim«, d.h. bis zum Konzil, gelten sollte, stand nicht auf altgläubigem Boden, denn sie löste die brandenburg-ansbachische Kirche aus dem Verband der universalen Kirche. Sie war deswegen noch nicht reformatorisch, denn sie reformierte das kirchliche Leben nicht durch strikte Anwendung des Schriftprinzips. Sie war eine Reform

---

[118] *Ney* (wie Anm. 56).
[119] Ebd. S. 154; *Sehling* (wie Anm. 113) S. 93.
[120] *Sehling* (wie Anm. 113) S. 95.
[121] *Ney* (wie Anm. 56) S. 143, 146, 157.
[122] *Sehling* (wie Anm. 113) S. 89 f., S. 94.

sui generis, Gravaminareform, die der schriftgemäßen Predigt die Kanzel einräumte, ihr aber nicht freien Lauf ließ, sondern sie in landesherrlicher Ordnung kanalisierte.

Der Versuch, Gravaminareform und Schriftpredigt zu Koexistenz zu zwingen – ist er fehlgeschlagen? Widerstand erhob sich von beiden Seiten: Weder die reformatorisch gesinnten Geistlichen akzeptierten die Ordnung anders als widerwillig[123], noch erkannten die Bischöfe sie als katholisch an[124]. Ob sie auf Dauer durchsetzbar war, läßt sich nicht sagen, denn eben Dauer war ihr versagt. Dies jedoch nicht, weil die Ordnung an ihrem inneren Widerspruch zerbrach, sondern weil der Markgraf außer Landes ging und schon im September 1527 starb. Es fällt jedoch auf, daß der Bruder Kasimirs, Georg der Fromme, dem die Zustimmung zum Interim Kasimirs zunächst abgerungen worden war, diese Kirchenordnung fürs erste nicht aufhob, sondern in einer Deklaration nur korrigierte: Der Ansbacher Landtagsabschied Invokavit 1528[125] machte die Schrift zum grundlegenden Prinzip: *Darauf sich fürter die andern, volgende artikel alle gründen und pauen, auch keiner dawider verstanden werden soll*[126]. Die nicht schriftgemäßen Zeremonien wurden infolgedessen nur für unverbindlich erklärt, nicht aufgehoben. Der Umbruch war auf eine Interpretation minimalisiert, freilich mehr als eine Episode. Der Schritt von der Gravaminareform zur reformatorischen Kirchenordnung vollzog sich jedoch auf demselben Boden: der territorialisierten Kirche. Diese Linie lief durch, in Stadt und Territorium.

V

Gravamina und Reformation – es ergibt sich kein eindeutiges Zuordnungsverhältnis. Gravamina verlängern systemerhaltend in gegenreformatorischer Absicht die spätmittelalterliche Kirche in die frühe Neuzeit. In Ansbach soll die schriftgemäße Predigt im Gefäß einer Reformkirchenordnung eingefangen werden – ein zwar hier nicht dauerhaftes Experiment, das sich aber im Ansatz von dem gelungeneren der Henricianischen Reform in England nicht wesentlich unterscheidet. Die Reichsstädte färben die Innovation in die Farbe scheinbar systemkonformer Formulierungen der Gravamina ein. Damit sind noch nicht alle Facetten des Verhältnisses berührt.

Gravamina und Reformation – eine höchst komplexe Fuge. Das Thema gesetzt vom Spätmittelalter: »Reform der Kirche«, das Verhältnis von Klerus und Laien. Seine Wiederholung auf oberem Niveau: Papst und Deutsche Nation. Die Engführung: Kirchenreform ist Klerusreform. Die Umkehrung: Reforma-

---

[123] Dazu *Verf.* (wie Anm. 110).
[124] Ebd.
[125] *Sehling* (wie Anm. 113) S. 102–104. Zum Landtag *Schornbaum* (wie Anm. 111) S. 56–63.
[126] Ebd. S. 103.

tion gründet auf den Priester-Laien, allen Getauften als Gerechtfertigten. Themen und Abwandlungen konvergieren, geraten in Konflikt, laufen schließlich auseinander. Diese Bewegungen vollziehen sich von 1521-26 in einem Kraftfeld, das eingespannt ist zwischen dem cantus firmus der Theologie und dem basso continuo des Werdens des neuzeitlichen Staates.

Die Gravamina »überspielen« die durch das Wormser Edikt scheinbar entschiedene Luthersache. Sie bieten die Ebene, die Reformation noch einmal politisch ins Spiel zu bringen. Indem sie die Reformation politisieren, vermitteln sie ihr Raum für Permanenz. Gerade die Ambivalenzen der Gravamina machten sie verhandlungsfähig, in ihrer Mehrdeutigkeit lag ihr politisches Moment. Es war das Interesse der Stadtmagistrate und der weltlichen Territorialfürsten, das der Reformation zwischen der Phase der kursächsischen Lutherschutzpolitik und der des Bekenntnisbündnisses politische Existenz vermittelte.

Der Reichstag Speyer 1526 bezeichnet den Punkt, an dem die Gravamina und die reformatorischen Realisationen auseinanderzulaufen beginnen[127]. Die Konvergenzen, die Reform zur Systemerhaltung und Innovation zusammenspannen sollten, werden abgebaut. Dieser Reichstag ist damit nicht als zu vernachlässigende Episode zu werten. Er bedeutet eine Zäsur, wenn auch keine Epoche im Sinne Rankes: Die Gravamina laufen noch etwas weiter, der Konfessionsreichstag 1530 gießt sie dann in die Fassung eines Reichsgesetzes, aber es wird nicht in Kraft gesetzt[128]. Die Gravamina laufen ins Abseits.

Gravamina und Reformation: sie widerstreben einander, sie verbinden sich, da widerstrebend, nicht auf Dauer. Dennoch konnte Luther in ihnen zeitweilig eine politische Form der Reformation sehen. Diese Form hat die Reformation nicht wieder ablegen können wie ein altes Kleid. Das in den Gravamina treibende territorialstaatliche Interesse, das städtische Interesse war in die deutsche Reformation eingelassen. Die Gravamina sind daher mehr als nur die Hebamme, die nach der Geburt zur Seite tritt und aus der Vita verschwindet, sie hinterließen

---

[127] Die kursächsische landeskirchliche Ordnung setzt nicht mehr bei den Gravamina an, vgl. *I. Hoess*: The Lutheran Church of the Reformation: Problems of its Formation and Organization in the Middle and North German Territories. In: *L. P. Buck; J. W. Zophy*: The Social History of the Reformation. Columbus (Ohio) 1972. S. 317-339, zum »Unterricht der Visitatoren«: »This direction ... dealt only briefly with the old church's doctrines, institutions, and ceremonies that were rejected by the Reformers« (ebd. S. 323). Melanchthons Entwurf zur Vorrede der CA erinnerte noch einmal an die Mißbräuche, doch nur, damit der Kaiser sehe, *was dargegen die Mißbräuche gewesen, die dardurch gefallen und sich abgelaint haben* (Die Bekenntnisschriften der ev.-luth. Kirche ³1956, S. 37), der passus wurde nicht in die Vorrede übernommen. Die ansbachische Ordnung 1526 als Vorbild für Nassau-Dillenburg bei *P. Münch*: Zucht und Ordnung. (Spätmittelalter und Frühe Neuzeit 3) S. 39.

[128] ARC 1, S. 425 f. *W. Gussmann*: Quellen und Forschungen zur Geschichte des Augsburgischen Glaubensbekenntnisses 1,1. Leipzig/Berlin 1911. S. 14-21, für die Einzelheiten.

eine Mitgift. Die Politik begleitet gleichsam als Schatten das Licht der Theologie. Der Schatten, der über der Reformation zu liegen scheint – das staatliche Interesse – , er ist eben der, um im Bilde zu bleiben, den das Licht wirft, wenn es auf den irdischen Gegenstand trifft[129].

[129] Die leicht abgenutzte Lichtmetaphorik sollte nicht im Sinne eines »Primats des Religiösen« aufgefaßt werden. Der Herausforderung der Reformation begegnet auch angemessen, wer auf das Ringen der Überzeugungen mit »ungeheiligten« Motiven, auf die ambivalenten Grauzonen der Politik und die in und unter die Ideen gemischten Interessen, kurz: auf ihre »Uneigentlichkeit« achtet.

Spätmittelalter und Frühe Neuzeit

Tübinger Beiträge zur Geschichtsforschung

Herausgegeben von Josef Engel † und Ernst Walter Zeeden

Klett-Cotta

Spätmittelalter und Frühe Neuzeit

Tübinger Beiträge zur Geschichtsforschung

Herausgegeben von Josef Engel † und Ernst Walter Zeeden

Band 7   Erdmann Weyrauch
         Konfessionelle Krise und soziale Stabilität.
         Das Interim in Straßburg (1548—1562)
         1978, 331 S., Ln., ISBN 3-12-911550-1

Band 8   Hans-Georg Hofacker
         Die schwäbischen Reichslandvogteien im späten Mittelalter.
         1980, 353 S., Ln., ISBN 3-12-911570-6

Band 9   Josef Engel (Hrsg.)
         Mittel und Wege früher Verfassungspolitik
         Kleine Schriften 1
         1979, 504 S., Ln., ISBN 3-12-911620-6

Band 10 Dieter Demandt, Hans-Christoph Rublack.
         Stadt und Kirche in Kitzingen.
         Darstellung und Quellen zu Spätmittelalter und Reformation
         1978, 338 S., Ln., ISBN 3-12-911590-0

Band 12 Ingrid Bátori (Hrsg.)
         Städtische Gesellschaft und Reformation
         Kleine Schriften 2
         1980, 313 S., Ln ISBN 3-12-911650-8

In der Reihe ist geplant:

Band 11 Ingrid Bátori, Erdmann Weyrauch
         Die bürgerliche Elite der Stadt Kitzingen.
         Studien zur Sozial- und Wirtschaftsgeschichte
         einer landesherrlichen Stadt im 16. Jahrhundert
         1981, ca. 500 S., Ln., ISBN 3-12-911610-9

Stand: Herbst 1980
Bitte fordern Sie unser Verlagsverzeichnis an.

Klett-Cotta